Gerit Bertram

Die Goldspinn

Gerit Bertram

Die Goldspinnerin

Historischer Roman

blanvalet

Verlagsgruppe Random House FSC-DEU-0100
Das FSC-zertifizierte Papier *Super Snowbright*
für dieses Buch liefert Hellefoss AS, Hokksund, Norwegen.

1. Auflage

Satz: KompetenzCenter, Mönchengladbach
Druck und Bindung: GGP Media GmbH, Pößneck
Printed in Germany
ISBN 978-3-7645-0371-0

www.blanvalet-verlag.de

»Es gibt mehr Dinge zwischen Himmel und Erde,
als Eure Schulweisheit sich träumen lässt.«

William Shakespeare
1564 – 1616

Teil 1

1

Warum sie sich an diesem Tage mit der Menge treiben ließ, Cristin würde es später nicht mehr sagen können. Vermutlich hatte Neugierde sie dazu getrieben, der Prozession durch die engen Gassen zwischen den Kaufmannshäusern aus rotem Backstein zu folgen, vorbei an St. Jakobi, am Heiligen-Geist-Hospital und an der Gropengrove, den schmalen Gängen zwischen unzähligen Holzhütten und Buden, in denen die Armen, Bettler und Krüppel der stolzen Hansestadt hausten. Thaddäus Büttenwart, der wohlbeleibte Lübecker Richteherr, dem der linke Unterarm fehlte, ein halbes Dutzend Ratsmitglieder und ein Priester in dunklem Habit führten den Zug an, gefolgt von zahlreichen Männern, Frauen und Kindern. Begleitet von frommen Gesängen, wurde sie durch das Burgtor hinausgeschubst und -geschoben. Unweit des Friedhofes, auf dem die Opfer der großen Pest begraben worden waren, und der brachliegenden Äcker, die sich vor der Stadtmauer erstreckten, entdeckte sie einen Hügel, über dem die Morgennebel noch wie von Licht durchdrungene Schleier hingen – der Köpfelberg. Cristin wusste, was dort von Zeit zu Zeit geschah. Als würde ein unsichtbares Band sie mit all den anderen verbinden, die der Richtstätte zustrebten, ging sie weiter, bis sie schließlich am Fuß des lehmigen Hügels zum Stehen kam und sich in den Kreis aus Leibern einreihte, der die Anhöhe in freudiger Erwartung umgab.

Zwei Männer hielten einen Burschen von vielleicht fünfzehn, sechzehn Lenzen fest umklammert. Kreidebleich und mit weit aufgerissenen Augen starrte er in die johlende Menge. Gaben die Beine unter ihm nach? Fast schien es so, denn die beiden Männer, die den Burschen festhielten, zogen ihn ein Stück in die Höhe. Der ältere trug einen knöchellangen Mantel aus grobem, dunklem Stoff. Sein Kopf war unter einer Kapuze verborgen, doch Cristin konnte einige lange, dunkle Haarsträhnen ausmachen, die daraus hervorlugten. Der barhäuptige Gehilfe des Mannes mochte ungefähr in ihrem Alter sein. Das hellbraune Haar hing ihm fast bis auf die Schultern. Sein einfacher Leibrock war knielang.

»Jakob Tieme, du hast dich des schweren Kirchendiebstahls in St. Marien schuldig gemacht«, hörte sie den Richteherrn sagen. »Dafür wurdest du zum Tod durch das Rad verurteilt. Dieses Urteil wird heute am 2. August 1396 des Herrn vollstreckt!«

Cristin bekreuzigte sich. Das Rad! Sie hatte davon reden hören. Jede Art, einen Menschen hinzurichten, war schrecklich, aber zwischen zwei Wagenrädern zerquetscht zu werden, bis buchstäblich jeder Knochen im Leib gebrochen war… Sie sah sich um. Immer mehr Menschen drängten sich auf dem Köpfelberg, um dem grausigen Schauspiel beizuwohnen, Bettler und Hübschlerinnen ebenso wie Ratsmitglieder und einfache Bürger mit ihren Kindern. Cristin spürte, wie sich die feinen Härchen an ihren Unterarmen aufrichteten. Mit ihren neunzehn Lenzen war sie eine vernünftige, verheiratete Frau und wusste, was recht war und was nicht. Dies hier war *grausam*! Sie suchte eine Möglichkeit umzukehren. Doch die Menge schob sich näher heran.

»Vollstreckt endlich das Urteil!«, rief ein Mann. Gleich einer Welle übertrug sich sein Ruf von einem Zuschauer auf den nächsten, wurde immer lauter und fordernder.

»Ja, Henker – töte ihn!«

Ein dicklicher Mann mit teigiger Haut in dunklem Talar trat neben den Delinquenten. »Willst du noch ein letztes Gebet sprechen, Sünder? Willst du Buße tun, ehe du vor deinen Schöpfer trittst?«

Der Junge wimmerte. »Bitte, habt doch Erbarmen…«, konnte Cristin ihn flüstern hören. Dann – alle sahen es – verfärbte sich seine Bruche, und Urin lief in einem feinen Rinnsal an den dünnen, nackten Beinen hinab. Eine Frau – dem schwarzen Band an ihrer hellen Mütze nach eine Hure – lachte grell, ein paar alte Vetteln fielen ein. Cristin schloss die Augen.

»Er hat sich eingepisst«, rief ein rotznäsiger Junge neben ihr, aber seine Mutter versetzte ihm einen Klaps in den Nacken. »Still! Er weiß, sein letztes Stündlein hat geschlagen!«

»Emmerik«, brüllte ein zahnloser Kerl neben Cristin, »fang endlich an!«

Der Mann mit der Kapuze und sein junger Gehilfe zerrten Jakob Tieme zu den beiden Wagenrädern, die am Rande des Hügels lagen. Sie drückten den Jungen auf eines der Räder und banden ihn mit geübten Handgriffen daran fest. Der größere der beiden Männer bückte sich, griff nach dem zweiten Wagenrad und hob es in die Höhe, damit ein jeder es gut sehen konnte. Im nächsten Moment ließ er es mit Wucht auf die Unterschenkel des Jungen krachen.

Deutlich war das Geräusch der berstenden Knochen zu hören. Der Schmerzensschrei des Jungen gellte Cristin in den Ohren. Sie wollte fortlaufen und konnte sich doch nicht bewegen, fast so, als hielte ein böser Zauber sie an diesem Ort des Grauens fest. Wieder hob der Henker das Wagenrad hoch über seinen Kopf, abermals sauste es hinab, traf diesmal die gespreizten Oberschenkel des Jungen. Jakob Tieme brüllte auf wie ein wildes Tier. Einen kurzen Moment lang sah Cristin vor ihrem inneren Auge die zermalmten Knochen und die gequetschten Muskeln vor sich. Nur mit Gewalt konnte sie das grauenvolle Bild abschütteln.

»Mach ein Ende, Henker!«, schrie ein Mann, während der gestreckte Körper des Jungen sich aufbäumte. Blutiger Schaum trat zwischen seinen zusammengebissenen Zähnen hervor. Das Rad sauste hernieder, traf seinen schmalen Brustkorb, brach ihm mehrere Rippen.

Der Priester schaute zu den Männern und Frauen, die ihre Kinder an sich drückten, und hob die Hände. »So ergeht es allen, die es wagen, Gott zu bestehlen!«

Cristins Blick fiel auf den Gehilfen des Henkers. Er war ein paar Schritte zur Seite getreten und wandte sich ab.

Plötzlich war die Stimme des Verurteilten zu hören, verhalten zwar, und doch deutlich zu verstehen. »Verrecken sollt ihr allesamt!«

Dann brach ihm das Wagenrad den Schädel und ließ ihn für immer verstummen. Ruckartig fuhr Cristin herum, kämpfte sich den Weg frei, stolperte den Hügel hinab und erbrach sich.

2

Die Augustsonne warf gleißende Lichtpunkte auf die gezackten Giebel und Fenster der hoch aufragenden Häuser und Kirchen der Stadt. Cristin passierte das Burgtor, ein frischer Wind bauschte den dünnen Surcot über ihrer Tunika, als sie am Dominikanerkloster vorbeilief. Über die uralten Mauern drang das Geräusch von Sägen und Hämmern an ihre Ohren. Hatte es überhaupt einmal eine Zeit gegeben, in der hier nicht gebaut wurde? Jäh überfiel sie ein erneuter Würgreiz. Wäre sie doch nur nicht den Menschen gefolgt! Sie lehnte sich gegen eine hohe Mauer aus abgebröckelten, verwitterten Ziegelsteinen, die die Hütten der Armen – Dirnen, Bettler und Wakenitzschiffer – vom ehrbaren Teil der Stadt trennte. Cristin schob eine Hand in die weite Ärmelöffnung ihres Surcots und presste sie auf ihren Magen. Der Verurteilte war doch fast noch ein Kind gewesen! Seine Schreie hallten noch in ihr nach. Von weit her hörte sie die Rufe eines Bäckers, der seine Waren lautstark feilbot. Eine Schar Kinder tobte, eine Katze jagend, an ihr vorbei.

»Ist Euch nicht gut?« Eine Hand legte sich auf ihre Schulter.

Cristin sah geradewegs in das runde Gesicht einer älteren Frau mit einem Brokathut auf dem Kopf. »Es geht schon wieder, danke.« Sie griff nach dem Rosenkranz, den sie stets an ihrem Gürtel bei sich trug.

»Wart Ihr auch auf dem Köpfelberg?«, fragte die Frau. Kaum verhohlene Neugier klang aus ihrer Stimme.

»Ja«, erwiderte Cristin und raffte ihr langes Obergewand. »Ich muss weiter. Wenn Ihr mich entschuldigen würdet?«

»Diese Brut ist jedenfalls ausgelöscht! Wo kommen wir denn hin, wenn wir zulassen würden, dass die Schätze unseres Herrn geraubt werden!«

Wortlos wandte Cristin sich ab. Sie fröstelte plötzlich trotz der warmen Sonnenstrahlen auf ihrer Haut. Schon von Weitem erkannte sie die füllige Gestalt von Minna, einer ihrer Spinnerinnen, die vor der Tür der Werkstatt nicht weit vom Ufer der Wakenitz stand und ihr zuwinkte. Cristin versuchte ein Lächeln.

»Ihr wart lange fort. Habt Ihr alles erledigen können?«

»Was sagst du?« Cristin nestelte an ihrer Haube herum. Eigentlich hatte sie Stoff bestellen wollen, denn ihre Kleider wurden allmählich eng. Nicht mehr lange, und jeder würde sehen können, dass sie ein Kind erwartete. »Nein, Minna. Ich bin unterwegs aufgehalten worden«, gab sie zerstreut zurück und betrat die Goldspinnerei, die sie mit ihrem fünfzehn Lenze älteren Ehemann Lukas führte. Wie lange hatten sie auf dieses Kind warten müssen! Sie waren beinahe vier Winter verheiratet, und insgeheim hatte Cristin sich so manches Mal gefragt, ob der Samen ihres Mannes nicht schon zu verbraucht war, um ein Kind zeugen zu können. Umso glücklicher waren sie gewesen, als ihre Monatsblutung endlich ausgeblieben war.

Lukas lächelte. Als sie jedoch näher trat, kniff er die Augen zusammen. »Du bist bleich, mein Lieb! Quält dich die Übelkeit wieder?«

Cristin sank schwer auf einen der Stühle, die für Kunden vorgesehen waren. Da sie allein waren, band sie ihre Haube ab und löste den Zopf. Sie nickte. »Ich war auf dem Köpfelberg. Sie ... sie haben dort einen ...«, brach sie ab.

Seine Stirn umwölkte sich, sein Blick wurde düster. »Du warst an der Richtstätte?«

Cristin senkte den Kopf. »Ein Junge wurde getötet, Lukas. Zwischen Wagenrädern zermalmt. Er soll Kirchendiebstahl begangen haben.« Sie erhob sich, trat ans Fenster und betrachtete den hübschen kleinen Kräutergarten, den sie vergangenes Jahr im Hinterhof angelegt hatte. »Es war furchtbar.«

»Schickt es sich für das Weib eines anständigen und angesehenen Geschäftsmannes, einer Hinrichtung beizuwohnen? Hast du es nötig, dich zu diesen Gaffern zu gesellen? Lukas Bremers Frau hat dort nichts zu suchen!« Sie drehte sich um. Lukas' Miene war ernst, während seine blauen Augen über ihre schlanke Gestalt wanderten. »Noch dazu in deinem Zustand.«

Cristin zuckte unter seinem Tonfall zusammen. »Sei nicht böse, Lieber.«

Sie ließ sich wieder auf den Stuhl sinken und schaute zu ihrem hochgewachsenen Mann auf, der in seinem taillierten Wams über dem bestickten Hemd und den engen Hosen ausgesprochen gut aussah. Seine dunkelbraunen Haare waren noch immer voll. Doch am meisten liebte sie sein Lächeln, wenn sich die vielen Fältchen um seine Augen vertieften.

»Sie haben ihm jeden Knochen einzeln gebrochen. Wie der Arme geschrien hat! Das ist einfach nicht recht!« Cristin erhob sich erregt. »Fünfzehn Lenze, kaum mehr, Lukas! Bestimmt konnte der Junge die Folgen dieses Diebstahls gar nicht ermessen. Wer fragt danach, warum er das getan hat?« Sie trat auf ihren Mann zu. »Vielleicht hat er einen Kerzenleuchter vom Marienaltar gestohlen, in der Hoffnung, davon Medizin für einen kranken Verwandten kaufen zu können?«

»Schweig, Frau!«, fiel er ihr ins Wort. »Es steht dir nicht zu, die Handlungsweise unserer Richteherren zu kritisieren! Zügle deine Zunge! Wenn dich jemand reden hört, stehst du bald am Pranger!«

Sie stemmte die Hände in die Hüften. »Du kannst erwarten, dass ich mich außerhalb unseres Heimes zurückhalte.

Niemals würde ich dir in Gegenwart anderer widersprechen. Aber hier, in unseren eigenen vier Wänden, lasse ich mir nicht den Mund verbieten!«

Lukas Bremer schüttelte den Kopf. Ein feines Lächeln umspielte jetzt die schmalen Lippen. »Darum geht es nicht, Cristin. Ich möchte einfach nicht, dass dich dein vorlautes Mundwerk irgendwann einmal in Schwierigkeiten bringt!« Vermutlich war seine Frau einfach noch zu jung, um zu verstehen, wie gefährlich ihr Verhalten werden konnte. Und er liebte sie viel zu sehr, um ihr jemals ernsthaft böse sein zu können. »Ich weiß, dass du dir nicht den Mund verbieten lässt. Doch denke bitte daran, in einigen Monaten trägst du die Verantwortung für unser Kind. Vergiss das nicht!«

Mit ausgestreckten Armen ging Lukas auf sie zu und zog sie an sich. »Geh nie wieder zum Köpfelberg. Dieser Ort ist nichts für dich. Versprichst du mir das?« Cristin lehnte ihren Kopf an seine Brust und genoss die Vertrautheit des Augenblicks. Voller Zuneigung blickte sie zu ihm auf. Ihre Eltern hatten mit Lukas eine gute Wahl getroffen. Sie konnte sich glücklich schätzen, einen Ehemann bekommen zu haben, der sie aufrichtig liebte. Cristin wusste, dass es mittlerweile in der Stadt möglich war, den Ehemann selbst zu wählen. Doch obwohl sie Lukas vorher kaum gekannt hatte, hatte sie auf den weisen Ratschlag der Eltern vertraut und in die Ehe eingewilligt. Und sie war glücklich mit ihm. Johann und Gesche Weber waren bereits vor einiger Zeit verstorben. Sie waren schon älter gewesen, als Cristin geboren worden war. Wenn sie später danach gefragt hatte, warum sie keine Geschwister bekam, hatte ihre Mutter stets erklärt, Gott hätte es so gewollt, dass sie ihr einziges Kind blieb. Auch jetzt noch vermisste sie ihre weisen und liebevollen Eltern. Doch nun hatte sie Lukas.

Sie strich ihm über die hohe Stirn, woraufhin er lächelte und sich zu ihr herunterbeugte. Ihre Lippen trafen sich zu einem zärtlichen Kuss. In diesem Moment hörte Cristin eine fremde Stimme in der Werkstatt. »Bis später, Lukas. Wir haben Kundschaft.«

Eilig zog sie die Tür hinter sich ins Schloss und legte die wenigen Schritte bis zur Goldspinnerei zurück. Ein gut gekleideter, untersetzter Mann, dessen schulterlange Haare sich bereits am Ansatz lichteten, stand mit hinter dem Rücken gekreuzten Armen vor ihr. »Herr Bräunling. Wie nett, Euch zu sehen«, begrüßte sie ihn und fragte sich im Stillen, was der Knochenhauer, der es in seiner Gilde zu Ansehen gebracht hatte, wohl von ihr wünschte. »Was kann ich für Euch tun?«

Der Mann, dessen Oberlippe durch eine breite Spalte verunstaltet wurde, lächelte. »Euer Anblick verschönert meinen Tag«, erwiderte er nuschelnd. Seine Augen ruhten anerkennend auf ihrer Gestalt. »Ist Euer Gatte im Haus?«

»Selbstverständlich, Herr Bräunling. Nur ist er sehr beschäftigt. Kann ich Euch weiterhelfen?«

»Nun, es verhält sich so, werte Frau Bremer: Mein Bruder ist der Abt des Franziskanerklosters. Das wisst Ihr doch sicher?«

»Bruder Paulus, ja, ich weiß, Herr Bräunling.«

Er beugte sich vertraulich zu ihr herüber. »Mit Eurem Gemahl wurde abgesprochen, dass ich sein Gewand abholen darf.«

Sein intensiv nach Wein riechender Atem streifte Cristins Wange. Sie hatte von Lukas gehört, wie oft er den Knochenhauer schon am frühen Morgen in eine Schänke hatte gehen sehen.

Cristin räusperte sich. »Aber gern. Dann wartet einen Moment. Ich hole es Euch rasch.«

Sie wandte sich ab und ging in den Nebenraum, in dem sie neben Garnen und Stoffen auch die fertigen Waren aufbewahrten. Kurze Zeit später kam sie mit einem Bündel zurück und reichte es ihm. Ihre Finger berührten sich, und sie zuckte zusammen. Ein Blitz schien in ihren Körper gefahren zu sein, Feuerzungen durch ihren Leib zu kriechen. Cristin schnappte nach Luft, spürte Schweiß aus allen Poren treten. Mit vor Entsetzen geweiteten Augen wich sie vor ihm zurück.

»Was ist denn los?«, fragte Herr Bräunling irritiert. »Warum starrt Ihr mich so an?« Er lachte ein wenig gekünstelt. »Oder ist mir eine Warze im Gesicht gewachsen?«

»Nein«, stammelte sie, »natürlich nicht. Ich… ich fühle mich nicht wohl. Entschuldigt.« Sie rannte aus der Werkstatt, ohne auf die verblüfften Gesichter der Arbeiterinnen zu achten.

Nachdem sie die Holztreppe zu ihrer geräumigen Wohnung hinaufgestolpert war, warf sie sich auf das Ehebett. Cristin bebte am ganzen Körper. Was, im Namen Gottes, hatte das zu bedeuten gehabt? Dieser furchtbare Schrecken, als sie die Hand des Kunden ergriffen hatte. Der Eindruck von alles vernichtender Hitze. Sie schlug die Hände vor das Gesicht. Sie hatte den Schmerz just in dem Moment erlebt, als ihre Hände sich berührten. In seinem Leib musste eine Krankheit wüten, von der er nichts ahnte. Ganz deutlich hatte sie empfunden, wie üble Säfte begannen, sich durch seinen Körper zu fressen. War er krank? Er musste krank sein. Der Hals wurde ihr eng. Könnte sie den guten Mann nur warnen und ihm anraten, einen Medicus aufzusuchen. Doch das durfte sie nicht. Wer sollte ihr schon glauben? Cristin biss sich auf die Lippen. War es wieder einer jener geheimnisvollen Momente, in denen sie körperlich empfinden konnte, wenn anderen Menschen eine Krankheit oder ein Unheil drohte? Mochte Gott geben, dass sie sich irrte! Gewiss gab es eine andere Erklärung für dieses Gefühl, und sie hatte sich diese Empfindungen nur eingebildet. Und wenn nicht? Könnte ich nur meine Hände auf ihn legen, um seine Krankheit zu lindern, dachte sie seufzend.

Cristin wanderte weiter zu den Erinnerungen in den Tagen ihrer Kindheit zurück. Warum passierte ihr das? Wieso nur? Vor vielen Jahren, sie war neun oder zehn Lenze alt gewesen, erinnerte sie sich, da hatte sie etwas Ähnliches erlebt – und ebenfalls aus Angst, als Hexe beschimpft zu werden, geschwiegen. Dabei verstand Cristin selbst am wenigsten, was mit ihr geschah! Oder der Moment, in dem sie das erste Mal gespürt hatte, dass etwas an ihr anders, ja fast unheimlich war. Grede, eine Freundin, war beim Spielen einfach zusammengesackt. Sie erinnerte sich noch lebhaft an den Augenblick, als sie tröstend den Bauch des Mädchens berührt hatte. Während sie sich erkundigte, ob der Freundin etwas zugestoßen sei, hatte ihre Hand plötzlich zu zittern begonnen. Es war wie ein Sog, der ihre Haut kribbeln ließ. Sie erschrak, wollte sich abwenden.

»Es tut nicht mehr weh, Cristin.« Das Mädchen hatte sie verblüfft angestarrt. Einen Moment später war Grede aufgestanden und hatte weitergespielt, so als wäre nichts geschehen.

Sie waren beide zu jung gewesen, um sich weiter Gedanken darüber zu machen. Seither passierte es immer wieder, dass Menschen, denen sie die Hand auflegte, wieder gesund wurden. Das Schlimmste jedoch war, sich niemandem anvertrauen zu können. Die Zeit verging. Je älter sie wurde, desto beängstigender erschien ihr das Ganze. Der einzige Trost in jenen einsamen Zeiten, als sie noch ein Kind und voller Fragen gewesen war, auf die niemand eine Antwort gewusst hätte, war ihr unsichtbarer Gefährte gewesen, mit dem sie stets gesprochen und gespielt und dem sie alles anvertraut hatte. Cristin hatte ihn nur *Freund* genannt, denn sie kannte seinen Namen nicht. Er war ungefähr in ihrem Alter gewesen, seine Haare eher von der Farbe reifen Korns und von größerer Gestalt als sie. In seinem Gesicht spiegelte sich der Schalk wider. Am meisten hatte sie aber seine Stimme geliebt, tiefer und rauchiger als ihre und stets etwas atemlos. Meist kam er zu ihr, wenn sie allein oder im Spiel versunken war, und setzte sich zu ihr. Gemeinsam hatten sie sich Geschichten von tapferen Rittern und schönen Jungfrauen ausgedacht, die gerettet werden mussten. Dann wurde ihr Herz leichter, und sie vergaß ihre bösen Träume von Hexen und Dämonen, die sie schreckten und bis in den Tag verfolgten.

Oft hatte sie sich gewünscht, dieser Junge könnte bei ihr bleiben und würde sich nicht plötzlich nach dem Spiel wieder in Luft auflösen. Manchmal hatte ihre Mutter sie dabei erwischt, wenn sie mit ihm gesprochen oder gelacht hatte, und ihr mit ernster Miene immer wieder versichert, diesen Spielgefährten bildete sie sich nur ein. Aber für Cristin, kaum acht Lenze alt, war der Freund so wahr und echt gewesen wie der Erdboden unter ihren Füßen und die nächtlichen Sterne am Himmel.

Cristin lächelte, als die Bilder aus der Vergangenheit in ihr verblassten. Ihr unsichtbarer Freund erschien ihr nun, da sie erwachsen war und selbst bald Mutter sein würde, wie das kostbarste Geschenk ihrer Kindheit. Später dann, als sie älter und verständiger war, hatte sie erkannt, dass der Junge tatsächlich ihrer Fantasie entsprungen sein musste, denn als sie allmählich zu einer Frau heranreifte, kam er nicht mehr. Seither waren es lediglich wenige Träume, in denen sie meinte, die Wärme einer anderen vertrauten Person neben sich ausmachen zu können. Doch auch dies war gewiss nur eine Wunschvorstellung und hatte mit der Wirklichkeit nichts zu schaffen. Immer wenn sie an diesem Punkt ihrer Überlegungen angelangt war, überfiel sie ein Ziehen in der Herzgegend. Die Trauer darüber, den Gefährten verloren zu haben, konnte sie auch in diesem Augenblick noch spüren.

3

Minna und die junge Mirke waren nach einem langen Arbeitstag damit beschäftigt, die Werkstatt aufzuräumen. Cristin beobachtete das blonde, zierliche Mädchen mit dem runden Gesicht aus den Augenwinkeln. Die noch ein wenig schüchtern und unsicher wirkende Mirke war erst kurze Zeit bei ihnen und gab sich redlich Mühe, den Anforderungen ihres Herrn gerecht zu werden. Allerdings war sie ungewöhnlich geschickt, wenn es darum ging, besonders gleichmäßiges Garn zu spinnen. Cristin nickte dem Mädchen zu.

In diesem Moment wurde die Tür geöffnet, und ein schlanker Mann betrat die Werkstatt. Seine blonden, halblangen Haare waren von einem flachen Filzhut bedeckt, den eine Brosche zierte, die gut und gerne einen halben Gulden gekostet haben mochte. Er lächelte. »Gott zum Gruße, verehrte Damen.«

»Gott zum Gruße, Lynhard«, begrüßte Cristin ihren Schwager höflich. »Was führt dich zu dieser späten Stunde noch hierher?«

Lynhard Bremer schloss die Tür und musterte seine Schwägerin wohlwollend. Seine blauen Augen funkelten. »Ich wünsche Lukas zu sprechen. Ist er hier?«

Cristin nickte in Richtung der kleinen Schreibstube. »Er ist in der Dornse. Geh nur hinein.«

Sein Blick suchte kurz den ihren, doch sie wich ihm aus. Es war ihr stets unangenehm, wenn er sie auf diese Weise betrachtete. Obwohl er mit seinem formvollendeten Auftreten und dem charmanten Lächeln sicher das Herz so mancher jungen Frau höher schlagen ließ, konnte sie sich einer gewissen Abneigung gegenüber Lynhard nicht erwehren. Seinem Wesen fehlten die Wärme und der Humor, die sie an Lukas so liebte. Sie sah ihm nach, wie er mit eleganten Bewegungen die Werkstatt verließ, wobei ihr Mirkes träumerischer Ausdruck nicht entging. Kopfschüttelnd machte sie sich wieder an die Arbeit.

Nachdem sie die Goldspinnerei abgesperrt hatte und die Lohnarbeiter gegangen waren, machte Cristin sich an die Zubereitung des Abendessens. Wenig später saß sie mit Lukas am Tisch. Beide genossen diese ruhigen Momente, in denen sie Muße hatten, ungestört miteinander plaudern zu können. Sie trug ein dunkelgrünes Untergewand mit einem hellen Surcot darüber, denn Cristin wusste, wie gut die Farben zu ihrem Haar und der hellen Haut passten. Seine Augen wanderten über ihre Gestalt. Sie lächelte und hob ihren Becher, er tat es ihr gleich. Lukas begann, seinen Teller mit Suppe zu füllen. Um ihm eine Freude zu bereiten, hatte sie den Tisch liebevoll mit Blumen aus ihrem Garten dekoriert. Eine Kerze in einem bronzenen Leuchter verbreitete den süßen Duft von Honig.

»Wir werden eine zusätzliche Lohnarbeiterin einstellen müssen«, eröffnete Lukas das Gespräch. »Ich habe heute vom Richteherrn Büttenwart einen Auftrag bekommen, für ihn und seine Familie neue Gewänder anzufertigen. Eine schöne Schecke und Beinlinge für ihn und je einen Surcot für seine Frau und die zwei Töchter. Außerdem ein Hochzeitsgewand für Magdalena, seine Älteste. Sie wird im kommenden Sommer heiraten.«

»Ist gut. Ich werde mich nach einer fähigen Spinnerin umsehen.« Cristin blickte aus dem Fenster. Die Blätter der Ahornbäume leuchteten im letzten Licht der Augustsonne in ersten Rot- und Goldtönen. Rot wie Blut. Wieder sah sie den jungen Kirchendieb vor sich, den Büttenwart zum Tode verurteilt hatte. Der Richteherr, der nun die Hochzeit seiner Tochter feiern wollte. Einen Moment lang wurde ihr die Kehle eng. Gewaltsam musste sie die Erinnerung an das grausame Geschehen auf dem Köpfelberg abschütteln.

Lukas bedachte seine Frau mit einem nachdenklichen Blick. »Außerdem solltest du nicht mehr so hart arbeiten, Cristin.«

Sie tunkte ihren Löffel in die Suppe. »Aber Lukas, was soll ich denn den lieben langen Tag anfangen, wenn ich nicht mehr arbeite? Es geht mir doch gut.«

Der Kaufmann tätschelte ihr die Hand. »Warum triffst du dich nicht öfter mit Mechthild? Sie wäre bestimmt über deine Gesellschaft erfreut.«

Cristin rollte mit den Augen. »Mechthild redet doch von nichts anderem als von ihren Kindern. Sie ist ja eine nette Person, zugegeben, aber auch«, sie verzog das Gesicht, »todlangweilig!«

Lukas hob die Mundwinkel. »Auch du wirst bald Mutter sein.«

»Ja, Lukas.« Sie griff nach einem Mundtuch, wischte sich

über die Lippen und wechselte das Thema. »Ich bin jung und möchte noch so vieles lernen! Natürlich werde ich unseren Kindern eine gute Mutter sein. Aber das reicht mir nicht.«

Lukas runzelte die Stirn. »Was denn noch, Cristin? Du bist eine hübsche Kaufmannsfrau und hast alles, was dein Herz begehrt, oder etwa nicht?«

»Ja, Liebling. Trotzdem gibt es da etwas, das ich gerne …«

»Was ist es?«

Erregung erfasste sie. »Lehre mich das Lesen, Liebster!«

Lukas' Brauen schossen in die Höhe. »Lesen? Was sind das wieder für Hirngespinste, die in deinem Kopf herumspuken? Du weißt genau, dass es sich für eine Frau nicht schickt, das Lesen zu erlernen.«

Cristins Wangen röteten sich, doch ihre Stimme wurde einschmeichelnd. »Ach, Lukas. Niemand muss etwas davon erfahren.«

Er erhob sich, schob den Stuhl zurück und trat neben sie. »Was sollen die Leute von uns denken, Cristin? Nein, das kommt nicht in Frage.«

Sie strich ihm zart über die Hand. »Denk nur mal, wie sinnvoll ich die Zeit bis zur Geburt verbringen könnte, wenn ich nicht mehr arbeite! Außerdem könnte ich dir später viel besser …«

»… bei den Geschäften helfen?«, beendete er ihren Satz.

»Ja, auch das. Aber darum geht es mir gar nicht, du führst das Geschäft vorzüglich.«

Kopfschüttelnd wandte er sich ab, doch Cristin war nicht bereit, sich geschlagen zu geben. Sie stand ebenfalls auf, schlang ihm von hinten die Arme um den Nacken und schmiegte sich an seine Wange. Den wahren Grund, warum sie lesen lernen wollte, verschwieg sie: Möglicherweise könnte sie mehr über die Heilkunst erfahren. Endlich könnte sie auch herausfinden, was es mit ihrer eigenartigen Gabe auf sich hatte. Ob es noch mehr Menschen wie sie gab, die imstande waren, Dinge zu erspüren, durch bloßes Handauflegen Schmerzen zu lindern oder Krankheiten zu heilen. Seit dem beunruhigenden Erlebnis von vor einigen Tagen, als sie plötzlich diese sengende Hitze bei dem Händeschütteln mit Herrn Bräunling verspürt hatte, ließen diese Gedanken sie nicht mehr los. Sie musste wissen, was das alles bedeutete!

»Ach, Lukas. Was kann es schon schaden, wenn du deiner Frau etwas beibringst?«, bat sie noch einmal. »Nur zu meinem Vergnügen.«Lukas rang sichtlich mit sich. »Bitte. Sag ja, Liebster!«

Er drehte sich um und zog sie an sich. »Gut«, lenkte er widerstrebend ein und sah ihr in die Augen. »Ich werde dir ein paar meiner Pergamente geben. Aber nur unter einer Bedingung – du darfst niemals etwas davon verlauten lassen. Gegenüber niemandem, hörst du?«

Cristin nickte, auch wenn sie dieses ungeschriebene Gesetz nicht verstehen konnte. Warum nur war es den Frauen nicht erlaubt, sich zu bilden? Wahrscheinlich ist es den Männern nicht recht, wenn die Frauen ihren Verstand benutzen, überlegte sie zynisch, hütete sich jedoch, diesen Gedanken laut auszusprechen, um sich nicht eine weitere Rüge ihres Mannes einzuhandeln. »Ich verspreche es, Lukas. Danke«, rief sie und umarmte ihn stürmisch, bis er lachend protestierte.

»Was hat Lynhard eigentlich von dir gewollt?«, fragte Cristin eine Weile später, als sie zur Ruhe gehen wollten.

Lukas machte eine wegwerfende Handbewegung. »Nichts Besonderes, rein geschäftlich«, murmelte er und griff nach einer Bürste.

Doch Cristin bemerkte, wie seine Miene sich schlagartig verfinsterte. Wahrscheinlich hatten die Brüder wieder gestritten. Das geschah öfter, und dann waren ihre aufgebrachten Stimmen bis in die Werkstatt zu hören. Cristin ärgerte es, dass Lukas sie nicht in alle Dinge einbezog. Schließlich war sie seine Frau und wissbegierig bei allem, was das Geschäft betraf. Sie hütete sich jedoch, weiter in ihn zu dringen. Lukas konnte dann sehr ungehalten werden. Sie warf ihm einen liebevollen Blick zu, und er begann, ihre langen Haare zu bürsten, bis sie glänzten. Er ist ein guter Mann, überlegte sie und lehnte sich leicht gegen ihn. Ich genieße weit mehr Freiheiten als die meisten Frauen. In seiner Miene erkannte sie allerdings eine gewisse Anspannung, so als ob etwas ihn beschäftigte.

Doch er lächelte. »Lass uns schlafen gehen, Liebste.«

Wortlos nahm sie seine ausgestreckte Hand und folgte ihm in die Schlafkammer.

Lukas' Hände wanderten fordernd über ihren nackten Leib, und Cristin streckte sich ihm wohlig entgegen. Sie liebte es, wenn er wie ein Maler die Konturen ihres Körpers nachzeichnete und ihr zeigte, wie sehr er sie begehrte. Lukas war nicht wie viele andere Männer, von denen sie gehört hatte, dass sie ihre Frauen nach Gutdünken benutzten. Ihr Mann war rücksichtsvoll und zärtlich und zwang sie nie, ihm zu Willen zu sein, wenn ihn der Drang überkam. Sie drehte sich zu ihm herum und nahm sein Gesicht zwischen ihre Hände. Der Halbmond schien durch das Fenster und warf einen hellen Schimmer auf sein Haar. Er lächelte und küsste ihren Hals, bis sie leise seufzte.

Lukas' Hände kamen an ihrem leicht gewölbten Bauch zur Ruhe. »Ich habe nicht mehr daran geglaubt, noch Vater zu werden«, flüsterte er und verschloss ihren Mund mit einem sanften Kuss.

Sie machte die Augen zu. Wärme durchströmte sie, während Lukas ihren Mund mit seiner Zunge erforschte. Cristin spürte, wie ihn das Verlangen erfasste, als er über ihre Brüste strich. »Für immer mein«, murmelte er. Cristin erschauerte. Sie konnte ihre Sehnsucht nicht länger unterdrücken, streichelte seine festen Bauchmuskeln und tastete tiefer. Lukas sog scharf die Luft ein und rollte sie herum, bis sie unter ihm lag. In seinen Augen glomm ein Funken Triumph auf, als er bemerkte, wie sie ihm ihr Becken herausfordernd entgegenreckte. »Noch nicht«, erwiderte er ein wenig heiser, während er mit seiner Zunge feuchte Spuren auf ihrer schimmernden Haut hinterließ.

Viel später lagen sie schwer atmend nebeneinander, und Cristins Kopf ruhte an seiner Brust. Im Mondlicht konnte sie seine Halsschlagader pochen sehen. »Ob es ein Junge wird, Liebes?«

Sie lächelte in der Dunkelheit. »Das weiß nur Gott allein.«

4

Auf dem Esstisch, an dem sie saß, brannte nur ein einziges Talglicht, um Lukas, nicht zu stören, der bereits nebenan in tiefem Schlaf lag. Cristin beugte sich über die vor ihr liegende Wachstafel und fuhr fort. Wenn es doch nur einfacher wäre, die mit schwarzer Tinte auf das Pergament aufgetragenen Buchstaben nachzumalen! Der Griffel fühlte sich ungewohnt an in Cristins Hand. Sie hatte es sich zur lieben Gewohnheit gemacht, des Nachts heimlich schreiben zu lernen. Nachdem sie nun die meisten Zeichen beherrschte und große Fortschritte gemacht hatte, war ihr Ehrgeiz erwacht. Sie wusste, ihr Mann würde es noch immer nicht gutheißen, wenn sie nun auch noch das Schreiben erlernen wollte. Lukas war augenscheinlich von Cristins rascher Auffassungsgabe überrascht gewesen. An seinen Lippen hatte sie gehangen, wenn er ihr abends Buchstaben aus der dünnen, eng beschriebenen Tierhaut heraussuchte und die dazu gehörenden Laute erklärte. So waren knapp vier Monate ins Land gegangen. Nun, da sie durch die Schwangerschaft zunehmend schwerfällig wurde und die meiste Zeit daheim verbrachte, wollte sie die letzten Wochen bis zur Geburt des Kindes nutzen. Cristin schüttelte ihre Hand aus, um den Krampf in den Fingern zu lösen, und richtete ihre Aufmerksamkeit erneut auf die vor ihr liegende Wachstafel.

Der Blick aus dem Fenster zeigte Cristin blattlose Bäume, die ihre mit Reif bedeckten Äste in den trüben Novembertag reckten und die Menschen daran erinnerten, dass der Winter im Begriff war, Einzug zu halten. Die von ihr im Frühjahr angelegten Kräuterbeete wirkten trist, nur einige wenige Pflänzchen trotzten noch der Kälte. Sie wandte sich wieder der Arbeit zu. Allein das Geräusch der sich drehenden Spinnräder war in der Werkstatt zu hören, und selbst Minna, die sonst so gern schwatzte, schwieg. Cristin saß auf einem Hocker und zupfte Wollfasern, die sie danach über den Spinnrocken zur Spindel führte. Sie ließ den Faden sich drehen und wachsen, während die Handspindel langsam ihren Weg zum Boden hinab fand. Das Spinnen verlief in einem sich stetig wiederholenden Rhythmus. Dies war der Moment, in dem sie meistens zu summen anfing, im Takt der sich zum Boden auf und ab drehenden Spindel. Doch heute fehlte ihr die Lust.

Schon in wenigen Wochen sollte der bestellte Hochzeitsstaat für Vogt Büttenwart fertiggestellt sein, und es wartete noch viel Arbeit auf die Spinnerinnen. Auf und ab tanzte die Spindel, und wenn man nicht aufpasste, war es leicht, in einem träumerischen Zustand zu versinken. Wie schnell man in einem Moment der Unachtsamkeit aus dem Rhythmus kommen konnte und die Holzspindel auf dem Boden aufschlug und zerbrach, wusste sie aus eigener Erfahrung. Sie heftete den Blick auf die Spindel. Als die Wolle endlich zu Garn verarbeitet war, fühlte sie Erleichterung.

Cristins Rücken schmerzte. Das Kind war an diesem Tage ungewöhnlich rege, und sie strich über ihren gewölbten Leib, um es zu beruhigen. Schweiß lief ihr in kleinen Rinnsalen über den Nacken und versickerte zwischen ihren Schulterblättern. Es war stickig in der Werkstatt, sie sehnte sich nach frischer Luft und Bewegung. Aber sie wollte Minna, Mirke und Johannes, den neuen Gesellen, nicht im Stich lassen, auch wenn Lukas das völlig anders sah. Ihr Arbeitseifer war ihm nicht nur ein Dorn im Auge, sondern in den letzten Wochen immer wieder Anlass zu kleinen Streitereien gewesen.

Sie stand auf, trat an das einzige Fenster, öffnete es. Ein scharfer Wind wehte, und es roch nach dem ersten Schnee. Tief sog sie die Luft ein. Wo Lukas nur blieb. Er war schon kurz nach Sonnenaufgang aus dem Haus gegangen, geschäftliche Besprechungen, hatte er ihr knapp erklärt, inzwischen war es bereits Nachmittag geworden.

»Keine Sorge, es geht mir gut«, beantwortete sie die unausgesprochene Frage ihrer Lohnarbeiterin, die skeptisch den Kopf wiegte, als Cristin sich über die feuchte Stirn wischte. Sie setzte eine strenge Miene auf. »Wollt ihr jetzt die Zeit damit verbringen, mich anzustarren? Habt ihr nicht genug zu tun?« Sie schloss das Fenster und ging an ihren Platz zurück.

Mirke und Minna schauten einander vielsagend an, beugten sich aber stillschweigend über ihre Arbeit. Johannes sortierte Stoffe und Garne im Raum nebenan und summte fröhlich, während Cristin begann, den Kragen des Brautkleides mit feinen Nadeln auf dem Stickrahmen zu befestigen. Ganz vorsichtig, um die Webarbeit des Gewandes nicht zu beschädigen. Die kostbaren Goldfäden, die sie für die Stickerei benötigte, wurden nur im Russenland angefertigt und auf dem Seeweg nach Lübeck gebracht. Das Häutchengold, wie es genannt wurde, war ebenso begehrt wie schwierig herzustellen. Blattgold wurde dafür in Darmhaut gehüllt, gewalzt und in hauchdünne Fäden geschnitten, um dann um Seidenfäden gewickelt und verzwirnt zu werden.

An diesem Tag wollte sie damit fortfahren, den Kragen mit einem komplizierten Stickmuster zu versehen. Welch Pomp! Der Vogt ließ sich wirklich nicht lumpen. Soll uns nur recht sein, schließlich sichert dieser Auftrag das Geschäft über Monate, überlegte sie. Blattornamente in Grüntönen sollten den Kragen zieren und mit zarten Goldstichen versehen werden. Cristin beugte sich tiefer über den Stickrahmen und seufzte, denn ihr runder Bauch machte es ihr schwer. Sie fädelte einen sattgrünen Faden in ihre Nadel, hielt sie fest und nahm einen Vorstecher in die linke Hand, um den richtigen Punkt für den

Stich zu setzen. Jeder noch so kleine Patzer würde später zu sehen sein, deshalb war Sorgfalt besonders wichtig. Dann stach sie die Nadel durch den vorgestochenen Punkt. So ging es weiter, Stich für Stich.

Die Finger taten ihr weh und waren geschwollen, und Cristin massierte sich die Hände. Die Schwielen und Verhärtungen an den Gelenken wiesen sie deutlich als Spinnerin aus. Niemals würde sie derart glatte und weiße Hände haben wie Mechthild. Mit ihrer Schwägerin tauschen wollte sie dennoch nicht. Als die Frauen anfingen, leise miteinander zu reden, erhob sie sich ächzend. Sie musste an die Luft und wollte die Tür gerade aufdrücken, da betrat ihr Mann die Werkstatt. »Lukas, Liebling! Wo warst du nur so lange?« Sie streckte die Hand aus und tätschelte seinen Arm, doch er ging mit finsterer Miene an ihr vorbei. Cristin schaute ihm hinterher. Sekunden später schloss sich die Tür des Zahlraumes hinter ihm. Sie sah ihm verdutzt nach. Lukas mochte wohl manchmal etwas raubeinig sein, aber diese Art der Begrüßung war sie von ihm nicht gewohnt. Gewiss hatte es Schwierigkeiten mit einem Händler gegeben. Sie kräuselte die Stirn und trat hinaus in den kleinen Hof hinter der Werkstatt. Tief sog sie die klare Winterluft ein und genoss, wie der Wind mit ihren Haaren spielte. Cristin presste eine Hand in den Rücken und rieb sich die schmerzende Stelle. In Gedanken zählte sie die Zeit bis zur Niederkunft. Vielleicht noch sechs Wochen. Widerwillig musste sie sich eingestehen, wie schwer ihr die tägliche Plackerei mittlerweile fiel. Cristin schloss die Augen und lehnte den heißen Kopf gegen die Mauer.

»Fühlst du dich nicht wohl, meine Liebe?«

Sie öffnete die Lider.

Ein Augenpaar musterte sie besorgt.

»Sei gegrüßt, Lynhard. Was führt dich hierher?«

»Ich wollte meiner lieben Schwägerin einen Besuch abstatten und euch bei der Gelegenheit zum Abendessen einladen.« Lynhard lächelte und strich ihr zart über die Wange. »Du bist bleich, Cristin.«

Sie zuckte unter seiner Berührung zusammen. »Es ist nichts. Mir geht es gut.«

Für einen kurzen Moment ließ er seine Hand über ihren Bauch wandern. »Du solltest dich ausruhen. Denk an das Kind.« Lynhard legte den Arm um ihre Schulter. »Komm hinein. Es ist kalt.«

Überrascht sah sie auf. Ohne Protest ließ sie sich von ihm in die Werkstatt geleiten. Die Stelle an der Schulter, an der sie seine Hand fühlte, brannte ihr auf der Haut. Als die Tür zur Spinnerei ins Schloss fiel und die leisen Geräusche der Lohnarbeiter sie wieder einhüllten, bemerkte sie, wie Mirke ihnen neugierig hinterhersah. Lynhard nickte zum Gruß, führte sie die Treppe hinauf und machte Anstalten, die Privaträume zu betreten.

Doch sie hielt ihn am Ärmel seines Mantels zurück. »Danke. Ich komme allein zurecht.«

»Schöne Cristin«, wisperte er plötzlich an ihrem Ohr und zog sie kurz an sich, bevor sie auch nur reagieren konnte. Seine Stimme war weich und samtig wie dunkler Met. »Lukas sollte besser auf dich achten.« Er bettete ihren Kopf an seine Brust und strich ihr übers Haar. Diese Berührung war so ganz anders, als sie es von ihrem Schwager erwartet hätte. In seiner Miene erkannte sie Besorgnis. »Ich weiß das von meiner Mechthild. Zum Ende der Schwangerschaft wird alles beschwerlicher. Sei ein liebes Mädchen und lege dich ein Weilchen nieder.« Mit diesen Worten schob er sie ruhig, aber bestimmt durch die Tür in die Wohnung.

Ein liebes Mädchen! Als sie den Mund öffnete, um zu protestieren, hob er sie kurzerhand auf seine Arme, trug sie in die Schlafkammer und legte sie aufs Bett. »Ich werde Mirke bitten, dass sie dir etwas zu trinken hinaufbringt.« Er nahm ihre Finger in seine und schüttelte in gespielter Verzweiflung den Kopf. »Wo bleibt nur deine Vernunft?«

Cristin vernahm hastige, sich nähernde Schritte auf der Treppe, und Lynhard ließ sie los.

Die Tür öffnete sich, und Lukas trat hinein. Sein Gesicht

war aschfahl. »Ist etwas passiert, mein Liebes?«, fragte er atemlos und ergriff ihre Hände.

»Nein. Meine Güte! Darf ich nicht einmal frische Luft schnappen, ohne gleich alles in Aufruhr zu versetzen?« Sie setzte sich im Bett auf.

Lynhard legte die Hand auf ihren Arm, doch Cristin wehrte ihn ab und schmiegte sich an Lukas, der sie mit schmalen Lippen betrachtete.

»Ich streite nicht mit dir, Weib. Du bleibst liegen«, presste er hervor und drückte sie wieder in die Kissen. »Wie bin ich nur an so ein starrköpfiges Frauenzimmer geraten?«, meinte er an Lynhard gewandt, der die Szene erheitert verfolgte.

»Du hast deine Frau eben nicht im Griff, Bruderherz. Da lobe ich mir meine Mechthild. Sie hört auf mich und macht mir keinerlei Probleme.«

5

Als die Männer endlich die Schlafkammer verließen, starrte Cristin mit zu Schlitzen verengten Augen an die Zimmerdecke. Was bildeten die beiden sich eigentlich ein, sie wie ein unreifes Kind zu behandeln? Sie war eine erwachsene Frau und wusste sehr genau, was sie tat. Das Blut schoss ihr in die Wangen. »Du hast deine Frau nicht im Griff«, äffte Cristin die Stimme ihres Schwagers nach und schlug mit der flachen Hand auf die Bettdecke. Jedermann schätzte Lynhard, als Geschäftsmann ebenso wie als liebenden Vater und Ehemann. Wie hielt Mechthild es nur an der Seite eines so hoffärtigen Mannes aus? Wie eine Klette hing sie an ihm und schaute immer, dass sie ihrem Gatten nur ja alles recht machte. Und wenn er sich ihr gegenüber mal streng verhielt, trottete Mechthild wie ein geprügelter Hund davon. Da war ihr Lukas ganz anders.

»Ich bringe Euch warme Milch, die wird Euch guttun«, wurden Cristins Gedanken von Mirke unterbrochen, die soeben den Raum betrat und ein Tablett, beladen mit einem Krug, einem Becher sowie einer Schale Gebäck, auf dem Bett abstellte. »Danke, Mirke. Kommt ihr voran?«

»Ja, macht Euch keine Sorgen. Minna läuft wie ein Büttel in der Werkstatt herum und passt auf, dass alles zu Eurer Zufriedenheit läuft.«

»Das kann ich mir denken«, lachte Cristin. »Morgen bin ich wieder da.«

»Frau Bremer …« Mirke räusperte sich. »Der Herr … er hat uns die Anweisung erteilt, Euch nicht vor übermorgen wieder in die Werkstatt zu lassen.«

Cristin schnappte nach Luft und wollte etwas erwidern, legte sich dann aber in die Kissen zurück. Sie seufzte. Mirke schloss leise die Tür und ließ sie allein. Sie nippte an der heißen Milch. Was sollte sie nur so lange mit sich anfangen? Nach kurzem Grübeln hellte sich ihre Stimmung auf. Sie erhob sich, holte das zusammengefaltete Pergament, die kleine Wachstafel und den Griffel aus einem Schrank nahe dem Kamin und schlüpfte wieder unter die mit Daunen gefüllte Bettdecke. Wenn jemand hereinkommen sollte, würde sie die Schreibutensilien schnell darunter verstecken. Sie befeuchtete ihren Mund, während sie die geschmeidige Tierhaut auseinanderfaltete und auf der Decke ausbreitete. Wie schön es wäre, mühelos lesen zu können! Wenn ich nur an andere Schriften herankommen könnte, überlegte sie und nahm den Griffel zur Hand. Ob es auch Dokumente über Medizin und Heilmethoden hier in der Nähe gab? Lukas könnte sie besorgen, wenn sie ihn darum bat. Lediglich das, worauf sie besonders erpicht war, würde sie nicht in diesen Schriften finden.

Ich muss wissen, ob andere Menschen ähnlich eigenartige Dinge erleben wie ich, schoss es ihr erneut durch den Kopf. Könnte dies das Geheimnis der Hexen sein? Jener Frauen, die im Verdacht standen, mit dem Leibhaftigen im Bunde zu sein? Es hieß, diese Frauen würden des Nachts nackt im Wald herumlaufen. Angeblich konnten sie fliegen und trafen sich an Walpurgis mit dem Teufel im Bodetal des Harzes, wo sie Menschen töteten und ihr Fleisch aßen. Cristin schüttelte sich unwillkürlich. Mechthild hatte ihr davon erzählt, doch sie redete viel, wenn der Tag lang war. Oder war es möglich, dass in dem, was Mechthild über Hexen erzählte, ein Körnchen Wahrheit steckte, und sei es noch so klein?

Lukas würde sie schelten, wenn er wüsste, was ihr durch den Kopf ging. Gedankenverloren wickelte sie sich eine Haarsträhne um den Finger. Und wenn doch? Vielleicht kannten diese Frauen auch das Gefühl, wenn sie die Hände auf einen Kranken legten, dessen Schmerz teilten und die Beschwerden lindern konnten? Sie stockte. Dann war es auch denkbar, dass diese Frauen ganz und gar nicht böse waren, sondern einfach nur *anders*. So wie sie selbst. Es geschah stets unvorbereitet, meistens bei einer zufälligen Berührung. Manchmal hatte sie dann für einen winzigen Moment das Gefühl, in den Körper des anderen hineinsehen zu können. Cristin erkannte, wenn die Körpersäfte nicht im Gleichgewicht waren, oder sah Knochenbrüche, die nicht heilten. In anderen Situationen empfand sie eine unerträgliche Hitze und spürte, wenn etwas Bösartiges jenen Körper zu zerfressen schien. Die Nächte, die sie schlaflos zugebracht und sich den Kopf über diese Angst einflößende Gabe zermartert hatte, konnte sie nicht mehr zählen.

6

Das Christfest lag hinter ihnen, nun hielt der Winter die Stadt schon seit Wochen eisern in seinen Klauen. Trave und Wakenitz waren zugefroren, im Hafen lagen die Koggen und Lastkähne fest, eingeschlossen von einer dicken Eisschicht. Nur wer unbedingt musste, verließ in diesen

Tagen sein warmes Haus, zu schmerzhaft brannte die bitterkalte Luft in den Lungen.

Cristin setzte vorsichtig einen Fuß vor den anderen, während sie über den Marktplatz schritt, auf dem Arm einen Weidenkorb mit zwei Kohlköpfen und einem Laib Brot. Auf dem Pflaster hatte sich über Nacht eine dünne, gefährliche Eisschicht gebildet, und an den Fenstern der Backsteinhäuser hingen dicke Zapfen, die im Licht der Vormittagssonne glänzten.

Minna hatte wie ein Rohrspatz geschimpft, als Cristin sich angezogen hatte und in ihre Schuhe geschlüpft war. »In Eurem Zustand und bei diesem Wetter habt Ihr draußen nichts verloren, Herrin! Ihr werdet Euch den Tod holen!«

»Ich weiß selber, was ich zu tun und zu lassen habe! Mach mir lieber die Trippen unter die Schuhe!«, war Cristins scharfe Antwort gewesen. Schärfer als beabsichtigt, schließlich meinte die alte Lohnarbeiterin es nur gut.

Autsch! Eine klamme Hand auf den gewölbten Bauch gepresst, blieb sie stehen. Das Ungeborene war besonders aktiv an diesem Morgen, hatte ihr in den Magen getreten. Sie lächelte. Nicht mehr lange, und sie würde endlich Lukas' Kind in den Armen halten. Als zwei Frauen sie grüßten, nickte Cristin ihnen zu und ging weiter. Sie achtete sorgfältig darauf, auf den glatten hölzernen Trippen, die ihre guten Lederschuhe vor der Nässe schützten, nicht ins Schlittern zu geraten. Der Korb wurde immer schwerer auf ihrem Arm.

Kaum hatte sie die Haustür erreicht, fuhr ein stechender Schmerz jäh durch ihren Leib und zwang sie in die Knie. Cristin wimmerte. Ihr war, als jagte ihr jemand glühende Messer durch Rücken und Bauch. Wie von weit her vernahm sie das Poltern der aus dem Korb fallenden Kohlköpfe, die über die Straße rollten. Kalter Schweiß brach ihr aus den Poren. Mit beiden Händen klammerte sie sich an eine Hausmauer, um nicht das Gleichgewicht zu verlieren. Der Schmerz hörte so plötzlich auf, wie er begonnen hatte. Stattdessen fühlte sie, wie etwas Warmes in einem Schwall aus ihr herausfloss, das ihr Unterkleid und Gewand benetzte und eine kleine Pfütze auf dem Pflaster hinterließ. Die Tür öffnete sich.

»Frau Bremer! Da seid Ihr ja. Wo habt Ihr nur so lange …«, hörte Cristin eine vertraute Stimme und hob den Kopf.

Minna erbleichte, als sie näher trat, und stieß einen derben Fluch aus. »Was macht Ihr nur für Sachen!«, schimpfte sie, doch das Zittern in ihrer Stimme war deutlich zu hören.

Cristins Wangen wurden glühend rot. »Es … es tut mir leid. Ich habe das Pflaster beschmutzt. Und meine Kleider. Ich weiß auch nicht, wie …«

»Habt Ihr Schmerzen?«, unterbrach die Lohnarbeiterin sie forsch.

»Nein, nicht mehr.«

»Mirke«, zischte sie der jungen Frau zu, die das Geschehen stumm verfolgte. »Benachrichtige die Wehfrau. Schnell! Dann schließe die Spinnerei, wir haben jetzt anderes zu tun.«

Der jungen Spinnerin stand die Verwirrung ins Gesicht geschrieben, doch dann nickte sie und lief davon, als wäre der Leibhaftige persönlich hinter ihr her.

Minna ergriff Cristins Arm. »Wir werden jetzt schön brav in Eure Kammer gehen. Das Kind möchte auf die Welt«, die Ältere zog ihre Herrin hinter sich her, ohne auf deren Einwände zu achten.

»Meinst du wirklich, Minna?«

Die Ältere lachte und tätschelte ihr die Hand. »Ja, ich weiß, wovon ich rede. Habe selbst elf Kinder auf die Welt gebracht. Nun hübsch langsam die Treppen rauf.«

Cristin widersprach nicht, als die Lohnarbeiterin sie mit sanfter Gewalt durch die Tür schob, ihr die Schuhe von den Füßen streifte und sie aufs Bett setzte. »Was soll das? Mir geht es wieder gut.« Allerdings war ihr Bauch so hart und prall, als hätte sie eine Rübe verschluckt. Oder einen dieser riesigen Kürbisse, von denen Lukas ihr erzählt hatte. Das Atmen fiel ihr schwer. Minna erklärte ihr mit ruhiger Stimme, sie müsse sich jetzt waschen und die Gewänder ausziehen, die Wehfrau werde gewiss gleich kommen.

Sie sollte sich täuschen. Die Zeit verging, aber von der Hebamme war nichts zu sehen. Um die Mittagszeit hatten bei Cristin die Wehen eingesetzt. »Die alte Emma wird schon kommen«, beruhigte Minna sie immer wieder, doch die tiefen Sorgenfalten auf ihrer Stirn sprachen Bände. »Vielleicht wollen heute noch mehr Kindchen auf die Welt. Außerdem sind die Straßen glatt, und Emma ist nicht mehr so gut zu Fuß.«

Cristin, die ihre Finger an einem Becher heißem, gewürztem Wein wärmte, nickte. Selbst das prasselnde Feuer nahe ihrer Schlafstatt konnte die Kälte, die durch ihre Knochen drang, nicht vertreiben. Erneut verhärtete sich ihr Leib, und Cristin unterdrückte ein Stöhnen. Die Macht, mit der ihr Körper reagierte, erschreckte sie. Von einer inneren Unruhe getrieben stand sie auf und begann in der Kammer auf und ab zu gehen.

»Es tut Euch nicht gut, Euch so aufzuregen, Herrin«, gab Minna kopfschüttelnd zu bedenken. »Schont besser Eure Kräfte.«

»Sag mir nicht, was ich zu tun oder zu lassen habe«, herrschte Cristin sie an. Die Hände in den schmerzenden Rücken gepresst, setzte sie ihre Wanderung durch den Raum fort, ohne auf Minnas Gemurmel zu achten, das von »launisch wie Aprilwetter« bis »stures Frauenzimmer« reichte. Die nächste Wehe traf sie unerbittlich. Mit zusammengepressten Lippen stützte sie sich an einem mit feinem Stoff bezogenen Sessel ab. Wieder fuhr ein heißer Schmerz durch ihren Bauch und löschte alle anderen Empfindungen in ihr aus. Sie rang nach Luft. Heilige Mutter Gottes!

Schließlich verebbte die Wehe, und sie ließ sich ermattet auf das Bett fallen.

Eine schwielige Hand strich ihr über die schweißnasse Wange. »Legt Euch nieder, Frau Bremer.«

»Nein.« Sie atmete tief ein und wartete, bis sich ihr Blick wieder klärte. »Lukas«, murmelte sie.

Während die Minuten, ja Stunden zäh dahinkrochen, verlor Cristin jedes Gefühl für Zeit und Raum, bis sie am Ende nicht einmal bemerkte, wie die Tür sich öffnete und eine hagere

Frau mit lederiger Haut und tiefliegenden Augen die Kammer betrat.

»Verdammter Winter«, brummelte sie, lehnte einen Weidenast, den sie als Gehhilfe benutzte, gegen die Wand und trat näher.

»Wird auch Zeit, dass du endlich kommst, Emma«, entfuhr es Minna.

Die alte Frau schälte sich aus einem abgetragenen Mantel, den sie nahe der Feuerstelle zum Trocknen auf einen Schemel legte, und verzog den fast zahnlosen Mund zu einem Lächeln. »Hatte heut schon zwei Totgeburten«, erklärte sie, bevor sie sich Cristin zuwendete. »Wie ist Euer Name?«

Die Gebärende antwortete tonlos.

»Wann haben die Wehen eingesetzt?«

Da ihre Herrin nicht reagierte, erklärte Minna alles Nötige.

Zwei Totgeburten heute. Cristin biss die Zähne zusammen. Obwohl sie eben noch geschwitzt hatte, war es ihr nun, als würde eine eiskalte Hand nach ihr greifen.

»Wird noch dauern, Frau Bremer«, meinte die Hebamme und tätschelte ihr den Arm. »Seht, ich habe Euch etwas mitgebracht, das Euch schützen wird.« Sie legte Cristin ein ledernes Armband um den Hals, an dem ein Anhänger, eine blaue Wachsscheibe mit dem Abbild eines Lammes, befestigt war.

»Wie ... wie lange noch?«

»Beim ersten Kind dauert es immer länger.« Sie drückte der jungen Frau einen Becher mit Wasser in die Hand. »Nehmt einen Schluck.«

Die Nacht senkte sich herab und tauchte die von wenigen Talglampen beleuchtete Schlafkammer in diffuses Licht. Bis auf Cristins zeitweiliges Keuchen und das Knistern des Kaminfeuers war es still im Raum. Minna und Emma sahen einander an. Längst war der Gleichmut aus der Miene der Geburtshelferin gewichen und hatte tiefer Besorgnis Platz gemacht.

»Es geht kaum voran«, murmelte sie.

»Die Herrin ist schon jetzt völlig erschöpft«, bestätigte Minna. »Ich mache mir Sorgen um die Deern. Sie ist so schmal gebaut.«

Emma kratzte sich am Kinn und nickte. »Ich habe ihr schmerzlindernde Mittel angeboten. Aber sie will nicht.«

»Ich glaube, der Herr kommt.« Minna bekreuzigte sich, als sie hörte, wie jemand die Treppe hinaufstürmte. »Gott sei gepriesen!« Nur einen Wimpernschlag später, und Lukas betrat den Raum.

Seine Haare und der dicke Mantel waren mit einer dünnen Eisschicht bedeckt, die rasch kleine Pfützen auf dem Holzfußboden hinterließen. »Cristin! Wo ist meine Frau?« Mit weit ausholenden Schritten durchquerte er das Zimmer, ohne auf die entsetzen Ausrufe der beiden Alten zu achten.

»Aber Herr Bremer! Ihr dürft hier nicht herein. Das ist Frauensache«, protestierte die Wehfrau.

Lukas' Gesicht wurde hart. »Ist dies mein Haus oder nicht? Lasst mich vorbei.«

7

Durch einen Dunst aus Schmerz nahm sie verschwommen eine Gestalt wahr. »Mein Liebes! Geht es dir gut?«

»Lukas«, murmelte Cristin kaum hörbar. Genau in diesem Moment erreichte sie die nächste Wehe, härter als jede andere zuvor. Wie von weit her vernahm sie aufgeregte Stimmen und schließlich das Geräusch der sich schließenden Tür. Lukas war da. Unerwartet spürte sie, wie neue Kraft durch ihren gemarterten Körper rann.

Es war tief in der Nacht, als die Geburtshelferin ihr den nackten, rotgesichtigen Säugling in die Arme legte.

»Es ist ein Mädchen«, verkündete Emma. »Ich habe sie gebadet und mit Salz abgerieben.«

Cristins Finger tasteten weiche Wärme. Die winzigen Hände waren zu Fäusten geballt, blaue Augen sahen ihr direkt ins Herz. Ein unbeschreibliches Glücksgefühl drang durch den Dunst von Erschöpfung. Mit einem Mal war Cristin hellwach. Unendlich langsam beugte sie sich zu dem mit einem zarten rotblonden Flaum bedeckten Köpfchen hinab und hauchte einen Kuss auf die Stirn ihrer Tochter. »Elisabeth«, flüsterte sie. »Meine Elisabeth.«

Lukas war bis zum Morgengrauen bei ihr geblieben. Wie überwältigt und gerührt er gewesen war, als er das winzige Wesen das erste Mal im Arm hielt. Cristin hatte gelacht, weil Lukas so unbeholfen wirkte, als hielte er eine wertvolle Glasvase in den Händen, die jeden Moment zerbrechen könnte. Bis die Hebamme ihm seine Tochter energisch abgenommen und ihr an die Brust gelegt hatte. Cristin beobachtete, wie Elisabeth mit geschlossenen Augen, den rosigen Mund weit geöffnet, ihre Warze suchte, um kräftig daran zu saugen. Ein Ausruf der Überraschung drang aus ihrer Kehle, als ein kurzer, scharfer Schmerz sie durchzuckte. Dann lehnte Cristin sich aufatmend zurück und streichelte Elisabeth über den Kopf. Wie lang ihre Wimpern waren. Nachdem das Kind in ihrem Arm eingeschlafen war, machte sich auch bei ihr die Erschöpfung bemerkbar, und ihre Lider wurden schwer. Lukas' liebevoller Kuss auf die Stirn und seine Beteuerung, so schnell wie möglich wieder bei ihr zu sein, nahm sie kaum noch wahr. Sanft glitt sie in einen Dämmerschlaf hinüber.

Leises Weinen weckte sie. Cristin blinzelte in das helle Sonnenlicht, das durch die Fenster auf ihr Gesicht fiel.

»Wie schön, Ihr seid wach«, rief Minna, die das Feuer neu schürte und sich nun lächelnd zu ihr umsah. »Wie geht es Euch, Frau Bremer? Das Kind hat schon wieder Hunger.«

»Danke, es geht mir gut«, murmelte Cristin schlaftrunken.

Mühsam richtete sie sich auf und beugte sich zu dem reich verzierten Holzbettchen hinüber, aus dem die Stimme ihres Kindes immer fordernder zu ihr herüberdrang. Elisabeth. Erschöpft und mit einem unterdrückten Stöhnen sank sie in die Kissen zurück. Wie oft hatte sie das aufgeregte Geschwätz der Nachbarn oder von Geschäftsfreunden gehört, die von einer großen Kinderschar träumten. Ach, was wussten sie schon von der Mühsal und den Qualen, die eine Frau durchzustehen hatte, bis sie ihr Kind im Arm hielt? Wenn sie daran dachte, möglicherweise fünf oder mehr Kinder… Während sie ihr Untergewand hochschob, zog ein feiner Schmerz durch ihren Leib. Doch Cristin lächelte, als ihr die ältere Spinnerin Elisabeth, die nun aus kräftiger Kehle und mit hochrotem Kopf schrie, in den Arm legte. Beruhigende Worte murmelnd, drückte sie das wild zappelnde Kind an die Brust. Vielerlei Gefahren lauerten auf Elisabeths Weg. Würden sie es schaffen, die Kleine vor Leid, Krankheit und Unheil zu beschützen? Sie wusste, ein Großteil der Kinder wurde keine fünf Jahre alt. Ihre Hände zitterten, während sie der Kleinen zärtlich über den Rücken strich. Kein Leid soll ihr geschehen, schwor sie sich. Cristin pustete sich eine Haarsträhne aus dem Gesicht und wischte mit einer Hand den Schweiß von der Stirn. »Minna, es ist stickig hier. Kannst du bitte das Fenster öffnen?«

Die Lohnarbeiterin hob den Kopf. »Aber Herrin, draußen ist es bitterkalt!« Sie stemmte die Hände in die fülligen Hüften. »Ich schicke nach Mirke, sie wird Euch etwas zu trinken bringen. Euch wird sicher dürsten. Außerdem habt Ihr kaum etwas gegessen.«

»Ich habe keinen Hunger, Minna«, erwiderte Cristin, ohne die Augen von dem rosigen Kindergesicht wenden zu können. »Aber ein Becher Wasser wäre gut.«

Wie hübsch sie ist, ging es ihr durch den Kopf. Sie hat die Nase ihres Vaters.

»Ich soll Euch von der Hebamme Grüße ausrichten. Sie sieht morgen wieder nach Euch«, meinte die Lohnarbeiterin und schloss die Tür hinter sich.

Cristin nickte. So dankbar sie für Minnas Fürsorge war, so froh war sie nun, für einen Moment allein sein zu können.

Vorsichtig bettete sie Elisabeth auf die andere Seite, und die entrückt wirkende Miene des Kindes entlockte ihr ein Lächeln. Die Hitze in der Kammer machte ihr zu schaffen. Das Gewand klebte ihr am Körper, und sie sehnte sich nach einem kühlen Bad. Eine neue, scharfe Schmerzwelle jagte durch ihren Unterleib. Cristin sog gequält die Luft ein und wartete, bis sie wieder verebbte. Sie hatte gedacht, nun, nachdem das Kind heraus war, wären auch die Schmerzen vorüber, doch dem war anscheinend nicht so. Seltsam, warum nur sah sie alles so verschwommen, als läge ein Schleier über allem? Cristin kniff die Augen zusammen und öffnete sie wieder, wie um die Nebel zu vertreiben. Sie verstand das nicht, ihre Sehkraft war immer bestens gewesen. Lähmende Müdigkeit erfasste sie. Wenn Minna nur endlich wiederkommen würde, um ihr die Kleine abzunehmen.

»Mirke kommt gleich, Herrin. Sie wird…« Die rundliche Frau schlug die Hände über dem Kopf zusammen. »Fühlt Ihr Euch nicht wohl, Frau Bremer? Ihr seid ganz blass.«

Cristin streckte ihr das Kind entgegen. »Ich bin… bin so müde.«

Minna legte ihr erst eine Hand auf die Wangen, dann auf die Stirn. »Ihr habt Fieber. Mein Gott.«

8

»Frau Bremer. Könnt Ihr mich hören?«

Cristin hob die Lider. Nach anfänglicher Verwirrung erkannte sie schließlich Minna, die sich über sie beugte. Sie öffnete die Lippen, doch ihre Zunge schien wie festgewachsen zu sein. Die Lohnarbeiterin hob Cristins Kopf und hielt ihr einen Becher an die Lippen. Das kühle Wasser rann wohltuend durch ihre Kehle.

»Ihr habt lange geschlafen, Herrin«, erklärte Minna und

wies hinter sich zu der Ecke, in der das Kinderbett stand. »Wie die Mutter, so die Tochter.«

Cristin versuchte ein Lächeln. Da war er wieder, dieser alles vernichtende Schmerz. Glühende Messer schienen sich in ihren Leib bohren zu wollen. Sie krümmte sich zusammen und presste die Hände auf den Bauch.

»Meine Güte, Deern«, entfuhr es der Älteren, »Ihr habt Schmerzen?«

»Mein Leib«, flüsterte Cristin, während ihr Tränen über die Wangen rollten. »Er ... tut so furchtbar weh.«

»Ich lasse nach der Wehfrau schicken.«

Vor der Kammertür raufte sich die alte Lohnarbeiterin die zu einem Knoten gebundenen, silbern durchwirkten Haare. »Heilige Jungfrau und alle Heiligen – helft!«, brachte sie hervor. Dann stürzte sie die Treppe hinunter und lief zur Werkstatt hinüber. »Mirke, hast du den Herrn Lukas schon gesehen?« Überrascht blieb sie stehen, denn Lynhard stand neben der Arbeiterin. »Ach, Herr Lynhard! Euch schickt der Himmel.« Sie rang die Hände.

Dieser setzte ein charmantes Lächeln auf. »Gott zum Gruße, Minna. Ich warte auf meinen Bruder. Er scheint noch nicht daheim zu sein. Außerdem wollte ich meiner lieben Schwägerin und dem Kind einen Besuch abstatten. Mechthild wird später auch noch kommen.« Er zog die Brauen zusammen und musterte sie eingehend. »Aber Minna, du bist ja ganz weiß im Gesicht. Setz dich erst mal.« Er drückte die Ältere auf einen Hocker, der neben einem der Spinnräder stand. »Was ist denn los, altes Mädchen? Bist du dem Gottseibeiuns höchstpersönlich begegnet?«

Sie warf ihm einen düsteren Blick zu, verzieh ihm jedoch sofort seinen respektlosen Tonfall. Schließlich kannte sie ihn, seit er und sein Bruder kleine Kinder waren. »Ach, hört schon auf, Lynhard! Die junge Herrin fühlt sich nicht wohl. Die Wehfrau muss kommen.«

Lynhard fasste die Lohnarbeiterin hart an den Schultern. »Was sagst du da? Was ist mit Cristin?«

Die alte Frau verzog das Gesicht. »Ihr tut mir weh, Herr.«

»Dann sprich!«

Minna schluckte. »Die Deern hat Fieber. Und furchtbare Schmerzen.« Sie fuhr sich mit beiden Händen über die Augen. »Es ist schrecklich, sie so zu sehen. Was der Herr Bremer wohl sagen wird, wenn er heimkommt. Es ist zum Gotterbarmen.«

»Seit wann ist Cristin in diesem Zustand?«

»Seit heute Morgen, Herr.«

Einen Moment lang war es still in der Werkstatt. Selbst Mirke ließ die Arbeit ruhen und legte die Hände wie zum Gebet gefaltet in den Schoß. Lynhard atmete hörbar ein. »Ich werde persönlich zum Medicus gehen. Ich habe geschäftlich noch in der Nähe zu tun und werde Herrn Küppers aufsuchen.«

»Er wird sagen, das ist Weibersache, Lynhard. Kein Medicus traut sich zu einer Gebärenden.«

»Das mag sein, Minna. Aber Cristin hat ihr Kind bereits. Außerdem ist es mir einerlei. Er wird erscheinen, verlass dich auf mich«, erwiderte er und wandte sich wieder Mirke zu. »Du läufst zu der Wehfrau. Ich zahle ihr den doppelten Preis.« Er hob die Stimme. »Hast du verstanden? Nun lauf schon.«

Mirke fuhr von ihrem Schemel hoch, schnappte sich den Umhang, der an einem Haken hing, und eilte hinaus.

In diesem Moment betrat Johannes die Werkstatt. »Alles erledigt, Minna. Die Garne werden morgen …« Die Augen des Jungen wurden groß wie Teller. »Was ist denn in Mirke gefahren?« Als er Lynhard bemerkte, der mit gekreuzten Armen vor ihm stand, fuhr er sich verlegen durchs Haar. »Entschuldigt, Herr Bremer. Gott zum Gruße, kann ich etwas für Euch tun?«

Lynhard klopfte ihm auf die Schulter. »Ja, mein Junge, das kannst du. Wirst du bitte auf die Spinnerei achten, solange Minna und ich nicht da sind?«

Johannes sah verwirrt zwischen den beiden hin und her.

»Deine Herrin ist krank, Johannes. Ich werde den Medicus

holen, und Minna bleibt bei ihr und dem Kind. Kann ich auf dich zählen?«

Die Wangen des Jungen röteten sich. »Ja, natürlich.«

»Gut. Ich bin so schnell es geht zurück.«

9

Beschwingten Schrittes überquerte Lukas den zur Nachmittagszeit wie leer gefegten Marktplatz. Hoch über den Zwillingstürmen von St. Marien flog eine Schar Möwen. Die weißen Vögel näherten sich mit Geschrei, um Reste von Brot oder Fisch zu ergattern, die von den Ständen der Händler heruntergefallen waren. Bremer zog den Kopf zwischen die Schultern. Von einem Möwenschiss getroffen zu werden, darauf konnte er verzichten. Sein Herz machte einen Satz, er konnte es kaum erwarten, nach Hause zu kommen. Er lächelte, spürte weder die Kälte noch den eisigen Wind. Lukas musste sich zwingen, auf das mit einer feinen Eisschicht überzogene Pflaster zu achten, um nicht auszurutschen. Er bog in die Hunnestrate ein, lief ein paar Schritte. Da war die Werkstatt. Seltsam, sie wirkte verlassen und leer. Mit den Händen formte er einen Trichter und spähte durch das große Fenster hinein. Der junge Geselle, der am Werktisch saß und etwas sortierte, schien ihn nicht bemerkt zu haben. Johannes war allein in der Spinnerei? Wo steckten denn die Arbeiterinnen?

»Johannes, wo sind Minna und Mirke?«, sagte er und trat ein.

»Herr Bremer. Gut, dass Ihr da seid«, begann der Geselle und rutschte unruhig auf seinem Hocker herum. »Ich … ich denke, Ihr geht besser nach oben.«

»Was …« Lukas brach ab, machte eine wegwerfende Handbewegung und steuerte mit großen Schritten auf die Privaträume zu. Das Herz schlug ihm hart in der Brust, als er jeweils zwei Stufen auf einmal nahm und die Treppe erklomm. Vor der Tür zur Schlafkammer erwartete ihn bereits sein Bruder, der mit ausgestreckten Armen auf ihn zukam.

»Lukas, wir haben schon auf dich gewartet.« Während dieser die Tür öffnete, legte Lynhard ihm die Hand auf die Schulter. »Der Medicus ist bei ihr. Ich gehe jetzt. Lass nach mir rufen, wenn du mich brauchst.«

Lukas schloss die Tür hinter sich. Ihm stockte der Atem bei dem Bild, das sich ihm bot. Er wusste, gleichgültig was das Leben noch für ihn bereithalten sollte, diesen Anblick würde er nie wieder vergessen. Cristin lag wächsern bleich und still in ihrem Bett, kaum hob sich ihr Gesicht von dem weißen Leinentuch ab. Ihre hellen Locken waren strähnig, und auf ihrer Stirn glänzte Schweiß.

Er eilte an ihr Bett. »Was ist passiert?«

»Es tut mir leid, Euch sagen zu müssen, dass Eure Gemahlin am Kindbettfieber erkrankt ist, Herr Bremer«, vernahm er eine Stimme neben sich. Fieber! Allmächtiger! Er sah in das besorgte Gesicht des Medicus. »Ich habe sie in der Hoffnung geschröpft, die in Unordnung geratenen Säfte wieder ins Gleichgewicht zu bringen. Auch einen Aderlass habe ich bereits durchgeführt. Das Fieber steigt allerdings noch immer.«

Schüttelfrost würde folgen, sehr wahrscheinlich ein erhöhter Herzschlag. Niemand könnte sagen, wie es weitergehen würde.

»Besonders Erstgebärende trifft es oft. Ich weiß Euch nichts zu raten, außer ihre Stirn zu kühlen und sie viel trinken zu lassen. Eure Gemahlin leidet große Schmerzen, wenn sie erwacht. Ich lasse Euch Medizin zur Linderung hier. Mehr kann ich nicht tun.«

»Wird … wird meine Frau überleben?«

Küppers hob ratlos die Schultern.

Lukas schaute zu dem Kinderbett hinüber. Minna hatte sich einen Hocker herangezogen und wiegte das leise greinende Kind in ihren Armen. Ihre Blicke begegneten sich. Die

Lohnarbeiterin, die dem Kind einen Finger in den Mund steckte, damit es daran saugen konnte, sprach aus, was er in diesem Moment dachte.

»Was wird aus dem Kinde, werter Medicus? Es ist hungrig, und die Herrin wird es nicht versorgen können.«

Küppers wiegte den Kopf hin und her. »Versucht es mit Ziegenmilch. Vielleicht haben wir Glück, und das Kind trinkt sie.« Dann nickte er Lukas zu. »Ich werde später noch einmal nach Eurer Gemahlin sehen. Wir sind alle in den Händen Gottes. Betet, Bremer. Betet zum Allmächtigen.«

Minna legte ihm das schreiende Kind in den Arm. »So, Herr Lukas. Ihr kümmert Euch jetzt um das Kleine. Ich gehe Milch besorgen.« Als dieser nicht reagierte, stieß sie ihn unsanft an. »Wacht auf, in Herrgotts Namen! Ich brauche Eure Hilfe.«

Lukas schüttelte sich, um die innere Lähmung zu lösen, die ihn gefangen hielt. Dies musste ein Albtraum sein. »Was … was hast du gesagt, Minna?«

»Ich sagte, Ihr werdet jetzt gebraucht, Herr Lukas! Eure Frau und das Kind bedürfen Eurer Zuwendung.« Ohne ein weiteres Wort drehte sie sich um und zog die Tür hinter sich zu.

Mit brennenden Augen starrte er zu der stillen Gestalt im Bett hinüber. Wie war es möglich, dass Cristin, noch einen Tag zuvor rosig und voller Vorfreude auf das Kind, nun bleich, ja beinahe leblos in den Kissen lag? Elisabeth schrie mit weit aufgerissenem Mund und geballten Fäusten ihren Hunger hinaus. Lukas strich ihr wieder und wieder über das rot angelaufene Gesicht. Die Zeit schien stillzustehen. Wo blieb Minna nur mit der Milch? Er biss sich auf die Unterlippe. »Alles wird gut«, flüsterte er heiser. »Es muss alles wieder gut werden.« Wobei Lukas sich insgeheim fragte, wen er da gerade zu überzeugen versuchte – sich selbst oder seine Tochter.

Cristin keuchte. Die Kälte, die von ihrem Unterleib aus langsam ihren ganzen Körper erfasste, betäubte sie. Sämtliche

Haare auf ihrem Körper stellten sich auf. Als sie unter Aufbietung all ihrer Kraft die Augen öffnete, erkannte sie Lukas, der sich über sie beugte.

»Cristin«, sagte er nur.

Sie wollte sprechen, doch die Stimme versagte ihr den Dienst. Ein erneutes Frösteln überlief sie.

»Dir ist kalt, mein Lieb?«

Sie nickte benommen, schloss die Augen. Eine eisige Hand schien nach ihr greifen zu wollen, um auch noch das letzte Quentlein Wärme aus ihrem Leib herauszuziehen. Cristin hörte Lukas' Mantel rascheln, als er sich ruckartig erhob und herumdrehte.

»Schüre das Feuer, Minna, und sorge dafür, dass die Fenster und Türen mit Decken verhüllt werden«, hörte sie ihn sagen. »Meiner Frau ist kalt, sie soll nicht frieren.«

Aus der anderen Ecke der Schlafkammer drangen glucksende Geräusche zu ihr herüber. Verzweifelt versuchte sie, ein letztes Mal gegen den eisigen Dämon anzukämpfen. Vergeblich. Schon wurden ihre Hände und Füße gefühllos, und die Zähne schlugen wild aufeinander.

Verloren, dachte sie flüchtig, ich bin verloren. Dann hastige Schritte, das Pfeifen des Windes am Fenster.

»Lass mich allein.« Das war Lukas' Stimme. »Hörst du! Ich will allein mit ihnen sein, verschwinde!«

»Aber … aber, Herr Lukas. Ihr könnt doch nicht …«, wurde beinahe ebenso laut erwidert.

»Und ob ich kann. Geh!«

Das Geräusch ihrer klappernden Zähne verhinderte, dass Cristin mehr von dem Wortwechsel hören konnte. Die Tür klappte geräuschvoll zu, und das Prasseln des Feuers schien auf einmal das einzige Geräusch in der Kammer zu sein. Ein kühler Luftzug, und die Bettdecke wurde angehoben. Cristin erschauerte. Sie meinte, Lukas' herben Geruch wahrnehmen zu können. Er legte sich zu ihr – und zwischen ihnen spürte sie eine Bewegung. Zappelnde Beine, warme Haut an ihrer. Der süße Duft nach Milch drang in ihr Bewusstsein.

»Elisabeth«, flüsterte sie.

»Unser Kind ist hungrig«, hörte sie Lukas neben sich sagen. »Und du brauchst Wärme. Ich bleibe neben dir liegen, bis es dir besser geht. Beim Allmächtigen, du bist ja eiskalt!« Er rückte noch dichter an sie heran, presste seinen Körper gegen ihren. Sein Atem streifte ihren Nacken.

Ihr Körper schien nicht mehr ihr selbst zu gehören, nur die Anwesenheit der beiden hielt sie davon ab, sich in den weichen Dunst, der Frieden und Erlösung versprach, sinken und für immer alles hinter sich zu lassen. Die Versuchung war groß. Es wäre so einfach. Doch dann schob Lukas das Kind etwas höher, bis Cristin den geöffneten Mund an ihrer Brustwarze spürte. Sofort schlossen sich die Lippen des Kindes darum, und es begann zu saugen. Ein leichtes Ziehen in ihren Brüsten, und die Milch strömte aus ihnen heraus. Die Wärme und der kleine, feuchte Mund ließen Cristin innerlich still werden. An der Stelle, an der Elisabeths Köpfchen ruhte, wurde es warm. Mühsam streckte sie eine Hand aus und strich der Kleinen vorsichtig über den Kopf. Überrascht zog Cristin die Finger zurück, denn in ihren Fingerspitzen kribbelte es wie nach unzähligen Nadelstichen. Sie hielt inne, horchte in sich hinein. Wieder empfand sie diese merkwürdige Hitze, die Elisabeth ausstrahlte.

»Sie ist wirklich wunderschön«, hörte sie Lukas neben sich sagen.

Noch einmal streckte Cristin ihre Hand nach dem Köpfchen aus. Die Hitze begann sich von den Fingerspitzen bis in die Arme zu verbreiten und verjagte allmählich die Eiseskälte, die sie so lange gefangen gehalten hatte. Eine Ahnung stieg in ihr auf. Elisabeth war etwas Besonderes. Schlummerten in ihr etwa dieselben Kräfte, die auch sie besaß? Ihre Glieder wurden schwer. Schon fühlte sie, wie sie in den Schlaf zurückglitt. »Ich will … nicht sterben.«

»Niemand wird sterben! Niemand, hörst du?« Seine Worte klangen gedämpft, während sie tiefer und tiefer zu fallen schien, nur noch verbunden mit diesem einen Funken, der vor ihren geschlossenen Augen wuchs, bis er zu einer leuchtenden Flamme wurde und sich wie ein schützender Arm um sie legte.

10

Die Hände tief in den Taschen seiner wollenen Hose vergraben, ging Emmerik Schimpf über das Pflaster des Salzmarktes am Clingenberghe. Seine rabenschwarze, am Hinterkopf zu einem einfachen Zopf geflochtene Mähne flatterte im frischen Wind, der vom Hafen herüberwehte. Die Farben seines Wamses, das sich über der kräftigen Brust spannte, leuchteten rot und grün, sodass die Bürger Lübecks schon von Weitem erkennen konnten, mit wem sie es zu tun hatten. Emmerik war der Scharfrichter der Stadt, berüchtigt und verachtet, ein Mann, dem man aus dem Weg ging. Es bedeutete Unheil, dem Henker zu nahe zu kommen.

Die vorher so angeregt plaudernden Menschen verstummten. Händler und Kunden starrten ihn unverhohlen an, um sich dann abzuwenden, nur die Hühner, die hier feilgeboten wurden, gackerten unbeirrt weiter. Emmerik ging auf einen der Fischhändlerstände zu.

Die Menge teilte sich.

Als er seine tiefe Stimme erhob, fuhren die Leute um ihn zusammen. »Pack mir fünf gesalzene Heringe ein. Schnell, ich habe es eilig.«

»Gewiss«, beeilte sich der Händler zu versichern und reichte dem Henker die gewünschte Ware, ohne ihm dabei in die Augen zu sehen.

Ein paar Pfennige wechselten den Besitzer, und Emmerik ging weiter. Nachdem er seine Einkäufe erledigt hatte, verließ er den Marktplatz und machte sich auf den Heimweg, wobei er an gut gekleideten Damen und einfachen Lohnarbeitern vorbeikam. Dass nicht nur Bürger und Priester ihn mieden, sondern auch das einfache Volk scheu zur Seite trat, wenn es ihm in der Stadt begegnete, war er gewohnt. Im Angesicht des Todes waren sie alle gleich. Ob nun ein Getreidedieb wie der Kerl, den sie vor drei Wochen am Mühlenteich erwischt hatten, oder ein feiner, wegen Notzucht verurteilter Bürger – fast jeder, den die Büttel auf den Köpfelberg brachten, machte sich vor Angst nass. Selbst das Geräusch der unter dem Rad brechenden Knochen oder der letzte rasselnde Atemzug, wenn der Galgenstrick die Kehle des Delinquenten zuzog, waren stets dasselbe.

Ein dünnes Lächeln umspielte seine Lippen. Kinder drückten sich an den Häuserwänden entlang, als sie ihn kommen sahen. Mit den gekauften Waren auf dem Arm schlug der Scharfrichter den Weg zur Stadtmauer ein. In ihrer unmittelbaren Nähe befand sich die kleine Hütte, in der Schimpf zusammen mit seinem Sohn Baldo lebte. Seit er denken konnte, hatten er und seine Eltern hier gewohnt, streng abgeschieden von der übrigen Bevölkerung der stolzen Hansestadt, für die schon sein Vater die Drecksarbeit gemacht hatte – tollwütige Hunde zu erschlagen und auf dem Schindacker zu verscharren, Aussätzige zu vertreiben und die Verurteilten vom Leben zum Tode zu befördern. Als Bardulf und Anna Schimpf, seine Eltern, an der Pest gestorben waren, hatte Emmerik mit gerade achtzehn Lenzen das Amt des Henkers übernommen. Auch sein Sohn Baldo würde einmal dieses Amt ausüben. Schon jetzt ging ihm der Junge bei den Hinrichtungen zur Hand, auch wenn er sich am Anfang heftig dagegen gesträubt hatte. Baldo kam eher nach seiner Mutter, die nach der Geburt seiner Schwester Sanne im Kindbett gestorben war.

Vor einem Jahr war die Siebzehnjährige aus dem Haus an der Stadtmauer ausgezogen und teilte sich nun mit einer anderen jungen Frau eine Holzbude in einem verwinkelten Hof hinter den Kaufmannshäusern, in der die beiden Hübschlerinnen ihre Freier empfingen.

Seitdem lebten Vater und Sohn allein in dem kleinen Haus.

Inzwischen konnte Emmerik die Menschen nicht mehr zählen, die er im Auftrag der Lübecker Richteherren getötet hatte. Seit seine Frau verstorben war, bedeutete ihm das Leben nichts mehr, ebenso wenig wie der Tod. Nicht selten genoss er seine Macht über die Verurteilten und dehnte ihre Qual ein wenig aus. Emmerik musste an den Schankwirt vom letzten Jahr zurückdenken, der viele Jahre zuvor seiner Mutter die Tür gewiesen hatte, als sie um einen Krug Bier bat. Ihr war klar gewesen, dass sie nur am Rande der Schänke, in einer düsteren Ecke, bedient werden würde. Doch der Wirt hatte ihr das Getränk verweigert. Als der Mann dann einige Jahre später wegen Blutschande an dem eigenen Kinde zum Tode durch das Beil verurteilt worden war, hatte Emmerik absichtlich den korrekten Punkt am Nacken verfehlt. Er verengte seine Augen zu Schlitzen. Oh ja, dieser Kerl hatte den Tod verdient und sein Bruder Jakob die gut gehende Schänke zu Recht geerbt. Der Gedanke an einen Krug kühles, gewürztes Weizenbier gefiel ihm. Er änderte die Richtung und steuerte auf den *Hafenkrug* zu.

Als der Henker die Tür des Wirtshauses aufzog, schlugen ihm Lärm und Biergeruch entgegen. An mehreren Tischen wurde *Tres Canes* gespielt und das Fallen der knöchernen Würfel lautstark kommentiert, andere Männer führten bei Bier und Wein wortreiche Unterhaltungen. Der Wirt nickte ihm freundlich zu. Emmerik erwiderte die Begrüßung und schob sich zwischen den besetzten Tischen hindurch in eine düstere, nur von einem Talglicht erhellte Ecke, in der sich ein kleiner Tisch und eine leere Bank befanden. Der dem Henker vorbehaltene Platz. Er setzte sich nieder und sah durch die kleinen Fenster aus poliertem Horn hinaus auf die Straße.

»Hier, dein Bier, Emmerik! Wie immer mit Wacholder gewürzt.«

»Danke.«

Während der Wirt, einer der wenigen Menschen, die überhaupt das Wort an den Henker richteten, sich entfernte, starrte dieser einen Moment lang in den bernsteinfarbenen Inhalt des Steingutkruges, den Jakob Spieß vor ihm abgestellt hatte. Plötzlich musste er an eine der letzten Hinrichtungen denken, die er und Baldo vollstreckt hatten. Hatte der junge Kirchendieb nicht auch Jakob geheißen? Jedenfalls war er einer der wenigen Verurteilten gewesen, die ihm ein wenig leidgetan hatten. Tod durch das Rad, weil er irgendeinen kostbaren Gegenstand aus der Kirche gestohlen hatte. Aber so waren sie, die hohen Herren. Verächtlich verzog er die Lippen. Wenn es an ihre Kirchenschätze ging, verstanden sie keinen Spaß. Da hörte die allseits gepriesene Nächstenliebe auf.

Emmerik nahm einen Schluck und wischte sich den Schaum vom Mund. Das Würzbier, das Jakob Spieß bei einem der Klöster in der Nähe Lübecks kaufte, war gut, wenn man auch nicht mehr als einen oder zwei Krüge davon trinken durfte. Wieder musste er an diese verdammte Hinrichtung denken. Eine der vielen Zuschauerinnen, eine junge Frau, war ihm aufgefallen und in Erinnerung geblieben. Ein hübsches Frauenzimmer, deren rotblonde Locken im Sonnenschein wie Kupfer geglänzt hatten, mit einer Figur, die sicher das Herz manches Mannes höher schlagen und seine Bruche eng werden ließ. Diese Frau war nicht wie die meisten anderen Gaffer gewesen, die sich daran aufgegeilt hatten, einen Menschen leiden und sterben zu sehen. Deutlich hatte er wieder ihren Gesichtsausdruck vor Augen, bis sie den Hügel hinabgelaufen war. Ihre Miene hatte die Abscheu und die Fassungslosigkeit widergespiegelt, die sie bei dem grausamen Spektakel empfunden haben musste.

Als der Henker eine halbe Stunde später den *Hafenkrug* verlassen hatte und die Holztür seiner kleinen Wohnung an der Stadtmauer aufschließen wollte, hörte er Schritte hinter sich. Er fuhr herum und griff gleichzeitig mit der Hand an den Gürtel, an dem ein Beutel mit einem kleinen, ausklappbaren Messer darin hing. Als er erkannte, dass ein halbwüchsiger Junge vor ihm stand, ließ er die Hand wieder sinken.

»Bist du Emmerik Schimpf, der Scharfrichter?«

»Wer will das wissen?«

»Ich bin Niclas, Medicus Küppers' Sohn. Mein Vater schickt mich her. Du sollst zu uns kommen und unseren Hund abholen!«

»Euren Hund, so.« Emmerik schürzte die Lippen. »Woran ist der Köter denn gestorben?«

»Gestorben? Gar nicht.« Der Junge schüttelte den Kopf. »Aber mein Vater will, dass du ihn totschlägst und auf dem Schindacker verscharrst. Er bellt immer nur. Gestern hat er meinen Vater sogar in die Hand gebissen! Da hat er gesagt, jetzt reicht es, der Henker soll kommen und das Vieh totschlagen!« Er stockte und schlug die Augen nieder.

Emmerik streckte sich. »Wo wohnt ihr?«

»An der Sandstrate. Gleich das erste Haus hinterm Dom.«

»Gut, dann sag deinem Vater, dass ich morgen meinen Jungen vorbeischicke. Er wird den Köter abholen.«

11

Die Sonne stand schon tief über den Dächern der Stadt, als Baldo sich am folgenden Tag auf den Weg zur Sandstrate machte, wo der Pferdemarkt stattfand. Dort bauten die Rosshändler bereits ihre Pferche ab, einer führte gerade mehrere Pferde über den ungepflasterten Platz. Baldo kreuzte ihren Weg und wich einem Haufen dampfender Pferdeäpfel aus. Angewidert verzog er das Gesicht, allerdings nicht wegen des Pferdemists, in den er fast getreten wäre. Mit ansehen zu müssen, wie sein Vater kranke oder alte Hunde erschlug, löste jedes Mal Widerwillen in ihm aus. Räuber oder Mörder hinzurichten, war eine Sache. Daran hatte er sich gewöhnt. Doch wehrlose Kreaturen umzubringen, ging ihm an die Nieren. Tollwütige Hunde zu töten, mochte für die Tiere Erlösung bedeuten, trotzdem verspürte er jedes Mal einen Kloß im Hals.

Vor dem Haus des Medicus angekommen, blieb er zögernd stehen, trat an ein kleines Fenster und spähte in die Dornse hinein. Da niemand zu sehen war, ergriff er den Holzknauf und schlug gegen die Tür. Das großzügig geschnittene Haus deutete auf Wohlstand und Ansehen hin, auf Leute der feinen Gesellschaft. Nachdem auch nach dem zweiten Klopfen niemand erschien, kratzte Baldo sich nachdenklich am Kinn. Wahrscheinlich war der Medicus noch in seiner Praxis. In diesem Moment wurde die Tür geöffnet, und ein halbwüchsiger Junge stand vor ihm. »Gott zum Gruße.«

»'n Abend«, brummte Baldo. »Ich soll den Hund abholen.«

Ein Schatten glitt über das Gesicht des Jungen, der wortlos aus der Tür trat und auf einen niedrigen Schuppen zusteuerte. Wenige Momente später kam er zurück, einen schwarzen Hund mit hellen Flecken am Kopf hinter sich herziehend. Das Tier jaulte. Baldo ging in die Hocke und betrachtete es von allen Seiten, während zwei glänzende Knopfaugen ihn aufmerksam musterten. Der Hund war noch nicht ausgewachsen, wie Baldo an den Pfoten erkennen konnte. Er stand auf.

»Ich nehme ihn dann mal mit«, murmelte er. »Tollwütig sieht er allerdings nicht aus.«

»Der Hund hat immer ins Haus gemacht und nachts gewinselt.« Der Junge sah zu Boden. »Er muss weg.«

»Gib ihn schon her«, erwiderte Baldo und trat näher. Der junge Hovawart zog den Schwanz ein und stieß ein Winseln aus, während sein Blick unruhig hin und her wanderte. »Ganz ruhig.« Baldo bückte sich. Schnell holte er aus der Tasche seines Wamses eine einfache Schnur hervor, legte sie dem Tier um den Hals und band einen Knoten. Er zog den Hund vom Eingang fort. Ängstlich und unterernährt war das Tier ganz augenscheinlich auch. »Sag deinem Vater, dass ich ihn abgeholt habe.« Baldo wendete sich zum Gehen, und die Tür fiel hinter ihm ins Schloss. Bei richtiger Pflege und guter Erziehung wäre er bestimmt ein guter Hofhund geworden, dachte er und wollte das widerstrebende Tier hinter sich herziehen. Doch der Hovawart blieb stehen und rührte sich nicht vom

Fleck. »Nun komm schon«, stieß Baldo zwischen zusammengebissenen Zähnen hervor. Der Hund legte nur den Kopf schief und fixierte ihn.

Leise Stimmen erregten Baldos Aufmerksamkeit. Also war der Medicus tatsächlich noch in seiner Praxis. Als sich der Hund nach wie vor weigerte, ihm zu folgen, seufzte der junge Mann ergeben, bückte sich und nahm ihn auf den Arm. Die Stimmen schienen aus dem rückwärtigen Teil des Hauses zu kommen, deshalb schlug er den Weg durch den schmalen Gang ein, der sich neben dem Besitz befand. Hier wohnte wahrscheinlich Küppers' Kinderfrau. Der Hund war schwerer als erwartet. Baldo schlich weiter, und die Stimmen wurden lauter. Ein drohendes Knurren aus der Hundekehle ließ ihn ruckartig stehen bleiben, Nacken- und Rückenhaare des Tieres sträubten sich. Baldo lehnte sich an die Wand des Hauses und hielt dem Tier mit einer Hand vorsichtig das Maul zu. Er lauschte mit angehaltenem Atem. Da! Eine dunkle, eindeutig männliche Stimme, die aus einem Fenster zu ihm herüberdrang. Baldo konnte den schnellen Herzschlag des Tieres unter seiner Hand spüren.

»Wie stellst du dir das vor? Ich kann doch nicht einfach …«, war die Stimme, die nun etwas atemlos klang, zu hören. »Außerdem bin ich Arzt und kein …«

Jemand lachte rau. »Wir haben Vertrauen in deine Fähigkeiten, lieber Freund. Lass dir etwas einfallen.«

»Aber …«

»Was gibt's da noch zu überlegen, Konrad? Unser Angebot ist überaus großzügig, meinst du nicht auch?« Die leicht lispelnde Stimme klang einschmeichelnd. Offenbar handelte es sich hier um ein Geschäftsgespräch, doch irgendetwas an der Art, wie der Lispler gesprochen hatte, machte Baldo hellhörig.

»Ja, sicher. Meinst du, das ist so einfach? Man muss sehr vorsichtig vorgehen, damit es nicht auffliegt. Oder hast du etwa gedacht, ich setze meinen Ruf aufs Spiel? Wenn diese Sache rauskommt, landen wir alle am Galgen!«

»Nicht so laut, Konrad!«

Baldo versteifte sich.

»... Bremer ... jedenfalls aus dem Weg geschafft werden, ansonsten ...«, raunte ein anderer Mann.

Bremer? Baldo kaute an seinem Daumennagel, wie er es immer tat, wenn er erregt war. Bremer. Der Name kam ihm bekannt vor. Hieß nicht der Kaufmann aus der Hunnestrate so? Führte er nicht dort eine Goldspinnerei? Aus dem Weg schaffen? Er musste sich verhört haben. Nein, das konnte nicht sein! Dafür musste es eine einfache Erklärung geben. Selbst schuld, was schleiche ich auch hier herum und belausche Gespräche, die mich nichts angehen, schalt er sich, während er den Hund an sich drückte. Er verließ seinen Platz und stahl sich zurück in Richtung Sandstrate. Trotzdem, hier ging etwas nicht mit rechten Dingen zu. Schnaufend blieb er stehen. Das Tier zitterte. In einer halben Stunde hat der arme Kerl es überstanden, beruhigte Baldo sein Gewissen. Er überquerte die Straße, um den Weg zum Burgtor einzuschlagen. Menschen gingen achtlos an ihm vorüber. Sie hatten ihr Tagewerk beendet und wollten nach Hause. Die Schatten wurden länger, er musste sich beeilen, wenn er rechtzeitig vor Einbruch der Dunkelheit daheim sein wollte. Am liebsten hätte Baldo den Hund abgesetzt, doch vermutlich wäre der Kleine einfach stehen geblieben.

Er passierte das Burgtor. Bald würden die Torwächter die schweren Flügel schließen, dann kam niemand mehr in die Stadt hinein oder aus ihr hinaus. Schnell lief er weiter. Da war er, der Schindacker. Ein karges Feld, auf dem sein Vater und er diejenigen begruben, die ein Stück weiter auf dem Köpfelberg ihr Leben am Galgen oder unter dem Rad ausgehaucht hatten. Der düstere Eindruck des Ortes wurde noch durch dunkle Sturmwolken verstärkt, die sich am Himmel türmten. Ein Schwarm Krähen zog kreischend seine Kreise über dem Platz und ließ sich auf einer schlanken Linde nieder. Kräftiger Wind fegte ungehindert über das Feld und machte das Gehen beschwerlich. Zu seiner Linken konnte Baldo einige frische Erdhaufen ausmachen. Er setzte den Hund ab, holte tief Luft und bückte sich nach einem dicken Ast von halber Armeslänge. Schwer war er, eine tödliche Waffe.

»Komm, Hund. Ich verspreche dir, es wird ganz schnell gehen.« Baldos Stimme brach. Der Hovawart winselte leise, hob den Kopf, als ob er wüsste, welcher Kampf in Baldo tobte. Der fühlte plötzlich, wie eine feuchte Zunge begann, seine Hand abzulecken. Treue Augen sahen ihn an. »Verflixt!« Er ließ den Knüppel fallen. Warum sollte er den Hund erschlagen? Er wirkte gesund, nur ein wenig verängstigt. »Schon gut«, murmelte er, strich dem Tier über das zottelige Fell und wandte dem unheimlichen Ort den Rücken zu. In diesem Moment setzte heftiger Schneeregen ein und peitschte ihm ins Gesicht, als missbilligte er seine Entscheidung. Wenn Vater ihn findet, wird er ihn eigenhändig erschlagen, dachte er und biss sich so heftig auf die Unterlippe, dass sie blutete. Ob er ihn bei Hans lassen konnte? Der Regen drang durch seine Kleider, tropfte aus seinen Haaren hinab in den Nacken und ließ ihn frösteln. Gemeinsam liefen sie zurück in Richtung Stadt und kämpften sich durch den anschwellenden Sturm.

Unschlüssig blieb Baldo vor der Tür seines Freundes stehen. Er blickte auf den Hund hinab, der mit eingezogenem Schwanz neben ihm stand, und konnte sich ein Lächeln nicht verkneifen. Tropfnass, wie sie waren, sahen sie wirklich erbarmungswürdig aus.

Frau Mumme, die Hausherrin, steckte ihre Nase durch die Tür. »Wer ist da?«

Er räusperte sich. »Ich bin's, Baldo.«

Die Tür wurde weit geöffnet. »Was ist das denn? Wo …«

Baldo wollte gerade zu einer Antwort ansetzen, da winkte sie ab. »Komm erst mal rein, mein Junge. Ich hole Tücher.«

Als Baldo die Haustür wieder hinter sich schloss, war ihm leichter zumute. Der Regen hatte nachgelassen, und seine Kleider waren beinahe trocken. Hans war nicht zu Hause gewesen, doch seine Mutter hatte ihn und den Hund in ihrer resoluten Art in die Küche gebeten und Baldo warmen Würzwein sowie frischgebackenes Brot vorgesetzt. Allerdings nicht ohne ihn misstrauisch zu beäugen, während sie ihn aufforderte, die Kleider auszuziehen, damit sie über der offenen Feuerstelle trocknen konnten. Der Hund lag währenddessen zu seinen Füßen und rührte sich nicht von der Stelle. In eine Decke gewickelt, erzählte Baldo Frau Mumme schließlich die ganze Geschichte. Nur das Gespräch, das er belauscht hatte, ließ er aus.

»Gut, Junge«, sagte sie, als er geendet hatte. »Du kannst ihn hier lassen. Aber nur ein paar Tage. Ich komm in Teufels Küche, wenn mein Mann das herausfindet.«

Baldo versprach, den Hund bald abzuholen.

12

Moin, Frau Bremer«, rief Minna gut gelaunt aus, ohne ihre Arbeit am Spinnrad zu unterbrechen.

Cristin erwiderte das Lächeln ihrer Lohnarbeiterin, während sie mit Elisabeth auf dem Arm die Treppe hinunterging. Die vertrauten Geräusche der Spinnerei hüllten sie ein, der Geruch von Schafwolle hing in der Luft, und Mirke und Johannes sangen ein Lied bei der Arbeit.

»Guten Morgen. Ihr kommt zurecht, wie ich sehe?« Cristin zog ein gequältes Gesicht, denn Johannes war wahrlich ein fleißiger Geselle, aber so unmusikalisch, dass es in den Ohren schmerzte.

»Wir kommen gut voran, Frau Bremer. Die Altardecke für St. Marien wird noch diese Woche fertig. Wie niedlich Eure Tochter ist. Darf ich sie mal halten?« Mirke wischte die Hände an ihrem Gewand ab und streckte die Arme nach Elisabeth aus.

Cristin gab ihr das Kind. »Sehr schön.« Sie begutachtete die Altardecke sorgfältig. Alles musste einwandfrei sein, denn ihre Goldspinnerei war die beste der Stadt und sollte es auch bleiben.

»Ich sehe, ich kann mich auf euch verlassen. Minna, wo ist mein Mann?«

»Im Zählraum, Herrin. Wie meistens.«

Sie nahm Elisabeth entgegen, ging die wenigen Schritte, klopfte an die Tür und trat ein. »Guten Morgen, Lukas. Ich hoffe, ich störe dich nicht?«

Ihr Gemahl, eben noch versunken, hob den Kopf. Aus seinen Augen strahlte Wärme. »Wie könnten meine beiden wunderschönen Frauen mich jemals stören?« Er zog sie in die Arme und drückte erst Cristin und dann dem Säugling einen Kuss auf die Stirn. »Du siehst wohl aus.«

»Mir geht es gut, Liebling. Deshalb bin ich hier.« In Erwartung des kommenden Donnerwetters schmiegte sie sich an ihn und bedachte ihn mit jenem unschuldigen Gesichtsausdruck, von dem sie wusste, dass er selten seine Wirkung verfehlte. »Wir können den Hochzeitsstaat für die Büttenwarts nicht fertigstellen.«

Lukas gab sie frei. »Wieso nicht?«

»Es fehlen die bestellten Stickereien für Kragen und Ärmel. Minna ist eine gute Weberin und Spinnerin, auch Mirke tut ihr Bestes, aber …« Cristin tätschelte Elisabeth, die leise zu weinen begann.

»Was willst du mir damit sagen?«

Er wusste es genau, das konnte sie deutlich an der Falte zwischen seinen Augen ablesen. »Lass mich wenigstens diese Arbeiten erledigen, Lieber.« Sie strich ihm über die Brust. »Schließlich sollen die Gewänder besonders prächtig werden, oder?«

»Wie stellst du dir das vor? Noch vor Kurzem hatte ich Angst um dein Leben. Zum Arbeiten ist es viel zu früh. Du brauchst noch Ruhe.«

»Ruhe.« Cristin verdrehte leicht die Augen. »Ach Lukas,

davon habe ich mehr, als ich aushalten kann. Elisabeth schläft viel. Soll ich ihr dabei zusehen?«

»Und wer kümmert sich um die Kleine, wenn du stickst?«, unterbrach er sie barsch.

Sie reckte den Hals. »Ich nehme sie mit, Lukas. So wie jede andere Frau es auch tut, wenn sie zu arbeiten hat.«

»Du bist aber kein Bauernweib, sondern die Gemahlin eines Kaufmannes, der sich durchaus eine Amme leisten könnte.«

»Nein. Ich möchte Elisabeth selbst versorgen.« Cristin wiegte das schläfrige Kind im Arm.

Lukas hob die Brauen. »Ich verstehe. Gut, es bleibt mir wohl nichts anderes übrig, wenn wir rechtzeitig fertig werden wollen. Niemand weiß so wundervoll zu sticken wie du. Aber die Erlaubnis gilt nur für diesen einen Auftrag. Und nur morgens, während meine Tochter schläft.« Zärtlich fuhr er mit der Hand über ihre Wange.

»Ja. Sobald der Hochzeitsstaat auf dem Weg zu den Büttenwarts ist, werde ich, wie es sich für eine Kaufmannsfrau geziemt, den Tag mit Müßiggang verbringen.«

Lukas' herzhaftes Lachen wärmte ihr Herz. »Der Tag muss wohl erst anbrechen, an dem ich dir das glaube, mein Lieb.«

Am folgenden Morgen, als Elisabeth satt und zufrieden war, ließ Cristin Johannes das Kinderbettchen in die Werkstatt bringen und neben ihrem Stickrahmen aufstellen. Die stetig wiederkehrenden Geräusche und die leisen Gespräche sorgten dafür, dass die Kleine bald einschlief. Lächelnd betrachtete Cristin den kleinen Daumen, der in Elisabeths Mund gewandert war, und ihre vom Schlaf geröteten Wangen. Sie schaute zu ihren Lohnarbeitern hinüber, die allesamt in ihre Arbeit vertieft waren. Ihr wurde warm ums Herz, als Minna ihren Blick bemerkte und ihn verständnisvoll erwiderte. Nach ihrem längeren Krankenlager war Cristin froh, endlich wieder ihrem Tagewerk nachgehen zu können – wenn auch nur für einige Stunden täglich. Sie entnahm einem Regal einen Ärmel des Hochzeitsgewandes, den Minna aus feinem, safrangelb gefärbtem Leinen gewebt hatte, und spannte ihn auf den Stickrahmen. Mirke reichte ihr ein Stück Pergamentpapier. »Danke, Mirke. Ihr kommt voran?«

»Gewiss, Frau Bremer. Auch die Wolle aus England für den Altarbehang der Marienkirche und für die *palla*, die zum Abdecken des Kelches gebraucht wird, ist vorhin eingetroffen. Johannes packt sie schon aus.«

»Schön, Mirke. Dann kann ich mich ja ganz in Ruhe den Stickereien widmen, oder?« Cristin strich andächtig über den weichen Stoff der Webarbeit, während die junge Lohnarbeiterin an ihren Platz zurückkehrte.

Aufmerksam betrachtete sie das halb fertige Stück genauer. Einen Moment schwankte sie, wie sie die Blattornamente vorgezeichnet bekommen sollte. Wenn sie das Pergamentpapier auf den Stoff legte und mit dem Vorstecher arbeitete, könnte sie das Motiv mithilfe der etwas größeren Löcher andeuten. Oder sie schüttete vorsichtig eine Mischung aus Asche und Mehl über das gelöcherte Papier, um es nach getaner Arbeit wieder zu entfernen. Am Ende entschied sie sich gegen diese Möglichkeit, denn es erschien ihr wie ein Frevel, den schönen Stoff mit der Aschemischung zu beschmutzen. Auch wenn das albern war, denn später würde niemand mehr etwas von der Asche erkennen können.

13

Der Blick aus dem Fenster sagte ihr, dass der Frühling bereits in der Luft lag. An diesem Tag begann die Karwoche, auch wenn es noch vereinzelt schneite und der Frost des Nachts die Bäume und Sträucher in einen weiß glitzernden Mantel hüllte.

Der Richteherr war von den prächtigen Stickereien sehr angetan gewesen und hatte dem Geschäft eine stattliche Anzahl neuer Kunden verschafft. Als es sich herumgesprochen hatte, dass auch die neue Altardecke von St. Marien von den Bremers angefertigt worden war, konnten sie sich neuer Aufträge kaum erwehren.

Elisabeth war gerade eingeschlafen, und Cristin richtete das Abendessen, als Lukas die Tür schwungvoll aufriss. Unter dem Arm trug er zwei große, verschnürte Pakete.

»Du bist schwer beladen. Was hast du da?«, fragte Cristin neugierig.

Er legte seine Fracht auf dem Boden ab und grinste. »Hier riecht es ja wunderbar!«, rief er aus, beugte sich über die Kochstelle und streckte die Hand aus.

»Nehmt Eure Finger von den Töpfen, mein Herr und Gebieter«, erwiderte sie lächelnd und gab ihm einen innigen Kuss.

Er wirbelte sie herum, ohne auf den Holzlöffel in ihrer Hand zu achten. »Das, mein Liebchen, ist für dich.«

Cristins Augen weiteten sich. »Für mich? Ich habe doch alles, was ich brauche.«

»Du wirst schon sehen! Pack es aus.«

Das ließ Cristin sich nicht zweimal sagen. Sie legte den Löffel beiseite, wischte sich die Hände mit einem Leinentuch ab und machte sich an den Schnüren zu schaffen. »Lukas! Das ist wunderschön!«, entfuhr es ihr, als sie ein nachtblaues Gewand mit weiten Ärmeln und silbernen Verzierungen in den Händen hielt.»Mein Gott, das ist viel zu kostbar!« Sie konnte die Augen nicht von dem weichen Stoff wenden.

»Du wirst die Königin des Abends werden.«

»Welcher Abend? Wovon redest du?«

»Wir werden ein Fest geben. Hier. Da möchte ich mich gern mit meiner Frau schmücken.«

»Ein Fest?«

»So ist es. Es wird Zeit für Musik, Tanz und ein richtiges Festmahl. Freunde, Geschäftspartner, Lynhard und Mechthild – alle sollen kommen. Mirke, Minna und Johannes natürlich auch.«

Cristin umfasste zärtlich sein Gesicht. »Was werden die Leute reden, wenn du unsere Arbeiter zum Fest einlädst?«

»Das ist mir einerlei, Cristin. Die drei haben hart geschuftet und sind uns treu ergeben. Deshalb werden sie dabei sein.«

Sie lehnte sich leicht gegen ihn. »Das ist eine schöne Idee. Es wird mir Freude machen, alles vorzubereiten.« In Gedanken sann sie darüber nach, ob sie Gänse oder einen geräucherten Eber anbieten sollte.

»Nein, mein Liebes.« Lukas schüttelte den Kopf. »Deine einzige Aufgabe für diesen Abend besteht darin, die hübsche Gastgeberin zu sein. Alles andere überlass nur Mirke, Minna und mir.«

Die Räume waren kaum wiederzuerkennen und erstrahlten in feierlichem Glanz. Fleißige Helfer hatten die Wohnkammer der Bremers ausgeräumt und in einen kleinen Festsaal verwandelt. Die lange Tafel war mit Tischdecken, Obstschalen und dicken Wachskerzen geschmückt. Das warme Licht unzähliger Talglampen ließ die Geschmeide der anwesenden Damen noch kostbarer erscheinen. Holzscheite knisterten im Kamin und verbreiteten eine anheimelnde Atmosphäre. Johannes reichte Becher mit Honigwein herum. Lachen und Stimmengewirr erfüllten den Raum mit Leben und verbanden sich mit den zarten Klängen einer Schalmei.

Der Stoff des neuen Gewandes schmiegte sich eng um Cristins Leib. Es fühlte sich wunderbar an, ganz anders als die schlichten Kleider, die sie normalerweise trug. Die langen Blondhaare hatte sie zu einem Zopf geflochten, den bunte Seidenbänder schmückten. Cristin registrierte die anerkennenden Blicke der Männer, doch auch die neidvollen ihrer Gemahlinnen blieben ihr nicht verborgen, als sie zu Minna hinüberging, die soeben mit roten Wangen die Kammer betrat. »Schön, dass du gekommen bist. Komm näher, nur keine Scheu.«

Minna nahm die Hand ihrer Herrin. »Frau Bremer, ich …«

Cristin lächelte. »Hat es dir die Sprache verschlagen?«

Die Lohnarbeiterin nestelte an ihrem neuen Gewand herum. »Der Herr hat darauf bestanden, dass ich komme. Aber zwischen den feinen Damen fühle ich mich, na ja …«

»Nur Mut.« Cristin legte den Arm um ihre Schultern und zog Minna an sich. »Du bist bei mir gewesen, als Elisabeth geboren wurde. Auf dich können wir uns immer verlassen, das wissen mein Mann und ich.«

Minna schniefte geräuschvoll. »Das habt Ihr nett gesagt, Frau Bremer. Wenn Ihr meint, dann lasst uns in die Höhle des Löwen gehen.«

Cristin zwinkerte ihr verschwörerisch zu. »So schlimm ist es nicht, einige der Gäste kennst du bereits. Sollte es jemand wagen, dir gegenüber ungehörige Bemerkungen zu machen, gibst du meinem Mann oder mir Bescheid, ja?«

Die Lohnarbeiterin sah sich suchend um. »Gut. Gibt es hier etwas Ordentliches zu trinken?«

Cristin lachte. »Das ist meine Minna. Komm mit. Johannes muss hier irgendwo sein.«

Die Suche nach dem Jungen erwies sich allerdings als nicht so einfach. Während die beiden Frauen sich durch die Menge schoben, wurden sie immer wieder aufgehalten und angesprochen. Jette Büttenwart, die Frau des Vogts, der in ein Gespräch mit einem anderen Kunden vertieft war, bedankte sich noch einmal für die überaus gelungenen Arbeiten der Spinnerei. Ihre Tochter sei entzückt gewesen von dem Hochzeitsgewand, und ihr Mann habe gesagt, in Lübeck gebe es keine bessere Goldspinnerin als Lukas Bremers Frau.

Als sie Johannes endlich gefunden hatten, nahm Cristin einen gefüllten Weinbecher von seinem Tablett und reichte ihn der Älteren. »Trink Minna, der Wein ist köstlich. Wo ist eigentlich Elisabeth?«

»Mirke ist bei ihr. Wir haben das Bettchen im Zählraum aufgestellt, damit die Kleine in Ruhe schlafen kann. Mirke und ich werden uns mit der Wache abwechseln.«

Cristin drückte ihrer Lohnarbeiterin die Hand. Da sah sie Lukas auf sich zukommen, und ihr Herz klopfte schneller, denn für sie war er der bestaussehende Mann des Abends. Er trug eine blaue Schecke und eine eng anliegende Hose, die seine Figur gut zur Geltung brachte. Lynhard, wie immer elegant gekleidet, stand mit Mechthild bei ihm, doch neben ihrem Mann erschien sie farblos wie ein trister Novemberabend. Mechthilds Augen leuchteten trotzdem, wenn Lynhard sie ansah oder ihr zuzwinkerte. Cristin konnte nicht umhin, erneut festzustellen, dass die beiden nebeneinander wie Feuer und Wasser wirkten. Mechthild tat ihr so manches Mal leid, aber ihre Schwägerin hatte es nicht anders gewollt und damals bei den Eltern durchgesetzt, den gut aussehenden Lynhard ehelichen zu dürfen. Cristin wandte ihre Aufmerksamkeit wieder ihrem Gatten zu, als ihr Schwager ihr in den Weg trat und sich vor ihr verbeugte.

»Du siehst umwerfend aus. Hat dir das heute schon jemand gesagt, Schwägerin?«

»Soweit ich weiß jeder hier im Raum, Bruder«, konterte Lukas.

Irrte sie sich, oder klang seine Stimme gereizt? Vor drei Tagen war Lynhard in der Goldspinnerei aufgetaucht – angetrunken. Vermutlich hatte er Lukas wieder einmal um Geld fragen wollen. Doch der hatte seinen Bruder mit ungewöhnlich scharfen Worten abgewiesen. Lynhard schenkte ihr ein breites Lächeln, und Cristins Ohren glühten. Sie ärgerte sich über diese lästige Eigenart, die jede ihrer Gemütsbewegungen offenbarte. In diesem Moment betrat Mirke den Saal. Cristin nutzte die Gelegenheit, entschuldigte sich bei den Männern und ging der jungen Spinnerin entgegen.

»Solltest du nicht bei Elisabeth sein?«, fragte sie.

»Minna löst mich ab.«

Cristin zog eine Braue hoch. »Ein feines Gewand trägst du.«

»Euer Gemahl hat uns allen neue Kleider geschenkt. Das war wirklich sehr großzügig von ihm. Steht es mir?« Mirke drehte sich im Kreis, sodass sich der lange Rock bauschte.

Cristins Blick ruhte kurz auf den Hüften der jungen Frau, die ein schmaler, lose aufliegender Ledergürtel zierte. »Ja, du siehst hübsch aus.« Vielleicht ein wenig kokett für dein Alter, dachte sie. Sie wandte sich von Mirke ab und trank einen Schluck.

»Wollen wir ein wenig spazieren gehen?« Lukas' zärtliche Stimme in ihrem Nacken riss sie aus ihren Gedanken. Sie drehte sich um und musterte die Gäste und deren fröhliches Treiben. »Aber Lukas! Wir können doch nicht einfach …«

Lukas lachte. Die Falten um seine Augen vertieften sich. »Ach was«, wischte er ihre Bedenken beiseite. »Wenigstens für einige Minuten möchte ich mit meiner Frau allein sein.« Er bot ihr seinen Arm, und gemeinsam schlängelten sie sich bis zum Ausgang.

Lukas legte Cristin seinen Umhang um die Schultern und führte sie hinaus in den Hinterhof. Der Nachthimmel war klar. Eine leichte Brise strich ihr kühlend über das Gesicht. Cristin lehnte sich gegen ihn, als er sie wortlos in die Arme zog. Seine ruhigen Atemzüge und die Wärme, die er ausstrahlte, ließen sie die Augen schließen. Der Duft gebratenen Fleisches drang ihr an die Nase.

»Wir sollten nicht zu lange fortbleiben, das Essen wird gleich aufgetischt«, sagte sie.

Lukas hob ihr Kinn und strich mit seinem Daumen über ihre Wange. Dann beugte er sich zu ihr herunter und verschloss ihren Mund mit seinen Lippen. Cristin schlang die Arme um seine Taille und stöhnte leise, als er den Kuss vertiefte. Sie wollte sich von ihm freimachen, ihn daran erinnern, dass in ihrem Haus Gäste auf sie warteten. Doch die Versuchung war allzu groß, sich für einige Momente dem Glücksgefühl an seiner Brust hinzugeben. Er ließ seinen Mund über ihren Hals wandern und strich ihr über den Rücken.

Sie kicherte. »Liebling, halt ein. Du kannst nicht wollen, dass man uns hier so zusammen sieht.«

»Sollen sie ruhig alle verschwinden«, murmelte er an ihrem Ohr. »Damit ich mit meiner Frau allein sein kann.« Lukas lachte, hielt sie ein Stück von sich weg und sah sie an. Seine Stimme wurde rau. »Ja, du hast recht, Cristin. Das schickt sich wirklich nicht.« Er senkte seine Augen in ihre. »Aber wenn sie alle gegangen sind ...«

Sie gab ihm einen Kuss auf die Nasenspitze, nahm seine Hand und zog ihn lachend mit sich ins Innere des Hauses.

Lange Zeit hatte es im Hause Bremer kein derartiges Festmahl mehr gegeben. Die vielen Kerzen zauberten einen weichen Schein auf die Gesichter der Gäste, die sich ausnahmslos gut amüsierten. Die Becher wurden nachgefüllt, noch ehe sie leer waren, und der Tisch quoll über vor Köstlichkeiten. Der Schalmeyspieler wurde an den Tisch gerufen und tat sich an den erlesenen Speisen – gebratenen Hühnchen, sauer eingelegten Heringen, geräucherter Makrele, Wintergemüse und gutem Weißbrot – ebenso gütlich wie die feine Gesellschaft. Vogt Büttenwart lobte mit vollem Munde den guten Met, und Hilmar Lüttke, ein Freund Lynhards, plauderte angeregt mit Lukas, wobei der Mann mit dem Blutmal auf der hohen Stirn den jungen Frauen begehrliche Blicke zuwarf.

Lukas lächelte seine Frau leicht über den Tisch hinweg an. »Mirke, schenk mir nach«, forderte er die junge Lohnarbeiterin auf und hob das hohe, mit schneckenhausförmigen Nuppen verzierte Trinkglas. Vor einigen Tagen erst hatte Cristin ein halbes Dutzend davon erstanden. »Auf unsere Goldspinnerei. Und auf die beste Ehefrau von ganz Lübeck!«

Nach dem Essen gab Cristin dem Gesellen ein Zeichen. Zusammen mit dem Spielmann schoben Johannes, wie sie es vorhin mit ihm verabredet hatte, Tisch und Stühle beiseite, sodass in der Mitte des Raumes eine freie Fläche entstand. Sie nickte dem Musikanten zu, der sofort seine Holzflöte an die Lippen setzte. Als er eine Melodie zu spielen begann, griff Cristin nach Lukas' Hand. »Liebling, ich möchte tanzen. Machst du mir die Freude?«

Mit einem Lächeln verbeugte er sich. »Es wird mir ein Vergnügen sein, Frau Bremer.«

Schon nach wenigen Schritten auf der Tanzfläche folgten

weitere Männer und Frauen dem Beispiel ihrer Gastgeber und bewegten sich zu der fröhlichen Weise, die der Schalmeyspieler seinem Instrument entlockte.

Es war schon spät, als sich die letzten Gäste wortreich verabschiedeten. In weiser Voraussicht hatte Lukas angeordnet, dass die Spinnerei am folgenden Tag geschlossen bleiben sollte. Cristin beobachtete, wie ihr Gatte die leicht schwankenden Männer hinausbegleitete. Der Abend war eine wunderbare Abwechslung gewesen, doch nun war sie froh um die Stille, die sich im Haus ausbreitete und nur vom Klappern des Geschirrs unterbrochen wurde, das Minna bereits abwusch. Sie ging in die Küche, um der alten Lohnarbeiterin zu helfen. Lukas kehrte zurück. »Ich setze mich noch ein wenig in die Stube«, erklärte er.

Regen prasselte gegen das Fenster, und von ferne drang das erste Krähen eines Hahnes an ihr Ohr. Cristin legte den Arm um die Taille ihres schlafenden Mannes. In der Kammer waren nur die tiefen Atemzüge ihrer kleinen Familie zu hören. Sie drückte sich enger an Lukas heran, wollte noch ein kleines Weilchen seine Wärme genießen, bevor sie aufstand. Sanft streichelte sie seinen flachen Bauch, und er stöhnte leise, ohne jedoch wach zu werden. Sie lächelte in sich hinein und fuhr mit der Reise über seine Haut fort. Wie sie ihren Gatten kannte, war ihm der Wein nicht gut bekommen. Plötzlich zog er seine Beine an. Nur einen Wimpernschlag später erhob er sich schlagartig und verließ die Kammer. Sie sah ihm verblüfft hinterher. Elisabeth räkelte sich in ihrem Bettchen, bald würde sie nach der Brust ihrer Mutter verlangen.

Cristin lauschte dem stetig fallenden Regen. Als Lukas die Kammer betrat, hob sie wortlos die Decke an. »Was gibt es, mein Lieber?«

»Schon gut«, flüsterte er, legte sich wieder nieder und drehte sich auf die Seite.

Sie betrachtete seinen Rücken, seine vom Schlaf zerzausten

Haare. Elisabeths Jammern wurde drängender. »Guten Morgen, meine Kleine«, wisperte sie und nahm das Kind hoch.

Lukas fluchte.

»Ist dir nicht wohl?« Cristin hob ihr Nachtgewand, Elisabeths Lippen fanden die Brustwarzen und begann zu saugen.

»Mir ist übel«, erwiderte Lukas und presste eine Hand auf den Bauch. »Ich glaube, es ist der Wein.« Er krümmte sich, Schweißperlen standen ihm auf der Stirn.

»Einen Moment, Liebling. Wenn Elisabeth satt ist, mache ich dir einen Kräuteraufguss. Das wird dir helfen.«

Lukas nickte und schloss die Lider.

Mit einer Hand zog sie ihm die Decke höher, denn das Feuer im Kamin gab kaum noch Wärme ab. Elisabeth protestierte, als sie der Kleinen die andere Brust bot. Ihr Mann war eingeschlafen. Sie wunderte sich, denn Lukas war sonst nicht zu bewegen, im Bett zu bleiben, wenn ihm nicht wohl war. Dem Kind fielen die Augen zu, seine kleinen Finger lagen noch an der Brust. Cristin erhob sich und legte Elisabeth in ihr Bettchen zurück, dann entzündete sie ein neues Feuer im Kamin und wartete, bis helle Flammen emporzüngelten. Schließlich verließ sie die Kammer, stieg die Treppen hinab und wendete sich der Küche zu.

Lukas hatte sich neben der Schlafstatt erbrochen. Aus trüben Augen sah er sie wie um Verzeihung bittend an. »Es ging so schnell, ich …«

Sie strich ihm das verschwitzte Haar aus der Stirn. »Ich mache das gleich weg. Keine Sorge, bald wird es dir besser gehen.« Mit sanfter Gewalt drückte sie ihn zurück aufs Bett. Aus einem Schrank holte sie ein Leinentuch, tauchte es in eine mit frischem Wasser gefüllte Waschschüssel und säuberte sein Gesicht. »Ich werde wohl zukünftig besser auf dich achten müssen, oder?«

Lukas zog nur eine Grimasse. Das Rumoren in seinem Inneren war nicht nur deutlich zu hören, sondern auch zu fühlen. Sie gab ihm schlückchenweise von dem zubereiteten

Kamillenaufguss zu trinken. Er war noch nie ernstlich krank gewesen, sicher würde es ihm morgen wieder besser gehen. Elisabeth wurde unruhig, und sie fuhr sich immer wieder mit den Händen über die brennenden Augen. Nachdem Cristin den Boden geschrubbt hatte, wandte sie ihre Aufmerksamkeit dem quengeligen Kind in seinem Bettchen zu.

14

Cristin war der Verzweiflung nah. Die Sonne hatte längst ihren höchsten Punkt überschritten, doch ausgerechnet heute schien Elisabeth beschlossen zu haben, wach und unleidlich zu sein. Das Kind schrie zum Gotterbarmen, während Lukas weiterhin von Brechdurchfällen gequält wurde. Zwischendurch übermannte ihn immer wieder der Schlaf, sodass Cristin die kurzen Pausen nutzte, um ein wenig Ordnung zu schaffen. Dazwischen wanderte sie mit ihrer Tochter auf dem Arm in der Kammer auf und ab. Elisabeths Geschrei ging ihr durch Mark und Bein, und der Geruch von Erbrochenem hing gleich einer sauren Wolke in der Luft.

Eine Tür wurde zugeschlagen. Cristin horchte auf und ging dem Geräusch von schleppenden Schritten nach. »Minna, dich schickt der Himmel!«, entfuhr es ihr, als sie die Lohnarbeiterin erblickte.

»Gott zum Gruße, Frau Bremer. Ich dachte, ich könnte vielleicht beim Aufräumen helfen? Hab nichts weiter vor.« Die Ältere riss die Augen auf. »Aber was ist denn los, Deern? Ihr seid ja…«

Cristin senkte beschämt die Lider. Sie war noch immer in ihrem Nachtgewand, das Haar ungebürstet. Bestimmt bot sie ein liederliches Bild. »Mein Mann ist krank, Minna. Und Elisabeth…« In knappen Sätzen berichtete Cristin ihr, was vorgefallen war.

»Ganz ruhig, Frau Bremer«, unterbrach Minna ihren Redefluss. »Ihr geht Euch jetzt erst mal ankleiden.« Sie streckte die kräftigen Arme aus. »Gebt mir mal das Kind.«

Als Cristin einige Zeit später im Zählraum erschien, wohin Minna sich mit dem Kind zurückgezogen hatte, fühlte sie sich besser. Endlich hatte sie den Geruch von Exkrementen und Erbrochenem abwaschen können, der an ihr zu haften schien.

Doch die Ruhepause währte nur kurz. Lukas' Zustand verschlechterte sich zusehends, und Cristin hatte alle Hände voll zu tun, um ihm den Kopf zu halten oder beim Waschen zu helfen. Nach allem, was sie wusste, müsste sein Unwohlsein allmählich verebben, wenn der Wein schuld an seiner Krankheit sein sollte. Essen lehnte er ab, selbst die wenigen Schlucke aus dem Becher bekam er nur mit Mühe hinunter. Minna hatte ihr mitgeteilt, dass weder Mirke noch Johannes an ähnlichen Symptomen litten, also konnte das üppige Mahl der letzten Nacht nicht die Ursache seines Zustandes sein. Nachdem Lukas eingenickt war, erhob sie sich und ging in den Wohnraum, in dem ihre Lohnarbeiter dabei waren, die letzten Spuren des Gelages fortzuräumen.

»Holt den Medicus, bitte«, sagte sie nur.

Als es auf den Abend zuging, ließen die Brechdurchfälle allmählich nach. Medicus Küppers klopfte seinem Patienten auf die Schultern und lächelte anzüglich. »Wie ich gehört habe, habt Ihr ein rauschendes Fest gefeiert. Ich bedaure, dass ich nicht der Einladung folgen konnte, Herr Bremer. Immer, wenn man glaubt, das Tagewerk wäre beendet, kommt etwas dazwischen.« Küppers hielt ein Gefäß mit Urin ins Licht, roch daran und tunkte einen Finger hinein, um ihn dann abzulecken. Mit der anderen Hand kämmte er sich mit gespreizten Fingern die spärlichen Haare zurück. »Wie ich es vermutet habe, Herr Bremer. Nichts Ernstes. Morgen werdet Ihr wieder frisch und munter sein.«

Cristin, die neben Lukas am Bett stand, ließ sich auf einen Schemel sinken.

»Danke«, erwiderte Lukas. Obwohl er geschwächt war, kehrte der Glanz langsam in seine Augen zurück.

»Die nächsten beiden Tage werdet Ihr noch daheimbleiben und Euch von Eurem Weibe pflegen lassen, damit Ihr wieder zu Kräften kommt«, ergänzte der Medicus, während er sich seinen Umhang überwarf. »Ich lasse Euch etwas zur Stärkung hier.«

Cristin bedankte sich und brachte Küppers hinaus.

Endlich ging es Lukas besser. Morgen wollte er wieder in die Werkstatt hinübergehen, hatte er ihr beim Frühstück gesagt, das sie im Schlafzimmer eingenommen hatten. Cristin summte ein Lied, während sie über den Marktplatz schritt, um frisches Gemüse zu besorgen. So früh am Morgen war nur wenig Betrieb, doch der herrlich blaue Himmel und die ersten Sonnenstrahlen hatten sie aus dem Haus gelockt. Die klare Luft vertrieb den letzten Rest Müdigkeit aus ihrem Leib. Sie kaufte Kohl und Rüben sowie an einem Bäckerstand zwei Laib Brot und machte sich auf den Heimweg. In der vergangenen Nacht hatten sie sich lange und zärtlich geliebt und waren erst eingeschlafen, lange nachdem der Nachtwächter die letzte Stunde des Tages verkündet hatte. Mit einem Lächeln auf den Lippen und dem prall gefüllten Korb auf dem Arm betrat sie die Spinnerei und ging die Treppe hinauf in ihre Privaträume.

Elisabeth schlief noch friedlich, und Lukas verließ gerade die Schlafkammer. Nach einem innigen Kuss machte er sich auf den Weg zum Zählraum. Cristin sah ihm nach. Davon, dass er noch vor Kurzem schwach und gebrechlich in den Kissen gelegen hatte, war kaum noch etwas zu spüren. Andächtig betrachtete sie die rosige Haut und den kleinen, feuchten Mund ihrer Tochter. Sie war ordentlich gewachsen, und ihr Bettchen wurde allmählich zu klein. Cristin nahm die Handspindel vom Tisch. Elisabeth sollte ein neues Kleidchen bekommen. Die Zeit verstrich, während sie den Atemzügen des Kindes lauschte.

»Frau Bremer, Frau Bremer! Kommt schnell!« Die Tür flog auf, und Johannes streckte den Kopf hinein. »Der Herr…« Er brach ab.

Sie erstarrte in der Bewegung.

»Kommt mit, Frau Bremer! Rasch!« Johannes zerrte an ihren Armen und zog sie mit sich die Treppe hinunter.

Cristin folgte ihm.

Lukas lag in der Tür zum Zählraum. Mit seinen geschlossenen Lidern und den verkrampften Fingern sah er aus, als hätte der Tod ihn ohne Vorwarnung mit einem Schlag zu Boden gestreckt.

»Oh mein Gott«, entfuhr es ihr. »Bitte nicht!« Sie warf sich neben ihm auf die Knie und strich ihm über die Wangen. »Lukas, Liebling. Kannst du mich hören?« Einen Moment lang betrachtete sie sein stilles, wie im Schmerz verzogenes Gesicht. »Lukas! So sprich doch!«, brach es aus ihr hervor, diesmal schriller. Aber sie suchte vergeblich nach dem Anflug einer Regung. Das Ohr an seine Brust gepresst, lauschte sie angestrengt. Er atmete, wenn auch nur flach. Erleichtert ließ Cristin den Kopf für einen Moment an seine Brust sinken und verharrte, dann tastete sie seinen Körper ab. Außer einem etwas angeschwollenen Leib konnte sie nichts Ungewöhnliches feststellen.

Mittlerweile hatten sich alle um den Geschäftsmann versammelt, auch zwei Kunden der Spinnerei standen in der Nähe und flüsterten miteinander. Da war eine Stimme, die mit ruhigen Worten Befehle erteilte. Eine Hand ruhte auf ihrer Schulter, doch Cristin ignorierte sie. Warum nur wachte Lukas nicht auf? Vorsichtig klopfte sie ihm auf die Wangen, sprach ihn an und rief seinen Namen. Vergeblich.

»Der Medicus ist verhindert, aber ein Bader ist unterwegs, Frau Bremer.« Minna stand hinter ihr. »Seht nur.«

Cristin nickte. Lukas' Lider flatterten, und ihr Herz machte einen Satz. »Hörst du mich, Liebling?«

Er murmelte etwas Unverständliches, hob plötzlich beide Hände und fuchtelte wild in der Luft herum, als wollte er sich eines unsichtbaren Feindes erwehren. Furcht griff nach Cristin und legte sich wie ein Ring um ihr Herz.

»Wir müssen den Herrn nach oben bringen, Frau Bremer«, hörte sie Minna wie von ferne sagen.

Die Haustür wurde aufgestoßen. »Macht Platz!« Lynhards Stimme hallte durch den Raum. »Was ist denn hier …?«

Cristin hob nicht den Kopf. Minna redete leise auf den Schwager ein und beschrieb ihm die Lage.

»Ich bringe ihn hoch.« Lynhard umfasste sanft ihr Gesicht. »Ich werde mich um alles kümmern. Keine Sorge, Cristin. Alles wird gut.«

Sie nickte. Lynhard und einer der Kunden trugen Lukas hinauf. Wie betäubt sah sie ihnen nach.

»Herrin, ich …«

Cristin schüttelte die Hand ab, die sich unbeholfen auf ihre legte. »Ich muss … ich muss zu ihm.«

»Ja, ich weiß«, erwiderte Mirke stockend, »ich kümmere mich um Euer Töchterchen. Hört Ihr, wie die Kleine schreit? Sie wird Hunger haben.«

Indem sie wie von selbst einen Fuß vor den anderen setzte, begab Cristin sich in die Privaträume. Sie konnte den Blick nicht von Lukas wenden, der nun regungslos in die Luft starrte.

»Der Bader wird gleich kommen, Cristin«, riss Lynhard sie aus der Versteinerung und wischte ihr die Tränen von den Wangen.

»Was … was kann ihm fehlen? Heute Morgen war er noch munter …« Ihre Stimme versagte.

Lynhard seufzte. »Ja. Gestern bei meinem Besuch hat er auch frisch und gesund gewirkt. Ich kann mir das alles nicht erklären.«

Schweigen breitete sich zwischen ihnen aus.

»Hier habt Ihr Euer Töchterchen. Sie ist gewickelt und hungrig wie ein Wolf«, sagte Mirke, die in diesem Moment die Schlafkammer betrat, und legte Cristin das strampelnde Kind in den Arm.

»Ich werde Johannes bitten, dass er meiner Mechthild Bescheid gibt. Dann bleibe ich bei dir, bis wir Näheres erfahren«, murmelte der Schwager, tätschelte Cristin über das Haar und ging hinaus.

Teilnahmslos öffnete sie das Gewand und legte Elisabeth an die Brust. Die plötzlich einsetzende Stille hatte etwas Bedrohliches. Ihr Gemahl hatte den Kopf zur Seite geneigt und schien zu schlafen. Seine Haut wirkte durchscheinend. Die feinen Härchen in ihrem Nacken stellten sich auf, als sie sah, wie er die Hände auf den Leib presste und stöhnte. Gedankenverloren strich sie Elisabeth, die genüsslich schmatzte, über das Köpfchen. Immer wieder schaute sie zur Tür und lauschte.

»Ich habe … Durst.«

Cristin fuhr zusammen.

Lukas sah ihr geradewegs ins Gesicht. Schweißperlen traten auf seine Stirn. »Bitte.«

Sie sprang auf und stürzte auf das Bett zu, so hastig, dass der Schemel mit einem dumpfen Krachen zu Boden fiel. Das Kind an ihre Brust gedrückt, hielt sie ihrem Gemahl mit zitternden Fingern einen Becher mit Wasser an die Lippen.

Wenn Cristin gedacht hatte, Lukas wäre nun, da er sie erkannte, auf dem Wege der Besserung, wurde sie schnell eines Besseren belehrt. Sein Stumpfsinn kehrte zurück – und mit ihm die Krämpfe in seinem Leib. Mal murmelte er undeutliche und zusammenhanglose Wörter und starrte, ohne etwas wahrnehmen zu können, an die Decke, dann wieder waren seine Augen klar, und er sprach von qualvollen Schmerzen. Cristin legte warme Tücher auf seinen Bauch und wischte über seine schweißnasse Stirn. Die Zeit verrann langsam wie der Sand in einem Stundenglas. Einmal kam Minna herein, stellte ihr wortlos einen Teller Eintopf, frisches Brot und einen Becher mit verdünntem Wein auf den Tisch und ging leise und mit sorgenvoller Miene wieder hinaus. Cristin würdigte das Mahl keines Blickes.

Wenn doch der Bader endlich da wäre, um Lukas zu helfen! Die Augen auf den Geliebten geheftet, saß sie wie festgewachsen neben seiner Schlafstatt und beobachtete, wie Lukas von

Stunde zu Stunde mehr verfiel. Wo war der kräftige, vor Gesundheit strotzende Mann geblieben, der sie noch in der vergangenen Nacht in den Armen gehalten und mit einer Inbrunst geliebt hatte, die sie schwindelig machte? Sie spürte weder Hunger noch Kälte, sah nicht die Sonne, die hinter ihrem Haus langsam unterging, hörte nicht den Gesang der Amseln im Hinterhof. Als Lukas irgendwann einnickte, lag er erschöpft in seinen Kissen. Cristin legte das gesättigte Kind wieder ins Bett und ging zum Fenster.

Die Tür wurde aufgestoßen, und sie schrak hoch.

Es war der Medicus, der mit einem höflichen Nicken in die Kammer trat. »Ich bin so schnell wie möglich gekommen, werte Frau Bremer!« Seine Stirn umwölkte sich, als er von ihr zu dem Kranken auf seinem Lager schaute. »Was ist passiert?«, fragte er etwas atemlos, während er nach Lukas' Handgelenk griff.

»Ich … ich weiß es nicht, Herr Küppers. Ich bin ja so froh, dass Ihr …«

»Ihr müsst mir sagen, was mit Eurem Gatten geschehen ist, gute Frau Bremer«, unterbrach er sie mit einem ungeduldigen Unterton. »Das ist ungeheuer wichtig.«

Cristin atmete tief ein. »Ja, natürlich.« Sie sammelte sich. »Meine … meine Lohnarbeiterin rief mich, da Lukas vor dem Zählraum zusammengebrochen war. Ich dachte, er wäre …« Sie presste die Lippen aufeinander. »Er hat mich nicht erkannt, sprach wirres Zeug. Außerdem hat er Krämpfe im Bauch. Ich glaube, er beginnt zu fiebern.«

Küppers schob die Decke beiseite. »Was hat er gestern Abend und heute Morgen zu sich genommen?«

»Nichts Außergewöhnliches. Wir haben gemeinsam zu Abend gespeist, daran kann es nicht liegen.«

»Die Diagnose überlasst doch bitte mir!«

Sie senkte die Lider. »Unser Frühstück bestand aus frischem Brot, Honig, Butter und Hafergrütze.« Cristin sah zu, wie der Medicus Lukas' Leib abtastete. »Sein Bauch ist angeschwollen, und seine Haut … er ist so bleich.«

Mit zusammengezogenen Brauen wendete Küppers sich nach ihr um. »Möglicherweise könnt Ihr mir sagen, was Eurem Gatten fehlt, Frau Bremer?«, entgegnete er mit vor Hohn triefender Stimme.

»Es tut mir leid. Ich mache mir große Sorgen. Bitte verzeiht meine Einmischung«, beeilte Cristin sich zu antworten.

»Herr Bremer, könnt Ihr mich hören?« Küppers schüttelte den Patienten leicht, bis dieser zu sich kam und von einem zum anderen sah.

»Mutter«, flüsterte er und griff ins Leere, als wollte er jemanden umarmen. Ein Lächeln erschien auf seinem Antlitz.

Die Hände vor den Mund gepresst, saß Cristin wie vom Donner gerührt da. Eisige Kälte schlich sich in sie. Lukas' Mutter war schon seit vielen Jahren tot.

»Er hat Fieber. Sein Körper wehrt sich vermutlich gegen giftige Säfte.« Küppers kratzte sich am Nacken. »Die Handinnenflächen sind verfärbt, außerdem hat sich in seinem Leib Wasser angesammelt. Zum Schröpfen ist es wohl zu spät«, sagte er wie zu sich selbst. »Ich muss ihn zur Ader lassen, Frau Bremer.«

Sie riss die Augen auf. »Aderlass? Aber …«

Sein Ton wurde schroffer. »Wisst Ihr etwas Wirksameres?«

Cristin rang die Hände und ließ sie sinken. »Bitte, nur tut endlich etwas!«

»Geht nur einen Moment hinaus an die frische Luft. Ich möchte Euch nicht auch noch behandeln müssen, so wie Ihr ausschaut«, erwiderte der Medicus versöhnlicher.

Cristin seufzte. »Gut. Aber nur einen Augenblick.« Sie schwankte, als sie auf die Tür zusteuerte, und fiel beinahe Johannes in die Arme.

»Wie geht es unserem Herren? Er wird doch rasch wieder gesund?«

»Wenn ich das wüsste, Johannes.«

Kräftige Hände schoben sie in den Zählraum, drückten sie auf Lukas' Stuhl und legten ihr eine Decke um. »So, jetzt wird etwas gegessen, Frau Bremer. Keine Widerrede! Danach machen wir einen kleinen Spaziergang«, hörte sie Minnas Stimme an ihrem Ohr. »Ihr seid weiß wie Kalk.« Die Lohnarbeiterin sprach energisch wie immer, aber das Zittern der alten Hände blieb auch Cristin nicht verborgen. »Mirke ist bei Elisabeth. Die Kleine schläft wie ein Engel.«

Die Erwähnung der Tochter reichte, um Milch in ihre Brüste schießen zu lassen. »Ich muss zu ihr …« Cristin erhob sich, doch Minna schüttelte den Kopf.

»Später, Frau Bremer.« Die Ältere gab Johannes Anweisungen, das Feuer in der Schlafkammer neu zu schüren, und schickte den Jungen hinaus. »Hier, Herrin. Esst.« Ein dampfender Teller wurde vor ihr abgestellt. »Ihr werdet Kraft brauchen.«

Sie tunkte den Löffel in die heiße Flüssigkeit, führte ihn zum Mund und schluckte, ohne etwas schmecken zu können. Ein Kanten Brot wurde ihr in die Hand gedrückt, und sie biss hinein.

»So ist es recht. Schön aufessen. Glaubt mir, der Herr wird wieder. Er ist stark, Frau Bremer.«

Eine Gänsehaut kroch über ihren Nacken. Im Raum war es auf einmal so kalt. Kalt und dunkel. Was geschah hier? Eine Talglampe wurde entzündet und warf einen schwachen Lichtschein auf den Schreibtisch vor ihr, der mit Lukas' Gerätschaften übersät war. Ihr Puls raste, in ihren Fingern begann es zu kribbeln. Dann ging ein Ruck durch ihren Körper.

»Ich muss zu Lukas!« Sie hastete aus der Kammer. Beeil dich, flüsterte es in ihr. Jeweils zwei Stufen auf einmal nehmend, erklomm sie die Treppe und stieß die Tür zum Schlafraum auf. Wie angewurzelt blieb sie stehen.

Küppers beugte sich über ihren Gatten, um das Messer an Lukas' Unterarm anzusetzen.

»Haltet ein!« Ihre Stimme hallte durch die Stille.

Der Medicus hob den Kopf. Auf seiner Stirn bildete sich eine Unmutsfalte.

»Hört sofort auf!«

»Was soll das bedeuten, Frau Bremer?«

Das Blut rauschte in ihren Ohren. »Ihr werdet auf der Stelle gehen!«

Küppers baute sich kerzengerade vor ihr auf. »Wisst Ihr, was Ihr da verlangt?«

»Hinaus!« Cristin wusste nicht, woher sie die Kraft nahm, auf diese Weise mit ihm zu sprechen. »Schluss damit! Ihr werdet meinen Mann nicht zur Ader lassen.«

»Ihr seid ja von Sinnen!«

Als sich die Tür hinter dem Medicus schloss, konnte sie wieder freier atmen. Lukas war nur noch ein Schatten seiner selbst. Seine Augen lagen tief in den Höhlen, und die von feinen Äderchen durchzogene Haut schimmerte wie Pergament. Woher die Gewissheit gekommen war, dass er einen Aderlass nicht überstehen würde, war ihr ein Rätsel, doch sie wusste es mit einer Klarheit, die sie nicht leugnen durfte. Das Weiße in seinen Augen war gelblich verfärbt. Sie setzte sich nieder. Er versuchte zu sprechen, aber aus seinem Mund kamen nur lallende Töne, die sie an einen betrunkenen Zecher erinnerten. Plötzlich kicherte er wie ein kleines Kind, und das Geräusch ließ ihr das Blut in den Adern gefrieren. Dann sank Lukas in einen gnädigen Schlaf zurück. Cristin bekreuzigte sich.

Als seine Atemzüge tief wurden, stand sie auf, trat neben sein Bett und berührte mit den Lippen seine heiße Stirn. »So Gott, der Herr, es will, werde ich dir helfen.« Sie schlug die Decke beiseite und registrierte seinen geblähten Bauch. Lukas' Brust hob und senkte sich viel zu langsam. Zärtlich streichelte sie seine Wangen, sammelte sich und hob die Hände hoch über die stille Gestalt. Mit geschlossenen Lidern ließ sie sie über seinen Körper schweben, auf der Suche nach einer Verbindung. Außer dem Lufthauch, der durch einen kleinen Fensterspalt in die Kammer drang, spürte sie jedoch nichts. Mit aller Macht versuchte Cristin die ängstlichen Gedanken und Gefühle, die sie zu übermannen drohten, aus ihrem Kopf zu verbannen. Vor der Tür vernahm sie die leisen Stimmen von Minna und Küppers. Sie wartete, bis die Unruhe im Flur verebbte, und öffnete für einen Moment die Augen. »Ich werde nicht zulassen, dass du stirbst, Lukas. Hast du mich verstanden?«

Cristin blinzelte. Im Kamin loderte ein helles Feuer, doch wo war die Wärme geblieben? Die Talglampen im Raum flackerten. Sie strich Lukas eine feuchte Haarsträhne aus der Stirn, schloss die Lider und probierte es erneut. Diesmal hielt sie die Hände direkt über seinen Körper, so nah, dass sie die Wärme seiner Haut spüren konnte. Hinter ihren geschlossenen Augen nahm sie Farben und Formen wahr, fast so, als könnte sie in das Verborgene seines Inneren hineinschauen. Ein schwaches, aber pulsierendes Herz. Blutbahnen, die im Rhythmus des Herzschlages dunkelrot aufleuchteten und sie an die verschlungenen Wege einer Stadt erinnerten. Sein Brustkorb, der sich mit jedem Atemzug hob und senkte. Cristin stöhnte auf. Ein Gedanke formte sich in ihr, der von einer Grausamkeit war, dass sich alles in ihr weigerte, ihn anzunehmen. Das Leben unter ihren Händen war nur noch schwach zu spüren, wie die erlöschende Flamme einer Kerze. Sie fühlte, ein Windzug würde genügen, um dieses Dasein im nächsten Moment auszuhauchen.

Tränen rannen ihr ungehindert über die Wangen, während ihre Finger über dem Bauchraum des Kranken verharrten. Jäh durchzuckte sie ein brennender Schmerz und trieb ihr Schweißperlen auf die Stirn. Vor ihrem inneren Auge sah sie es. Etwas Fremdes. Gelbliche Säfte, die wie Tropfen langsam, aber unaufhaltsam durch seine Adern sickerten, um sich im ganzen Körper auszubreiten, bis in die letzte Pore. Seine Innereien erstickten nach und nach an diesen zähflüssigen Säften! Gleichzeitig fühlte sie, wie Lukas' Leib sich ergab. »Nein!« Cristin zog die Hände zurück, schüttelte sie und wischte sie an ihrem Gewand ab. Dann warf sie sich über seinen still daliegenden Körper. »Bleib bei uns, bitte«, wisperte sie. Während sie über seine Wangen streichelte, als könnte sie ihm durch ihre Liebe wieder neue Kraft zum Leben schenken, drang eine Erkenntnis zu ihr durch. Gift! Es war Gift, das seinen Körper zerstörte. Nichts würde ihn retten. Cristin presste eine Hand auf seinen Puls. Ihre Augen brannten, doch sie musste ihn betrachten, seine lange, gerade Nase, die dichten Brauen, ja jede Linie seines Gesichts, um sie für immer in ihr Gedächtnis zu brennen. Mit angehaltenem Atem sah sie, wie Lukas tief die Luft einsog und den Kopf zu ihr drehte. Ihr Herz macht einen Satz.

Seine Miene zeigte Verblüffung, denn er schien zunächst nicht zu wissen, wo er sich befand. Ruhelos wanderten seine Augen umher, als wäre er auf der Suche. Dann blieben sie an ihr hängen, wurden klar wie die See. Cristin konnte das Aufblitzen des Erkennens in seinem Gesicht wahrnehmen. »Liebling, ich bin es. Cristin, deine Frau.«

Statt einer Antwort tasteten seine Finger nach ihrer Hand. Wie kalt sie waren! Lukas führte ihre Hand an seinen Mund und küsste sie.

»Hast du Schmerzen? Ich hole Medizin, wenn …«

Er schüttelte den Kopf.

»Du musst gesund werden, ich brauche dich so sehr.« Für all das, was sie ihm gern gesagt hätte, fehlten nun die Worte.

Mit einer schwachen Handbewegung bedeutete er ihr, näher zu kommen.

Cristin beugte sich zu ihm hinunter und nahm sein Gesicht in die Hände. »Du möchtest mir etwas sagen?«

Seine Stimme war brüchig, aber fest. »Ich sterbe, mein Liebes. Mit mir geht es zu Ende.«

Sie japste nach Luft. »Ich bitte dich, sag so etwas nicht. Das entscheidet nur Gott allein.«

»Ich weiß es.«

Aufschluchzend küsste sie wieder und wieder seine Wangen, bis sich ihre Tränen mit seinem Schweiß vermischten. Cristin fühlte, wie er ihr von einem Herzschlag zum nächsten immer weiter entglitt. Es war, als wäre ein Teil von ihm schon weit fort, auf die Reise dorthin, wo sie ihm nicht folgen konnte. Nicht folgen durfte. Sie hielt ihn im Arm und wiegte ihn. Bis Lukas ein letztes Mal die Augen öffnete. »Elisabeth«, flüsterte er. »Pass gut auf sie auf, Liebste.« Seine Stimme erstarb. Ein Zittern, ein letztes Aufbäumen, dann sank sein Kopf zur Seite.

Sie horchte auf seinen Atem. Bewegungslos verharrte sie mit einem Ohr an seiner Brust, lauschte. Aber sein Körper blieb stumm. Hilflos klammerte sie sich an ihn, schmiegte die Wange an seine. Sie küsste seine blassen Lippen, unfähig zu begreifen, was soeben geschehen war. Lukas' Miene wirkte seltsam entrückt. Etwas in ihr brach entzwei, Dunkelheit senkte sich über sie. Sie schrie auf. Einmal, zweimal, immer wieder. Bis die Tür aufgerissen wurde und sanfte Hände sie von dem Leichnam fortzogen.

15

Den Blick starr geradeaus gerichtet, setzte Cristin einen Fuß vor den anderen. Als Gemahlin des Verstorbenen war es ihre Pflicht, den Trauerzug anzuführen. Elisabeth quengelte, seit sie die Friedhofskapelle verlassen hatten, als würde sie begreifen, wer hier zu Grabe getragen wurde. Cristin suchte nach Worten der Beruhigung, aber ihr fiel nichts ein. Alles erschien ihr wie ein furchtbarer Albtraum, aus dem sie jeden Moment zu erwachen hoffte. Dann würde sie sich an Lukas schmiegen und mit dem sicheren Wissen in den Schlaf zurückgleiten, dass er neben ihr liegen würde, wenn sie erwachte. Der Trauerzug hielt, und sie blieb stehen. Der Sarg wurde vom Karren gehoben und vor der ausgehobenen Grube abgestellt. Mit steifen Schritten trat sie näher, berührte das kühle Holz. Cristin schwankte. Wie von weit her fühlte sie, wie jemand sie stützte und auf sie einredete. Mit einer Handbewegung machte sie sich frei. Die Augen der Anwesenden waren auf sie gerichtet, doch was kümmerte es sie? Das Gesicht an Elisabeths Wangen gepresst, wandte sie sich wortlos um und ging, ohne sich noch einmal umzusehen, den Weg bis zur Hunnestrate zurück.

Elisabeth war unterwegs in ihrem Arm eingeschlafen. Cristin öffnete die Tür zur Schlafkammer, um die Kleine hinzulegen, und blieb kerzengerade stehen. Sie sah zum Bett, wo sie drei Tage und Nächte Lukas' Totenruhe bewacht und beweint hatte, bis es keine Tränen mehr gab, die sie vergießen konnte. In der Kammer roch es nach Siechtum, Furcht und Abschied. Unerträgliche Stille. Ein Frösteln überlief ihren Leib. Mit raschen Schritten trat sie an Elisabeths Bett, schob es mit einer Hand hinaus, zog die Tür hinter sich ins Schloss und betrat den Wohnraum, um es in eine geschützte Ecke zu stellen.

Von tiefer Trauer erfüllt betrachtete sie das friedliche Kindergesicht. Der winzige Daumen steckte in Elisabeths Mund und war Trost und Beruhigung zugleich. Cristin saß einfach nur da, was sollte sie auch sonst tun, außer den Schlaf der Tochter zu bewachen? Ihre gefalteten, vom Spinnen schwieligen Hände, nichts hatten sie ausrichten können, überhaupt nichts! Keine heilende Kraft war in ihnen gewesen, als Lukas es am nötigsten gebraucht hätte. Sie taugten nur zum Spinnen und Sticken, unterschieden sich in keiner Weise von den Händen anderer Frauen. Warum war sie dem Glauben erlegen, die Dämonen seiner Krankheit aus dem geplagten Körper vertreiben zu können? Welche Sünde hatte sie begangen, dass Gott sie im Stich ließ, ausgerechnet zu einem Zeitpunkt, in dem es um das Liebste ging, was sie besaß?

Nie wieder wollte sie ihre Hände zu etwas anderem gebrauchen als für Alltäglichkeiten. Auch den Wunsch, mehr über diese sonderbare Gabe erfahren zu wollen, begrub sie tief in ihrem Inneren. Das Beste würde es sein, dieses leidige Geheimnis für immer zu vergessen. Ein anderer Gedanke nahm Gestalt in ihr an, den sie über die vergangenen Tage verdrängt hatte und der so unglaublich war, dass sie auch jetzt den Drang verspürte, ihn als lächerlich fortzuschieben. Lukas war vergiftet worden. Ganz deutlich hatte sie es gespürt. Jemand musste ihm Gift ins Essen gemischt haben. Cristin schüttelte den Kopf. Das war absurd! Jedermann, der Lukas gekannt hatte, sprach nur mit Hochachtung von ihm. Dennoch, eine fremde Substanz hatte seinen Leib zerstört. Cristin erhob sich ruckartig und stürmte aus der Kammer.

16

Die Sonne schien, und es versprach, ein milder Tag zu werden. Der Flieder würde bald blühen, und die Rosen setzten erste Knospen an. Cristin bog in die Bleschhowerstrate ein, ging langsam an der mehrstöckigen Fronerei vorbei und stand bald auf dem Marktplatz, der sich zwischen Rathaus und St. Marien erstreckte. Ganz blank, wie glatt poliert, schien das Pflaster von den Füßen der vielen Menschen, die sich hier täglich aufhielten. Tauben gurrten und warteten auf herunterfallende Leckerbissen. Die beiden Türme der Kirche aus rotem Backstein ragten hundertfünfundzwanzig Meter hoch in den klaren, nahezu wolkenlosen Himmel. Fast hundert Jahre, hatte Cristin sagen hören, hätten die Bürger der Hansestadt Geld für den Bau des mächtigen Gotteshauses, eines der drei größten im ganzen Reich, gesammelt. Einmal in der Woche fand hier der Markt statt.

Cristin hatte Minna gebeten, auf das Kind zu achten, damit sie ein paar Besorgungen machen konnte, und die Ältere war erfreut gewesen, ihr Spinnrad für eine Weile verlassen zu können. Nun tauchte sie ein in das Gedränge von Händlern, Marktschreiern, Frauen und Kindern. Markttag, das war Tratsch und Lachen, Gegacker von Hühnern und Schweinegrunzen, war der Duft von gebackenem Brot, von gebratenem Fleisch und eingelegtem Fisch. Cristin hatte das alles immer geliebt, doch nun konnte sie nichts mehr erfreuen, zu unvorstellbar war der Gedanke, ohne Lukas weiterleben zu müssen. Und dies mit dem sicheren Gefühl, dass ihr Mann vergiftet worden war. Sie schluckte. Mit einem Tüchlein aus dem Beutel an ihrem Gürtel trocknete sie ihr Gesicht und ging weiter.

Sie steuerte einen schmalen Gang nahe dem Seitenschiff der Kirche an, wo die Kräuterweiber und Gewürzhändler ihre Stände errichtet hatten und getrockneten Salbei und Liebstöckel, frischen Bärlauch, Minze und Zwiebeln, aber auch teuren Safran und Kardamom feilboten. Am Stand eines jungen, gut gekleideten Mannes kaufte sie etwas Thymian, da Elisabeth seit gestern unter heftigen Blähungen litt, am nächsten Stand Zwiebeln und ein Bund Fenchel. In einem weiteren Gang, in dem die Bäcker ihre Buden aufgebaut hatten, ließ sie sich einen frischen Laib Gerstenbrot einpacken. Als sie ihn zu den anderen Sachen in den Weidenkorb legen wollte, hörte sie jemand ihren Namen sagen.

»Cristin Bremer?«

Die barsche Stimme ließ sie herumfahren. Zwei Männer in einfachen Wämsern standen vor ihr. Der eine hochgewachsen und kahlköpfig unter dem Filzhut, der andere etwas kleiner, aber deutlich kräftiger. An beiden Gürteln baumelten spitze Dolche.

Cristin hob eine Braue. »Ja?«

Ehe sie es sich versah, streckte der größere die Hand nach ihr aus und ergriff ihren linken Unterarm.

»Was soll das? Wer seid ihr?«, stieß sie empört hervor. »Lasst mich sofort los!«

»Wir haben Befehl, dich mitzunehmen, Weib!«

»Das muss ein Irrtum sein!«

Der kleinere der beiden Männer leckte sich über die fleischigen Lippen. »Kaum. Wir sind Fronboten. Du sollst zu einer Vernehmung erscheinen.«

»Vernehmung? Wozu?«

»Das wird man dir dort sagen.«

»Aber ich muss nach Hause. Mein Kind …«

»… ist versorgt. Man kümmert sich um das Balg.«

Die Kerle meinten es offenbar ernst. »Bitte«, brachte sie mühsam hervor, »ich komme ja mit. Aber lasst mich wenigstens nach meinem Kind sehen!« Elisabeth, mein Gott! Ihr Herz pochte schmerzhaft gegen die Rippen. »Bitte. Ich muss wissen, ob es ihr gutgeht.«

Die Männer schwiegen. Unter den neugierigen Blicken der Leute führten die beiden sie über den Marktplatz zur Fronerei hinüber, wo ein Wächter sie bereits vor der Tür erwartete. Cristin trat zwischen den Bütteln ein. Zur Linken konnte sie die Treppe erkennen, die in den Keller hinabführte. Von unten drangen Rufe der Gefangenen herauf, Ehebrecherinnen, Diebe und Betrüger, die auf ihre Verhandlung oder Verurteilung warteten. Das Jammern eines Mannes und kurz darauf gellende Schreie aus dem Torturkeller jagten ein Beben durch ihren Leib. Ein weiterer Wächter schloss eine Zelle auf, und die Büttel führten sie hinein. Bestialischer Gestank verschlug ihr den Atem.

»Was geschieht nun mit mir?«, flüsterte sie.

Der Kahlköpfige hob die Schultern. »Du wirst warten müssen, bis du drankommst. Hier geht es hübsch der Reihe nach.« Dann fiel die schwere Holztür hinter ihr ins Schloss.

17

Die Zelle, in die man Cristin gesperrt hatte, war winzig. Ein wenig Stroh auf dem Boden stellte das Schlaflager dar. In der Ecke unter dem Fenster, durch dessen Gitterstäbe sie die Mauern von St. Marien sehen konnte, war eine Rinne zu erkennen, die durch eine schmale Öffnung hinausführte. Sie legte die Hand vor den Mund, wagte kaum zu atmen. Hier also, zwischen den Exkrementen anderer, sollte sie ihre Notdurft verrichten. Wie behandelte man sie, eine anständige und unbescholtene Kaufmannsfrau, hier eigentlich? Mit welcher Berechtigung sperrte man sie wie Vieh in diese Zelle?

Eine junge Ratte huschte an ihren Füßen vorbei und schnupperte an der zähen Masse, die in der Rinne zu erkennen war, während ein Schwarm Fliegen sich summend an den Ausscheidungen gütlich tat. Cristin stieß einen spitzen Schrei aus, wich zurück.

Das Stroh roch nach Schimmel, da jedoch der Boden schmutzig und voller Flecken war, deren Ursprung sie lieber nicht ergründen wollte, setzte sie sich nieder. Ihr war kalt, und sie schlang die Arme um ihren Leib. Ein Geräusch ließ sie hochschrecken. Schaudernd verfolgte Cristin, wie das Nagetier von dem Unrat abließ und über den Zellenboden huschte, um in einem kleinen Loch in der Wand zu verschwinden. Minna und Mirke würden sich sicher um sie sorgen. Oder waren die Büttel längst in der Hunnestrate gewesen, um den Lohnarbeitern mitzuteilen, dass ihre Herrin festgenommen worden war? Sie starrte durch das vergitterte Fenster. Sonnenstrahlen fielen auf die Mauern der Kirche, und zwei junge Frauen, gekleidet in schlichte Gewänder, schlenderten kichernd am Fenster vorbei. Ein Spatz setzte sich zirpend auf einen der Gitterstäbe, legte den Kopf schief und lugte hinein. Bald würde jemand kommen, um sich für das Missverständnis in aller Form zu entschuldigen. Natürlich würde sie diese Unverschämtheit nicht einfach hinnehmen und den Vogt aufsuchen. Aber dann wäre sie wieder daheim. Viel Arbeit wartete auf sie, nun, da sie die Werkstatt ohne Lukas weiterführen musste. Elisabeth schrie gewiss schon vor Hunger. Cristin zog ihre Knie an und stützte den Kopf auf.

Ein leises Geräusch hinter der Tür holte sie in die Wirklichkeit zurück. Der Riegel des Schlosses wurde zurückgezogen und die Tür geöffnet. Blitzschnell schlüpfte der Wächter in die Zelle und zog die Tür hinter sich zu. Breitbeinig stand er vor ihr und starrte sie unverhohlen an. Die enge Hose wölbte sich zwischen den kräftigen Schenkeln, seine Augen glänzten wie Kohle.

»Willst du ein Geständnis ablegen, Weib? Dann gehe ich wieder.«

»Ich habe nichts zu gestehen.«

Mit einem Schritt war der Wärter bei ihr, zog sie an sich und presste eine Hand auf ihren Busen. Sein Atem stank nach billigem Wein und Knoblauch. »Lass mich los«, stieß sie empört hervor. »Sonst schreie ich!«

Er entblößte seine schadhaften Zähne zu einem Grinsen. »Schrei nur! Hier unten hört dich niemand.«

Sie starrte in die lüstern verzogene Miene, versuchte ihn abzuwehren, doch der Mann versetzte ihr eine Maulschelle, die sie nach Luft schnappen und ihre Haut wie Feuer brennen ließ. Seine Hand fuhr unter ihren Surcot und das Untergewand, schob ihr die Kleider bis zur Taille hoch. Jetzt packte der Kerl sie am Oberarm, drehte sie blitzschnell um und stieß sie gegen die kalte Steinwand.

»Gut, wenn du es lieber nach Art der Hunde magst ...«, hörte sie ihn an ihrem Hals keuchen. Ein Bein schob sich zwischen ihre Schenkel, drückte sie gewaltsam auseinander, dann spürte sie sein hartes Geschlecht an ihrem Gesäß.

»Bitte nicht«, wimmerte Cristin, gefangen zwischen dem kalten Stein und ihrem Widersacher. Warum kam ihr niemand zu Hilfe? Da fasste der Wärter in ihr aufgelöstes Haar und drückte ihren Kopf gegen die Mauer, während seine andere Hand grob ihr Gesäß knetete. Im nächsten Moment stieß er in ihren Leib. Cristin schrie auf.

Nach einer Ewigkeit ließ er endlich von ihr ab, und sie hörte die Tür ins Schloss fallen. Dann wurde der Riegel vorgeschoben. Zusammengekauert hockte sie in einer Ecke, spürte die Feuchtigkeit der Kerkerwand im Rücken. Sie ballte die Hände zu Fäusten, presste sie auf den Mund, während ihr Tränen über die Wangen liefen und das Kleid benetzten. Noch immer meinte sie, das widerliche Geschlecht des Wärters in sich zu spüren. Dies hier war nicht mehr ihr Körper, es war eine durch Erniedrigung und Schmerz geschundene Hülle, die nach seinem Schweiß stank. Angeekelt verzog sie das Gesicht. Warum gab es in dieser schrecklichen Zelle nicht einmal eine Waschschüssel? Cristin barg den Kopf auf ihre Knie und wiegte sich hin und her. Milch schoss ihr in die Brüste, die sich hart und heiß anfühlten. Sie wimmerte. Elisabeth, sie wird Hunger haben, dachte sie. Jegliches Zeitgefühl ging ihr verloren, während sie sich wie ein kleines Kind auf dem Boden zusammenrollte. Ein jäher Schmerz jagte durch ihren wunden Unterleib. Mein Gott. Sie richtete sich auf. An der Zellenwand gegenüber hingen dicke Wassertropfen, einer löste sich und fiel zu Boden. Kälte schlich sich in ihre Glieder und machte sie gefühllos. Alles wird sich aufklären. Keine Angst, Elisabeth. Das durch das Fenster dringende Licht wurde spärlicher. Schatten hüllten sie ein und verschluckten gnädig den Anblick von Dreck, Insekten und ihrem Blut.

Von Unruhe getrieben, starrte Cristin an die kargen, durch die Jahre geschwärzten Wände, dann erhob sie sich ruckartig und ging in der Zelle umher. Warum war sie hier? Warum sperrte man sie in diese enge Zelle? Die Luft war dünn, und der Geruch der eigenen Exkremente löste Brechreiz in ihr aus. Was, wenn das Scheusal es noch einmal tat? Wenn er nun auf den Geschmack gekommen war und sein abartiges Spiel wiederholen wollte? Im letzten Moment erreichte sie die Abflussrinne.

Mit erhitztem Gesicht lehnte sich Cristin danach mit der Stirn gegen das Gitter und wartete, bis der Sturm in ihrem Inneren abflaute. Sie wischte sich den Mund an einem Zipfel ihres Kleides ab und spuckte aus, um den widerwärtigen Geschmack loszuwerden. Als das Blut in ihre Wangen zurückkehrte, hob sie den Kopf, atmete tief ein und verharrte. Durch das Fenster hörte sie Lachen und das Knarren der Räder eines Eselkarrens, der die Straße passierte. Mit weit ausholenden Schritten ging sie in der engen Zelle auf und ab, immer wieder, von einer Ecke zur anderen. Eins, zwei, drei, vier. Fünf Schritte zur einen und vier zur anderen Seite. Eins, zwei… Die Wände schienen näher zu rücken. Unaufhaltsam. Der Puls pochte hart an ihrer Schläfe. Bis sie vor der Tür stehen blieb und mit geballter Faust darauf einschlug. »Lasst mich hier raus! Oh Gott, lasst mich endlich gehen!« Doch ihre Schreie verhallten ungehört zwischen den dicken Mauern der Fronerei.

18

Müde fuhr Cristin sich durch die langen Haare, versuchte sie zu glätten. Wie lange war sie jetzt schon hier? Als sie am vorigen Morgen aus dem kleinen, vergitterten Fenster gesehen hatte, waren ein paar Kräuterweiber und Gemüsehändler damit beschäftigt gewesen, ihre Stände aufzubauen. Eine ganze Woche war es also bereits her, seit die Büttel sie verhaftet und zur Fronerei gebracht hatten.

An der Tür war ein Geräusch zu hören, das Klirren des Riegels, der zurückgezogen wurde. Cristin hob den Kopf. Der Wärter mit dem Essen trat ein, und sie wich in die hinterste Ecke zurück. Ihr Herz begann zu rasen, als er auf sie zukam und seinen Blick abschätzig über ihre Gestalt wandern ließ. Sie hielt den Atem an, erwartete das Unvermeidliche, doch nichts dergleichen geschah. Stattdessen baute der Wärter sich breitbeinig vor ihr auf.

»Deine letzte Mahlzeit hier. Heute wird dir der Prozess gemacht, du Luder!«

In der Suppe schwamm ein Stück Fleisch unbekannter Herkunft.

Heute also würde sie endlich erfahren, wessen man sie beschuldigte. Alles würde aufgeklärt werden und die Wahrheit ans Licht kommen. »Ich bin unschuldig«, sagte sie mit fester Stimme.

Der Wärter stellte die Schüssel auf den Boden und verzog den Mund. »Das behaupten sie alle, aber wenn es ans Sterben geht, dann schreien sie und gestehen alles.« Leise fiel die Holztür hinter ihm ins Schloss.

Ans Sterben. Alles in ihr gefror zu Eis. Mit unbewegter Miene betrachtete sie den Inhalt der Schüssel, nahm sie – und warf sie gegen die Wand.

Erneut wurde der Riegel der Tür zurückgezogen, doch Cristin reagierte nicht. Sie hörte schwere, schlurfende Schritte, dann berührte eine Hand sie an der Schulter.

»Ich weiß, dass Ihr nicht schlaft.«

Diese Stimme hatte sie noch nie gehört. Sie hob den Kopf und sah direkt in das faltige Gesicht eines Mannes. »Wer seid Ihr?«, murmelte sie, ein wenig überrascht von seinen freundlichen Worten.

»Ich bin der Fron. Hier ist Waschzeug und etwas zum Anziehen.«

Er stellte die Sachen auf dem Boden ab, rümpfte die Nase und trat zurück. »Mir wurde aufgetragen, dafür zu sorgen, dass Ihr ordentlich zur Verhandlung erscheint.«

»Ich soll mich also waschen, damit niemand bemerkt, wie schlecht ich hier behandelt werde.« Cristins Stimme triefte vor Hohn.

Zögernd trat er näher und musterte sie. »Möge Gott Eurer Seele gnädig sein.«

Die letzten Worte des Mannes legten sich wie Balsam um ihre Seele und ließen ihren Wall aus Angst und Verbitterung in sich zusammenfallen. Sie machte einen Schritt auf ihn zu. »Danke. Entschuldigt.«

Die Tür schloss sich, und sie schaute zu der Waschschüssel hinüber, die er ihr hingestellt hatte. Das Wasser war kalt, aber sauber. Ein einfaches Leinentuch und ein Stück Seife lagen daneben, sogar an einen Hornkamm hatte er gedacht. Dankbar schloss sie zwei Herzschläge lang die Augen, dann zog sie ihr Kleid aus.

19

Eine Stunde später wurde die Tür erneut geöffnet. Zwei Büttel betraten die Zelle und forderten sie auf, sich zu erheben und mit ihnen zu kommen. Als Cristin zwischen den beiden Männern die Treppenstufen hinaufstieg, blieb sie stehen. »Könnt ihr mir sagen, wessen man mich beschuldigt?«

Der Büttel, der vor ihr ging, ein kräftiger Mann mit buschigen, in der Mitte zusammengewachsenen Augenbrauen, wandte sich um. »Das solltest du am besten wissen, du Hexe.«

Cristin erstarrte. *Hexe?* »Wo bringt ihr mich hin?«, flüsterte sie, während der kräftige Büttel vor ihr die schwere Eichenholztür aufstieß. Geblendet vom hellen Sonnenlicht kniff sie die Augen zusammen, blieb erneut stehen. Es musste geregnet haben, die Steine unter ihren Füßen waren noch feucht, die Luft frisch. Tief sog die junge Frau sie ein.

Der andere Büttel versetzte ihr einen unsanften Schubs. »Geh weiter, man erwartet uns auf dem Marktplatz.«

Cristin schauderte. Man klagte sie an, eine Hexe zu sein! Ein paar Männer und Frauen, Bürger Lübecks, die sie offenbar erkannten, wandten die Köpfe, tuschelten und sahen ihr nach, während man sie über das regennasse Pflaster führte. Sie bogen um die mächtigen Backsteinmauern von St. Marien, wo zwischen Kirche und Rathaus ein fast mannshohes Podium errichtet worden war.

»Vorwärts, die Leiter hinauf«, hörte sie den kleineren der beiden Büttel zischen, als er sie auf das Podium zuschob. »Hier wird man dir den Prozess machen. Wegen Hexerei und Mord an deinem Ehemann!«

Ein ersticktes Röcheln entrang sich ihrer Kehle, dann wurde ihr schwarz vor Augen.

Vor dem Haus in der Engelsche Grove angekommen, klopfte Baldo an die Tür. Ein Blondschopf lugte heraus.

»Ach, du bist es«, freute sich Hans. »Komm rein.«

Nachdem die jungen Männer sich mit warmer Milch gestärkt hatten, eröffnete Hans das Gespräch.

»Deinen Hund haben wir zur Nachbarin geben müssen, zur alten Kunigunde, du weißt schon.«

Baldo erschrak. »Wieso? Was ist passiert? Dein Vater?«

»Ja. Er hat ihn draußen gehört. Da hab ich ihn schnell zu ihr rübergebracht. Kunigunde mag Hunde, aber du musst ihn bald abholen.«

Der Hund begrüßte ihn mit wedelndem Schwanz und machte einen munteren Eindruck. Baldo war erleichtert und verbrachte eine ausgelassene Stunde mit ihm, bevor er sich schweren Herzens verabschiedete.

Tief in Gedanken versunken, schritt er gemächlich den Weg zurück. Für einen kurzen Moment überlegte er, ob er nicht die rothaarige Ida besuchen sollte. Besser, ich bin rechtzeitig zu Hause, entschied Baldo, obwohl er sich immer öfter dabei ertappte, Gründe zu suchen, um das Zusammentreffen mit seinem Vater hinauszuzögern. Munteres Stimmengewirr drang an seine Ohren, und er hob verdutzt die Brauen, als er den überfüllten Marktplatz zwischen Fronerei und St. Marien erreichte. Die Stände der Fleischhauer waren zu dieser Stunde doch längst abgebaut! Von allen Seiten strömten die Leute herbei, um zu sehen, was hier vor sich ging, und auch Baldo trat näher.

Ein Podest war errichtet worden, auf das eine schmale Holztreppe hinaufführte. Jetzt schafften mehrere Männer ein Stehpult, einen Schemel und einen breiten Polsterstuhl heran. Ein fülliger Mann in einer dunklen Robe, auf dem Kopf eine ebensolche Kappe, stieg auf die Bühne und nahm darauf Platz. Es war Vogt Büttenwart, Lübecks oberster Richteherr. Zwei weitere Männer folgten ihm auf das Podest, der Stadtschreiber und der Fiskal. Baldo kannte sie. Wieder so ein armes Schwein, dem der Prozess gemacht wird, überlegte er und schaute sich um. Dies war nicht die erste Gerichtsverhandlung, der er beiwohnte. Nacheinander kletterten zwölf weitere Männer auf die Bühne. Baldo verzog das Gesicht ob der kostbaren, pelzbesetzten Mäntel über den farbigen Schecken und der teuren Schnabelschuhe an den Füßen. Die Schöffen, ausgewählt aus Lübecks Bürgerschaft, allesamt Leute, die mit seinesgleichen nichts zu tun haben wollten.

Eine junge Frau, in einfaches Leinen gekleidet und ohne Schuhe an den Füßen, wurde von zwei Bütteln auf das Podium geführt. Einer der Männer sagte etwas zu ihr, und im nächsten Moment sank die Frau zu Boden. Einige Augenblicke lang lag sie auf den Brettern des Podestes. Baldo schob sich näher heran und verfolgte, wie einer der Büttel ihren nackten Arm ergriff und kräftig daran zog.

»He, wach auf!« Die Frau bewegte sich, schlug die Augen auf. »Hoch mit dir!«, befahl der Mann. Mühsam erhob sie sich, taumelnd.

»Setz dich«, hörte Baldo den zweiten Büttel zischen. Er drückte die Frau auf den Schemel, gegenüber vom Richteherrn Büttenwart.

Ein hübsches Ding, dachte Baldo, vermutlich eine Hure, die ihren Freier bestohlen hat. Darauf stand Brandmarken. Vielleicht schnitt man ihr auch einen Finger oder ein Ohr ab. Oder sie war eine Ehebrecherin, die man erwischt hatte. Dann würde der Richteherr sie wahrscheinlich dazu verurteilen, von ihrem Liebhaber in einer Schubkarre durch die Straßen geschoben und von jedermann mit Unrat beworfen zu werden. Oder sie wurde an den Kaak gestellt, den Pranger Lübecks, und in einen Schandmantel gebunden. Baldo fröstelte. Nicht allzu lange war es her, als auf dem Marktplatz ein Mann in diesen aus Holz gefertigten und von innen mit Blech ausgelegten Mantel gezwängt worden war. An die Halsöffnung mussten Gewichte gehängt worden sein, denn der Delinquent hatte unter seiner Last erbarmungswürdig gestöhnt. Gut sichtbar neben ihm hatte man ein Schild anbringen lassen. Eine Spotttafel, sodass jeder, der lesen konnte, auch erfuhr, welchen Verbrechens der Mann für schuldig erachtet worden war. Das Wort Dieb habe darauf gestanden, hatte jemand Baldo erzählt. Er war kurz stehen geblieben, während Neugierde und Abscheu in ihm kämpften, und Baldo hatte beobachtet, wie Schaulustige den Mann ohrfeigten und mit rohen Eiern bewarfen. Als künftiger Scharfrichter der Stadt durften ihn derartige Schauspiele nicht berühren. Er spuckte aus. Sie taten es dennoch.

20

Schon immer war es Usus gewesen, Gericht unter freiem Himmel zu halten, zu allen Zeiten hatte es die Menschen geradezu magisch angezogen, versprach ein Gerichtstag doch etwas Kurzweil im täglichen Einerlei. Auch an diesem Frühlingstag im Jahr 1397 des Herrn waren Dutzende Bürger und Nichtbürger, Bettler und Hübschlerinnen herbeigeströmt, um dem Prozess gegen die Frau beizuwohnen, die den bei der Lübecker Bürgerschaft geachteten Kaufmann Lukas Bremer ermordet haben sollte. Die Sonne warf ihr gleißendes Licht auf den überfüllten Platz, als strafe sie die beklemmende Stimmung Lügen. Schon umgab ein dichter Kreis aus Leibern das am Vorabend eilig zusammengezimmerte Podest, auf dem das Schauspiel stattfinden sollte. Ein Schauspiel, dessen Hauptdarsteller sich bereits auf der Bühne befanden. Auf einem Schemel die junge, hübsche Witwe, das rotblonde Haar mit einem dünnen Tuch bedeckt. Ihr gegenüber, auf einem gepolsterten Stuhl, ein wohlbeleibter Mann von knapp fünfzig Lenzen in dunkler Richterrobe. An einem schmalen Stehpult der Stadtschreiber, ein schmalbrüstiger Mann mit einer Stegbrille auf der Nase, der die Verhandlung protokollieren sollte. An der Seite des Gerüsts schließlich ein Dutzend Männer, die Schöffen, allesamt wohlhabende

Bürger, die sich am Ende der Verhandlung auf ein Urteil einigen mussten.

Cristin ließ den Blick verstohlen über die Anwesenden schweifen, von denen einige ihr bekannt waren. Nikolaus Runge, einer der vier Bürgermeister, Kunolf Mangel, Fiskal und Vertreter der Stadt bei Gerichtsverhandlungen. Konrad Küppers, der Medicus, sowie Hilmar Lüttke, ein reicher Salzhändler, beide ebenfalls einflussreiche Bürger Lübecks. Mit Runge und Lüttke hatte Lukas bereits geschäftlich zu tun gehabt, genauso wie mit einigen anderen, die sich jetzt in den Reihen der Schaulustigen befanden. Und natürlich der Vogt selbst. Büttenwart, der Richteherr Lübecks. Der Mann, mit dem sie zu Abend gegessen und getrunken hatten. Der Mann, für den sie die Hochzeitsroben bestickt hatte. Der beste Kunde der Goldspinnerei. Er würde über sie richten.

Cristin senkte die Lider. Nicht einer von ihnen getraute sich, ihr in die Augen zu schauen, ihr zuzunicken oder ein anderes Zeichen der Verbundenheit und des Mitgefühls zu zeigen. Einige von ihnen unterhielten sich leise und warfen ihr neugierige Blicke zu, und Cristins Wangen röteten sich vor Scham. Glaubten die Menschen tatsächlich, sie könnte Lukas umgebracht haben? Ja. Die Erkenntnis durchzuckte sie wie ein Schlag. Zumindest hielten sie es für möglich. Verurteilt und verachtet, bevor das Urteil überhaupt gesprochen war. Cristin ertrug die Sensationslust, die wie Feuer in ihrer Seele brannte, nicht mehr. Auf einem der imponierenden Giebelhäuser entdeckte sie einen Schwarm Tauben, die sich die Frühlingssonne aufs Gefieder scheinen ließen. Ihr Herz machte einen schmerzhaften Satz. Diese Vögel waren frei, konnten fortfliegen, wann immer sie wollten. Tief atmete sie die frische Luft ein. Was würde jetzt mit ihr geschehen? Wer kümmerte sich um Elisabeth? Sicher hatten die Büttel Lynhard verständigt, und Mechthild und er hatten die Kleine zu sich genommen, versuchte sie sich zu beruhigen.

Kunolf Mangel, ein junger Kerl von vielleicht vierundzwanzig Jahren, verlas die Namen der Männer, die Vogt Büttenwart als Schöffen berufen hatte. Ein Priester trat vor und betete, das Verfahren möge gerecht und Gott wohlgefällig verlaufen, dann übergab er das Wort an den Richteherrn.

»Erhebt Euch!«, forderte der Mann auf dem gepolsterten Stuhl sie auf.

Sie gehorchte.

Büttenwart nickte. »Gut, Cristin Bremer. Ihr wisst, wessen Ihr im Namen des edlen und weisen Rates der Stadt Lübeck angeklagt werdet?«

Die junge Frau wagte nicht aufzuschauen. »Man bezichtigt mich der Zauberei und des Mordes an meinem Mann Lukas. Doch nichts davon ist wahr! Auch wenn man mir noch so sehr droht und …«

»Schweigt.« Auf der Stirn des Richteherren bildete sich eine steile Zornesfalte. »Es gibt Zeugen!«

»Die möchte ich sehen!« Sie biss sich auf die Unterlippe.

»Ich sagte, Ihr sollt …«

»Entschuldigt bitte.« Sie schaute zur Seite, wo der Stadtschreiber hinter seinem Stehpult begonnen hatte, Protokoll zu führen.

»Das sollt Ihr. Mechthild Bremer soll herbeigeführt werden.«

Cristin atmete auf. Mechthild! Der heiligen Mutter Gottes sei Dank! Sie wird bestätigen können, wie unsinnig diese furchtbaren Beschuldigungen sind, dachte sie und hatte Mühe, ihre Erlösung zu verbergen.

Die Sonne blendete. Zwischen den gaffenden Menschen bildete sich eine schmale Gasse vor der kleinen Holztreppe, und Mechthild erklomm an der Seite eines Büttels das Podest. Der Vogt beugte sich vor und fixierte die junge Frau. Richtig herausgeputzt hat sie sich, dachte Cristin. Ihre Schwägerin hatte das glanzlose, hochgesteckte Haar unter einem Hennin, einer kegelförmigen Leinenkappe mit dem über die Schultern fallenden Schleier, verborgen. An dem breiten Stoffgürtel, der ihre schmale Hüften umgab, hingen Geldkatze, Parfümdöschen und Rosenkranz, wie es sich für eine feine Dame gehörte.

Cristin lächelte Mechthild an, doch diese wich ihrem Blick aus.

»Tretet vor und wiederholt Eure Aussage, die Ihr gestern Morgen vor dem Fiskal gemacht habt! Und denkt dran, dass Ihr die Wahrheit sagen müsst, nichts als die Wahrheit.«

Cristin sah wie gebannt auf Mechthilds Gesicht. Ja, sag ihnen die Wahrheit.

Mechthild Bremer nickte, und ihre Wangen verfärbten sich. »Jawohl, Herr Richteherr. Bei der Heiligen Jungfrau und allen Heiligen. Cristin Bremer hat Zauberei getrieben! Sie steht mit dem Teufel im Bunde und hat ihren eigenen Mann umgebracht. Die Hexe hat den Tod verdient...«

Einen Augenblick herrschte atemlose Stille. Nur das leise Geräusch der über das Pergament kratzenden Gänsefeder in der Hand des Stadtschreibers war zu hören, bis auch das verstummte. Es war Cristin, als griffe eine eiserne Faust nach ihrem Herzen. Alles in ihr erstarrte, und ihre Gedanken wirbelten durcheinander. Mechthild, ihre eigene Schwägerin, hatte sie angezeigt, sagte gegen sie aus? Die Frau, deren Kinder sie in ihren Armen gewiegt, mit der sie gelacht und geplaudert hatte, beschuldigte sie der abscheulichsten Verbrechen, die ein Mensch begehen konnte? Nur langsam wich die Betäubung von ihr.

In Mechthilds Miene entdeckte sie wilde Entschlossenheit.

»Ich danke Euch, Frau Bremer.« Büttenwart nickte Mechthild zu. Dann wandte er den Kopf zu Cristin. »Habt Ihr etwas dazu zu sagen?«

Sie sprang von dem Schemel auf. »Das ist eine Lüge, Mechthild!«, stieß sie gepresst hervor. »Wie kannst du es wagen...«

»Setzt Euch!«, fauchte der Richteherr. »Sonst lasse ich Euch mit Ruten auspeitschen und in die Fronerei zurückbringen! Hier geht es nicht um ein niederes Vergehen! Wir halten Blutgericht über Euch!«

Benommen sank Cristin auf die Bank zurück.

»Der nächste Zeuge soll kommen«, unterbrach die Stimme des Fiskals ihre Gedanken.

Den Mann, der nun vor den Richterstuhl trat und sich vor Vogt Büttenwart verbeugte, würde sie ihr Leben lang nicht vergessen. Es war der Wächter, der in ihrer Zelle über sie hergefallen war. Ekel überkam sie, da sie sofort wieder an all die grausamen Dinge dachte, die er mit ihr gemacht hatte, und an die Qual, wie er rücksichtslos in sie gestoßen hatte, bis sie irgendwann in sich zusammengesackt war. Schmerzen in den Brüsten, die sich heiß und geschwollen angefühlt hatten, hatten sie aus der Bewusstlosigkeit zurückgeholt. Milch war aus ihren Warzen getropft und benetzte ihr Kleid. Elisabeth! Es wäre ihre Stillzeit gewesen. Ihre Augen brannten, doch sie hatte keine Tränen. Cristin zwang sich in die Wirklichkeit zurück, ihr fröstelte beim Anblick ihres Peinigers.

»Gero Momper, du bist einer der Wächter in der Fronerei. Was kannst du uns über diese Person sagen?«

Der Wächter zeigte mit dem Finger in ihre Richtung. »Dieses Weib ist durch und durch verderbt. Sie hat versucht, sich mir hinzugeben, die Hexe. Wollte mich in ihrer Zelle verführen und auf ihre Seite bringen. Sie dachte wohl, das verschafft ihr Vorteile.«

»Das ist nicht wahr!« Cristins Stimme war nur mehr ein heiseres Krächzen.

»Ein Wort noch, und ich lasse Euch in Eure Zelle zurückbringen!«, unterbrach Büttenwart sie barsch.

Cristin schwieg.

Da trat der Fiskal auf sie zu. »Ich frage Euch vor den hier versammelten ehrbaren Bürgern Lübecks und vor Gott, dem höchsten Richter und der Heiligen Jungfrau Maria. Cristin Bremer, könnt Ihr zaubern? Und wer hat Euch die Zauberkunst gelehrt?«

»Niemand. Ich bin keine Hexe, und ich kann nicht zaubern!«

»Das sagt Ihr. Wir werden noch sehen, ob das wahr ist. Immerhin sollt Ihr die Gabe haben, durch Auflegen der Hände zu heilen. Entspricht das etwa nicht der Wahrheit?«

Sie nickte, als ihr Ankläger auch schon die nächste Frage stellte.

»Glaubt Ihr an den einen wahren Gott?«

»Ja.«

»Geht Ihr zur Kirche?«

»Manchmal. Aber ich bitte Euch, was hat das damit zu tun?« In Gedanken fügte sie hinzu: ›Muss ich jeden Sonntag zur Messe laufen, um ein guter Christenmensch zu sein?‹

»Ruhe! Die Fragen stelle ich, Ihr vorlautes Weib. Sagt die Wahrheit, habt Ihr einen Pakt mit dem Teufel geschlossen?«

Sie fuhr hoch und spürte, wie ihr jede Farbe aus dem Gesicht wich. »Mein Gott, natürlich nicht!«

»Still, kennt Ihr denn nicht das zweite Gebot – du sollst den Namen des Herrn, deines Gottes, nicht missbrauchen? Denn der Herr wird den nicht ungestraft lassen, der seinen Namen missbraucht! Cristin Bremer, habt Ihr Euren Mann, den Kaufmann Lukas Bremer getötet?«

Ihre Stimme war nicht viel mehr als ein Flüstern. »Nein. Ich habe Lukas geliebt. Warum sollte ich das getan haben?«

»Das werden wir noch klären, verlasst Euch drauf.« Mangel schürzte die Lippen. »Schließlich gibt es noch ein paar Zeugen, die gesehen haben wollen, dass Ihr über Zauberkräfte verfügt.« Seine Stimme schwoll an. »Büttel, führt die Leute herauf, damit sie ihre Aussage machen können!«

Zwei junge Männer und eine Frau betraten die Bühne. Fast scheu sahen sie sich um, bis ihre Blicke auf Cristin trafen. Diese musterte die Gestalt der jungen Frau und forschte in ihren Erinnerungen. Auch die Männer kamen ihr bekannt vor.

Der Fiskal winkte ihnen zu. »Kommt näher und nennt eure Namen.«

»Hinnerk und Ullrych Linde – Grede Johannsen.«

»Ihr Burschen seid Brüder?«

»Ja. Und Grede ist eine Freundin von uns.«

Natürlich! Grede Johannsen, ihre Spielkameradin aus Kindertagen. Als Cristin und ihre Eltern aus dem Dorf Sierksrade in die Stadt gezogen waren, hatten sich die Mädchen aus den Augen verloren.

»Warum seid ihr hier?«

Einer der beiden Männer wies mit einer Kopfbewegung auf Cristin. »Wer etwas über diese Frau dort weiß, soll sich hier melden, hieß es.«

»So sprecht.«

»Wir kennen sie noch aus der Jugendzeit«, begann der Mann, der sich als Ullrych Linde vorgestellt hatte. »Wir haben im selben Dorf gelebt. Schon damals munkelten die Nachbarn, dass Cristin über eine seltene Gabe verfügt.«

»Welche Gabe?«

»Nun, schon im Alter von zehn, elf Jahren soll sie zuweilen die Kranken im Dorf mit der Hand berührt haben, und danach ging es ihnen besser. So redeten die Leute. Sie selbst hat nie darüber gesprochen. Aber wir wissen es genau!«

Die junge Frau nickte eifrig. »Ja. Mir hat sie auch mal die Hand aufgelegt, als ich unter furchtbaren Bauchschmerzen zusammengebrochen bin. Meine Schmerzen haben sofort nachgelassen.«

Grede blickte zu Cristin herüber. »Aber wir waren noch Kinder und wussten nichts von diesen Dingen. Als nichts weiter geschah, hörte das Getuschel schließlich auf. Für mich war sie wie eine Heilige ...«

»Schweig! Dieses Weib ist mit Sicherheit keine Heilige! Cristin Bremer steht vor diesem Gericht, weil sie mit dem Leibhaftigen im Bunde ist. Mit ihrer Hexenkunst hat sie ihren Mann getötet.«

»Beim Jesuskind und bei der Jungfrau Maria!« Die junge Frau riss die Augen auf, machte schnell das Zeichen gegen den bösen Blick und wandte den Kopf ab. »Sie soll ihren Mann getötet haben? Das ist ja schrecklich!«

»Allerdings. Deshalb wird dieses Weib auch seiner gerechten Strafe zugeführt werden. Jetzt herunter mit euch. Wir haben eure Aussage gehört und zu Protokoll genommen.«

Während die jungen Leute vom Podium hinabstiegen und

in der Menge verschwanden, trat Mangel noch näher an Cristin heran. »Ich nehme an, Ihr leugnet immer noch, was Euch zur Last gelegt wird?«

Sie hob den Kopf. »Ja. Ich bin … weder eine Hexe noch eine Mörderin, sondern ein Christenmensch wie die meisten hier. Auch wenn ich nicht zu jeder Messe gegangen …«

»Schweigt!«, unterbrach Vogt Büttenwart sie. »Ich habe schon vermutet, dass Ihr nichts zugeben werdet. Deshalb habe ich bereits alles für eine Bahrprobe vorbereiten lassen.«

Unter den Zuschauern entstand Unruhe, und das Getuschel drang deutlich an ihre Ohren. »Was sagt er? Eine Bahrprobe?«

»Das heißt, Lukas Bremers Leichnam wird wieder aus …«

»Ruhe!« Büttenwart wandte sich an den Stadtschreiber. »Nimm Folgendes zu Protokoll: Die Angeklagte leugnet und wird deshalb einem Gottesurteil unterzogen. Fiskal Mangel, Ihr kommt mit mir und dem Stadtschreiber auf den Friedhof, wo wir die Bahrprobe in Anwesenheit eines Priesters durchführen werden. Medicus Küppers hat sich angeboten, uns zu begleiten. Dort wird sich entscheiden, ob die Angeklagte die Wahrheit sagt!«

Cristin stand regungslos und mit gesenktem Kopf vor ihren Klägern. Sie war unendlich müde. Ihre Gedanken kreisten um Elisabeth und um die bange Frage, was nun mit ihr selbst geschehen würde. Hunger und Schrecken benebelten ihren Verstand, ihre Brüste waren prall mit Milch gefüllt und schmerzten. Mühsam nahm sie sich zusammen, aber die Bedeutung der Worte Büttenwarts, die wie Donner in ihr hallten, drang nur langsam in ihr Bewusstsein. Bahrprobe? Was mochte das sein? Dem Geraune der Leute zufolge musste es etwas mit Lukas' Leichnam zu tun haben. Zögernd hob sie den Kopf und schaute dem Richteherrn ins Gesicht. Seine undurchdringliche Miene ließ keine Rückschlüsse auf dessen Vorhaben zu noch entdeckte sie einen Hauch Milde darin. Eine Ahnung beschlich Cristin, und sie sog hörbar die Luft ein, während sich die feinen Härchen auf ihrem Körper aufrichteten.

»Vogt Büttenwart, sollen wir?«, hörte sie den Fiskal fragen.

Der Richteherr nickte. »Büttel, nehmt die Schere. Und haltet die Frau gut fest!«

Ihre Augen weiteten sich, und sie machte eine abwehrende Handbewegung. »Was wollt Ihr?«

»Es ist üblich, den Angeklagten, ob Mann oder Weib, vor dem Gottesgericht das Haar abzuschneiden«, erklärte Mangel.

Im nächsten Moment packten sie zwei kräftige Hände und umklammerten ihre Arme wie Schraubstöcke.

Nein, nicht ihre Haare! Der andere Büttel griff in ihre vollen Locken und setzte mit der anderen Hand die Schere an. Cristin schrie auf, denn der Mann ging nicht gerade vorsichtig zu Werke, dann verschleierten Tränen der Scham ihre Sicht. Aber so sehr sie sich auch wehrte, gegen die Kraft der Büttel war sie machtlos. Die ersten Locken fielen, und ihre rotblonden Strähnen bildeten einen leuchtenden Fleck auf dem Steinboden des Gerichts. Sie schluckte, dann hatte der Mann sein Werk vollendet. Als man sie endlich wieder losließ, fuhr sie zitternd mit einer Hand über den geschorenen Kopf.

21

Am Friedhofseingang erwarteten drei mürrisch wirkende Männer in einfachen Wämsern und schmutzigen Hosen die Prozession. Der Richteherr trat auf sie zu, und Cristin betrachtete die aufblühende Natur. Knospende Büsche und der Geruch von feuchter Erde weckten den Eindruck von Erneuerung, doch hier auf diesem Friedhof gab es für sie nur Tod und Trauer.

»Wie weit seid ihr?«, fragte Büttenwart.

»Der Sarg steht neben der Grube, Richteherr«, antwortete einer der Männer.

»Dann führt uns hin, damit wir die Sache hinter uns bringen!«

Alles in ihr weigerte sich, näher an die Grabstelle heranzutreten. Nein, sie wollte nicht einen Schritt weiter! Erst eine Woche zuvor hatte sie an genau dieser Stelle gestanden und mit ansehen müssen, wie der Sarg mit dem Leichnam ihres geliebten Gemahls in die Erde gesenkt wurde. Alle waren sie gekommen, um ihr Beileid auszusprechen: Lynhard, Mechthild, Geschäftsleute und Freunde. Niemals würde sie vergessen, wie es gewesen war, mit der Kleinen auf dem Arm hier an diesem Platz zu stehen, während Sand auf den Sarg geschüttet wurde. Nun stand dieser Sarg abermals – diesmal geöffnet – neben der tiefen Grube. Allmächtiger Gott, dachte sie. Sie wollte diesen Körper nicht sehen, keuchte.

»Lasst uns beginnen«, hörte sie eine Stimme wie von ferne.

Konrad Küppers trat an den Sarg und zog mit einer schnellen Bewegung die Decke über Lukas' weißem Körper fort, der nahezu nackt vor ihnen lag. Cristin schlug eine Hand vor den Mund. Der Gestank war unerträglich, und sie zwang den sich ihr aufdrängenden Würgreiz hinunter, während ihre Beine unter ihr nachzugeben drohten.

»Wollt Ihr gestehen?«

Sie wandte den Kopf ab. »Ich habe nichts zu gestehen«, flüsterte sie heiser.

»Dann runter mit Euch auf die Knie!«

Sie sah Küppers verständnislos an. Eine Hand fasste nach ihrer Schulter, drückte sie hinunter.

»Hörst du nicht, was der Richteherr befiehlt?« Einer der Büttel stand hinter ihr. »Du sollst dich hinknien.«

Der Priester, ein hochgewachsener, hagerer Mann in reich verziertem Skapulier über der weißen Tunika, nickte ihr zu. »Tu, was die Männer sagen. Wenn du unschuldig bist, wird dieses Gottesurteil es beweisen. Wenn nicht, dann wird uns der Tote dies klar und deutlich zeigen.«

Verwirrt blickte sie ihn an.

Der Priester schürzte die Lippen. »Blut wird hervorbrechen aus seinem Leib, und die Wahrheit wird für jeden hier klar und deutlich zum Vorschein kommen.«

Wie betäubt sank sie auf die Knie.

Fiskal Mangel sah auf sie herab. »Nun rutsche auf Händen und Knien um den Sarg herum und das dreimal. Rufe dabei den Namen des Verstorbenen aus, damit seine Seele dich hört!«

Cristins Stimme klang tonlos. »Ich bitte Euch, das ist doch …«

»Tut es, verdammt noch mal!«, zischte Mangel und handelte sich dafür einen strafenden Blick des Priesters ein.

Dessen Miene verzog sich zu einem Lächeln.

»Wenn du unschuldig bist, hast du nichts zu befürchten, mein Kind!«

Zögernd kroch sie vorwärts. Umrundete den geöffneten Sarg. Nannte den Namen des geliebten Mannes. Umrundete den Sarg ein zweites und schließlich ein drittes Mal. »Lukas Bremer, du weißt, dass ich keine Schuld an deinem Tod trage«, murmelte sie.

»Schwört bei Gott dem Allmächtigen, allen Heiligen und der Mutter Gottes, dass Ihr nichts mit dem Tod dieses Mannes zu tun habt«, zischte der Fiskal.

»Ich schwöre es.«

»Lauter!«

»Ich schwöre es!«

»Jetzt küsst den Leichnam!«

»Ich bitte Euch, Herr, zwingt mich nicht *dazu*.«

»Du sollst ihn küssen, Weib!«

Cristin griff sich an ihr heftig pochendes Herz und starrte auf den verwesenden Leichnam, dessen widerlich süßlicher Geruch schwer in der Luft hing. Sie konnte doch nicht … Schwindel erfasste sie. Lukas lag wächsern bleich im Sarg. Faltenlos, gar maskenhaft war sein Gesicht, und seine dunklen Augenränder zeugten noch von dem Todeskampf. Er wirkte fremd und durchscheinend. Eine Fliege umkreiste den Kopf des Toten, und beim Gedanken, ihn küssen zu müssen, drehte sich ihr der Magen um. Dies war nicht mehr der Mann, mit dem sie gelacht und gelebt hatte!

»Nein«, stammelte sie und schwankte.

Sie spürte die abwartenden Blicke der Anwesenden auf sich gerichtet. Wenn sie nicht gehorchte, war ihr Schicksal besiegelt. Sie schluckte hart und beugte sich mit angehaltenem Atem hinunter. Näherte sich. Zögernd. Bis ihre Lippen die eingefallene Haut an der Wange berührten.

Der Priester räusperte sich. »Sie hat den Sarg dreimal umrundet, Vogt.«

»Ich kann ebenfalls zählen«, erwiderte der Mann gereizt und wandte sich dem Medicus zu. »Küppers, untersucht den Leichnam, ob irgendwo Blut hervortritt. Bitte seid genau, Ihr wisst, was ich meine?«

»Das versteht sich von selbst, Richteherr.«

Der Arzt beugte sich über Lukas' Körper, hob kurz Arme und Beine an und bewegte den Kopf hin und her. Den gläsernen, kaum zeigefingerlangen Gegenstand, den der Medicus in der rechten Hand verborgen hielt, bemerkte niemand. Schließlich schaute Küppers auf. »Nichts Ungewöhnliches zu sehen.«

»Dann hat diese Frau das Gottesurteil bestanden und muss freigelassen werden«, erklärte der Priester.

Der Richteherr kratzte sich am Kinn. »Tatsächlich unschuldig«, räumte er ein. »Wer hätte das gedacht? Schreiber, bitte notiert: Cristin Bremer, des Mordes und der Hexerei an ihrem Mann Lukas angeklagt, hat die Bahrprobe bestanden. Sie ist unschuldig. Lübeck, den 4. April im Jahr des Herrn 1397.«

Cristin hörte noch, wie der Griffel über die kleine Tafel kratzte, die der Stadtschreiber auf ein aufklappbares Pult gelegt hatte, und spürte bittere Galle in ihrer Kehle aufsteigen. Im nächsten Moment erbrach sie sich krampfartig.

Dem Fiskal, der nur einen Schritt von ihr entfernt stand, gelang es nicht, seine teuren Schnabelschuhe in Sicherheit zu bringen. »Verdammt! Kannst du nicht aufpassen!« Fluchend suchte er in seinem Beutel nach einem Tuch, um die beschmutzten Schuhe zu reinigen.

»Hier, nehmt das.« Vogt Büttenwart reichte ihm ein Tuch. »Wir sollten nun nach Hause gehen.« Er verzog die Lippen zu einem dünnen Lächeln. »Damit Frau Bremer sich noch einmal von ihrem Mann verabschieden kann, bevor er ein zweites Mal beerdigt wird.« Er griff in seinen Geldbeutel und nahm ein paar Münzen heraus, die er den Totengräbern zuwarf.

»Hier, für eure Mühe. Aber verprasst es nicht gleich im nächsten Hurenhaus.«

Die Männer lachten rau und fassten nach dem Sargdeckel. Cristin, die sich erhoben hatte und ein paar Schritte zur Seite getreten war, schloss die Lider. Leb wohl, wo immer du sein magst. Möge Gott, der Herr, dir endlich Ruhe schenken.

»Wartet, ich muss den Leichnam noch auf die Seite drehen«, unterbrach die Stimme des Medicus ihre Gedanken. »Ich habe versäumt, den Rücken des Toten zu untersuchen. Schließlich soll alles seine Ordnung haben.«

Sie öffnete die Augen und hob den Kopf, während Küppers noch einmal neben dem Sarg niederkniete. Er fasste den Toten am Oberarm und an der Hüfte und drehte ihn ein wenig. »Was ist denn das?«

Auch Cristin trat näher an den Sarg heran. Und dann sah sie es. Ein feines Rinnsal Blut lief langsam aus Lukas' rechtem Mundwinkel die Wange herab.

»Sieh an, sieh an!«, vernahm sie die triumphierende Stimme des Fiskals, der sich über die Leiche beugte.

Cristin sank auf die Knie.

22

Grobe Hände zogen sie empor und stellten sie auf die Füße. Cristin schaute direkt in Fiskal Mangels wässrig blaue Augen.

»Schuldig!«, zischte er. »Ich habe es die ganze Zeit geahnt!

Hast du wirklich geglaubt, den Allmächtigen täuschen zu können, du heimtückische Mörderin?«

Sie wich zurück. »Das ist nicht wahr«, presste sie hervor. »Gott ist mein Zeuge, dass ich niemals einem Menschen etwas zuleide getan habe.« Sie fiel vor Vogt Büttenwart auf die Knie und wollte nach seinen Händen greifen. Er wedelte mit der Hand, als wollte er ein lästiges Insekt vertreiben.

»Weiche von mir, Weib! Du hast das Blut gesehen. Wir alle haben es gesehen. Die Seele deines ermordeten Ehemannes klagt dich an!« Er wandte sich zu dem Priester um, der sich gerade leise mit dem Medicus unterhielt. »Dafür wird sie auf ewig in der Hölle schmoren, nicht wahr?«

Der Geistliche nickte grimmig.

Wenig später wurde sie erneut zum Marktplatz geführt, vor Vogt Büttenwart, um das Urteil zu empfangen, zu dem die eilig herbeigerufenen Schöffen zusammengekommen waren.

»Die der Hexerei und des Mordes an ihrem Ehemann Lukas angeklagte Cristin Bremer wird zum Tode verurteilt. Der Henker der Stadt Lübeck soll sie unverzüglich lebendig begraben …«, hörte sie den Richteherrn verkünden.

Lebendig begraben. Ihre Hand fuhr empor zu der Stelle, wo ihr Herz wild gegen die Rippen hämmerte. Begraben. Lebendig. In ihrer Kehle formte sich ein Schrei, doch als sie den Mund öffnete, drang nur ein heiseres Krächzen heraus. Schwindel erfasste sie, dann wurde es dunkel um sie.

Mühsam öffnete sie die Augen, konnte jedoch nichts erkennen. Grober, dunkler Stoff lag auf ihrem Gesicht und versperrte ihr die Sicht. Er kratzte auf ihrer Haut. Sie spürte, wie jemand ihre Arme und Beine packte und sie von dem Karren herunterzerrte. Als ihre nackten Füße die Erde berührten, taumelte sie, aber raue Hände fassten ihre Arme, hielten sie fest. Man hatte ihr nicht nur die Hände gefesselt, sondern sie auch an den Fußgelenken zusammengebunden. Schlagartig wurde sie hellwach. Ihr Puls raste. Cristin bekam unter dem dicken

Stoff kaum Luft. Im nächsten Augenblick kehrte die Erinnerung zurück. Sie wollte schreien, um Hilfe rufen, doch etwas Dickes, Nasses steckte in ihrem Mund und löste einen Würgreiz in ihr aus. Geknebelt … ich bin geknebelt. Eine lähmende Schwäche befiel Cristin und breitete sich in ihrem ganzen Körper aus. Die Beine knickten ihr ein, aber sogleich wurde sie schmerzhaft in die Höhe gezogen.

»Stell dich hin, Hexe!«, tönte es zu ihr herüber. Die Stimme kannte sie nur zu gut. Fiskal Mangel. »Es ist so weit.« Mit einer raschen Bewegung riss er ihr das Tuch von den Augen.

Cristin blinzelte in die letzten Strahlen der Abendsonne. Mit dem speichelgetränkten Knebel im Mund fiel ihr das Atmen zunehmend schwer, als ein kühler Wind ihr über den geschorenen Kopf fuhr und sie frösteln ließ. Dunkle Wolken türmten sich am Himmel und tauchten den Hügel, auf dem sie stand, in ein unheimliches Licht. Der Schindacker! Kerzengerade verharrte sie. Da standen sie wieder, ihre Ankläger. Richteherr Büttenwart und Kunolf Mangel, Medicus Küppers und der Priester, der auch schon auf dem Friedhof dabei gewesen war, sowie ein knappes Dutzend andere ehrbare Bürger und Ratsmitglieder der Hansestadt. Zwischen den Männern konnte sie eine vertraute Gestalt ausmachen. Ihr Herz schlug schneller. Lynhard! Nun wendete sich vielleicht doch noch alles zum Guten. Gewiss würde er das Wort ergreifen und sie aus ihrer ausweglosen Lage befreien. Da traf sie sein Blick. Er war frostig. Cristin erschrak bis ins Mark. Nicht einmal Lynhard glaubte ihr, erhob nicht die Stimme gegen das schreiende Unrecht, das ihr widerfuhr.

Der Priester trat einen Schritt vor. »Hier, im Angesicht des Todes, ist die letzte Gelegenheit, deine Sünden zu bekennen und das Sakrament der Beichte zu empfangen«, sprach er salbungsvoll. »Dann wird selbst dir der Himmel offen stehen, Cristin Bremer. Denke an den Schächer, der neben unserem Heiland am Kreuze hing und Vergebung empfing. Auch dir wird Gottes Gnade zuteil, wenn du bereust und Buße tust.« Die Hände im Rücken gefaltet und die Augen auf einen fernen

Punkt am Horizont gerichtet, machte er einen gleichmütigen Eindruck. »Willst du noch etwas sagen, bevor du vor deinen Schöpfer trittst, meine Tochter?«

Sie nickte. Einer der Fronknechte griff ihr in den Mund und zog den nassen Stofffetzen heraus. Der Priester stierte auf den zerrissenen Ausschnitt ihres Hemdes, das mehr offenbarte als verbarg. Cristin sog die Luft tief in ihre Lungen. Trotz ihrer inneren Erregung klang ihre Stimme fest. »Ich bin weder Eure Tochter noch eine Hexe«, sie spie die Worte förmlich aus. »Ihr jedoch versündigt Euch heute an einem unschuldigen Menschen! Dafür werdet Ihr alle in der Hölle …«

»Schweig!« Eine schallende Ohrfeige des Klerikers ließ sie verstummen. »Du wagst es, mich und die hier Versammelten zu beschimpfen?«

Cristin wendete den Kopf, und ihr Blick fiel auf eine Gestalt, die bisher etwas abseits gestanden hatte. Es war augenscheinlich ein Mann in einem dunklen Umhang, dessen Kapuze sein Gesicht verbarg. Wie ein Dämon, der wartete. Sie erstarrte. Diesen Mann hatte sie schon einmal gesehen. Mit einem Mal spürte sie, wie jeder Blutstropfen aus ihrem brennenden Gesicht wich. Einige Monate war es wohl her, damals auf dem Köpfelberg, auf den Lukas ihr danach zu gehen verboten hatte. Ein fünfzehnjähriger Kirchendieb war dort gefoltert worden und gestorben, und dieser Mann hatte das Urteil vollstreckt. Sie erschauerte, und wieder wurden ihr die Knie weich. Dieser Mann würde auch ihr Henker sein.

Scheinbar unbeteiligt hatte Emmerik Schimpf durch die Augenlöcher seiner Kapuze, die ihn vor Flüchen und dem bösen Blick seiner Opfer schützen sollte, beobachtet, wie zwei Büttel die menschliche Fracht von einem Karren hoben. Wieder eine der vom Wege abgekommenen Seelen, an die ich Hand anlegen darf, dachte er zynisch. Wie lange dieser Mensch wohl um Hilfe winseln würde, bis die dunkle, schwere Erde seine vor Todesangst heisere, um Gnade bettelnde Stimme für immer verschluckte? Der Henker betrachtete kurz die bekannten Gestalten von Vogt Büttenwart, Fiskal Mangel, dem Priester sowie einigen anderen. Gesetz und Kirche, wieder einmal in einer unheiligen Allianz vereint. Die mit einem Tuch verhüllte, an den Knöcheln gefesselte Person schwankte, und die Büttel griffen zu, damit sie nicht zu Boden stürzte. Unwillkürlich ließ Emmerik seine Augen über die Gestalt wandern. Eine Frau!

Er spürte, wie sein Körper auf die zierliche und doch ungeheuer weibliche Gestalt reagierte. Trotz des schmutzigen und zerfetzten Kleides hatte die Frau eine stolze Haltung, und ihre Haut schimmerte warm im Abendlicht. Seine Augen blieben bewundernd an ihrem zerrissenen Ausschnitt hängen. Wie schnell sich ihre Brust hob und senkte. Dann wurde ihr das Tuch vom Kopf gerissen, und dem Scharfrichter stockte der Atem. Welch Sünde, so ein Prachtexemplar von Weib lebendig zu begraben! Emmerik trat unauffällig einen Schritt näher, wobei die Kapuze sein aufkeimendes Interesse versteckte. Wie angewurzelt blieb er stehen. War dies nicht die Frau vom Köpfelberg, an die er erst kürzlich hatte denken müssen? Die Frau, die bei der Hinrichtung des jungen Kirchendiebes entsetzt davongelaufen war? Der Henker schaute genauer hin. Die wenigen Haarstoppeln auf ihrem Kopf leuchteten rötlich. Selbst kahl geschoren und bleich wie der Tod war das Weib eine Schönheit. Emmerik atmete hörbar aus. Schade drum, ging es ihm erneut durch den Kopf.

»Schweig!« Die schrille Stimme des Priesters, gefolgt von einer schallenden Ohrfeige, die das Gesicht der Angeklagten traf, riss ihn aus seinen Gedanken. Jetzt sah das Weib ihn an. Und erbleichte.

»Henker, vollstrecke das Urteil an dieser Hexe und Mörderin von Lukas Bremer, ihres eigenen Mannes«, unterbrach die Stimme des Fiskals seine Überlegungen.

Eine Mörderin also. Er schaute sich suchend nach seinem Sohn um, der etwas abseits stand und das Geschehen beobachtete. Mit einer Kopfbewegung forderte er ihn auf, näher zu treten.

Baldos Kehle war wie zugeschnürt. Diese Frau sollte die Mörderin von Lukas Bremer sein? Seit dem Tag, an dem sein Vater ihn zu Medicus Küppers geschickt hatte, um den Hund abzuholen, und er unter dem Fenster mit angehört hatte, wie die Männer darüber gesprochen hatten, den Kaufmann aus dem Weg schaffen zu wollen, hatte er immer wieder über die wenigen Sätze nachgedacht. Etwa fünf Wochen später war ihm zu Ohren gekommen, dass der Besitzer der Goldspinnerei verstorben war. Es hieß, die junge Frau hier habe ihren Mann ermordet. Eine vage Idee nahm von ihm Besitz. Und wenn diese Frau unschuldig war? Wenn die Mörder des Mannes noch frei herumliefen? Der Gedanke war ungeheuerlich, und er hielt vor Schreck die Luft an. Nein, die Witwe war rechtmäßig angeklagt und für schuldig befunden worden. Sie musste die Tat begangen haben. Er warf der gefesselten Frau einen verstohlenen Blick zu. Wie sie dastand mit geradem Rücken und vor Verachtung funkelnden Augen in dem bleichen Gesicht. War sie eine Unschuldige, die selbst im Angesicht des Todes noch Würde besaß und keinerlei Scheu zeigte, gegen ihr Schicksal aufzubegehren? Seine Nackenhaare richteten sich auf, als ihm die unter dem Fenster von Küppers' Haus aufgeschnappten Gesprächsfetzen erneut ins Gedächtnis kamen. Hatte er tatsächlich an jenem Tag ein niederträchtiges Komplott belauscht, oder waren seine Schlussfolgerungen nichts als Einbildung? Baldo spürte die wachsende Ungeduld des Vaters an seiner Seite. Er sah in die Gesichter der anwesenden Männer, entdeckte nirgends Mitleid oder eine andere menschliche Regung. In diesem Moment fühlte er Cristin Bremers Augen auf sich gerichtet, und was er in ihrem Gesicht las, ließ ihm den Mund trocken werden. Er schluckte. Ihre Wangen waren eingefallen, die Haut durchscheinend, und die aufgesprungenen, blutleeren Lippen formten ein einziges Wort: *Bitte!*

»Komm und hilf mir, verdammt!«, hörte er gleichzeitig seinen Vater zischen. »Sonst kannst du was erleben, wenn wir das hier hinter uns haben!«

Alles in Baldo versteifte sich. Er konnte die Augen nicht von der Frau wenden und spürte, wie seine Hände feucht wurden. Sie ist es nicht gewesen, schoss es ihm durch den Sinn.

»Mach schon.« Sein Vater knuffte ihn unsanft in die Rippen.

Baldo atmete tief ein, machte einen Schritt vorwärts und fasste zaghaft nach dem Arm der Verurteilten, die sich widerstandslos an den Rand der frisch ausgehobenen Grube führen ließ. Während er zusah, wie sein Vater, der Henker, der jungen Frau einen Schubs versetzte und sie in die Grube stieß, wurde er auf einmal ganz ruhig.

23

Grobe Hände stießen sie rückwärts, und ein erstickter Laut drang aus ihrer Kehle. Der Länge nach stürzte sie mit dem Rücken voran auf den feuchten Boden und stöhnte vor Schmerzen auf. Dann senkte sich Dunkelheit über sie. Oh Gott, warum hast du mich verlassen? Feuchtigkeit drang durch ihr dünnes Kleid und begann, jede Wärme aus ihr herauszupressen.

»Hier, nimm das!«

Sie hob den Kopf. Der Priester, Fiskal Mangel und der Richteherr beugten sich mit gerecktem Hals über die Grube.

»Nimm das Schilfrohr.« Der Priester streckte die Hand aus und reichte ihr einen langen, dünnen Gegenstand. »Damit deine Seele ausfahren kann.«

Die Männer wandten sich ab. »Emmerik, du kannst jetzt zuschaufeln, damit wir hier fertig werden«, hörte sie den Richteherrn sagen.

Cristin wollte schreien, doch es fehlte ihr die Kraft dazu. Sie zerrte an den Handfesseln, aber das Seil schnitt ihr nur noch tiefer in die aufgescheuerte Haut. Tränen stiegen ihr in die Augen. Cristin vernahm ein Geräusch, und im nächsten

Moment flog etwas Schweres beinahe schmerzhaft gegen ihren Leib. Sie bringen mich um. Sie begraben mich. Schon traf die nächste Schaufel Erde ihren Brustkorb, zwei weitere ihre halb nackten Beine. Das Herz schlug ihr bis zum Hals, Schweiß trat Cristin aus allen Poren und vermischte sich mit den Erdbrocken auf ihrer Haut. Mit weit aufgerissenen Augen hob sie den Kopf, konnte gerade noch erkennen, wie weitere Erde auf sie niederprasselte, ihr Gesicht traf. Cristin schrie auf. Sie blinzelte, um durch den Schleier aus Tränen und Sand noch etwas erkennen zu können. Stimmen drangen wie aus der Ferne zu ihr hinunter, aber sie nahm sie kaum noch wahr. Das Rohr. Ich muss ... muss an das Rohr kommen. Mit aller Kraft schaffte sie es, die Unterarme anzuheben und die Hände mit dem fingerdicken Schilfrohr zum Mund zu führen. Sofort hatte sie ein paar Erdkrümel im Mund. Sie spuckte aus und blies in das Rohr. Es war durchgängig, doch wie viel Zeit würde ihr das bringen? Zwei weitere Schaufeln Erde begruben ihren nackten Kopf. Sie schob das Schilfrohr höher, sog gierig die Luft in ihre Lungen.

Baldo starrte auf den frischen Erdhügel, aus dem ein Teil des Schilfrohres hervorlugte.

»Komm«, meinte sein Vater. »Wir wollen nach Hause.«

Der junge Mann biss sich auf die Unterlippe. Das Schilfrohr, durch das die Seele des Opfers aus dem Grab entweichen sollte. Er glaubte nicht an diesen Unsinn, aber die Frau würde so zumindest noch einige Zeit aushalten können. Viel länger als eine Stunde konnte sie jedoch unmöglich in der kalten Erde überleben. Unauffällig sah er sich um. Drüben, einige Meter von ihm entfernt, entdeckte er den Medicus, Fiskal Mangel und diesen fremden blonden Mann, scheinbar ein Verwandter der Verurteilten, der sich angeregt mit den beiden unterhielt. »Ich ... ich habe noch etwas zu erledigen, Vater«, sagte er und drehte sich um.

»Du? Zu erledigen?« Emmerik Schimpf hob eine Braue.

»Ich bin ... verabredet.« Baldos Stimme zitterte leicht.

»Wohl die neue Hübschlerin, mit der du dich neulich schon getroffen hast?«, wollte der Henker wissen und klopfte ihm gutmütig auf die Schulter.

Baldo mied seinen Blick. »Ja, so ist es, Vater. Bis später.«

So ruhig wie möglich schritt er in entgegengesetzter Richtung weiter. Übelkeit stieg in ihm hoch. Nur jetzt nicht unsicher wirken, dachte er und ballte die Hände, die er in die Taschen seines Wamses geschoben hatte, zu Fäusten. Schweißperlen standen ihm auf der Stirn, während er den Platz überquerte, vorbei an mehreren Erdhaufen, die von vergrabenen Hundekadavern und Selbstmörderleichen zeugten. Der böige Wind kühlte sein Gesicht. Seine Füße wollten laufen, wollten über diesen schrecklichen Ort hinwegfliegen. Endlich hatte er den Hügel verlassen und warf noch einen vorsichtigen Blick zurück. Ein letzter tiefer Atemzug, dann lief er los. Aber wohin? Er hastete weiter, passierte das Burgtor.

In Gedanken ging er die Namen seiner Freunde und Bekannten durch. Es waren nicht viele, sie alle wohnten zu weit entfernt. Menschen gingen achtlos an ihm vorüber, sie waren seinen Anblick gewöhnt. Auf einmal tauchte ein vertrautes Gesicht vor seinem inneren Auge auf. Hans Mumme, sein Freund, der Einzige, den es nicht störte, dass er der Sohn und Gehilfe des Henkers war. Hans musste ihm helfen. Mit seinen langen Beinen kam Baldo schnell voran und wich unterwegs einigen lärmenden Seeleuten aus, die gerade eine Schänke verließen. Ein Mann fluchte, als Baldo in vollem Lauf seinen Einkaufskorb umwarf, doch er rannte weiter, bis er die Ecke der Engelschen Grove erreicht hatte, in der die Familie Mumme wohnte. Schwer atmend blieb er stehen und lehnte sich gegen die Mauer einer Bäckerei. Er war schweißgebadet. Plötzlich stieß er mit jemandem zusammen.

»Was machst du denn hier?«, hörte er die Stimme eines jungen Mädchens in seinem Rücken.

Er fuhr herum und sah sich Hans' Schwester gegenüber. Wie hieß sie noch gleich? Er hatte es vergessen. »Hol Hans. Schnell!«

»Wie? Wieso? Was ist …«

Baldo unterbrach sie mit einer ungeduldigen Handbewegung. »Hol ihn her und zwar sofort!«

Das blonde Mädchen zuckte unter seinem rüden Tonfall zusammen, machte auf dem Absatz kehrt und verschwand im unweit gelegenen Elternhaus.

Er lief unterdessen auf und ab. Meine Güte, warum dauerte das nur so lange?

Endlich kam der ebenfalls blondhaarige Freund ihm entgegengelaufen. »Gott zum Gruße, Baldo. Was ist denn los?«

»Komm mit!« Ohne ein Wort der Erklärung zerrte er Hans hinter sich her, bis dieser nach kurzem Widerstand in seinen Laufschritt einfiel.

»Wo wollen wir denn hin?«, fragte Hans ein wenig atemlos, als sie das Ende der Straße erreicht hatten und in Richtung des Stadttores steuerten.

»Halt die Klappe! Ich erzähle es dir später.« Als der Freund stehen blieb und sich die vom Laufen schmerzenden Seiten hielt, gab Baldo ihm einen Schubs. »Dafür haben wir jetzt keine Zeit. Es geht um Leben oder Tod!«

Mit einem Seitenblick bemerkte er, wie Hans bereits den Mund öffnete, um etwas zu erwidern, doch er brachte den Freund mit seiner finsteren Miene zum Schweigen. »Schneller, Hans. Los!«

Seufzend ergab sich der Junge in sein Schicksal und folgte Baldo, so gut er es mit seinen kurzen Beinen vermochte, bis der Köpfelberg in sein Sichtfeld kam.

Das Gewissen begann an Baldo zu nagen, als er merkte, wie Hans erbleichte, und er ergriff dessen Arm. »Hier entlang.«

Cristins Herz hämmerte gegen ihre Rippen. Sie bekam zu wenig Luft, die Erde über ihrem Brustkorb wurde immer schwerer. Bevor die Männer gegangen waren, hatte einer von ihnen den Boden noch festgetreten. Schreien hätte sie wollen, aber sie beherrschte sich mühsam, um nicht wieder Erde in den Mund zu bekommen.

Mühsam legte sie den Kopf in den Nacken. Mit einer Hand hielt sie weiterhin das Rohr umklammert, doch selbst das kostete sie Kraft. Längst hatte die Kälte nach ihr gegriffen, entzog ihrem gemarterten Körper jede Wärme, bis alles an ihr gefühllos wurde. Angestrengt sog sie die Luft tief in ihre Lungen hinein. An ihrem rechten Bein spürte sie ein Tier entlangkriechen, und Cristin verzog angewidert das Gesicht. Irgendwann war ihr aber auch dies gleichgültig. Mit geschlossenen Augen lag sie in der Grube und ließ die Bilder ihres Lebens an sich vorüberziehen. Ihr unsichtbarer Freund, wie er eng neben ihr saß. Seine Stimme, die ihrer so ähnlich war, nur ein wenig dunkler, und jeden Kummer in ihr verstummen ließ. Lukas. Sein Lächeln und die Wärme, die er ihr schenkte. Das Gefühl, wenn er sie in die Arme zog und sie liebte. Die Gesichter ihrer Lohnarbeiter und die vertrauten Geräusche in der Werkstatt. Der erste zaghafte Schrei ihres Kindes, damals, in jener kalten Winternacht. Elisabeths süßes Gewicht, das leise Schmatzen an ihrer Brust. Plötzlich kam Ruhe über sie und löschte alle anderen Empfindungen in ihr aus. Es war vorbei.

24

Baldo warf sich auf die Knie und begann mit bloßen Händen in der Erde zu graben. »Los«, presste er hervor und stieß seinen Freund in die Seite, der ihn verständnislos ansah. »Hilf mir, Hans! Sie ist unschuldig.«

Hans schüttelte den Kopf und machte instinktiv das Zeichen gegen den bösen Blick. »Nein, ich … ich kann nicht«, er wich zurück. »Die Frau ist eine Hexe! Sie hat ihren Mann auf dem Gewissen, heißt es.«

»Dummes Zeug!«

»Sie hat die Bahrprobe nicht bestanden, sagt mein Vater!«

»Und wenn schon!« Baldo sprang auf und hielt Hans am

Kragen fest. »In einer Stunde ist es stockdunkel. Verdammt noch mal, hilf mir!«

Schließlich hockte Hans sich neben ihn und begann ohne ein Wort ebenfalls zu graben. Die Erde war schwer vom Regen der letzten Tage.

Schneller, verdammt! Es dauerte viel zu lange. Baldos Herz zog sich krampfhaft zusammen, tiefer und tiefer gruben seine Hände, während Erdklumpen durch die Luft flogen, und Gesicht, Haare und Kleidung besprenkelten. Er keuchte, das Blut pochte in seinen Schläfen. Schweiß rann ihm in die Augen, und er wischte ihn mit dem Handrücken fort.

»Schneller, verflixt noch mal!«, schrie er. Nur noch dies hier zählt, erkannte er plötzlich. Sein Leben war bisher von Gehorsam gegenüber seinem Vater, von Abscheu und Scham geprägt gewesen. Nun hatte er die Gelegenheit, das erste Mal etwas wirklich Bedeutsames zu tun. Etwas, von dem er überzeugt war, ohne es erklären zu …

Oh nein – er hatte das Schilfrohr herausgezogen! Einen Wimpernschlag lang hatte er nicht aufgepasst. »Halte durch! Du darfst nicht sterben!«, flüsterte er und verdoppelte seine Anstrengungen. Er hörte Hans neben sich aufstöhnen. Da! Seine Fingerspitzen ertasteten etwas Festes. Das musste ihr Kopf sein. Wenn es nur nicht bereits zu spät war. Mit den Händen fegte er Erde zur Seite, schon war ihre Stirn zu sehen. Die Kopfhaut schimmerte rosig. »Du schaffst es«, murmelte er, ohne selbst zu wissen, wen er damit meinte – sich selbst oder die Verurteilte, die er versuchte auszugraben. Wie ein Wahnsinniger schob er die Erde beiseite und ignorierte die Stiche in seiner Brust. Sie muss atmen können. Ihre Augen waren geschlossen, die Haut wächsern.

»Die ist tot«, rief Hans mit einer Stimme, der man die mühsam unterdrückte Hysterie anhörte.

Baldo antwortete nicht. Außer dem Anblick ihrer geschlossenen Lider nahm er nichts mehr wahr. Vorsichtig befreite er ihre Nase und den Mund. Gemeinsam kämpften sie sich bis zu ihren Armen weiter, wobei sie schnaubten und röchelten vor Anstrengung. Die einsetzende Dämmerung erschwerte ihnen die Sicht, doch endlich war ihr Körper frei. Sie packten die Frau, zogen sie mit einer letzten großen Kraftanstrengung heraus und legten sie auf den Boden.

Baldo beugte sich über sie und legte seine Hand an die Stelle, wo ihre Halsschlagader saß. Nichts. »Verflixt noch mal!« Roh hob er ihren Oberkörper an und begann sie zu schütteln. Ihr Körper war wie der einer Puppe. Er betrachtete ihr stilles Gesicht. Komm schon, Mädchen. Du darfst nicht sterben, flehte er insgeheim, ohne sie aus den Augen zu lassen. Sanft bettete er ihren Kopf auf seinen Schoß.

»Gib es auf«, hörte er seinen Freund murmeln. »Die ist hin.«

Baldos Sicht verschwamm. Er gab der Frau eine Ohrfeige. »Wach auf, verdammt noch mal. Wach endlich auf!« Wieder schlug er ihr ins Gesicht. »Du sollst aufwach …« Da! Hatte er es sich eingebildet, oder flackerten ihre Lider? Er holte tief Luft und schaute hinauf in den Himmel, an dem die ersten Sterne zu erkennen waren. Das Bild der jungen Frau, wie sie gefesselt vor ihrem Richter stand und ihr Urteil erwartete, drängte sich wieder in sein Bewusstsein, und er kramte in seinen Erinnerungen. Wie hieß sie noch gleich? Ihre Lippen waren blau verfärbt. »Cristin«, brach es aus ihm heraus. »Du musst leben. Wach auf.« Er beobachtete, wie sich ihre Brust kaum sichtbar hob und wieder senkte. Himmel, sie lebt noch!

»Baldo, sieh doch«, stammelte Hans.

Er war unfähig zu antworten und nickte nur. Mit seiner rauen Hand strich er ihr zart über die Wange, die inzwischen etwas von ihrer Blässe verloren hatte, und wischte ein paar Erdkrümel von ihren Lippen. »Öffne die Augen. Alles ist gut.«

Langsam kehrte die Farbe in das Antlitz der jungen Frau zurück. Was tat er hier nur? Befreite eine Frau, die er nicht einmal kannte, aus ihrem sicheren Grab. Du bist von allen guten Geistern verlassen, rügte er sich. Kannst selbst kaum auf dich aufpassen und halst dir bereits den nächsten Ärger auf. Warum nur empfand er in diesem Moment keine Angst?

Nicht einmal der Gedanke an seinen Vater, der ihn sicher schon suchte, schreckte ihn. »Cristin«, flüsterte er, als er sah, wie ihre Lippen sich bewegten.

Sie hustete und öffnete die Lider, woraufhin er sich noch tiefer zu ihr hinunterbeugte. Ihr Blick war verschleiert, und er fragte sich mit angehaltenem Atem, was sie wohl sehen mochte.

»Du bist in Sicherheit«, sprach er beruhigend auf sie ein.

Ihre Augen wurden klar, und Entsetzen breitete sich auf ihrer Miene aus.

»Komm jetzt. Wir müssen hier weg, verstehst du?«

Die Frau nickte schwach.

Baldo blickte zu Hans hinüber, der die Finger an seiner erdverkrusteten Hose abwischte und sich dabei immer wieder verstohlen nach allen Seiten umschaute.

»Da kommt jemand!« Hans wies mit ausgestreckten Arm auf eine Gestalt, die am Anfang des Hügels auftauchte.

»Verflucht«, brummte Baldo. »Kannst du aufstehen?

Cristin schüttelte den Kopf.

Er brummte etwas Unverständliches und hob sie auf seinen Arm. »Hans, wir sind dort hinten an der halb verfallenen Scheune, wo der Wald angrenzt. Beschaff uns etwas zum Anziehen. Ich warte dort auf dich. Schnell.« Baldo legte eine Hand auf die Schulter seines Freundes. »Und danke.« Ohne auf eine Antwort zu warten, lief er los, so schnell er es mit seiner Fracht vermochte, und sah sich um. Es war eindeutig ein Mann, der auf sie zuzukommen schien. Baldos Füße berührten kaum den Boden, dennoch glaubte er, kaum von der Stelle zu kommen. Einmal wäre er beinahe über einen halbhohen Busch gestolpert, den er in der zunehmenden Dunkelheit nicht gesehen hatte. Die Frau war leicht, dennoch brach ihm erneut der Schweiß aus allen Poren. Er fühlte ihre fragenden Augen auf sich gerichtet, während er mit weit ausholenden Schritten auf die Scheune zusteuerte. Doch der stürmische Wind erschwerte seine Flucht, seine Beine wurden schwer, was den Abstieg noch anstrengender gestaltete. Die

Finger spürte er kaum noch, und Cristins Kopf sank zur Seite. Als die Scheune in sein Sichtfeld kam, wäre er vor Erleichterung am liebsten zu Boden gesunken. Kurze Zeit später hatte er sie erreicht und ließ sich und die junge Frau ins Gras fallen. Baldo lehnte seinen Kopf gegen die Bretterwand und schloss die Augen, während er auf das verräterische Rascheln des Grases oder sich nähernder Schritte lauschte, aber außer dem Rauschen des Windes in den Bäumen war nichts Auffälliges zu hören.

Ihre Ohnmacht hielt an, und als er wieder zu Atem kam, betrachtete er sie eingehender. Bedauern stieg in ihm hoch beim Anblick ihres geschorenen Schädels. Hier und da leuchteten rotblonde Haarstoppeln auf ihrer Kopfhaut und ließen erahnen, wie hübsch sie vorher gewesen sein musste. Trotz des Schmutzes waren ihre feinen Züge gut zu erkennen. Sie wirkte zerbrechlich und schwach, trotzdem hatte sie nicht um Gnade gewinselt wie die meisten anderen Verurteilten, denen er bisher begegnet war. Er wusste nicht einmal, wo er sie hinbringen konnte, geschweige denn, wo sie beide bleiben sollten. Denn eins stand fest: Nach Hause zurück konnte er nicht mehr. Vielleicht nie mehr. Baldo horchte in sich hinein. Es war niemand da, den er vermissen würde, wurde ihm auf einmal bewusst. Außer Hans vermutlich. Eine Idee schoss ihm blitzartig durch den Kopf, er war wieder hellwach, und ein dünnes Lächeln umspielte seinen Mund.

25

Das Gefühl ihrer am Gaumen klebenden Zunge war das Erste, was Cristin wahrnahm. Und der kräftige Wind, der über ihren Körper strich und ihr eine feine Gänsehaut verursachte. Ihr Kopf fühlte sich an wie in Watte gehüllt, Schwindel erfasste sie, dann kam die Erinnerung schlagartig zurück. Sie wimmerte, wollte sich gegen die in ihr aufsteigenden Empfindungen wehren. Es gelang ihr nicht. *Lebendig begraben. Keine Luft. Das Schlängeln von Würmern auf meiner Haut.* Da tauchte auf einmal das Bild eines jungen Mannes mit ernstem Gesicht vor ihrem inneren Auge auf. Er rief ihren Namen, immer wieder. Ein zweiter hatte daneben gestanden. War dies alles nur ein Traum gewesen? Als etwas Raues über ihre Wange strich, fuhr Cristin zusammen und öffnete die Lider. Ihr Rücken schmerzte von den Steinen, die sich in ihre Haut gebohrt hatten.

»Geht es dir gut?«

Sie wich zurück, das Herz schlug ihr bis zum Hals. Dann jedoch, als die Nebel der Bewusstlosigkeit sich langsam lichteten, erkannte sie ihn. Das war der Mann, den sie gesehen und dessen Stimme sie gehört hatte. Sie nickte nur und starrte in das schmale Gesicht, aus dem sie zwei dunkle Augen forschend musterten. Sie suchte nach einer Möglichkeit zu entkommen, doch sie wusste nicht einmal, wo sie sich befand. Sie lag auf feuchtem Gras, hinter ihr ein windschiefer Schuppen, vor ihr ragten die Schatten der Bäume eines an das Grundstück angrenzenden Waldes auf.

»Ich bin Baldo«, unterbrach der junge Mann ihre Gedanken. Er mochte ungefähr in ihrem Alter sein.

»Was willst du von mir?«

Er hob beschwichtigend die Hand, als sie sich gegen die Bretterwand drückte. »Ich will dir nichts tun. Sei ohne Sorge.«

»Wo … sind wir?«

»Auf der Flucht. Sei leise, man darf uns nicht entdecken.«

Ihre Verwirrung wuchs. Sie hatte so viele Fragen, aber nur die eine kam ihr über die Lippen. »Hast du … hast du mich gerettet?«

Ruhig hielt er ihrem Blick stand. »Ja.«

Sie schluckte. »Warum hast du das getan?«

»Weil ich glaube, dass du unschuldig bist!«

Für einen Moment wurde es still zwischen ihnen. Cristin

strich über den zerrissenen Ausschnitt ihres Kleides und versuchte vergeblich, ihre Blöße zu bedecken. »Das ist wahr«, flüsterte sie, und ihre Augen wurden feucht. »Was geschieht jetzt?«

Er blickte an ihr vorbei. Der Vollmond kämpfte sich durch die dichte Wolkendecke und warf seine hellen Strahlen auf die Wipfel der Bäume. »Wir müssen von hier verschwinden. So schnell wie möglich, bevor …«

»Bevor was?«

»Bevor mein Vater uns findet«, antwortete er nach kurzem Zögern.

»Wieso?«

Der junge Mann packte sie so grob an den Schultern, dass sie unwillkürlich aufschrie. Sein Gesicht schien wie in Stein gemeißelt. »Weil mein Vater derjenige ist, der dich dort hinten begraben hat. Er ist der Henker von Lübeck.«

Sie hielt die Hände vor den Mund, ein erstickter Laut formte sich in ihrer Kehle. »Mein Gott.«

»Lass Gott aus dem Spiel, Mädchen. Der will nichts von uns wissen.« Er lachte heiser.

Cristin zuckte unter dem Klang seiner Stimme zusammen. Wenn sie könnte, würde sie sich aus dem Staub machen. Fort von den Albträumen der letzten Zeit, fort von diesem zwielichtigen Kerl vor ihr, an dessen Fingern – genau wie an denen seines Vaters – das Blut Verurteilter klebte.

»Mein Freund kommt gleich. Er wird uns neue Kleider bringen.«

Sie antwortete nicht, denn ihr Kopf schwirrte. Aus dem Wäldchen drang der Ruf eines Käuzchens zu ihr herüber. Der Wind heulte, und die Äste der Bäume beugten sich unter seiner Macht. »Ich muss mal …«, flüsterte sie und stand unsicher auf.

»Ähm … ja natürlich.« Baldo kratzte sich am Kinn und deutete hinter sich. »Am besten hier, auf der anderen Seite des Schuppens. Da sieht dich niemand.«

Während sie sich erleichterte, wanderten ihre Gedanken zu

dem merkwürdigen Gesellen zurück, der sie gerettet hatte. Abscheu wallte in ihr auf, als sie überlegte, was dieser Mann schon alles für Grausamkeiten gesehen und begangen haben musste. Und sein Vater erst! Ob ihr Retter auch damals, beim Rädern des Kirchendiebes auf dem Köpfelberg, anwesend gewesen war? Sie konnte sich nicht erinnern. Was wollte dieser Baldo mit ihr, der verurteilten Mörderin und Hexe? Welches Interesse sollte dieser Mann daran haben, sie zu retten und sich dabei großer Gefahr auszusetzen? Alles in ihr sträubte sich dagegen, diese beunruhigenden Gedanken weiterzuspinnen. Sie lebte – das allein war Wunder genug. Cristins Magen rebellierte, und der Durst wurde unerträglich. Sie lehnte sich gegen die raue Schuppenwand.

Da. Stimmen. Ihr Puls beschleunigte sich, und mit angehaltenem Atem spähte sie um die Ecke. Er flüsterte mit einem anderen Mann, der ein Bündel vor ihm ablegte. Die beiden sprachen zu leise, um etwas verstehen zu können, doch als sie sah, wie der blonde Mann Baldo auf die Schultern klopfte und etwas murmelte, um dann wieder in der Dunkelheit zu verschwinden, war sie erleichtert.

»Bist du fertig?«

Sie atmete tief durch. »Ich komm ja schon.«

Cristin trat um die Ecke – und prallte mit einem dunklen Etwas zusammen, das ihr fast bis zu den Knien reichte und sofort winselnde Laute von sich gab. Ein Hund!

»Woher kommt … ich meine, wie hast du …«

»Das ist meiner.« Baldo schnaubte. »Mein Vater wollte, dass ich ihn totschlage.« Sie sah ihn im Halbdunkel mit den Schultern zucken. »Hab nicht eingesehen, warum. Brauchst aber keine Angst vor ihm zu haben.«

Cristin streckte dem Tier eine Hand entgegen, damit es daran schnuppern konnte, während es sie aus kleinen braunen Knopfaugen anschaute. »Ich habe keine Angst. Nicht vor ihm.«

»Vor mir brauchst du dich auch nicht zu fürchten«, erwiderte Baldo. Er griff nach dem Bündel auf dem Boden und reichte es ihr. »Das sind ein paar Sachen von Hans' Schwester. Müssten dir eigentlich passen.«

Hans also hieß der andere Mann. Schnell schlüpfte sie im Schatten des Schuppens in das Kleid. Dann wandte sie sich um und blickte über das abgeerntete Feld zurück auf die in der Ferne liegende Silhouette der Stadt. In helles Mondlicht getaucht, waren die Türme der Lübecker Kirchen deutlich zu erkennen.

»Komm jetzt!« Baldo ergriff ihren Arm.

Cristin folgte ihm auf dem schmalen, mit Gestrüpp und kleinen Steinen übersäten Weg in den stockfinsteren Wald. Die Bäume schlossen sich über ihr, nur hier und da drangen ein paar Mondlichtstrahlen hindurch und erhellten ein kurzes Stück des Pfades. Trotzdem wäre sie mehrmals fast über Wurzeln gestolpert, die aus dem Boden ragten.

Der Wald schien jedes ihrer Geräusche zu verschlucken. Irgendwann knackte und raschelte es im Unterholz, sie fuhr zusammen, als ein Kleintier direkt vor ihren Füßen vorbeihuschte. Ihre Beine wurden immer schwerer, als wollte Mutter Erde selbst sie festhalten. Schließlich umklammerte sie den Stamm einer Eiche und sank zu Boden. Schwer atmend blieb sie sitzen und bettete den Kopf gegen ihre angezogenen Knie.

»Komm hoch, wir müssen weiter«, hörte Cristin die ungeduldige Stimme ihres Retters.

Eine weiche Schnauze stupste sie an, doch sie rührte sich nicht vom Fleck.

Wortlos streckte er ihr einen Wassersack entgegen. Mit zitternden Händen griff sie danach und nahm einen gierigen Schluck.

»Nicht so viel«, mahnte Baldo und nahm ihr den Sack wieder ab. »Wir wissen nicht, wann wir ihn auffüllen können.«

Sie nickte.

»Nun komm schon. Oder willst du, dass man uns hier findet?«

»Ich … kann nicht mehr.« Sie sah flehend zu ihm hoch.

Im Dunkeln konnte sie erkennen, wie er den Mund öffnete, um etwas zu erwidern. Cristin rechnete damit, von ihm am Arm ergriffen und hochgezogen zu werden, stattdessen hockte er sich neben sie und sah an ihr vorbei. Zwischen ihnen entstand Stille.

»Hör zu«, brach er nach einer Weile das Schweigen. »Wir müssen raus aus diesem verdammten Wald. Sobald es hell wird, werden Arbeiter kommen, um hier Bäume zu fällen.«

»Wie lange noch?«

»Weiß nicht, schätze vor Sonnenaufgang. Uns bleiben nur ein paar Stunden. Ich kenne eine Stelle, wo wir uns tagsüber verstecken können.«

Als sie die Lichtung mit der alten, verlassenen Köhlerhütte erreichten, von der Hans ihm berichtet hatte, war Cristin in seinen Armen eingeschlafen. Der Hund trottete mit hängender Zunge hinter ihm her und rollte sich sogleich in einer Ecke zusammen. Der Gestank war bestialisch, gewiss gab es hier Ratten und Mäuse, aber fürs Erste waren sie sicher. Baldo legte sein Wams auf den Boden und bettete Cristins Kopf darauf. Es zog erbärmlich durch die kleinen Luken, die als Fenster dienten, doch wenigstens war die Tür noch zu schließen gewesen. Aus dem Bündel, das Hans ihm mitgegeben hatte, zog er eine alte Decke hervor und deckte Cristin zu. Erschöpft legte er sich neben sie, nahm einen Umhang und legte ihn über sich. Kurz darauf war auch er eingeschlafen.

26

Die lautstarken Rufe der Werftarbeiter auf der anderen Seite der Stadtmauer ließen Emmerik Schimpf erwachen. Einen Augenblick lang lauschte er auf das Sägen und Hämmern, das vom Hafen über die Trave zu ihm herüberdrang. Dann öffnete er die Augen und wandte den Kopf zur gegenüberliegenden Wand, wo der Junge auf einer mit Stroh gefüllten Matratze schlief. Schlafen sollte. Denn die schmale Bettstatt war leer. Baldo war also nicht nach Hause gekommen. Hatte er etwa die ganze Nacht bei dieser Hübschlerin verbracht, zu der er nach der Hinrichtung noch hatte gehen wollen? Langsam richtete er sich auf, streckte sich. Er musste zum Markt, etwas zu essen besorgen, und auf dem Weg dorthin konnte er einen Abstecher zur Beckergrove machen. Auf der breiten Straße, die nach dem Hafen ausgebaut war, roch es stets himmlisch nach Hopfen, denn dort waren die Brauereien der Stadt zu finden, die mit Wasser aus der Wakenitz versorgt wurden. Was Emmerik aber weitaus mehr verlockte, waren die Hübschlerinnen, die auf den Hinterhöfen in zahlreichen Holzhütten ihrem Geschäft nachgingen. Ob Baldo noch bei dieser Rothaarigen war? Wie hieß sie noch, Ida? Emmeriks Mund verzog sich zu einem Grinsen. Sollte nicht schwer sein, sie zu finden. Der Bursche wird sich schön erschrecken, wenn sein Vater plötzlich in der Tür steht, dachte er.

Doch Baldo war nicht bei dem Mädchen, und auch am vergangenen Abend war er wohl nicht bei ihr gewesen.

»Tut mir leid, dass ich dir nicht helfen kann!« Ida hob bedauernd die Schultern. Ein Blick aus katzengrünen Augen glitt an Emmeriks breitem Brustkorb herab und blieb zwischen seinen Schenkeln ruhen. Mit einer schnellen Bewegung zog sie ihr dünnes Kleid zur Seite und präsentierte Emmerik eine ihre vollen Brüste. »Für ein paar Witten zeige ich dir mehr!«, versprach sie.

Eine Weile später stand der Scharfricher auf dem Marktplatz. Eigentlich hatte er erwartet, den Jungen hier zu finden, trieb er sich doch meistens zwischen den Buden und Ständen herum. Fehlanzeige. Nun gut, gewiss war er inzwischen zu Hause. Als Emmerik gerade an einem Tisch um einen Laib Brot anstand, vernahm er plötzlich eine Stimme, die ihm bekannt vorkam. Er sah in die hellen Augen von Jakob Spieß, in dessen Hafenschänke er ab und zu auf ein Wacholderbier einkehrte.

»Hast du es schon gehört?« Der Schankwirt roch wie immer nach Bier. Emmerik vermutete, dass Spieß selbst sein bester Kunde war.

»Gehört?« Er runzelte die Stirn. »Was meinst du?«

»Die Sache mit der Hexe. Mit dieser Mörderin. Davon red ich.«

»Das Weib, das ich gestern begraben habe? Was ist mit der?«

»Verschwunden ist sie. Ihr Grab ist leer. Der alte Klas hat es gesehen, als er heute früh auf dem Friedhof war. Die Hexe ist geflohen. Weg. Wie in Luft aufgelöst hat sie sich.« Der Schankwirt beugte sich vor. »Vielleicht hat der Leibhaftige sie befreit«, flüsterte er.

Emmerik schüttelte den Kopf. »Quatsch kein dummes Zeug, Spieß. Der Teufel holt sich keine toten Weiber. Du hast zu viel Bier getrunken.«

»Jedenfalls ist die Hexe verschwunden, heißt es. Das Loch ist leer, in das ihr sie gesteckt habt, du und dein Sohn! Verschwunden wie ein Geist …«

Verschwunden? Wie war das möglich? Er hatte mit eigenen Händen dafür gesorgt, dass dieses gefährliche Weib niemandem mehr schaden konnte. Alles war ordnungsgemäß verlaufen. Unter Zeugen hatte er sie begraben und zugeschaufelt. Wenn es auch schade um das hübsche Frauenzimmer war, dachte er. Dieses Weib muss jemanden verhext haben. Ja, so wird es gewesen sein. Einen Komplizen, der sie ausgegraben hat. Heißer Zorn wallte in ihm auf.

»Ach, halt die Klappe«, zischte er dem Wirt zu und kämpfte sich den Weg durch die Menge frei.

Dieses Miststück brachte auch noch seinen Ruf als erbarmungsloser Scharfrichter in Gefahr! Ein ungeheurer Verdacht stieg in ihm auf. Er blieb ruckartig stehen. Die Frau war verschwunden, genau wie sein Sohn. Sollte Baldo etwas mit dieser Sache zu tun haben? Hatte er der Verurteilten aus einem unerfindlichen Grund zur Flucht verholfen? Nein, das würde der Junge nicht wagen. Obwohl, war er nicht in letzter Zeit öfter aufmüpfig gewesen? Wie oft hatte er ihn mit Lederriemen daran erinnern müssen, seinem Vater gegenüber gehorsam zu sein. Der Gedanke war verrückt, doch je länger er darüber nachsann, umso mehr verfestigte er sich. Baldo hatte die Nacht nicht zu Hause verbracht, und seine Behauptung, zu der rothaarigen Hübschlerin zu gehen, war eine Lüge gewesen. Der Henker zerbiss einen Fluch zwischen den Zähnen.

Baldo öffnete träge die Augen. Durch die schmalen Luken der Wände aus dünnen Holzstämmen fiel erstes Morgenlicht in die Hütte. Er lauschte auf Cristins tiefen Atem und betrachtete ihre im Schlaf entspannten Züge.

Ihre Augen lagen tief in den Höhlen, und die Wangen waren eingefallen, sodass die Backenknochen scharf hervortraten, nur ihre Brüste waren prall. Er wandte den Blick ab. Wie lange mochte sie schon nichts mehr gegessen haben? Vorsichtig erhob er sich, um sie nicht zu wecken, griff nach dem Wassersack und schlich zur Tür. Als er sie öffnete, hob der Hund den Kopf und musterte ihn aufmerksam. »Komm mit«, flüsterte Baldo.

Draußen streckte er die langen Glieder und atmete die frische Waldluft tief ein. Sie muss wieder zu Kräften kommen, dachte er, auch er verspürte Hunger. Er vergewisserte sich, dass sein Messer noch am Gürtel hing, und ging in den Wald hinein. Die Bäume trugen frisches Grün, und auf dem Waldboden begann sich ein weißer und blauer Blütenteppich auszubreiten. Schon nach kurzer Zeit wurde er fündig. Etwa zwanzig, fünfundzwanzig Klafter von der Lichtung entfernt, auf der die Köhlerhütte stand, wuchsen wilde Erdbeeren, die er pflückte und in seinem Beutel verstaute, ebenso ein gutes Dutzend dunkelbrauner Pilze. Vielleicht wusste Cristin, ob sie essbar waren. Irgendwo in der Ferne hörte er Wasser rauschen. Er folgte dem Geräusch und kam an einen Bach, der sich zwischen Gras und jungen Farnpflanzen dahinschlängelte.

Der Regen der letzten Tage hatte ihn gut gefüllt. Baldo hockte sich an den Rand. Die Moosbüschel auf dem Grund bewegten sich sanft im Strom des fließenden Wassers. Darüber konnte er kleine, dunkle Fische, kaum größer als sein Daumennagel, hin und her flitzen sehen. Der Hund beobachtete sie aufmerksam mit schräg gelegtem Kopf.

Baldo zog den Korken des leeren Ziegenlederschlauchs heraus und tauchte ihn in das eiskalte Wasser, das gluckernd hineinlief. Dies war ein gutes Versteck. Sie würden genug zu essen finden und könnten sich bis zum Aufbruch am kommenden Abend stärken. Wie friedlich es hier war. Er genoss die Düfte des frühlingshaften Waldes, in dem nur das Plätschern des Baches und das Summen der Fliegen zu hören waren.

Jäh wurde die Stille von einem knackenden Geräusch durchbrochen. Er fuhr zusammen, lauschte auf menschliche Stimmen und Hufgetrappel. Nein, nichts. Ein Tier, wahrscheinlich ein Reh, vielleicht auch nur ein Eichkater. Er setzte den Schlauch an die Lippen, um zu trinken. Da! Wieder dieses Knacken, diesmal lauter, dann das Rascheln von Laub. Bewegungslos verharrte er, horchte, während aus der Kehle des Hundes ein tiefes Knurren aufstieg. Das Geräusch kam näher, etwas bewegte sich auf ihn zu, und ein modrig-erdiger Geruch umwehte seine Nase. Zögernd wandte er den Kopf. Und erstarrte. Im Unterholz, höchstens zwei Steinwürfe von ihm entfernt, stand ein mächtiges graues Tier und blickte ihn aus listigen Augen an. Die stumpfe, rüsselartige Schnauze bewegte sich leicht, und aus dem geöffneten Maul drang ein tiefes Grunzen, das ihm durch Mark und Bein ging. Das Tier scharrte mit den Hufen und schnaubte. Ein Wildschwein.

Baldo hatte nie eines gesehen, aber sein Vater hatte ihm davon erzählt, dass diese Tiere in den Wäldern um Lübeck lebten und gefährlich werden konnten, wenn sie sich gestört fühlten. Besonders jetzt im Frühling, wenn sie Junge hatten, waren die Säue unberechenbar. Er starrte auf die langen, gelblichen Hauer, die seitlich aus dem Maul hervorragten. Am

Bauch des Tieres entdeckte er Zitzen und unterdrückte einen groben Fluch. Als es seinen keilförmigen Kopf sinken ließ, um mit der Schnauze im Boden zu wühlen, schaute er sich um. Nichts. Kein Versteck, kein umgestürzter Baum, hinter dessen Wurzel er sich in Sicherheit bringen konnte. Und zu allem Übel schienen seine Füße am Boden festgewachsen zu sein. Er fluchte in sich hinein, hob den Kopf. Da begegneten sich ihre Blicke, und die Augen der Wildsau funkelten kalt. Er schluckte.

Sie wartet. Sie wird mich jagen. Sie wird … seine Eingeweide krampften sich zusammen … mich töten. Denk nach, verdammt noch mal! Sobald ich mich bewege, wird sie … Wenn ich Glück habe … Ich muss es versuchen. Die Eiche dort hinten ist sicher stark genug, um mich zu tragen, meldete ihm sein Verstand.

So unauffällig wie möglich senkte Baldo den Kopf. Er hielt die Regungslosigkeit kaum noch aus, sein Atem ging stoßweise. Die Wildsau warf den Kopf hin und her und setzte sich bedrohlich schnaubend in Bewegung. In das Geräusch mischte sich helles Bellen, der Hovawart tauchte zwischen den Bäumen auf. Die Wildsau drehte ab, machte ein paar Schritte auf den Hund zu. Jetzt! Er rannte los, sprang über eine aus dem Boden ragende Baumwurzel und hechtete auf den Baum zu. Starke Äste, dachte er noch, da hörte er schon den erregten Atem des Tieres. Baldo machte einen Satz zur Seite. Um eine Handbreit hatte das Wildschwein ihn verfehlt. Ein Sprung nur noch. Schmerzhaft prallte er gegen den Stamm der Eiche, streckte beide Arme aus, versuchte den untersten Ast zu erreichen. Wieder hörte er die Sau schnauben, sie musste direkt hinter ihm sein. Er drehte den Kopf, blieb wie angewurzelt stehen, als sie auf ihn zukam. Speichel lief aus ihrem Maul, sie streckte die Hauer vor. Er tastete nach dem Messer, das an seinem Gürtel hing, umklammerte es. Doch es war zu spät. Im selben Moment durchzuckte ein furchtbarer Schmerz seinen Schenkel. Baldo fasste nach dem verletzten Bein, fühlte zerfetztes Fleisch und warmes Blut, das aus der Wunde strömte. Übelkeit stieg in ihm auf. Als die Sau ein zweites Mal auf ihn zustürzte, konnte er sie riechen. Er sah, wie die Augen des Tieres aufblitzten, und ging in die Hocke. Dann war das Tier über ihm.

Mit einer letzten Kraftanstrengung hob er die Hand und rammte der Sau das Messer zwischen die Rippen. Wie aus Nebeln hörte er sie brüllen, fühlte, wie ihr Blut über sein Gesicht spritzte. Erneut bohrten sich die messerscharfen Hauer in sein Fleisch, und gepeinigt schrie er auf. Taumelnd brach die Sau über ihm zusammen, dann wurde es Nacht um ihn.

27

Die hellen Strahlen der Morgensonne fielen durch die Öffnungen in den Holzbalken und wärmten ihr Gesicht. Cristin blinzelte. Zunächst wusste sie nicht, wo sie sich befand, doch dann erkannte sie die Köhlerhütte wieder. Der Platz, an dem Baldo vergangene Nacht geschlafen hatte, war leer. Sie lauschte den Geräuschen der erwachenden Natur, und ihr war, als wäre ihrem Körper jede Kraft entzogen worden. Ob Elisabeth nach ihr weinte? Sogleich schoss neue Milch in ihre Brüste. Mit einem Seufzer stand sie auf, band ihr Kopftuch fest und dehnte die Glieder. Es war so still. Baldo musste den Hund mitgenommen haben, sogar der Wassersack war fort. Schleppenden Schrittes ging sie zur Tür und öffnete sie, da sie frische Luft brauchte. Zaghaft lugte sie nach allen Seiten. Merkwürdig! Wo die beiden nur blieben?

Gerade wollte sie in die Hütte zurückgehen, da erregte ein Laut ihre Aufmerksamkeit. Cristin blieb stehen, horchte. Nichts. Da es noch kühl war, holte sie ihre Decke aus der Hütte und schlang sie sich um die Schultern. Noch einmal blickte sie sich um, aber sie war allein. Sie verließ die kleine Lichtung und ging ein paar Schritte auf dem schmalen Pfad, der sie gestern Abend hergeführt hatte. Wieder horchte sie in die Stille des Waldes, spähte links und rechts des Weges zwischen Bäume und Gestrüpp. Gras und hüfthohe Farne schimmerten feucht in der Sonne, Vögel waren auf der Suche nach Zweigen und Moos für ihre Nester.

Da! Da war es wieder, dieses Geräusch, das die heitere und ruhige Atmosphäre des Waldes zerschnitt. Es schien zwischen den Bäumen und dem Gebüsch widerzuhallen. Wie angewurzelt blieb sie vor einer alten Buche stehen. Es klang fast wie ein Winseln, nach Angst und Gefahr. Cristin war wie gelähmt und lauschte erneut, während sich ihre Gedanken überschlugen. Fieberhaft suchte sie die Umgebung ab, und als sich zwischen einer Reihe erblühender Büsche ein schwarz geflecktes Fellbündel löste, stockte ihr der Atem.

»Hund, bist du das?« Beim Näherkommen konnte sie seine Schlappohren erkennen. Cristin hockte sich hin und rief ihn mit beruhigender Stimme.

Der Hund stieß nur ein klägliches Jaulen aus und rollte mit den Augen. Erst nach kurzem Zögern kam er näher, schaute sie mit eingezogenem Schwanz an.

Sie streckte ihre Hand aus und streichelte ihn, während sie ihn sanft auf Verletzungen hin abtastete. Zitternd ließ das Tier es über sich ergehen. »Mein Kleiner, was ist passiert? Wo ist dein Herr?« Der Hund bellte laut und lief aufgeregt umher.

»Ich soll mitkommen? Dann lauf zu Baldo!«

Das Tier schien sie zu verstehen und rannte in den Wald hinein. Eine dunkle Vorahnung ergriff von ihr Besitz, als sich unter einem knorrigen Baum etwas Großes, Dunkles vom Waldboden abhob. Laut bellend jagte der Hund voraus und blieb dann stehen. Cristin rannte darauf zu. Was sie dort jedoch zu sehen bekam, überstieg ihre schlimmsten Befürchtungen. Bei dem Kadaver eines großen Tieres musste es sich um ein Wildschwein handeln. Blut tropfte auf den Waldboden und bildete bereits eine Lache. Unter dem Tier lag eine reglose Gestalt, von der nur noch Beine und Füße zu sehen waren. Wimmernd sank sie zu Boden und presste eine Hand auf den

Mund, um den Würgreiz zu unterdrücken, der sie in Wellen zu überfallen drohte. »Baldo«, stammelte sie.

Während sie sich erhob, registrierte sie die Kampfspuren, die überall auszumachen waren. Mehrere Büsche waren niedergetrampelt, im Gras sowie am Stamm des Baumes, in dessen Schatten er lag, befanden sich Blutspritzer, und spitze Hauer hatten die Rinde einer Eiche an mehreren Stellen verletzt. Über allem schwebte der süßliche Geruch des Todes. Du darfst nicht tot sein, schrie es in ihr. Nicht du! Mit zusammengepressten Lippen stemmte sie sich gegen das wuchtige Schwein. Nichts. Noch einmal. Cristin roch ihre eigene Angst, doch sie sammelte Kraft, atmete tief ein, fluchte und versuchte es erneut. Sie fühlte, wie ihr das Blut vor Anstrengung ins Gesicht schoss, sah die Adern an ihren Handgelenken hervortreten. Ihr kam es wie eine Ewigkeit vor, bis der schwere Körper des Tieres sich endlich bewegen ließ und immer mehr von Baldos geschundenem Körper freigab. Dann fiel das Wildschwein mit einem hässlichen Geräusch zur Seite.

Baldos Wams und Hose waren zerrissen und blutbefleckt. Der Hund winselte, kauerte sich an die Seite des Jungen und leckte an seiner Hand. Cristin beugte sich über den Bewusstlosen, presste ihr Ohr an seine Brust und lauschte auf seinen Herzschlag. Er lebt. Dem Himmel sei Dank – er lebt!, dachte sie. Sein Herz schlug flach, aber regelmäßig. Sie ließ ihren Blick über Brustkorb und Bauch gleiten und schob mit spitzen Fingern die Fetzen seines Wamses beiseite. Eine klaffende Wunde zog sich unterhalb der Rippen abwärts bis zur Hüfte hinunter, und aus seinem Oberschenkel war ein Stück Muskelfleisch regelrecht herausgerissen worden. Cristin stöhnte. Sie wandte sich ab und erbrach das wenige, was sie im Magen hatte, auf den Waldboden. Als ihr Würgreiz endlich nachließ, bekreuzigte sie sich, dennoch konnte sie den Blick nicht von Baldos geschundenem Körper wenden.

Ich muss etwas tun, so schnell wie möglich, sagte sie sich. Schon öfter hatte sie von Verletzungen gehört, die übel aussahen und die Kranken von innen her zerfraßen, bis sie schließlich jämmerlich daran zugrunde gegangen waren. An Baldos Oberschenkel waren graue Tierhaare und Erdkrümel zu erkennen. Der Schmutz und die Haare müssen fort, dachte sie. Manch Gelehrter behauptete, jede Krankheit werde durch das Ungleichgewicht der Körpersäfte ausgelöst. Andere, meistens Kräuterweiber, glaubten hingegen, böse Geister würden in den Kranken wüten. Was wusste sie als einfache Kaufmannsfrau schon von Medizin? Unsicheren Schrittes stand sie auf und fuhr dem verängstigten Hund über das weiche Fell. »Bleib bei deinem Herrn! Du musst auf ihn aufpassen, verstehst du?«

Mit einem leisen Winseln legte der Hovawart sich zu Baldos Füßen.

»Guter Hund. Ich komm bald wieder.«

Während sie mit bangem Herzen überlegte, welche Richtung sie nun einschlagen sollte, sah sie im Gras etwas aufblitzen. Ein Messer! Cristin bückte sich und hob es auf. An der Klinge klebte noch Blut. Ein Schauer überlief sie. Sie wischte das Messer am Gras sauber und schritt weiter. Wo war der Wassersack? Sie zwang ihre Füße zum Laufen. Die Frage war: Hatte Baldo überhaupt Wasser gefunden, oder war er vorher von der wild gewordenen Sau überrascht worden? Würde ein totes Schwein nicht andere Raubtiere anziehen, Füchse oder gar Wölfe? Was, wenn das Gerede über die wilden, behaarten Kerle stimmte, die in den Wäldern um Lübeck hausten, Fleisch gewordene Dämonen und Geister, die Jungfrauen aus den Dörfern entführten und fraßen? Eigentlich glaubte sie diese alten Märchen nicht, doch schließlich war an jedem Gerücht auch ein Funken Wahrheit dran.

Das Glück war ihr hold, und sie fand den Ziegenlederschlauch, der in den Zweigen eines niedrigen Gehölzes hing. Baldo musste ihn auf seiner Flucht vor dem Wildschwein fortgeworfen oder verloren haben. Cristin atmete auf, denn der Schlauch war prall gefüllt, und sie beschleunigte ihre Schritte. Ein schwaches Geräusch drang an ihr Ohr. Sie lief weiter, erreichte einen schmalen Bach, der sich durch den Waldboden schlängelte. Tränen der Erleichterung stiegen ihr in die Augen. Cristin prägte sich den Weg ein und rannte zurück zu Baldo.

Er war noch immer ohne Bewusstsein. Das ist gut, er wird Schmerzen haben, wenn er erwacht, dachte sie. Der Hund lag neben ihm und beäugte jede ihrer Bewegungen, während sie mit bebenden Händen das Messer reinigte. Sie schloss die Augen und wappnete sich. Es musste sein. Mithilfe des Messers zerschnitt sie sein Wams und warf die Stoffteile achtlos ins Gras. Auch aus seiner Hose entfernte sie ein Stück Stoff, damit die Wunden freilagen. Noch einmal reinigte sie das Messer und hielt es so an die Wunde seines Schenkels, dass sie die Fremdkörper entfernen konnte. Langsam, ganz vorsichtig, ermahnte sie sich, während sie ein Haar nach dem anderen herausschabte. Sie konnte nur hoffen, Baldos Ohnmacht möge anhalten, bis ihre Arbeit beendet war. Wenn er nur einmal zuckte oder sich bewegte…

Dann war es geschafft. Für einen Augenblick lehnte Cristin sich zurück und ließ den leichten Wind ihre erhitzten Wangen kühlen. Nun kam der zweite Teil der Prozedur. Sie zog den Korken aus der Öffnung des Wassersacks und goss etwas Wasser über die Wunde. Und jetzt? In ihrer Erregung hatte sie sich keine Gedanken darüber gemacht, womit sie Baldos Wunden säubern sollte. Ein Blick in die Umgebung sagte ihr, dass selbst die Blätter der Eichen noch zu klein waren, um etwas zu taugen, außerdem saugten sie kaum Flüssigkeit auf. Dennoch war dies die einzige Möglichkeit. Rasch sammelte sie so viele Blätter, wie sie tragen konnte, und reinigte, so gut es ging, damit seine Wunden. Zwischendurch lief sie zweimal zum Bach und holte neues Wasser. Danach wendete sie sich dem Riss an Baldos Seite zu und wiederholte den Vorgang.

Obwohl die Beinwunde schlimmer aussah, schätzte Cristin die Verletzung seines Oberkörpers weitaus gefährlicher ein. Wer wusste schon, inwieweit sein Innerstes betroffen war? Sie sann nach. Womit sollte sie seine Wunden verschließen? Vage Erinnerungen drängten sich ihr auf. Hatte Mutter nicht damals ein Stück Baumrinde auf ihr vom Spielen aufgeschürftes

Knie gelegt? Eine der jüngeren und unversehrten Eichen schien ihr am besten geeignet. Erneut nahm sie das Messer und löste einen handtellergroßen Streifen Rinde des Baumes ab. Danach entfernte sie die verschmutzten Blätter von seinen Wunden und legte frische zum Schutz an seine aufgerissene Seite, die Rinde tat sie auf den Oberschenkel. Er braucht einen Medicus oder wenigstens einen Bader, der sich um ihn kümmert, überlegte sie. Ein heiseres Lachen stieg in ihrer Kehle hoch, doch es war kaum mehr als ein schräger Ton, von dem sie selbst zusammenfuhr. Natürlich. Sie, eine zum Tode verurteilte und entflohene Verbrecherin, lief ins nächstgelegene Dorf, um nach einem Arzt zu schicken. Ganz zu schweigen von der Tatsache, dass sie nicht nur sich selbst, sondern auch Baldo damit verraten würde. Dennoch, es musste sein. Den Hund könnte sie als Wache bei dem Verletzten lassen. Sie hatte nur ihr Tuch, um zumindest den Kopf zu bedecken.

Unschlüssig betrachtete sie sein regloses Gesicht. Obwohl er etwa in ihrem Alter sein mochte, waren die weichen Züge der Jugend noch nicht vollständig verschwunden. Die leicht gekrümmte Nase und die vollen Haare ließen erahnen, wie er in einigen Jahren aussehen könnte. Einem plötzlichen Bedürfnis folgend, streckte sie ihre Hand aus und strich ihm sanft über die Wange. Ihr war, als würde sie unvermittelt ein Schlag treffen, und ihre Finger kribbelten. Cristin starrte erst Baldo an und betrachtete dann ihre Hände. Ein Funken Hoffnung glomm in ihr auf. Es wäre möglich, ging ihr kurz durch den Kopf, ich muss es probieren.

Cristin ließ beide Hände über ihm schweben, am Kopf beginnend und weiter abwärts, bis zu seinen Füßen. So als würde sie seine Silhouette nachzeichnen wollen, fuhr sie seine Gestalt entlang. Bisher hatte sie die Hände stets direkt auf den Körper des Betroffenen gelegt, mit offenen Wunden hatte sie noch nie zu tun gehabt. Sie schloss die Lider und wendete sich nach innen, während ihre Finger tastend über Baldos Leib wanderten. Weder das Rauschen der Bäume im Wind noch die Sonne, die ihre Strahlen zwischen das frische Blattwerk warf, konnten zu ihr durchdringen. In ihr wurde es still. Sie spürte den Moment, in dem diese geheimnisvolle Verbindung entstand, die sie seit Kindertagen kannte.

Vor ihrem geistigen Auge sah sie Baldos Körper unter sich liegen. In seinem Inneren begannen sich Farben zu bilden, manche ruhig und sanft, andere wild und tosend wie das Meer. Dort verharrte sie, bis ein grausamer Schmerz sie unverhofft überfiel. Cristin verzog gequält das Gesicht, als seine Empfindungen auf einmal zu ihren wurden. Hitze schien sich durch seinen Leib zu fressen, wollte sich an seinen Wunden gütlich tun. Wie von selbst fanden ihre Finger die betroffenen Stellen und blieben in der Luft stehen. Sie besann sich auf ihren Atem, und als er langsam ruhiger wurde, lenkte sie ihre Aufmerksamkeit auf die Handinnenflächen. Herr im Himmel, hilf mir! Die Hitze muss weichen! Sie wartete. Endlich fühlte sie das vertraute Kribbeln ihrer Finger, als die Glut nach und nach aus seinem Inneren gezogen wurde, bis am Ende nichts mehr davon übrig blieb.

Sie blinzelte, und es dauerte eine Weile, bis die Eindrücke ihrer Umgebung wieder in ihr Bewusstsein drangen. Äußerlich hatte sich nichts verändert. Sie saß immer noch neben Baldo, der inzwischen schlafende Hund neben ihr. Die Sonne stand hoch am Himmel, es musste Mittagszeit sein. Erschöpft sank sie ins warme Gras. Sie hatte getan, was sie konnte, nun blieb ihr nur die Hoffnung. Cristin schüttelte ihre Hände aus, sie hatten zu viel Leid und Schmerz empfunden. Aus dem Wassersack goss sie die letzten Tropfen über die Hände, um sie von den bösen Geistern, die in Baldos Körper wüteten, zu reinigen. Sie schaute an sich hinunter. Tierhaare, Blut und Schweißflecken »zierten« das viel zu kurze Kleid, Schienbeine und Waden waren zerkratzt und mit Dreck verschmiert. Seit Tagen, ja Wochen, hatte sie sich nur flüchtig waschen können. Mit der flachen Hand fuhr sie über das Kopftuch, das nur knapp ihren kahlen Schädel verhüllte. Mit einem Ächzen erhob sie sich, betrachtete den Verletzten noch einmal und machte sich auf den Weg.

Die Zeit verstrich. Cristin wurde zunehmend unruhig, während sie gegen einen Baum lehnte und den Betrieb auf dem Sandweg beobachtete. Sie hatte unter einer Buche Schutz gesucht. Der Baum spendete ihr Schatten und schützte sie vor den Blicken der Waldarbeiter, die dort von Zeit zu Zeit vorbeikamen. Ansonsten waren nur wenige Handelsreisende mit ihren Eseln oder Pferden unterwegs, die sie sich nicht getraute anzusprechen. Lange würde sie nicht mehr bleiben können, ohne nach Baldo zu sehen, denn bald würde es dunkel sein. Wilde Tiere würden kommen, um sich an dem Kadaver der toten Wildsau zu schaffen zu machen. Meine Güte. Wenn ich niemanden finde, der mir weiterhelfen kann, wird er vermutlich sterben, ging es ihr durch den Kopf. Sie war nur froh, dass allem Anschein nach kein großes Blutgefäß verletzt worden war.

Ein Geräusch ließ sie aus ihren Gedanken hochschrecken. Eine ältere Frau näherte sich. Auf dem Rücken trug sie einen augenscheinlich schweren Sack, denn sie prustete, blieb stehen und legte ihn ab. Ohne zu zaudern, ging Cristin ihr entgegen.

»Gott zum Gruße. Kannst du mir helfen?«

Die Alte hob den Kopf, riss die Augen auf und erbleichte. Sie wollte zurückweichen, doch Cristin hielt sie am Arm fest.

»Wer bist du? Was willst du von mir, Weib?«, entfuhr es der Fremden, die versuchte sich loszureißen.

»Ich weiß, ich sehe schrecklich aus, gute Frau. Aber ich bitte nicht meinetwegen. Hier ganz in der Nähe liegt ein Mann, ein Schwerverletzter. Er braucht Hilfe, sonst …« Nur ihr Stolz hielt Cristin davon ab, mitten auf dem Weg vor der Frau auf die Knie zu fallen.

Die Alte nickte bedächtig. »Ich verstehe.« Sie verengte die Augen, offensichtlich hatte ihre Sehkraft nachgelassen. »Was ist passiert?«

»Ein Wildschwein hat ihn schwer verletzt. Der Mann stirbt, wenn er keine Hilfe bekommt.«

»So.« Die Ältere kratzte sich an der Nase und räusperte

sich. »Ich bin nur ein Marktweib. Vom Heilen verstehe ich nichts. Aber ich meine, auf dem Marktplatz hätte jemand von Ludewig gesprochen. Der soll in der Stadt sein.«

Cristin atmete tief ein. »Ludewig?«

»Ein Bader aus dem Süden, der auf dem Weg zurück nach Hamburg sein soll.«

Ihr Herz machte einen Satz. »Wie lange ist es her, seit er gesehen wurde?«

Die Alte zuckte mit den Schultern. »Das muss mittags gewesen sein. Ich hörte ihn sagen, dass er noch zu einer kleinen Patientin außerhalb der Stadt wollte. Da war ich gerade am Zusammenpacken.« Das Marktweib rieb sich erneut über die Nase. »Ich weiß ja nicht, welchen Weg er mit seinem Karren nimmt. Meist fährt er die große Straße weiter nach Hamburg, kennst du sie?« Sie wies in westliche Richtung. »Dort drüben, keine hundert Schritt von hier. Aber ich weiß natürlich nicht, wann er aufbricht. Musst es eben versuchen.«

»Danke. Ich danke dir vielmals.« Cristins Stimme klang belegt. Sie drückte die knochigen Hände und wollte sich abwenden.

»Hast du getan, wessen du beschuldigt wurdest, Mädel?«

Cristin hielt inne, unfähig sich zu rühren, und schluckte den Kloß hinunter, der sich in ihrer Kehle bildete. »Nein, das habe ich nicht.«

Ihre Blicke trafen sich. Ein helles Augenpaar senkte sich in ihres, schien bis in ihr Innerstes zu schauen. Dann nickte die Frau abermals. »Gott schütze dich. Ich habe dich nie gesehen.«

»Warte.« Cristin hielt sie am Ärmel fest und schluckte. »Was weißt du von mir?«

Die Alte lächelte milde. »Auf dem Markt wurde geredet. Dort wird jede Menge getratscht.« Sie machte eine wegwerfende Handbewegung. »Eine Fischhändlerin erzählte, angeblich sei eine Verurteilte aus ihrem Grab verschwunden. Jemand soll sie ausgegraben und fortgeschafft haben.« Sie wiegte den Kopf hin und her und lächelte dünn. »Ich hab ihr natürlich nicht geglaubt. Die Geschichte ist zu … zu weit hergeholt, dachte ich. Wer hätte jemals so etwas gehört?« Während sie Cristins schmutziges Kleid musterte, wurde ihre Stimme nachdenklich. »Aber als ich dich hier gesehen habe, hab ich überlegt, ob nicht doch ein Körnchen Wahrheit dran sein könnte.«

Cristin fühlte ihre Hände feucht werden. »Hast du sonst noch was gehört?«

»Des Henkers Sohn, sein Gehilfe, soll auch verschwunden sein, sagt man.« Die Marktfrau blinzelte in der Sonne, und die Falten um ihren Mund vertieften sich. »Sei auf der Hut, Mädel.« Sie tätschelte Cristins Arm und rümpfte die Nase. »Und wasch dich.« Dann nahm sie ihr Bündel wieder auf den Rücken und ging schleppenden Schrittes weiter, ohne sich noch einmal umzudrehen.

Die Hände auf ihr hämmerndes Herz gepresst, beobachtete Cristin, wie die Frau sich entfernte. Die Alte wusste, wer sie war! Dann suchte man sie also bereits. Und nicht nur sie, auch Baldo. Ja, den Schutz Gottes hatten sie bitter nötig, wenn sie nicht demnächst wieder vor Vogt Büttenwart und Fiskal Mangel stehen wollten. Cristin straffte die Schultern. Sie musste diesen Bader finden.

Teil 2

1

Gegen die Rückwand des Eselkarrens gelehnt, warf Cristin einen dankbaren Blick auf die breiten Schultern des Mannes, der Baldo und sie mitgenommen hatte. Mit Schaudern dachte sie an die vergangenen Stunden, in denen sie voller Furcht und Ungewissheit gewesen war, ob der Bader tatsächlich die Straße, von der die Alte gesprochen hatte, passieren würde. Als er dann endlich kam, hatte er nicht viele Worte gemacht, sie nur vielsagend gemustert und ein Bündel aus dem Karren gehievt, um sofort gemeinsam mit ihr nach dem Verletzten zu schauen. Auf dem Weg zurück in den Wald ermunterte er sie, ihm zu erzählen, was sie von dem Angriff des Wildschweins und Baldos Verletzungen wusste. Stockend berichtete sie, wie die Verwundungen aussahen, und von seiner anhaltenden Bewusstlosigkeit. Der große, stämmige Mann mit der hohen Stirn und der dröhnenden Stimme nickte unterdessen und stellte weitere Fragen, etwa wann der Unfall wohl geschehen war und ob der Verletzte stark geblutet hatte. Cristin beantwortete alles wahrheitsgetreu – nur dass sie die Hände auf Baldo gelegt hatte, verschwieg sie wohlweislich.

Als sie Baldo endlich erreichten, lag er nach wie vor still da, der Hund hielt neben ihm Wache. Sie ging zu ihm hin, lobte und beruhigte ihn.

Mit geübten Händen tastete der Bader den Verletzten ab, fühlte seinen Puls und hob sein Augenlid. »Der Mann ist schwer verletzt. Er braucht einen Wundarzt, Weib. Er muss genäht werden. Ich bin nur Bader und kann nicht viel für ihn tun.«

»Aber Herr!«, stammelte sie. »Bitte! Ihr müsst tun, was Ihr

könnt. Wo soll ich denn so schnell einen Wundarzt finden?« Sie rang die Hände. »Ihr seid meine einzige Hoffnung!«

»Wie heißt du?«

»Äh … Agnes, mein Herr. Ich bin Agnes«, log sie und wischte sich so unauffällig wie möglich die schwitzenden Hände an ihrem Kleid ab. »Und das … das ist Adam, … mein Bruder.«

»Ludewig Stienberg.« Er hatte den Kopf schief gelegt.

Das Blut schoss ihr in die Wangen, doch seiner Musterung konnte sie nicht ausweichen.

»Du hast ihn gut versorgt. Bist du des Heilens kundig?«

»Nein.«

»Nun gut«, brummte er nach kurzem Zögern. »Du musst mir helfen, den Verletzten in den Karren zu bringen. Bis Hamburg ist es noch weit. Mindestens acht Meilen, schätze ich.«

Hamburg.

Nun saß sie also mit Baldo, eingewickelt in saubere Leinentücher, in Stienbergs Karren und freute sich über jede Meile, die sie sich von Lübeck fortbewegten. Es war Cristin gleich, ob der Boden hart und die Wege holperig waren. Hauptsache, sie entfernten sich von diesem verwunschenen Wald und von der Stadt, die ihren Tod gewollt hatte. Der Hund machte es sich auf ihrem Schoß bequem und legte seinen Kopf in ihre Armbeuge. Seine Nähe war tröstlich. Ludewig Stienberg schwieg während der Fahrt, daher blieb ihr genügend Zeit, eine glaubhafte Geschichte zu erfinden. Ihr würde schon etwas einfallen. Wenn er Baldo nur wieder gesund machen kann!, dachte sie besorgt und strich dem Hund über die Schlappohren. Auch er wirkte erschöpft, hungrig und verängstigt. Doch das Ruckeln des Karrens, die fahle Abendsonne und das beruhigende Wissen, nicht mehr allein zu sein, bewirkten, dass sie sich allmählich entspannte.

Cristin schrak hoch. Der Karren bewegte sich nicht mehr. Sie hob den Kopf und horchte in die Stille, aber bis auf das leise Atmen der Tiere war nichts zu hören. Dunkel war es, kaum konnte sie die Hand vor den Augen erkennen. Wo waren sie?

Dann erkannte sie Baldos Gestalt, den Hund neben sich und atmete auf. Schritte näherten sich.

»Wir sind da«, vernahm sie die Stimme des Baders. »Hier werden wir die Nacht verbringen.«

Cristin beugte sich vor, nahm den schlafenden Hund auf den Arm, hielt ihn fest an sich gepresst, obwohl er eigentlich zu schwer für sie war, und stieg mit steifen Gliedern aus dem Karren. Sie befanden sich vor einer niedrigen Kate.

»Dies ist meine Hütte«, beantwortete Ludewig Stienberg ihre unausgesprochene Frage, während er die beiden Esel an einem Baum ganz in der Nähe anband. »Hier übernachte ich, wenn ich unterwegs bin. Hab sie einem Bauern abgekauft.«

Cristin war nicht wohl zumute. Zahlreiche unheimliche Gerüchte rankten sich um all die Wesen, die in der Dunkelheit lauerten, und ihr Herz schlug viel zu schnell. Der Bader stieß die Tür auf und bat sie einzutreten. Es roch muffig, und der Duft unbekannter Kräuter hing in der Luft. Ludewig griff nach zwei Talglampen, die auf einer der Fensterbänke standen, entzündete sie mithilfe eines Feuersteins und eines Stückes Eisen. Staunend sah sie sich in dem winzigen Raum um. An den Wänden der niedrigen Lehmhütte waren Regale befestigt, auf denen allerlei Tiegel und Behälter standen. Links und rechts lagen Strohsäcke auf dem Boden, und in der Mitte des Raumes standen ein Tisch sowie zwei Stühle.

»Wir müssen den Verletzten reinbringen. Kannst du mir dabei helfen?«, fragte der Bader.

Sie nickte, zweifelte jedoch, ob ihre Kraft reichen würde. Der Hund, den sie absetzte, verkroch sich sofort in eine Ecke, und trotz seiner Erschöpfung verfolgte er das Geschehen aufmerksam. Nachdem sie die Bündel des Baders in die Hütte gebracht hatten, trugen sie Baldo gemeinsam hinein. Er stöhnte mit geschlossenen Augen, als sie ihn auf einen der Strohsäcke legten. Wortlos hielt Ludewig ihr einen Wassersack hin, während sie sich auf einen Stuhl setzte. Cristins Hände zitterten, und er musste ihr behilflich sein, um den Korken entfernen zu können.

»Ich habe mehr, trink ruhig ordentlich!«

Das Wasser war kühl und erfrischend. Nur mit Mühe konnte sie ein genießerisches Seufzen unterdrücken. »Vielen Dank«, murmelte sie und freute sich über das Gefühl der durch ihre Kehle rinnenden Flüssigkeit.

»Wie lange habt ihr beiden nichts mehr getrunken?«

In einer Geste der Hilflosigkeit hob sie die Schultern. »Gestern, gestern haben wir das letzte Mal getrunken.«

»Herrje noch mal«, polterte der Bader los, sodass sie zusammenfuhr. »Wart ihr etwa so dumm, nicht genügend Wasser auf die Reise mitzunehmen?« Kopfschüttelnd drehte er ihr den Rücken zu und hockte sich neben Baldo. Einem Weidenkorb entnahm er ein sauberes Leinentuch, befeuchtete es mit Wasser und hielt es dem Verletzten an die Lippen.

Sie nahm alles nur noch wie aus Nebeln wahr. Ludewigs Stimme erschien ihr plötzlich weit entfernt, die Geräusche in der Hütte verstummten, und ihre Lider wurden schwer. Sie wollte noch etwas sagen, doch ihr Körper gehorchte ihr nicht mehr, und ihr Kopf sackte auf die Brust. Cristin bekam nicht mehr mit, wie der Bader sie vom Stuhl hob und auf das zweite Bett niederlegte.

2

Ein gequältes Geräusch weckte Cristin, und alarmiert fuhr sie hoch, um sogleich auf ihr Lager zurückzusinken. Sie presste die Hand gegen die pochende Schläfe. Baldo. Er wird wach. Ein tiefer Atemzug, dann setzte sie sich erneut auf. Ich muss mich um ihn kümmern, er wird Schmerzen haben. In diesem Moment erinnerte sie sich wieder. Sie befanden sich nicht im Wald, sondern in des Baders Kate. Jetzt erkannte sie den spärlich eingerichteten Raum und zwang ihre Augen, die im Halbdunkel liegende Umgebung wahrzunehmen. Lehmwände, Regale und ein Mann, der leise Selbstgespräche führte. Ludewigs massiger Rücken versperrte ihr die Sicht auf den Verletzten. Der Bader hantierte mit ruhigen Griffen, was er jedoch tat, konnte sie nicht ausmachen. In der Kate roch es übelkeiterregend nach Schweiß, Blut und Krankheit. Ihr Magen rebellierte, und sie tastete nach dem Kopftuch, das sich zu lösen begann, um es fester zu binden.

»Wie geht es ihm?«

Der Bader wendete den Kopf und sah sie unter buschigen Augenbrauen prüfend an. »Oh, du bist wach.« Er schüttelte den Kopf. »Nein, du bleibst liegen, Weib!«

Gehorsam legte sie sich zurück. »Sagt mir, wie es ihm geht, bitte.«

Nur wenige Schritte, dann stand er neben ihr. Sein Blick war ernst. »Er wird langsam wach. Die üblen Säfte müssen aus ihm weichen.«

»Ich ... ich kann dir ...«

»Helfen?«, vervollständigte er Cristins Satz und lachte viel zu laut für ihre Ohren. Ludewig drehte sich um, wühlte in einem Bündel, das am Fußende des Bettes lag, und reichte ihr einen Kanten Brot. »Ist nicht mehr ganz frisch, aber immerhin ohne Schimmel. Nimm hin.«

Sogar ein wenig weich war es noch in der Mitte, und da Cristin starke Zähne hatte, würde ihr die harte Kante nichts ausmachen. Das Brot roch himmlisch. Das Wasser lief ihr im Mund zusammen, und sie biss hinein, als wäre es ein Festschmaus.

»Schlaf jetzt«, fügte der Bader energisch hinzu, nachdem sie das Brot verschlungen hatte. »Wenn es dir morgen besser geht, kannst du mir zur Hand gehen. Derweil sorge ich dafür, dass der Junge keine Schmerzen leidet.«

Am nächsten Morgen hatte Ludewig einen Gruß gemurmelt und sie mit gerümpfter Nase aufgefordert, sich hinter der Kate waschen zu gehen. Mit einer tönernen Waschschüssel in der einen und dem Wassersack in der anderen Hand wollte er sie hinausschicken. Ihr stockte der Atem, als sie den Schwamm sah, der über Baldos Mund und Nase lag.

»Großer Gott, was ist passiert? Geht es ihm schlechter?«, fragte sie.

»Keine Sorge, ich habe ihn mit Bilsenkraut betäubt«, erklärte er ihr ungerührt und drehte ihr den Rücken zu. Sie atmete auf. »Mach hin, Mädchen. Wir haben noch einiges zu tun.«

Cristin trat zur Tür hinaus. Es dauerte einen Moment, bis ihre Augen sich an die Helligkeit gewöhnt hatten. Freudiges Bellen begrüßte sie, und Baldos Hund, der die Nacht an einem Baum vor der Hütte verbringen musste, wedelte mit dem Schwanz. Noch etwas wackelig auf den Beinen, näherte sie sich ihm. Seine weiche Zunge fuhr über ihren Arm, daher band sie ihn los und ließ seine Freude über sich ergehen. Er muss hungrig sein, dachte sie. Sie nahm die Waschschüssel und ging um das Haus zu einer Ecke, die vor den Blicken anderer geschützt war. Rasch zog sie ihre Kleidung aus. Welch herrliches Gefühl es war, endlich den Schmutz der letzten Zeit von ihrem Körper waschen zu können! Nur ihr Busen war hart und schmerzte. Tränen schossen ihr in die Augen, während sie die Milch so gut es ging aus den Brüsten strich. Ich will nicht undankbar sein, denn ich lebe. Aber bei Gott, auch Baldo darf nicht sterben. Nachdem sie sich mit einem Leinentuch abgetrocknet und das schmutzige Kleid übergestreift hatte, band sie den Hund wieder fest und nahm sich vor, den Bader um etwas zu fressen und Wasser zu bitten.

Ihre Hände zitterten leicht, als sie die Tür aufstieß und die Kate betrat.

»Wurde auch mal Zeit«, murrte Stienberg und winkte sie zu sich. Seine gutmütige Miene strafte den derben Tonfall Lügen. Mit ruhigen Worten berichtete er von seinen weiteren Behandlungsmöglichkeiten, während Cristin Baldos eingefallenes Gesicht in den Kissen betrachtete, das halb von dem getränkten Schwamm bedeckt war.

»Wie du siehst, schläft er, und das ist auch gut so. Als Erstes werde ich ihn schröpfen, um die üblen Säfte aus seinem Blut zu holen. Danach müssen wir die Wunden gut säubern, bevor ich sie nähen kann.« Er suchte ihren Blick. »Für derart große Wunden bin ich eigentlich nicht zuständig, dafür bräuchten wir einen richtigen Medicus.«

Sie nickte und spürte, wie ihr das Blut aus dem Kopf wich. Schröpfen.

»Du musst darauf achten, dass dein Bruder schläft. Sollte er auch nur mit der Wimper zucken, musst du es mir sagen. Hast du mich verstanden?«

»Ja.«

»Hilf mir mal.« Ludewig zeigte auf die Bündel vor dem Bett. »Pack alles aus, aber sei vorsichtig, damit nichts zerbricht.«

Cristin tat, wie ihr geheißen, und schnürte die Bündel auf. Ein Schauer überlief ihren Rücken, als sie als Erstes eine lange Zange hervorholte.

»Die brauchen wir nicht, die ist zum Amputieren und Zähneziehen.«

Scheren, Messer, saubere Leinentücher, Flaschen mit unbekanntem Inhalt und eine Säge kamen als Nächstes zum Vorschein. Cristin schluckte bei der Vorstellung, was der Bader alles damit anstellen konnte, fast meinte sie, die Schreie der Verletzten hören zu können. Im zweiten Bündel fand sie einige Flaschen Öl und ein Brenneisen.

»Das brauchen wir später«, meinte Ludewig mit einem Wink darauf. »Lass es am besten gleich hier.«

Im dritten waren merkwürdige tönerne Instrumente zu sehen.

Ludewig wies sie an, ihm Tücher und eine Flasche zu reichen. »Behalte deinen Bruder im Auge, ich werde seine Wunden jetzt noch mal säubern.« Er kratzte sich am Kopf. »Mich wundert, dass er bisher fieberfrei geblieben ist.« Ein Hauch von Misstrauen huschte über sein Gesicht, während er die Augen von einem zum anderen wandern ließ. »Bei den Verletzungen.«

Um nicht zuschauen zu müssen, griff sie nach ein paar Gegenständen auf dem Boden und ordnete sie. Blut hatte sie noch nie sehen können. »Vielleicht hat die Eichenrinde ihm geholfen?«

Der Bader antwortete nicht und streckte stattdessen eine Hand aus. »Gib mir bitte den Wein.«

Cristin beobachtete, wie er zunächst etwas Wein auf die Wunde an Baldos Seite goss. Auch die ausgefransten, leicht violett verfärbten Wundränder ließ er nicht aus. »Was ist das?«, flüsterte sie.

»Das da?« Er wies mit dem Zeigefinger auf etwas Helles inmitten der Wunde. »Gebein, ein Stück seiner letzten Rippe. Ist abgebrochen.« Er schürzte die Lippen. »Ich muss es entfernen.«

Ein leises »Oh« war alles, was sie herausbrachte. Im Wald hatte sie die hervorstehende Rippe in ihrer Aufregung gar nicht bemerkt. Vorsichtig fasste der Bader in die Wunde, befühlte das fingerlange Knochenstück und bewegte es leicht hin und her. »Gut, es löst sich«, murmelte er und zog es heraus. Ohne den Blick von Baldo zu wenden, warf er es auf den Lehmboden.

Cristin schluckte. Plötzlich schienen die Wände auf sie zuzukommen, und sie taumelte.

Mit einem Arm hielt Ludewig ihre Hand umklammert, damit sie nicht fallen konnte. »Potzblitz! So reiß dich doch zusammen, Weib!«, befahl er barsch. »Du musst mir jetzt helfen, verstehst du? Sonst können wir deinen Bruder begraben! Willst du das?«

Sie schüttelte den Kopf. Den Blick starr auf die Wand gerichtet, reichte sie Ludewig ein Leinentuch nach dem anderen, hielt sich danach an Baldos bereits vertrauten Zügen fest und versuchte alle Geräusche und Gerüche auszublenden.

»Agnes, dort hinten im Regal findest du einen Kochtopf. Mach Feuer und erhitze die Schröpfköpfe. Wir brauchen sie später.« Die Stimme des Baders klang ein wenig ungehalten.

»Entschuldigt.« Cristin bewegte sich auf die offene Feuerstelle nahe der Tür zu. Ihre Beine schienen kaum noch zu ihr zu gehören, während sie die geforderten Aufgaben verrichtete.

»Achte darauf, dass meine Instrumente nicht zu heiß werden. Und dann komm her, ich brauche das Messer.«

Sie holte tief Luft und gab ihm das Verlangte. Ludewig reinigte das Messer gründlich mit Wein und setzte es an der oberen Wundstelle an. Schweiß brach ihr aus allen Poren, als sie zusah, wie er das Messer in die offene Stelle hielt und anritzte.

»Ich muss die Verletzung öffnen, damit die schlimmen Säfte abfließen können.«

Dunkles Blut tropfte heraus, während der Bader den Schnitt verlängerte.

Täuschte sie sich, oder hatten Baldos Lider sich bewegt? Sie wischte sich den Schweiß von der Stirn und fixierte den verletzten Mann. »Ich ... ich glaube, er wird wach.«

Der Bader murmelte einen Fluch. »In einem der Bündel ist eine kleine Flasche. Gib einige Tropfen daraus auf den Schwamm. Schnell!«

Baldos Finger zuckten. Rasch holte sie die Flasche hervor, zog den Korken heraus und träufelte etwas von der bräunlichen Flüssigkeit auf den Schwamm vor seinem Mund. Als sie merkte, wie seine Finger kurz darauf erschlafften und sein Kopf zur Seite sank, fiel die Anspannung allmählich von ihr ab.

»Gut«, brummte Ludewig, »nun bring mir die Schröpfköpfe.«

Cristin holte den erwärmten Topf von der Feuerstelle und stellte ihn vor dem Bett ab, um einen nach dem anderen mit spitzen Fingern herauszufischen. Sie wollte nicht zusehen, dennoch blieb ihr Blick wie gefesselt an den Schröpfköpfen hängen, die der Bader geschickt an verschiedenen Stellen der Wunde anbrachte, indem er die Instrumente auf das rohe, geschwollene Fleisch setzte. Viel zu warm war es in der Kate. Ihre Handflächen wurden feucht, und sie glaubte, in der schweren Luft aus menschlichen Ausdünstungen und Alkohol ersticken zu müssen. Ein widerlicher Geruch entströmte den Wunden, und Cristin schluckte den bitteren Geschmack hinunter, der sich in ihrem Mund gesammelt hatte.

»Wenn die Schröpfköpfe abkühlen, wird Blut hervorgepresst, das ihn von allen Übeln reinigen wird. Keine Sorge, dein Bruder spürt nichts davon.«

Cristin suchte nach Worten, um das auszudrücken, was sie empfand, doch ihre Angst, zu viel zu verraten, ließ sie wachsam sein. »Danke. Danke, dass Ihr uns helft«, war alles, was sie hervorbrachte. Offen schaute sie ihn an und versuchte ein Lächeln, was jedoch kläglich misslang.

»Ich bin Bader. Das ist meine Aufgabe.« Er räusperte sich. »Geht's noch, Mädchen? Wir werden eine ganze Weile brauchen, bis wir hier fertig sind. Ich schlage vor, du versorgst den Hund und machst einen kurzen Spaziergang.« Seine Stimme wurde schroffer. »Wenn du zusammenklappst, kann ich dich nicht brauchen. Also geh!«

Sie zögerte.

»Steh hier nicht dumm herum und kümmere dich um den Köter.« Der Bader wies mit dem Kopf in Richtung Tür und wendete sich ab.

Als Cristin eine Weile später die Kate wieder betrat, fühlte sie sich besser. Der sanfte Wind und die friedliche Atmosphäre der Wiesen und Felder, die sich hinter Ludewigs Hütte befanden, hatten ihr gutgetan. Die Freude des Hundes und die Art, wie er genüsslich ein Stück getrocknetes Fleisch verspeiste, hatten sie innerlich ruhiger werden lassen.

»Du kommst gerade recht«, begrüßte Ludewig Stienberg sie und winkte sie näher. »Ich werde dir zeigen, was du zu tun hast.« Mit ruhiger Stimme erklärte er ihr, wie sie den Gesundheitszustand des Verletzten bewachen konnte. War seine Haut trocken oder schwitzig, zeigte er eine Reaktion, schlug sein Herz regelmäßig?, waren nur einige der Dinge, auf die sie zu achten hatte, während Ludewig seine Wunden nähen wollte. »So, du Bangbüx, können wir anfangen?«

Cristin nickte. Großer Gott, ob sie sich das wohl alles merken konnte, was der Bader ihr in knappen Worten erläutert hatte? Ihr schwirrte der Kopf. Was, wenn ihr ein Fehler unterlief oder sie irgendetwas übersah? »Ja, ich bin so weit.«

Aus den Augenwinkeln bemerkte sie, wie Ludewig aus einem der Regale etwas hervorholte, wagte aber nicht zu fragen. Ihr ganzer Körper prickelte wie von tausend Nadelstichen, während sie ihre Aufmerksamkeit auf Baldos Gestalt richtete. Aus einem Impuls heraus ergriff sie seine schlaff neben dem Körper liegende Hand. Es waren Hände, die von schwerer Arbeit zeugten. Wieder einmal überfiel sie ein Anflug von Abscheu, während sie seine Schwielen betrachtete, doch das erste Mal spürte sie auch Wärme bei ihrem Anblick. Diese Hände hatten nicht nur Leben genommen, sondern auch gegeben. Plötzlich überkam sie eine ungeahnte Kraft, ihr kam es vor, als würde mit jedem neuen Schlag ihres Herzens Zuversicht durch ihre Adern rinnen. Sein Puls war langsam, aber gleichmäßig. *Unser Leben hat erst begonnen. Ohne dich schaffe ich es nicht*. Seine vorher so klammen Hände erwärmten sich unter ihren. Neben sich fühlte sie die Anwesenheit des Baders. Manchmal hörte sie ihn flüstern, als ob er sich selbst Anweisungen erteilen würde, aber Ludewig arbeitete konzentriert und schien keinerlei Notiz von ihr zu nehmen. Als der Bader eine neue Darmsaite aufzog, um die Wunde zu nähen, wendete sie sich ab.

»Wie geht es Adam?«, erkundigte Stienberg sich, ohne die Arbeit zu unterbrechen.

»Adam?«

»Ja, deinem Bruder. Du sagtest doch, er heißt Adam.«

»Oh. Ja, natürlich.« Sie nickte. »Ich glaube, es geht ihm gut.«

»Das Schlimmste ist überstanden. Jetzt nur noch die Beinwunde«, erläuterte er und wischte sich Schweiß von der Stirn. »Erhitze das Brenneisen und mach uns etwas zu essen, danach bereite ihm einen Kräuteraufguss zu. Er wird durstig sein, wenn er erwacht. Im Korb auf dem Regal findest du alles Nötige.«

Als Ludewig und Cristin sich endlich setzten, um ein einfaches Mahl aus Brot und Käse zu sich zu nehmen, war das Gesicht des Baders von Erschöpfung gezeichnet. Baldo, mit sauberen Leinentüchern verbunden, hatte noch einige weitere Tropfen Bilsenkraut verabreicht bekommen und schlief.

»Wir sollten auch eine Weile ruhen, Agnes«, gab er zu bedenken. »Wenn dein Bruder erst mal wach ist, wird er uns auf Trab halten.«

Auch sie hatte Mühe, sich auf den Beinen zu halten, und gähnte hinter vorgehaltener Hand.

»Müde?«

Sie nickte. »Wird … Adam später wieder normal laufen können?«

Ludewig rieb sich die Augen. »Er wird für lange Zeit hinken, mehr wage ich nicht einzuschätzen.«

Das Herz wurde ihr schwer.

»Wohin sollte eure Reise gehen, Agnes?«

»Nach … nach Lüneburg. Wir haben dort Verwandte«, antwortete sie ein wenig hastig. Auf einmal wurde ihr die Ausweglosigkeit ihrer Lage schmerzlich bewusst. Wochen würden ins Land ziehen, bevor Baldo reisefähig wäre, und selbst dann … Wohin sollten sie fliehen? Wo sollte sie sich mit einem verletzten Mann verstecken, ohne Aufmerksamkeit auf sich zu lenken? Sie vergrub das Gesicht in ihren Händen. »Wie lange wird es dauern …«

»… bis ihr weiterreisen könnt?«, beendete er ihren Satz. Sein Blick wanderte zu Baldo hinüber. »Das hängt davon ab, wie alles verheilt. Falls ihn ein Fieber heimsuchen sollte …«

»Ja, ich verstehe.« Sie erhob sich, um noch einmal nach dem Verletzten zu sehen.

Eine Hand legte sich unvermittelt auf ihre Schulter. »Du warst tapfer, Weib. Hast Biss, das gefällt mir.«

Überrascht sah sie zu Ludewig auf.

»Manch eine wäre rausgerannt und hätte gekotzt.« Er musterte sie von Kopf bis Fuß und grinste. »Aber du scheinst recht zäh zu sein, auch wenn man es dir nicht ansieht.«

3

Helle Schimmer tanzten vor seinen geschlossenen Lidern. Ihm war heiß, und in seinem Kopf drehte sich alles, fast so, als hätte er zu viel billigen Wein getrunken. Neben sich fühlte er die Anwesenheit einer anderen Person, Geräusche drängten sich in seinen Geist. Das Rascheln von Stoff und schwere, schlurfende Schritte auf dem Boden. Eine Hand, die seine berührte und kurz festhielt. Ihm war, als würde er in eine andere Welt eintauchen. Wo vorher Stille und Leichtigkeit geherrscht hatten, dröhnte ihm nun jeder Laut in den Ohren, und in seinem Leib schien ein schwelendes Feuer zu wüten. Er wollte sich in den gnädigen Schlaf zurückfallen lassen, um alle Eindrücke auszuschalten, doch es gelang ihm nicht. Bei seinem ersten bewussten Atemzug zuckte er vor Schmerz zusammen.

»Adam? Bist du wach?« Er lauschte auf die leise, weiche Stimme. »Hörst du mich?«

Zaghaft hob er die Lider und starrte in die Augen einer jungen Frau, die sich mit ernster Miene über ihn beugte. Sie war schmal und trug ein stramm gebundenes Kopftuch.

»Adam, kannst du mich verstehen?«

Adam. Er öffnete den Mund, aber seine Worte glichen mehr dem Krächzen eines Raben als der Stimme eines Mannes. »Wer … wer bist du?«

Die Frau schwieg einen Moment lang.

Im Augenwinkel nahm er eine Bewegung wahr, dann eine dunkle Stimme. »Ist er wach?«

»Ja.« Sie flüsterte an seinem Ohr. »Ich bin es, Agnes. Deine Schwester. Verstehst du mich?«

Er nickte schwach. Sein Name war Adam. Er hatte eine Schwester.

»Wir sind in einer Kate, bei einem Bader. Ludewig wird dich gesund machen.«

»Wie … wieso?« Er forschte in seinem Gedächtnis, aber da war nichts außer einer vagen Erinnerung an das Plätschern von Wasser und dem Grün eines dichten Waldes. »Was ist geschehen?«

»Eine Wildsau hat dich angegriffen. Du bist schwer verletzt, Adam. Der Bader wird dir helfen.«

Forschend betrachtete er ihre Gestalt, das schmale Gesicht und die dunkel umränderten Augen. »Aber … was wollte ich in dem Wald? Wohin wollten wir gehen … Agnes?«

»Sprich nicht so viel. Es strengt dich zu sehr an. Ich werde dir später alles erklären.«

Der Fremde trat näher und beugte sich über ihn. »Du bist also wach, das ist gut.« Er lachte breit, sodass seine Zahlücken deutlich zu sehen waren. »Du wirst Durst haben. Deine Schwester hat dir einen Kräuteraufguss gemacht.« Der Mann prüfte den Herzschlag und fühlte seine Stirn. »Alles in allem hast du noch mal Glück gehabt, Junge. Wenn deine Schwester nicht gewesen wäre … Ich bin übrigens Ludewig.« Er klopfte ihm auf die Wange. »Wenn die Schmerzen zu stark werden, sag uns Bescheid, dann gebe ich dir Mohnsamen. Aber du bist noch ein junger Hüpfer und wirst das schon schaffen, nicht wahr, Agnes?« Mit diesen Worten entfernte Ludewig sich, nahm den Wassersack vom Boden auf und ging zur Tür hinaus.

»Warum … was suchen wir hier? Ich … ich kann mich nicht erinnern.« Trotz der Schmerzwellen, die durch seinen Leib jagten, registrierte er, wie das Gesicht seiner Schwester sich verdüsterte.

Sie berichtete ihm mit ruhigen Worten, dass Ludewig sich angeboten hatte, sie zunächst mit nach Hamburg zu nehmen. »Er lebt dort, Adam. Und wir müssen hier weg, bevor uns jemand findet.«

»Warum? Warum darf uns niemand finden? Haben wir etwas Schlimmes getan?« Auf einmal erschien ihm alles düster und voller Rätsel. Dieser Mann, die Kate – und die Frau. Das Einzige, was er spürte, waren sein geschundener Körper und die zunehmenden Schmerzen.

»Nein. Aber das ist jetzt nicht so wichtig«, wich sie aus. »Du musst dich schonen. Alles Weitere wird sich finden.« Die Frau, die sich Agnes nannte, tupfte ihm die Stirn mit einem kalten Lappen ab und gab ihm zu trinken. Er suchte in ihrer Miene nach einem Anker, an dem er sich festhalten konnte, nach dem Hauch von Erinnerung oder einer Vertrautheit. Doch alles in ihm blieb still.

Ihre Gedanken arbeiteten fieberhaft. Baldo hatte also tatsächlich vergessen, was geschehen war. Mein Gott! Sie hatte schon von solchen Fällen gehört: Gedächtnisverlust. Meist ging das nach wenigen Tagen vorüber. Vermutlich war es besser, ihn noch eine Zeit lang in dem Glauben zu lassen, sie wären Bruder und Schwester, genau wie den Bader. Für Baldo war es in diesem Augenblick ein Segen, keine Vergangenheit zu haben. Es ist alles meine Schuld, dachte sie, und der Gedanke sickerte wie Gift durch ihre Adern. Wenn er mich nicht gerettet hätte, würde er noch immer gesund durch die Straßen Lübecks wandeln. Sie biss sich auf die Lippen, während sie sich mit steifen Gliedern erhob, um den schlafenden Verletzten nicht zu stören.

Ludewig betrat mit dem gefüllten Wassersack die Hütte. »Wo willst du hin?«, wollte er wissen und hob eine Braue.

»Ich sehe nach dem Hund.«

»Adam wird schon wieder«, beruhigte der Bader sie. »Er ist jung und stark.«

Cristin nickte, senkte die Lider und ging hinaus.

Sie atmete auf. Eine frische Brise kühlte ihre Haut, und die überschwängliche Freude des Hundes tat ihr gut. Die Tränen, die sie während der vergangenen Minuten so krampfhaft zurückzuhalten versucht hatte, brachen sich nun Bahn und nahmen ihr die Sicht. Sie sank ins Gras und vergrub das zuckende Gesicht im Fell des Tieres. Irgendwann wird seine Erinnerung zurückkehren, dann wird er es bereuen, mich gerettet zu haben. Sie hob den Kopf, wischte die Tränen von den Wangen und blickte auf die Getreidefelder, die sich vor ihr erstreckten, so weit das Auge reichte. Junge Halme bogen sich im Wind wie zu einer Musik, und die Schatten der Bäume auf den sanft geschwungenen Hügeln wurden länger. Es war so friedlich an diesem Ort, dass jede Bedrohung, jedes Leid, beinahe unwirklich erschien. Sie starrte in den nur locker bewölkten Himmel und beobachtete eine Schar Gänse, die lärmend über die Kate hinwegflogen. Sicher hatten sie mit dem Nestbau oder sogar schon der Aufzucht ihrer Brut eine Menge zu tun. Wehmut überfiel sie, während sie ihnen hinterherblickte.

Die Nacht war für die drei schlaflos verlaufen. Baldos Schmerzen hatten zugenommen, er weigerte sich jedoch, weitere Mohnsamen einzunehmen. Ludewig und Cristin hatten sich mit der Wache abgelöst, aber Baldos unterdrücktes Stöhnen und die Sorge, er könnte Fieber bekommen, ließen sie nicht zur Ruhe kommen. Nachdem sie am frühen Morgen den Verletzten gewaschen und versorgt hatten und er immer noch fieberfrei war, aßen sie rasch ein wenig und tranken Wasser aus dem Bach.

»Ich weiß, es ist zu früh, aber ich muss heute nach Hamburg zurück«, meinte Ludewig und biss in den harten Kanten. »Für Adam ist die Reise nicht ungefährlich, seine frischen Nähte könnten reißen. Meine Vorräte hier gehen allerdings zur Neige, und ich könnte ihn dort besser versorgen.«

Erstaunt blickte sie auf und suchte nach Worten. »Heißt das, Ihr nehmt uns mit zu Euch? In Eure Praxis?«

Ludewig lehnte sich in seinem Stuhl zurück. »Adam braucht noch längere Zeit die Hilfe eines Baders, wenn er wieder gesund werden will.« Er zuckte mit den Schultern. »In meinem Haus ist genügend Platz, wenn ihr wollt.«

»Aber …«, Cristin stockte. »Ich weiß überhaupt nicht, was ich sagen soll. Ich kann Euch nicht bezahlen, wir haben kein Geld. Das kann ich nicht annehmen.« Ihre Stimme brach, sie starrte in sein Gesicht und forschte nach den Gründen seines Vorschlages. So eingehend sie ihn auch betrachtete, Stienbergs Miene blieb unbeweglich.

Der Bader beugte sich zu ihr herüber. »Hast du eine bessere Idee, Mädchen? Willst du den Bengel hinter dir herschleifen und hoffen, dass sich sein Zustand nicht verschlimmert, oder wie?«

»Nein… natürlich habt Ihr recht. Ich bin Euch dankbar…«

»Papperlapapp«, unterbrach Ludewig ihr Gestammel und machte eine wegwerfende Handbewegung. »Keine Sorge, ihr dürft mir alles zurückzahlen.«

»Wie?«

»Ich könnte Hilfe in meiner Praxis gebrauchen, Agnes.« Er ließ sie nicht aus den Augen. »Seit, nun ja, seit einiger Zeit bewirtschafte ich mein Haus und die Praxis allein. Du bist jung und lernst schnell. Ich könnte dich gut einsetzen.«

Vor Freude schoss ihr die Röte in die Wangen, und ihre Lippen zitterten. »Meint Ihr wirklich? Oh, das würde ich gern.« Fort von hier. Wir wären in Sicherheit, dachte sie erleichtert. Erschüttert schlug sie die Hände vor das Gesicht, und als sie den Kopf hob, klang sie gefasst. »Wenn das so ist, nehme ich Euer Angebot mit Freuden an. Ich danke Euch.«

Ludewig schlug sich mit der flachen Hand auf den Oberschenkel. »Gut, dann wäre ja alles geklärt. Heute Nachmittag brechen wir auf. Sobald Adam schläft, kannst du mir beim Packen helfen.«

4

»Verdammtes Schietwetter!«

Kurz bevor sie die Stadtmauer von Hamburg erreichten, hatte es zu regnen begonnen, und Ludewig Stienberg sparte nicht mit derben Flüchen, während er den Eselkarren über eine gepflasterte Straße lenkte. Cristin, die neben dem Bader auf dem schmalen Kutschbock saß, zog das Tuch, das ihren Kopf bedeckte, tiefer ins Gesicht, um sich vor den schweren Regentropfen zu schützen – ein hoffnungsloses Unterfangen, denn längst war sie bis auf die Haut durchnässt. Sie wandte sich nach Baldo um, der die Augen geschlossen hatte.

Stienberg lenkte den Karren an einer Kirche vorbei, über der in luftiger Höhe eine Schar Möwen kreiste. Auf den schmalen Holzgerüsten, die das aus roten Backsteinen erbaute Gotteshaus umgaben, balancierten Bauleute.

»St. Jakobi«, brummte Ludewig. »Soll noch größer werden. Dafür ist immer Geld da. Als ob wir nicht schon genug Kirchen hätten. Dabei verdreckt die Stadt immer mehr. Sauberes Wasser gibt's auch nicht, nur für die, die es sich leisten können.« Er wies mit dem Kopf auf einen schmalen Wassergraben neben der Straße, in dem stinkender und undefinierbarer Unrat trieb. »Viele Leute trinken sogar die Brühe aus den Fleeten! Dann wundern sie sich, wenn sie krank werden.«

Schlagartig hörte der Regen auf, und die Sonne eroberte sich einen Platz inmitten der Wolken zurück.

»So ist das in Hamburg«, kommentierte der Bader, während sie an einigen mehrstöckigen Backsteinhäusern vorüberrollten. »Mal gießt es wie aus Kübeln, im nächsten Moment scheint wieder die Sonne.« Stienberg bog in eine Straße ein, auf der der Regen knöcheltiefe Pfützen hinterlassen hatte. »Wir sind gleich da.«

Cristin nickte. »Habt Ihr eigentlich eine Familie, Ludewig?«, fragte sie unverblümt und musste im nächsten Augenblick feststellen, wie sich Stienbergs Züge verhärteten.

»Meine Frau Marie und unser Sohn Friedhelm sind vor drei Jahren an der Pestilenz gestorben.«

Am liebsten hätte sie sich auf die Zunge gebissen. Wieso nur hatte sie eine derart unbedachte Frage gestellt? In Lübeck war erzählt worden, dass die Seuche in Hamburg zahlreiche Todesopfer gefordert hatte.

Vor einem zweistöckigen Haus auf der gegenüberliegenden Seite brachte Stienberg die Esel zum Stehen. Er sprang vom Kutschbock und trat neben den Karren. »Hier ist mein Badehaus«, erklärte er.

Der Bader band die Tiere an einem Pfosten vor dem Haus an und öffnete die schwere Eingangstür. Dann kletterten sie beide auf den Karren, halfen dem stöhnenden Verletzten hinunter und führten ihn ins Haus.

Ludewig stieß eine weitere Tür auf. »Hier rein und auf das Bett mit ihm.« Baldo setzte sich auf die Kante der Liegestatt, Stienberg packte ihn bei den Füßen und legte ihn auf das schmale Bett.

Cristin sah sich um. Dies war offensichtlich das Behandlungszimmer – überall befanden sich Töpfe mit Salben und Arzneien, Schwämme und Schalen, Messer, Scheren, Zangen und anderes Gerät zur Behandlung von Krankheiten. Einiges davon hatte sie bereits kennengelernt. Ihr Gemahl war einmal wegen eines faulen Zahns bei einem Bader gewesen, und Cristin hatte ihn begleitet; ihr wurde heiß und kalt zugleich. Sie könnte viel von dem Bader lernen, würde Einblicke in die geheimnisvolle Welt der Heilkunde bekommen.

»Die Badestube ist leer.« Ludewigs Stimme riss sie aus ihren Gedanken. »Du könntest dich waschen, Agnes.« Er nickte ihr freundlich zu. »In dem Raum gegenüber steht ein großer Zuber. Ich war über eine Woche nicht hier, aber ich kann frisches Wasser einfüllen. Wenn ich den Ofen anheize und einen Kessel kochendes Wasser dazukippe, dürfte es nicht mehr so kalt sein.« Er schlug sich mit der Hand gegen die Stirn. »Ich sollte wohl erst mal den Köter hereinholen, sonst nimmt den noch irgendein Hundefänger mit, und ihr seht ihn nicht wieder.«

»Nein, lasst mich das tun«, widersprach Cristin hastig. »Entschuldigt, das ist sehr freundlich von Euch. Aber der Hund wird sich ängstigen, wenn er Bal… ich meine Adam oder mich nicht sieht.« Das Blut schoss ihr in die Wangen.

Sie drehte sich auf dem Absatz um und eilte zur Haustür hinaus, bevor ihr der Bader Fragen stellen konnte. Draußen lehnte sie sich gegen die Mauer des Gebäudes. Ihr Herz raste, und sie hielt eine Hand auf die Brust, um es zu besänftigen. Meine Güte, es hätte nicht viel gefehlt, und Baldos Name wäre ihr herausgerutscht. Eine derart gedankenlos hingeworfene Bemerkung könnte uns zum Verhängnis werden!, schimpfte sie sich. Sie konnte nur hoffen, dass Ludewig nichts bemerkt hatte. Mit deinem vorlauten Mundwerk wirst du dir noch manchen Ärger einhandeln, hatte ihr Vater mehr als einmal geschimpft und missbilligend mit der Zunge geschnalzt, wenn ihr Mund wieder einmal schneller als ihr Verstand gewesen war. Das durfte nicht noch einmal passieren. Sie atmete tief durch und ging zum Karren hinüber, in dem der Hund schon ungeduldig auf sie wartete.

5

Cristin ließ ihr Gewand auf den Boden fallen und stieg in den bis zur Hälfte gefüllten Holzzuber, der fast den halben Raum ausfüllte. Sie atmete tief durch. Das lauwarme Wasser war eine Wohltat nach allem, was sie in den letzten Tagen und Wochen erlebt hatte. Sie setzte sich auf den Boden, lehnte sich an die glatt polierte Wand des Bottichs und ließ den Blick durch den Raum schweifen, an dessen Wänden Bänke angebracht waren, um die Gäste der Badestube zum Verweilen einzuladen. Ein Ofen stand in einer der Ecken, daneben befanden sich Bottiche mit heißem und kaltem Wasser, die es den Besuchern erlaubten, ein Schwitzbad zu nehmen. Der Bader hatte ihr erklärt, drei Tage die Woche wäre dies der Baderaum für Frauen, die anderen Tage hielten sich die Männer dort auf. Schließlich sei dies keiner dieser anrüchigen Orte, an denen man sich miteinander geradezu sündig vergnügte, hatte Ludewig ihr ernst versichert. Aber Cristin wusste, bei hohen Herrschaften, auch innerhalb von Familien, war das gemeinsame Baden trotz aller Sittenverordnungen immer noch sehr beliebt.

Sie schloss die Augen, und ihre verkrampften Muskeln

lockerten sich. Endlich konnte sie das Tuch ablegen, das ihren kahl geschorenen Kopf vor neugierigen Blicken verbarg. Sie hängte es über den Rand des Zubers und tauchte ihren Schädel mehrmals unter Wasser. Als sie wieder auftauchte, schaute sie in die braunen Knopfaugen des Hundes, der sie mit schräg gelegtem Kopf fixierte. Cristin lächelte. »Du hast wohl noch nie eine nackte Frau gesehen, stimmt's?«

Er bellte.

Sie lachte hell auf. »Dann gewöhne dich daran, Hund.«

Sie streckte die Hand aus, um ihn hinter den Ohren zu kraulen, so wie er es am liebsten hatte. Der Hovawart streckte sich neben ihr aus und tat, als schliefe er, doch Cristin fühlte seinen wachsamen Blick. Selig seufzte sie auf und genoss noch für eine Weile den Luxus eines Bades. Als das Wasser langsam abkühlte, erhob sie sich und wollte nach dem Leinentuch greifen, das sie neben dem Zuber an einen Haken gehängt hatte. In diesem Moment schnappte der Hund nach dem Tuch, bellte aufgeregt und lief mit seinem Fund ans Ende der Kammer, um sich in einer Ecke zusammenzurollen. Er öffnete ein Auge und blinzelte.

»Komm sofort her und gib mir das Tuch wieder, du kleiner Lump«, schimpfte sie und hatte Mühe, sich das Lachen zu verbeißen, das sie beim Anblick seines treuherzigen Augenaufschlages überfiel. »Nun komm schon«, forderte sie ihn dieses Mal versöhnlicher auf.

Gehorsam trottete er zu ihr hin und ließ das Tuch vor ihr fallen.

»Du Lump«, wiederholte sie kopfschüttelnd und strich ihm über das Fell. Beim Klang ihrer Worte spitzte er die Ohren. »Ah«, lächelte sie. »Der Name gefällt dir also. Dann will ich dich ab sofort auch so nennen.«

Für Cristin brach eine aufregende, wenn auch anstrengende Zeit an. Während Baldos Wunden langsam zu heilen begannen, ließ sie sich von Ludewig zeigen, wie die Haare der Männer geschnitten und ihre Bärte geschoren wurden. Auch bereitete sie die Bäder vor, half Stienberg beim Anmischen der verschiedenen Salben und Pasten und kümmerte sich in der wenigen Freizeit um Baldo, mit dem sie eine Kammer teilte. Er behandelte sie nach wie vor wie eine Fremde und schien sich an nichts zu erinnern. Dennoch, für sie beide war es besser, ihre Tarnung aufrechtzuerhalten, jedenfalls solange sie in Ludewigs Haus wohnten. Wenn sie abends auf ihre Lagerstatt sank und der Hund, der für sie nur noch Lump hieß, sich neben ihr ausstreckte, war sie rechtschaffen müde, denn die Badestube im unteren Stockwerk war stets gut besucht. Endlich hatte sie eine Aufgabe, die sie erfüllte. Dass Ludewig ihr immer öfter anerkennend zuzwinkerte, nahm sie mit stiller Freude zur Kenntnis.

Der Bader war ein Eigenbrötler, der sich nach dem Essen meistens in seine Kammer zurückzog. Nie stellte er Fragen über ihre Herkunft oder den Grund ihrer Reise. Hatte sie tagsüber gerade nichts zu tun, ging sie ihm beim Zähneziehen oder Aderlass zur Hand. In unbeobachteten Momenten beäugte sie die vielen Instrumente und Gerätschaften Ludewigs mit einer Mischung aus Bewunderung und Schaudern. Mittlerweile kannte sie Sinn und Zweck der meisten von ihnen und hatte dem Bader zugesehen, wie und wann er sie einsetzte. Ihr Respekt vor ihm wuchs von Tag zu Tag, denn Ludewig behandelte alle Patienten mit derselben Höflichkeit und Aufmerksamkeit. Darauf angesprochen, erwiderte er, seiner Meinung nach stehe jedem Menschen dieselbe sorgfältige Untersuchung zu, egal ob arm oder reich. Cristin war verblüfft über diese ungewöhnliche Denkweise. Sie kannte keinen Medicus, Wundarzt oder Bader, der ebenso handelte.

Allerdings war er ein lausiger Koch, und die Gerüche, die aus dem Topf aufstiegen, wenn er das Abendessen zubereitete, ließen keinerlei Rückschlüsse auf den Inhalt zu. Sogar der Hund verweigerte Stienbergs Essen.

Cristin fühlte sich zunehmend wohl in Ludewigs Nähe, auch wenn er ihr manchmal forschende Blicke zuwarf. Seine lärmende, raubeinige Art zauberte so manches Lächeln in ihr

Gesicht. Während der Arbeit war sie viel zu beschäftigt, doch des Nachts, wenn sie mit offenen Augen durch das kleine Fenster der Kammer in den Nachthimmel blickte und auf Baldos Atem lauschte, holte die Vergangenheit sie wieder ein. Cristins Milch war inzwischen versiegt, was sie mit Erleichterung erfüllte. Voller Sehnsucht stellte sie sich vor, wie sie ihre Tochter in den Armen wiegte und ihr über den kleinen Kopf streichelte. Aber immer öfter schoben sich auch Lukas' bleiches Antlitz und die schrecklichen Tage seines Todeskampfes in ihren Geist. Dann hielt sie sich wach und drückte den Hund fest an sich, aus Angst, diese Bilder könnten sie im Schlaf verfolgen.

Adam schlug die Augen auf. Der Hund schnarchte lauter als jeder Mann. Im Halbdunkel des nur mit einem kleinen Fenster ausgestatteten Raumes konnte er sehen, wie seine Schwester sich aufsetzte, die Decke wegschob und die nackten Beine über die Bettkante schwang. Sie bückte sich und griff nach den Bundschuhen, die der Bader ihr vor einigen Tagen gekauft hatte. Die Schuhe in der Hand schlich sie zur Tür, als sie sich nach ihm umwandte. Er stellte sich schlafend. Einen Augenblick später schloss sich die Holztür leise hinter ihr. Sie schien schon seit einigen Nächten nicht gut zu schlafen.

Adam streckte sich, denn sein Rücken schmerzte vom langen Liegen. Verdammt noch mal, warum hatte ihm das auch passieren müssen? Er ballte die Faust und schlug auf das Bett. Was hatten er und seine Schwester in diesem Wald zu suchen gehabt?

Der junge Mann biss die Zähne zusammen und versuchte sein Gewicht zu verlagern, um sich auf die Seite zu legen, wobei ihm vor Anstrengung Schweißperlen auf die Stirn traten. Ermattet sank er schließlich zurück und fluchte. Es war ihm gleich, ob der Bader nebenan es hörte. Wie lange sollte er eigentlich noch untätig im Bett liegen! Ludewig hatte ihm erklärt, er solle froh sein, dass der Unfall für ihn so glimpflich abgelaufen war. Glimpflich, pah! Das verdammte Vieh hatte ihm die halbe Seite und den Oberschenkel aufgeschlitzt. Er atmete tief durch. Na ja, der Bader hatte sicher recht, diese Wildsau hätte ihn umbringen können. Und wenn schon! Dank Ludewigs war er zwar nicht gestorben, aber er hatte trotzdem sein Leben verloren. Das Leben, seine Vergangenheit, alles war aus seinem Gedächtnis verschwunden. Würde er sich irgendwann wieder daran erinnern können?

Gedankenverloren kaute er an seinem Daumennagel. Mehr als meinen Namen und den meiner Schwester weiß ich nicht. Wo lebt unsere Familie? Habe ich eine Frau und Kinder, die auf mich warten und sich sorgen? Wer bin ich? Adam horchte in sich hinein, suchte nach bruchstückhaften Erinnerungen, die ihm einen Hinweis geben könnten, doch in ihm war nichts als Leere. Dunkle verunsichernde Leere.

Agnes kehrte in die Kammer zurück, und bald darauf hörte er ihre gleichmäßigen Atemzüge. Mit offenen Augen starrte er an die Zimmerdecke. Meine Schwester. Müsste ich ihr gegenüber nicht etwas empfinden? Vertrautheit, Wärme? Wir sind etwa im selben Alter, müssen also zusammen aufgewachsen sein, haben sicher miteinander gespielt. Da war etwas, ein Gefühl wie … Freundschaft? Nein, das traf es nicht. Was er empfand, war eher so etwas wie … ja, wie der Wunsch, sie beschützen zu wollen. Wie etwas besonders Kostbares, auf das er achten musste. Er hatte in den letzten Tagen viel an sie gedacht, und etwas in ihrer Art berührte ihn. Auf den ersten Blick wirkte Agnes zerbrechlich, doch der Schein trog. Schon mehrfach hatte er festgestellt, dass sie recht energisch werden konnte, wenn er sich beispielsweise weigerte, etwas zu sich zu nehmen oder sich nicht von ihr rasieren lassen wollte. Ihre Stimme blieb dann ruhig und sanft, aber ihr Gesicht zeugte von einem unbeugsamen Willen, der ihn überraschte. Manchmal war sie ihm unheimlich, diese Agnes mit dem streng gebundenen Kopftuch. Dabei hätte er ihre Haare gern gesehen. Ihrer Haut nach zu urteilen, mussten sie hell sein.

Agnes reagierte auf jede seiner Fragen einsilbig. Seltsam, seine Schwester müsste eigentlich ebenso wie er das Bedürfnis haben, ihm von der Familie und ihrem Leben zu erzählen. Sie war die Einzige, die ihm seine Vergangenheit zurückgeben konnte. Warum tat sie es nicht? Am liebsten hätte er sie auf der Stelle geweckt und zur Rede gestellt. Nannte sie so etwas Geschwisterliebe, ihn dermaßen im Unklaren zu lassen? Nur die pochenden Schmerzen in seinem Oberschenkel hinderten ihn daran, aus dem Bett zu springen und sie zur Rede zu stellen. Anfänglich war er zu sehr mit seinem gequälten Körper beschäftigt gewesen, um klar denken zu können. Nun dagegen, da es ihm von Tag zu Tag ein wenig besser ging, wurde der Wunsch, alles zu erfahren, drängender. Wäre doch gelacht, Schwesterchen, wenn es mir nicht gelänge, Licht ins Dunkel zu bringen. Seine Mundwinkel hoben sich.

Die Gelegenheit dazu ergab sich am nächsten Abend, als Agnes sich wie in den Nächten davor aus der Kammer schleichen wollte.

»Wo willst du hin?«

Sie fuhr herum. Im matten Licht des Mondes wirkte ihr Gesicht bleich. »Habe ich dich geweckt, Adam? Das tut mir leid!«

Er richtete sich im Halbdunkel auf und klopfte mit der flachen Hand auf die Bettdecke. »Nein, ich habe gar nicht geschlafen. Komm, setz dich zu mir!«

Zögernd trat sie näher und ließ sich auf der Bettkante nieder, während der Hund sich vor ihre Füße legte. »Schlaf weiter, Lump«, flüsterte sie und strich ihm kurz über das Fell.

Adam fuhr sich durch die wirren Haare. »Lump? Dein Köter hat also einen Namen?«

Sie nickte wortlos und ließ ihn in dem Glauben, der Hovawart würde ihr gehören.

Er schüttelte den Kopf. »So ein dummes Zeug.« Adam betrachtete sie eingehend, und als er registrierte, wie ihre Augen unruhig umherwanderten, ergriff er ihre Hand. »Willst du mir nicht erzählen, was los ist, Schwester? Jede Nacht schleichst du dich raus. Kannst du nicht schlafen?«

Sie entzog sich ihm. »Ich möchte nicht darüber reden. Ich kann nicht.«

Adam fasste nach ihrem Handgelenk. »Kannst du nicht oder willst du nicht?«

Die eintretende Stille bedrückte ihn. Warum nur benahm sie sich so eigenartig? Er konnte spüren, dass sie am liebsten aus der Kammer gestürmt wäre. Die Haut an ihrem Handgelenk war warm und weich, und ihr Puls raste unter seinen Fingern. Adam war verwirrt. Wovor nur hatte sie so viel Angst? Doch dieses Mal würde sie ihm nicht so einfach davonkommen. Nachdenklich strich er mit den Fingerspitzen über ihren Puls, als könnte er sie damit beruhigen. Wie sollte er beginnen? »Hast du mir sonst... ich meine, haben wir früher viel miteinander gesprochen, Agnes?«

Sie schwieg und mied seinen Blick.

»Wir sind Geschwister. Haben wir uns gut verstanden? Erzähl schon!« Er biss sich auf die Lippen. »Ich möchte mehr wissen über uns und unsere Familie. Woher kommen wir? Was ist mit unseren Eltern? Leben sie noch, oder sind wir Waisen?«

Als sie nach wie vor schwieg, drückte er ihren Unterarm, bis sie einen leisen Schmerzensschrei ausstieß. »Verdammt noch mal, sprich mit mir! Kannst du dir denn nicht vorstellen, wie es mir geht, wie furchtbar es ist, sich an nichts erinnern zu können?«, brach es aus ihm heraus. »Diese Ungewissheit hält ja kein Mensch aus!«

»Du tust mir weh, Adam! Und sprich bitte leiser, oder willst du Ludewig aufwecken?«

Er lockerte seinen Griff. »Dann sag mir endlich, was los ist! Wer bin ich? Wer bist du? Ja, ich weiß, wir sind Agnes und Adam, die im Wald von Lübeck unterwegs waren, wo mich dieses verdammte Wildschwein angegriffen und beinahe umgebracht hat. Aber was hatten wir dort zu suchen? Wollten wir nach Lübeck? Sind wir dort zu Hause?«

Agnes nickte beinahe unmerklich, aber ihm war es nicht entgangen.

»Warum sind wir dann nicht dort, sondern hier in Hamburg? Gibt es keine Bader in Lübeck, die mich gesund pflegen können?« Die Sache wurde immer mysteriöser für ihn. Und was machte Agnes? Das Weibsbild blieb stumm wie ein Fisch!

Sie blickte zum Fenster. Beide schwiegen.

Dann bat Adam ein wenig gefasster: »Beantworte mir wenigstens eine Frage.«

»Welche denn?«

»Warum trägst du tagein, tagaus dieses Kopftuch?«

Er sah, wie sie zusammenzuckte, und ließ seine Augen über ihre Gestalt wandern. Sicher hatte sie wunderschöne Haare. Er wies auf ihr stramm gebundenes Kopftuch, aus dem nicht ein Härchen hinauslugte. »Das muss doch furchtbar unbequem sein!« Schon hatte er die Hand ausgestreckt, fasste nach dem dünnen Stoff. Cristin wollte zurückweichen, aber er hatte das Tuch bereits nach hinten geschoben. Ihr Schädel war von dünnem rotblondem Flaum bedeckt wie der Kopf eines Neugeborenen. Dunkle, feuchte Erde. Eine Grube. Der winzige, bruchstückhafte Teil einer Erinnerung schoss ihm durch den Kopf, verschwand jedoch genauso schnell wieder, wie er aufgetaucht war. »Was ... was ist geschehen?«, fragte er leise. »Du ... du warst in einer Grube, nicht wahr?«

Sie schlug die Augen nieder.

Mit beiden Händen umfasste er ihr Gesicht und zwang sie, ihn anzusehen. »Warum hat man dir das angetan? Sag es mir!«

Cristins Augen füllten sich mit Tränen, doch sie wehrte sich nicht gegen seine Berührung. »Ich möchte nicht ...«

Sofort ergriff ihn wieder dieses Bedürfnis, allen Kummer, alle Traurigkeit aus dem hübschen Antlitz zu verbannen. Würde ihre Miene weich werden, wenn er über die schmalen Wangen strich? Würde sie sich an ihn schmiegen, wenn er sie in die Arme nahm? So wie Geschwister es taten, wenn sie sich gegenseitig Trost spendeten. Adam hob die Hand, verharrte einen Moment lang – und ließ sie wieder sinken. Seine Stimme wurde rau, klang aber sanfter als beabsichtigt. »Du willst nicht darüber reden, ich weiß. Kennst du eigentlich auch noch andere Antworten?«

Sie schwieg, er konnte aber erkennen, wie es in ihr arbeitete. Obwohl sich ihre Wangen röteten, klang sie fest und klar. »Adam, unser Vater hat mich einem Mann zur Frau gegeben, den ich nicht liebte und nicht wollte.«

Wie jämmerlich, dachte Cristin und spürte einen bitteren Geschmack im Mund. Ausgerechnet den einzigen Menschen, der in ihrer schwersten Zeit zu ihr gehalten und ihr blind vertraut hatte, musste sie hintergehen. Sie senkte den Kopf und strich sanft über Lumps Flanke, die sich gleichmäßig hob und senkte. Andererseits gebe ich ihm ein Leben zurück, sinnierte sie. Einen Namen, eine Familie, eine Geschichte. Auch wenn es nur eine Illusion ist. Nur, was geschieht, wenn er eines Tages die Wahrheit erfährt?

»Sprich weiter«, forderte er sie auf.

Mit trockener Kehle fuhr sie fort. »Ein Kaufmann aus Wismar, ein übler Kerl, der bereits einmal verheiratet war. Es heißt, er habe sein Weib immer wieder verprügelt, deshalb sei sie in die Trave gegangen.«

Baldos Augen weiteten sich, und er schnellte hoch. »Trotzdem hat unser Vater dich mit ihm …«

»Ja, er konnte wohl nicht glauben, was man sich hinter vorgehaltener Hand über diesen Mann erzählte.« Während sie zögernd weitersprach, spürte sie, wie ihre Ohren glühten. »Jedenfalls habe ich mich ihm in der Hochzeitsnacht verweigert. Er schlug mich, wollte sich mit Gewalt nehmen, was ich nicht zu geben bereit war. Da habe ich ihm einen Tonkrug auf den Kopf geschlagen.«

Es wurde still zwischen ihnen, und Cristin traute sich nicht, den Kopf zu heben. Lump stupste sie mit der Schnauze an, und sie streichelte ihm abwesend über den Kopf.

Baldo räusperte sich. »Zur Strafe hat man dir den Kopf geschoren?«

»Ja.« Sie schob sich wieder das Tuch über die kurzen Haare

»Ich muss wohl froh sein, dass er mich nicht mit Ruten auspeitschen ließ.«

Adam lauschte ihren Schilderungen mit wachsendem Entsetzen. Er suchte nach Worten und wollte ihr so vieles sagen, ihr Fragen stellen, doch seine Scheu ließ es nicht zu, tiefer in sie zu dringen. Also fasste er nur nach ihrer Hand. Ihr Bericht hatte ihn aus dem Gleichgewicht und eine unbekannte Saite in ihm zum Klingen gebracht. Sanfte Wärme erfüllte ihn, als er ihre klammen Finger mit seinen umschloss. Ihre Hand passte perfekt in seine. Beinahe kam es ihm so vor, als wäre sie dafür gemacht, von ihm gehalten zu werden. Verstört über diesen Gedanken schüttelte er unmerklich den Kopf. Hirngespinste. Dennoch – wie schade, dass es so dunkel in der Kammer war! Gern hätte er ihre kleinen Hände genauer betrachtet. Er fühlte Wut in sich aufsteigen. Wie hatte ihr Vater sie nur mit diesem, diesem … Hundsfott verheiraten können!

»Was ist dann geschehen?«, fragte er aufgebracht.

Agnes stockte und schien zu überlegen. »Du … du bist nach Wismar gekommen und hast ihm Prügel angedroht. Daraufhin hat er die Büttel gerufen und wollte dich in die Fronerei bringen lassen. Da sind wir geflohen. Wir wollten zurück nach Lübeck. Den Rest der Geschichte kennst du.«

»Das Wildschwein.« Er nickte gedankenverloren und wartete auf einen neuen Gedankenblitz, ein Bild, an dem er sich festhalten konnte. Doch nichts geschah.

Sie erhob sich von der Bettkante. Ihre Augen waren verschleiert, als hielte sie nur mit Mühe ihre Gefühle im Zaum. »Es wird bald hell«, meinte sie. »Lass uns noch ein wenig schlafen, Bruder.«

6

An den kommenden Tagen sprach Baldo nur wenig. Manchmal, wenn er sich unbeobachtet fühlte, ertappte Cristin ihn dabei, wie er sie mit einer Mischung aus Neugier und Verwirrung musterte. Glaubte er ihr nicht? Oder was hatte dieser Schimmer in seinen Augen zu bedeuten? Sie hatte insgeheim gedacht, er würde sich nach dem Gespräch nun endlich entspannen, aber das Gegenteil traf zu. Die meiste Zeit war er abwesend und fuhr sogar bisweilen zusammen, wenn sie überraschend die Kammer betrat. Um seinen Mund hatte sich ein bitterer Zug eingegraben, und den dunklen Schatten unter den Augen nach zu urteilen, schlief er zu wenig. Er zog sich von ihr und der Welt zurück.

An einem verregneten Sommertag im Juni, sie waren inzwischen zwei Monate bei Ludewig, erschien ein Bauer im Behandlungszimmer, der seine ungefähr sechs Lenze alte Tochter auf dem Arm trug. Erregt erzählte der Mann, er habe zugesehen, wie das Kind plötzlich auf dem Feld in sich zusammengesackt war. Seither klage sie über Übelkeit und Schwindel. Die Hände des Bauern zitterten, als er seine Tochter auf dem Strohbett ablegte, das Ludewig ihm zugewiesen hatte.

Cristin beugte sich über das apathisch wirkende Mädchen und griff an seinen Hals, um den Puls zu ertasten. Er schlug viel zu schnell! »Kannst du mich hören, Kleine?«, fragte sie leise.

Das Mädchen gab keine Antwort, woraufhin Cristin dem Bader einen besorgten Blick zuwarf und sich erhob. Sie griff nach dem Arm des Bauern.

»Guter Mann, sorgt Euch nicht. Herr Stienberg wird Eurer Tochter helfen. Ich schlage vor, Ihr setzt Euch ein Weilchen.« Sanft, aber energisch führte sie den ängstlichen Mann in eine Kammer und reichte ihm einen Becher mit gewürztem Wein.

»Wenn der Bader Eure Tochter untersucht hat, hole ich Euch«, beeilte sie sich zu versichern und ging schnellen Schrittes zurück ins Behandlungszimmer.

Das Mädchen war inzwischen ohnmächtig geworden. »Sieh dir die Flecken auf ihrer Haut an, Agnes«, brummte Stienberg und wies auf die Arme, während er sein Ohr an das Herz des Mädchens legte. Zwischen seinen Augen bildeten sich tiefe Falten. »Wir müssen versuchen, sie zu wecken. Schnell!« Schon sauste seine flache Hand auf die Wange des Kindes hernieder, die sich sofort verfärbte. Keine Reaktion.

Bei der nächsten Ohrfeige zuckte Cristin zusammen. Diese Wucht hätte einen Ochsen zum Leben erweckt! Die Lider der Patientin flatterten.

»Deern, hörst du mich?«

Der Blick des Mädchens war verschleiert, aber es nickte.

Cristin strich ihr über die Wange.

»Mir ist schwindelig«, flüsterte das Kind. »Ich … ich bin so müde.« Erneut fielen ihr die Augen zu.

»Was ist mit ihr geschehen, Ludewig?«

Der Bader antwortete nicht und holte stattdessen sein Besteck für den Aderlass hervor. »Weiß nicht. Könnt eine Vergiftung sein.«

Cristin betrachtete das bleiche, entrückte Gesicht des Mädchens und sah zu, wie Ludewig nach einer Fliete griff und das kleine, aber scharfe Messer am Unterarm des Kindes ansetzte. Schnell wandte sie den Kopf ab. »Ich rede mit dem Vater.«

»Gut, Agnes. Aber beeil dich.«

Fluchtartig verließ sie den Raum und lehnte einen Moment lang den Kopf gegen die Wand. Wenn du Ludewig eine gute Gehilfin sein willst, darfst du dich nicht so anstellen, rügte sie sich. Reiß dich zusammen. Aber wie sollte das gehen, wenn sie jedes Mal beim Anblick des Blutes eine Welle der Übelkeit überfiel?

Sie stieß sich von der Wand ab und schritt auf die Kammer zu, wo der hilflose Vater saß und wartete. Mit ruhiger Stimme beantwortete sie die Fragen des besorgten Mannes.

»Habt Vertrauen, Herr Stienberg wird für Eure Tochter tun, was er kann. Bitte geht jetzt nach Hause. Wir werden nach Euch schicken lassen, wenn sich an ihrem Zustand etwas ändert.«

Nur mit viel Geduld konnte Cristin ihn davon überzeugen, die Tochter ihrer Obhut anzuvertrauen. Sie sah ihm durch das Fenster nach, wie er mit hängenden Schultern die Gasse hinunterschlich. Die Sonne hatte sich ihren Platz am Himmel zurückerobert, und der Regen ließ nach. Ihr Blick fiel auf die blühenden, feucht schimmernden Büsche und Hecken, da schoss ein Gedanke blitzartig durch ihren Kopf. Ich muss es versuchen, dachte Cristin, rannte zur Tür und riss sie auf, um dem Vater nachzulaufen.

Mit glühenden Wangen betrat sie eine Weile später den Behandlungsraum und hockte sich neben das Bett. »Wie geht es ihr?« Eingehend betrachtete sie das Mädchengesicht und nahm die schlaffen Hände in ihre. Sie waren kalt. Cristin überlief ein Frösteln. Auch Lukas hatte ähnlich teilnahmslos dagelegen, bevor… Sie schüttelte den Kopf, als könne sie die schrecklichen Bilder seines Todeskampfes damit verbannen.

»Verflixt und zugenäht! Wo kommst du her?«

Sie sah in Ludewigs zornige Augen.

»Hast du einen Spaziergang gemacht, während ich um das Leben dieses Kindes kämpfe?«

»Nein, das habe ich nicht.« Sie wies auf einen kleinen Strauß von Zweigen und Blüten, den sie auf dem Boden abgelegt hatte. »Schaut! Vielleicht…«

»Was soll das?«, unterbrach er sie. »Ich dachte, du sprichst mit dem Vater des Kindes. Stattdessen gehst du Blumen pflücken.«

Cristin biss sich auf die Lippen, um den schnippischen Kommentar zu unterdrücken, der sich ihr aufdrängte. Sie suchte den Pulsschlag des Kindes und erschrak. Er raste! Vorsichtig wischte sie die Schweißperlen von der Mädchenstirn. »Meine Güte«, entfuhr es ihr. Genau wie bei Lukas. Sie erhob sich mit einem Ruck und stemmte die Hände in die Hüften. »Dies hier«, presste sie hervor, deutete auf die Pflanzen, »dies sind Teile von Büschen und Blumen, die rund um das Feld wachsen, auf denen die beiden gearbeitet haben, bevor die Kleine krank wurde. Ich bin dem Vater nachgelaufen und habe ihn gefragt, ob er mir die Stelle zeigen kann. Leider kenne ich mich nicht in Pflanzenkunde aus, deshalb habe ich sie mitgebracht, aber ich dachte, es könnte Euch bei der Behandlung helfen.«

Ludewig starrte sie an.

Eine neue Woge der Furcht überfiel sie. »Es muss etwas geschehen, so schnell wie möglich.«

Der Bader nickte und seufzte schwer.

Just dieser Laut war es, der Cristin aufhorchen ließ.

Mit zusammengekniffenem Mund beugte Ludewig sich über das Mädchen und hob ihr Augenlid an. Er hat ebenso Angst wie ich, erkannte sie plötzlich, hatte es also nur mit seiner schroffen Art zu überspielen versucht.

»Du hast an all das gedacht, Agnes?« Seine Miene wurde weicher, und er räusperte sich. »Danke, das war klug von dir.« Er berührte sie am Arm. »Zeig mal her.«

Während er einen Zweig nach dem anderen in den Händen wog, sprach er halblaut vor sich hin. »Schlehdorn. Blüten von Holunder. Dies ist eine Berberitze.« Er hob den Kopf, und seine Miene drückte Ratlosigkeit aus. »Weißdorn, alles nichts Besonderes«, murmelte Ludewig und zog den letzten Zweig hervor. Er wurde weiß wie Kalk. »Beim Allmächtigen! Tollkirsche.«

Sie sahen einander an.

»Was nun?«, brach es aus ihr heraus.

»Geh zu Nachbar Hinnerk, gleich zwei Häuser weiter. Der hat Kaninchen. Bring mir eins her, sofort.«

»Kaninchen? Aber wieso … was hat das …«

»Stell jetzt keine Fragen, sondern tu, was ich dir sage!«

Ludewig hatte den Urin des Mädchens aufgefangen und einige Tropfen davon in die Augen des Kaninchens geträufelt. »Wenn sie anfangen, rot zu glänzen, ist es das Gift der Tollkirsche«, erklärte er ihr mit knappen Worten.

Der Verdacht bestätigte sich, und für einen Moment wurde es still in der Kammer. Dann erteilte der Bader ihr die Anweisung, dem Mädchen möglichst viel Wasser einzuflößen. »Ich habe versucht herauszufinden, wie viele Beeren die Kleine gegessen hat, aber sie antwortet nicht. Jetzt können wir nur abwarten.«

Während sich Ludewig um seine anderen Patienten kümmerte, hielt Cristin bei dem Mädchen Wache. Der Puls war unverändert hoch, doch das Kind wachte einige Male auf und wirkte klarer. Sie wertete dies als gutes Zeichen. Als alle Leute fort waren, gesellte sich Ludewig zu ihr.

»Wird sie überleben?«, fragte Cristin.

Stienberg fuhr sich mit einer Hand über das zerfurchte Gesicht. »Möglich. Vielleicht auch nicht. Das Gift ist tückisch, aber sollte sie die nächste Nacht überstehen, hat sie das Schlimmste hinter sich. Das Mädchen ist jung und stark – und entsetzlich dumm.« Er sah sie an. »Die Kleine muss die Beeren gedankenlos gegessen haben. Hat der Vater ihr denn nicht erklärt, dass sie das nicht darf?« Sein Blick wanderte zurück zu dem schlafenden Kind. »Unser Friedhelm hat damals Schelte bekommen, wenn er auch nur die Finger nach Beeren oder Früchten ausgestreckt hat«, murmelte er.

Cristin sah, wie sich seine Miene verhärtete, und legte ihm eine Hand auf den Arm. »Ich bleibe heute Nacht bei ihr, Ludewig«, sagte sie. »Geht nur zur Ruhe.«

»Die Deern ist meine Patientin, Agnes! Kümmere dich gefälligst um deinen Bruder, der ist unleidlich genug. Außerdem kannst du für morgen noch die Bäder vorbereiten.«

Mit diesen Worten war sie entlassen. Stienberg tat, als bemerkte er sie nicht mehr, und wandte seine Aufmerksamkeit dem Mädchen zu.

Am folgenden Tag ging es der jungen Patientin besser. Der Ausschlag war schwächer geworden, und sie nahm sogar einige Schlucke der Brühe zu sich, die Cristin noch am Abend zubereitet hatte.

»Kann ich Euch etwas fragen?«, eröffnete sie das Gespräch, während Ludewig und sie den Behandlungsraum für den folgenden Tag vorbereiteten. Seit Längerem schon hatte sie nach einer Möglichkeit gesucht, mit dem Bader ungestört reden zu können.

»Was gibt es?« Ludewig sah auf.

»Welche Gifte töten einen erwachsenen Menschen innerhalb weniger Tage, von der Tollkirsche abgesehen?«

»Hmm ... da gibt es einige. Weshalb willst du das wissen?« Er zwinkerte ihr zu. »Du willst doch wohl nicht unseren guten Adam ins Jenseits befördern, oder?«

Cristin lächelte. »Nein, natürlich nicht.« Sie zögerte. »Es hat keinen besonderen Grund, ich wüsste es nur gern.«

Der Bader nickte und setzte zu den ersten Erklärungen an. Bilsenkraut, das kannte sie ja bereits, war in hoher Dosis tödlich. Auch Stechapfel und Fingerhut gehörten dazu und viele andere mehr. »Mädel, jedes Gift wirkt anders. Manche verbreiten schleichend ihre Wirkung, andere sind kurz nach der Einnahme schon tödlich, wie der Schierling zum Beispiel.« Ludewig lachte laut, sodass sie versucht war, sich die Ohren zuzuhalten. »Wenn du nichts anderes vorhast, als dich um deinen nörgelnden Bruder zu kümmern, kann ich dir eine Menge darüber erzählen.«

Als sich Cristin an diesem Abend zur Ruhe begab, schwirrte ihr der Kopf von all den fremd klingenden Pflanzennamen, ihren Bedeutungen und dem Verlauf der Vergiftungen. Es gab sogar ein Gift, dessen tödliche Wirkung sich bereits entfaltete, wenn man ein paar Tropfen davon über eine Talglampe gab. Die Menschen starben im Schlaf. Die wenigsten Beispiele passten allerdings auf Lukas' Todeskampf. Fingerhut zum Beispiel war bitter. Wenn jemand ihm dieses Gift ins Mahl oder in gewürzten Wein gegeben hätte, wäre es ihm aufgefallen. Ludewig hatte ihr berichtet, der Stechapfel führe zu Rauschzuständen. Das ergab auch keinen Sinn. Vermutlich bin ich auf der falschen Fährte, grübelte Cristin. Der Mörder wird sich ein wenig bekanntes Gift ausgesucht haben. Eins, welches im späten Lenz oder auch getrocknet wirksam ist. Eins, das leicht zu beschaffen ist. Der Gedanke ließ sie frösteln, und sie zog die Decke höher, bis der Schlaf sie schließlich übermannte.

7

Im Schein einer Talglampe saß Emmerik in seinem Sessel und kaute lustlos auf einem Knochen herum. Die Stille seiner Kammer lastete schwer auf ihm. Für einen flüchtigen Moment überlegte er, ob er noch einmal hinaus in die Stadt gehen sollte, um sich ein Bier zu genehmigen. Doch ihm stand nicht der Sinn nach Gesellschaft oder dem regen Treiben der dunklen Gassen von Lübeck, in denen es alles zu kaufen gab, was ein Mann ersehnte. Den Blick auf die Feuerstelle gerichtet, wanderten seine Gedanken zu seinem Sohn. Über zwei Monate waren inzwischen vergangen, ohne dass er ein Lebenszeichen von Baldo erhalten hatte. Gut, der Bengel war des Öfteren aufmüpfig gewesen, auch wenn er nie offen widersprach, aber einfach zu verschwinden, und dies offenbar noch mit einer verurteilten Mörderin, wie es hieß, sah ihm nicht ähnlich. In einem Moment wünschte Emmerik ihn zum Teufel und schwor sich, ihn windelweich zu prügeln, wenn er nach Hause kommen würde. Im nächsten ließ ihn die Sorge um Baldo nicht zur Ruhe kommen.

Niemand hatte den Jungen gesehen, er musste sich wie ein Geist in der Nacht aus dem Staub gemacht haben. Aber wo konnte er stecken? Dieser Feigling! Er versuchte sicher nur, seinem Schicksal als nächster Scharfrichter der Stadt zu entgehen! Hatte Baldo etwa geglaubt, er würde unerkannt bleiben und könnte sich davonschleichen? Der Sohn führte das blutige Amt des Vaters fort, das war von jeher so gewesen. Du kennst mich schlecht, mein Junge, dachte Emmerik und warf die Knochenreste mit einem Fluch ins Feuer. Wenn ich will, werde ich dich finden.

Während er sich die fettigen Hände an einem Tuch abwischte und es achtlos zu Boden warf, kam ihm ein Gedanke. Er hob die Mundwinkel und lehnte sich mit verschränkten Armen in seinem Sessel zurück. Ja, das gefiel ihm. Wenn er wusste, wo der Taugenichts sich herumtrieb, konnte er immer noch entscheiden, was zu tun war. Vielleicht würde er ihn wie einen Fisch am Haken zappeln lassen, je nachdem, wonach ihm der Sinn stand. Baldo wird seine gerechte Strafe bekommen, nahm er sich vor und spie aus. Mit einem Verräter durfte man nicht zimperlich umspringen, selbst dann nicht, wenn es der eigene Sohn war. Emmerik fühlte Unruhe in sich aufsteigen. Der Abend war lau und trieb Mücken durch sein leicht geöffnetes Fenster. Noch einen Schluck aus seinem Becher, und er stand auf, nahm sein Wams vom Haken und streifte es sich über.

Adam saß auf einem Stuhl neben dem einzigen Fenster und blickte gedankenverloren durch die trüben Butzenscheiben auf die im sachten Wind tanzenden Zweige und Blätter eines Apfelbaumes in dem Obst- und Gemüsegarten hinter dem Haus. Er hörte Agnes' leichte, schnelle Schritte, drehte sich aber nicht um, als sie eintrat.

»Wie geht es dir, Adam? Schmerzen die Narben?«, fragte sie.

»Nein«, log er. Immer noch ging sie mit ihm um wie mit einem Schwerverletzten. Oder wie mit einem Krüppel. Merkte sie denn nicht, dass er allein sein wollte? Er verzog das Gesicht. Woher sollte sie auch ahnen, wie linkisch und unsicher er sich immer in ihrer Nähe vorkam. Sie konnte ja nicht wissen, dass er sie inzwischen am liebsten von sich stoßen würde, wenn sie mit flinken Händen seine Wunden versorgte oder ihn bei ihren allabendlichen Gehübungen umfasste. Denn die

Wärme ihrer Finger auf seiner Haut und ihre Berührungen lösten jedes Mal eine Fülle verwirrender Gefühle in ihm aus, über die er am besten nicht weiter nachdachte. Die liebenswürdige, stets um ihn besorgte Schwester. Hörbar stieß er die Luft aus. Er hasste es, auf ihre Hilfe angewiesen zu sein, beinahe ebenso, wie er die undurchdringlichen Nebel verabscheute, die ihn von seiner eigenen Vergangenheit trennten.

Als er nun ihre Hand auf seiner Schulter spürte, fuhr er hoch. »Was hast du gesagt?«

Ihr leises Lachen erfüllte die schwülwarme Luft der Kammer. »Ich habe dich gefragt, ob du Lust hast, mit mir einen Spaziergang zum Garten zu machen, Bruder. Es ist wunderbar draußen, und die Bewegung wird dir guttun.«

Adam gestattete sich einen kurzen Seitenblick auf ihre schmale Gestalt. Das Gewand war Agnes ein wenig zu groß, weshalb der Ausschnitt einen Teil ihrer Schulterblätter freigab. »Wenn es sein muss.« Mit beiden Händen stützte er sich auf die Stuhllehnen, stemmte sich in die Höhe und griff nach dem Weidenstock, der ihm als Gehhilfe diente.

»Lass mich dir helfen, Adam!« Sie griff nach seinem Oberarm. Er schüttelte ihre Hand ab. »Ich kann das auch allein, verdammt!«

»Wie du willst.« Sie trat einen Schritt zur Seite. »Deshalb brauchst du nicht gleich so unfreundlich zu sein. Schließlich will ich dir nur …«

»Helfen, ja, ja, ich weiß«, giftete Adam.

Während sie die kleine Kammer verließen, hakte Cristin sich bei ihm unter. Als er bemerkte, wie sie versuchte, sich seinen Bewegungen anzupassen, verdüsterte sich seine Stimmung weiter. Im Freien empfing ihn warmer Sommerwind. Das Gehen fiel ihm schwer, aber er wollte verdammt sein, wenn er es ihr zeigen sollte. Die Lippen fest aufeinandergepresst, blickte er in den von wenigen Schäfchenwolken bedeckten Himmel über den Dächern der Bürgerhäuser und der Kirchturmspitze von St. Petri. Schwalben flogen zwischen den Obstbäumen hin und her, und die Abendsonne warf gleißende Lichtpunkte auf die Blätter. Der Hund, der ihm wie immer auf Schritt und Tritt folgte, hechelte.

»Geht es noch, Adam? Schau, hier hinter den Gemüsebeeten ist eine Bank, dort können wir uns setzen.«

Er murmelte etwas Unverständliches und lehnte sich schwer gegen seinen Stock. Die Luft verströmte den Duft blühender Rosen und Sträucher, die den Garten umschlossen. Was war nur mit ihm los? Adam wünschte sich, Agnes möge endlich verschwinden, damit er in Ruhe nachdenken konnte. Wenn ich mich nur besinne, wenn ich Zeit habe, werde ich mich bestimmt wieder erinnern. Allerdings funktionierte es nicht, solange sie ständig in der Nähe war.

»Es sind höchstens drei Klafter bis zu der verfluchten Bank. Ich will es allein dorthin schaffen, verstanden?«, sagte er.

Ihre Augen weiteten sich, und er konnte die Traurigkeit darin erkennen.

»Natürlich, Adam. Entschuldige.« Sie ließ ihn los, trat beiseite.

Nach einem tiefen Atemzug setzte er vorsichtig einen Fuß vor den anderen, wobei er sein verletztes Bein hinter sich herzog wie eine schwere Last. Das Gras kitzelte an seinen nackten Füßen, und ein Windstoß blies ihm eine Haarsträhne ins Gesicht. Unwirsch pustete er sie fort. Als er die Holzbank erreichte, ließ er sich schwer atmend nieder. Der Hund legte sich neben ihn ins Gras.

Agnes lächelte. »Du hast es geschafft, Bruder. Ganz allein.«

Ja. Bloß warum konnte er sich nicht darüber freuen?

Sie ergriff seine Hände. Ihre Augen strahlten. »Bald wirst du den Stock nicht mehr brauchen. Alles wird gut.«

Adam blickte auf ihre Hände, und die Kehle wurde ihm eng, als sie mit dem Daumen über seinen Handrücken strich. An der Stelle, wo sie ihn berührte, prickelte seine Haut, und etwas in ihm schien zu zerspringen. Er riss sie an sich, hielt ihren festen Leib umfangen und vergrub sein Gesicht in ihrer schwach nach Seife duftenden Halsbeuge. Agnes wehrte sich nicht, sondern sog nur überrascht die Luft ein. Sein Körper reagierte unmissverständlich auf die Weichheit ihrer Haut. Sie so nahe bei sich zu haben, ihren Herzschlag an seiner Brust zu fühlen, löste den Panzer ein wenig, den er um sich herum errichtet hatte. War das nicht ein ganz natürliches Bedürfnis unter Geschwistern? Nur widerwillig löste er sich von ihr und hob ihr Kinn.

Erschrocken stellte er fest, dass in ihren Augen Tränen schimmerten. »Verzeih, Agnes«, stammelte Adam, während er ihr zart über die Wangen strich. Ihre Augen waren groß und fragend auf ihn gerichtet. »Ich habe kein Recht, so mit dir zu sprechen, Schwester. Du bist immer gut zu mir. Ich … ich kann mich nur für mein Benehmen entschuldigen.«

»Schon gut.«

»Nichts ist gut!« Es kostete ihn Überwindung, der Versuchung zu widerstehen, ihren vollen Mund mit seinem zu verschließen, sie endlich zu küssen, so wie er es unzählige Male in seinen Träumen schon getan hatte. Adam spürte einen schalen Geschmack im Mund. Wie konnte er auch nur daran denken, die eigene Schwester küssen zu wollen? Sie so sehr zu begehren, dass es ihn beinahe zerriss? Es musste der Leibhaftige sein, der ihm diese Gedanken eingab! »Halte dich besser fern von mir«, presste er hervor. »Ich bin deiner nicht wert.« Dann griff er nach seinem Stock und erhob sich schwankend. Der Hund folgte ihm mit gesenktem Kopf.

Cristin schaute ihm nach, bis seine schlaksige Gestalt nicht mehr zu sehen war. *Halte dich fern von mir. Ich bin deiner nicht wert.* Sie schlug die Hände vors Gesicht und verharrte in der Bewegung. Wieso stieß er sie auf einmal von sich wie ein lästiges Übel, das man nur abzuschütteln brauchte? Sie begann zu frieren und kannte sich nicht mehr aus. Bisher hatte sie versucht, seine wechselnden Launen zu übersehen und sie mit seiner Unfähigkeit, sein Schicksal anzunehmen, entschuldigt. *Halte dich fern von mir.* Wie stellte er sich das überhaupt vor? Sie ließ den Blick über den Garten mit seinen üppig blühenden Rosenbüschen schweifen, ohne jedoch etwas wahrzunehmen. Ein Schwarm Mücken schwirrte in der Luft, die nun ihren süßen Duft für sie verloren hatte. Trotzig schob sie die Unterlippe vor. Mit einer Hand wischte sie eine Ameise fort, die ihr das Bein hinaufkrabbeln wollte, und straffte die Schultern. Gut, Baldo Schimpf, wenn du es so haben willst... Sie würde ihre Pflicht erfüllen, ihm das Essen bringen und seine Wunden versorgen. Um alles andere würde er sie in Zukunft bitten müssen.

8

Habt ihr Streit, Adam und du?«, fragte Ludewig wie nebenbei, während sie den Behandlungsraum aufräumten.

»Nein«, wich Cristin ihm aus. »Er ist nur gerade etwas schwierig, das ist alles.«

Der Bader verschränkte die Arme vor der Brust. »So, das ist alles. Warum sehe ich ihn dann abends allein spazieren gehen?«

»Ich weiß es nicht, Ludewig. Ich weiß wirklich nicht, was mit ihm los ist. Adam schickt mich weg, sobald ich ihn versorgt habe.«

»Das ist merkwürdig.« Er kratzte sich am Kinn und machte eine wegwerfende Handbewegung. »Aber das sind eure Angelegenheiten, die gehen mich nichts an, Agnes. Seht zu, wie ihr das bereinigt. Mimosen kann ich in meinem Haus nicht brauchen.« Mit diesen Worten schickte er sie hinaus.

Vor der Tür blieb sie unschlüssig stehen. Was nun? Sie spähte zur Kammertür hinüber. Einen Moment lang kämpften Stolz, Trotz und Vernunft gegeneinander, dann ging sie entschlossen auf die Tür zu und drückte die abgegriffene Eisenklinke hinunter.

Baldo stand mit auf dem Rücken gekreuzten Armen vor dem trüben Fenster. »Was willst du?«

Am Himmel brauten sich dunkle Sturmwolken zusammen, unter denen ein paar Möwen, hellen Blitzen gleich, dahinschossen. Fast meinte Cristin, durch die gefärbten Fensterscheiben ihr heiseres Schreien hören zu können.

»Ich möchte mit dir reden, Adam«, begann sie.

»Muss das sein?«

»Es ist wichtig.«

Er wandte sich um. »Also – was willst du von mir?«

»Halte Ludewig in Zukunft aus unseren Streitigkeiten heraus, Bruder!« Cristin setzte sich auf ihre Schlafstatt. »Du und ich, wir müssen uns nicht verstehen. Aber Ludewig, der braucht nichts davon mitzubekommen. Er sagte mir gerade, unser Verhalten ärgert ihn.«

Baldo sah sie regungslos an.

»Verstehst du denn nicht?« Ihre Stimme wurde schneidend. »Wir sind nur deshalb hier, weil er uns mitgenommen hat. Du würdest nicht mehr leben, wenn er sich nicht um dich gekümmert hätte!« Und ich auch nicht, hättest du mich nicht gerettet, du Dummkopf, fügte sie in Gedanken hinzu.

»Meinst du, das weiß ich nicht?«

Mit einem Mal wirkte er um Jahre älter. Diese Bitterkeit und die Augen, in denen sich hinter der offensichtlichen Kühle Leidenschaft zu verbergen schien.

»Er hat recht«, räumte Baldo nach kurzem Zögern ein. »Ich will nachdenken, lass mich jetzt bitte allein.«

Am liebsten hätte sie ihm über die Haare gestrichen. Stattdessen nickte sie nur, drehte sich auf dem Absatz um und verließ die Kammer. Um sich ein wenig abzulenken, ging sie in die Küche und bereitete das Abendessen vor. Das Zeug, das Ludewig ihnen die letzten Tage aufgetischt hatte, war ungenießbar gewesen. Als etwas mit lautem Krachen gegen die Scheiben schlug, trat sie ans Fenster und spähte hindurch. Die Äste der Obstbäume bewegten sich wie wild im Wind, der weiterhin an Kraft gewann und nun durch alle Ritzen des alten Hauses pfiff. Lump hatte sich unter die Holzbank verkrochen und fiepte leise. Cristin strich ihm über die samtweichen Schlappohren, da klatschten auch schon die ersten Regentropfen gegen die Scheiben. Sie zündete einige Talglampen an und entfachte ein Feuer an der offenen Kochstelle. Bald darauf brutzelte ein Hahn, den sie am Vortag vom Nachbarn gekauft und mit Salz sowie ein paar Kräutern gewürzt hatte, in einer Pfanne und verbreitete einen köstlichen Duft. In einem Korb fand sie frische Pastinaken, die sie kochte und mit etwas Schmalz verfeinert zu einem Brei verarbeitete. Heute würde es ein Festmahl geben.

Irgendwann steckte Ludewig seinen wuchtigen Kopf zur Küche hinein. Sein Blick fiel auf die Pfanne mit dem Hahn, und auf seinem Gesicht breitete sich ein von Vorfreude beseeltes Grinsen aus. »Du machst Essen, Deern?« Tief sog er die Luft durch die Nase ein. »Wie das riecht … einfach köstlich!«

»Das will ich meinen.«

Resolut schob sie den Bader zur Seite, als er sich über die Töpfe und die Pfanne beugte. »Wenn Ihr etwas tun wollt, dann stellt schon einmal die Teller hin. Das Essen ist gleich fertig.«

Wenig später saßen sie zu dritt an Ludewigs altem Tisch und aßen. Unvermittelt schlug ihr der Bader auf die Schultern, sodass Cristin sich beinahe verschluckt hätte. »Das kannst du gern öfter machen, Mädchen.«

Baldo nickte mit vollen Backen. Cristin hatte bemerkt, dass er ihr während des Mahles immer wieder verstohlene Blicke zugeworfen hatte. Zufrieden lehnte sie sich zurück und sah hinaus. Die Bäume und Sträucher bogen sich im Sturm, und die Talglampen nahe dem Fenster flackerten.

Als sie die Küche verließ, hielt Baldo sie am Arm zurück. »Danke.«

»Wofür?«

»Für alles«, erwiderte er, ohne sie aus den Augen zu lassen.

Sie machte sich los und ging an ihm vorbei.

9

Ludewig war kurz nach Sonnenaufgang fortgefahren, um in den Dörfern rund um Hamburg nach einigen seiner Patienten zu sehen. Er hatte die Praxis geschlossen und Cristin gebeten, auf den Markt zu gehen, um einige Scheren und Messer schleifen zu lassen.

Baldo schlief noch, als sie die Haustür leise ins Schloss zog. Kurz darauf schlenderte sie an den Ständen und Handkarren der Korbflechter und Kesselflicker vorbei, die ihre Dienste anboten. Stimmengewirr erfüllte die Luft. An den Tischen der Gewürzhändler und Kräuterweiber blieb sie stehen und atmete tief ein. Einen Moment lang genoss sie das Aroma der Kräuter und Gewürze, während der Wind ihr Gesicht streichelte. Ihr Haar war in den vergangenen Monaten, die sie nun schon beim Bader lebten, ein gutes Stück gewachsen, dennoch trug sie es auch im Haus immer noch unter einem Tuch verborgen. Die Arbeit bei Ludewig bereitete ihr Freude, und auch Baldo machte täglich kleine Fortschritte. Zwar ging er ihr weiterhin so oft wie möglich aus dem Weg, war wortkarg und nachdenklich, aber sie näherten sich einander an.

Jeden Abend, wenn Cristin nach getaner Arbeit in die gemeinsame Kammer kam, machte sie wieder Gehübungen mit ihm, und jeden Tag schien ein wenig mehr Kraft in seine Muskeln zurückzukehren. Auch wenn Baldo sich meist noch schwer auf sie stützte und beim Gehen ein Bein nachzog, wusste Cristin, er würde wieder gesund werden. Um seinen Gemütszustand allerdings machte sie sich große Sorgen. Er litt unter seinen Gedächtnislücken und konnte sich nach wie vor nicht erinnern, wer er war. Es war eindeutig, dass ihn noch etwas zu quälen schien. Wahrscheinlich misstraut er mir, dachte sie, während sie mit dem Weidenkorb voller Scheren und Rasiermesser unter dem Arm den Stand eines Scherenschleifers ansteuerte, vor dem sich bereits zwei

Frauen eingefunden hatten. Sie stellte sich zu ihnen und beobachtete gebannt, wie der Mann ein großes Küchenmesser an die Kante des Schleifsteins hielt, den er mit einem Pedal in Bewegung setzte. Der Mann sah auf. »Lasst Eure Sachen ruhig da, es dauert noch ein Weilchen, bis Ihr dran seid«, meinte er. »Bestimmt habt Ihr noch was anderes zu erledigen.«

Sie reichte dem Scherenschleifer ihren Korb über den Tisch, drehte sich um – und blieb wie angewurzelt stehen. Nur wenige Schritte von ihr entfernt standen zwei Männer, und die Art, wie die beiden sie betrachteten, ließ in Cristin das Gefühl aufkommen, als stünde sie nackt und ungeschützt vor ihnen. Ihre Haut prickelte, warnte vor Gefahr, ihre Handflächen wurden feucht. Verstohlen schaute sie sich nach allen Seiten um, dann wieder zu den Unbekannten. An den Gürteln, die ihre Mäntel zusammenhielten, baumelten Dolche. Das Blut wich ihr aus dem Kopf, und die Erinnerung an den Tag ihrer Verhaftung auf dem Lübecker Marktplatz stand ihr vor Augen, als wäre es gestern gewesen. Immer noch starrten die Männer sie an, ein Frösteln überlief Cristins Körper. Büttel, schoss es ihr durch den Kopf, Häscher des Gerichts. Sie haben mich gefunden.

Die Männer wechselten vielsagende Blicke und sprachen leise miteinander, dann wies einer mit ausgestrecktem Finger auf sie, nickte, und sie setzten sich in Bewegung. Cristin war wie gelähmt. Es dauerte einen Moment, bis sie begriff und die Starre ihrer Glieder nachließ. Weg! Ich muss hier weg! Sie rannte los. Die Umgebung verschwamm vor ihren Augen. Um Himmels willen! Kalter Schweiß rann über ihre Schläfen. Jemand warf ihr eine unflätige Bemerkung zu, während sie durch die Menge stob und über einen umgefallenen Korb sprang. Brotlaibe fielen heraus und landeten auf dem sandigen Boden. Sie presste eine Hand auf ihr Herz, das wie ein Schmiedehammer unter ihren Rippen schlug. Ein schneller Blick über die Schulter zeigte ihr, dass sich der Abstand zu ihren Verfolgern vergrößert hatte. Doch dann tauchte ein Wasserträger plötzlich vor ihr auf. Cristin wollte dem Mann mit der großen Holzbutte auf dem Rücken ausweichen, sprang zur Seite und stieß mit dem rechten Fuß gegen einen losen Stein. Mit einem Aufschrei stolperte sie und stürzte auf das Pflaster. Sie erhob sich, wandte den Kopf. Die Büttel hatten aufgeholt, kamen näher. Der lange, bunte Rock, den Ludewig ihr vor einiger Zeit geschenkt hatte, behinderte sie, daher raffte sie ihn kurzerhand bis zu den Knien und beschleunigte das Tempo. Endlich erreichte sie das Ende des Marktplatzes, bog nach Luft ringend um eine Hausecke. Und prallte gegen einen Mann. Cristin erschrak und blieb unwillkürlich stehen. Er war jung und blond.

»Hier hinein!«, hörte sie den Mann rufen. Gleichzeitig zog er sie am Arm in einen schmalen Gang zwischen zwei eng zusammenstehenden Häusern.

Cristin wollte protestieren, sich wehren, doch der Mann legte einen Finger auf die Lippen und bedeutete ihr zu schweigen. Sie ließ sich von ihm bis an das andere Ende des Ganges ziehen, wo er wachsam den Kopf heraussteckte und lugte zwischen den Häusern hindurchlugte, die den Marktplatz umgaben. »Die Luft ist rein! Komm.«

Zögernd trat Cristin neben ihn ins Freie. Es war niemand zu sehen, und die Erleichterung ließ ihre Knie weich wie Butter werden. »Ich danke dir«, stieß sie immer noch außer Atem hervor.

Er grinste. »Was hast du ausgefressen? Einen Kerl beklaut nach einer Liebesnacht?«

»Wofür hältst du mich, für eine Hure?« Sie wollte sich abwenden, doch seine Hand schnellte vor und hielt sie am Handgelenk fest. »Wenn ich dich beleidigt habe, tut es mir leid. Aber etwas wirst du ja angestellt haben, umsonst schickt niemand Büttel aus. Das weiß jeder.«

»Du weißt überhaupt nichts«, widersprach Cristin heftig. »Lass mich los, du tust mir weh.«

Der junge Mann lockerte seinen Griff, hielt sie jedoch weiterhin fest. »Ich bin übrigens Michel.« Er machte eine Kopfbewegung zu einer kleinen Gruppe von Männern und Frauen hin, die einen Steinwurf entfernt im Schatten eines Planwagens standen. »Ich gehöre zu denen da.«

Sie kniff die Augen zusammen. »Wer seid ihr?«

»Wir sind Musikanten und Akrobaten – Gaukler eben.« Endlich ließ er ihr Handgelenk los. »Und, wie heißt du?«

»Agnes.« Inzwischen kam ihr der falsche Name so leicht über die Lippen, als hätte sie nie anders geheißen. »Du hast recht. Jemand hat die Büttel nach mir ausgeschickt, aber ich bin unschuldig.« Instinktiv hielt sie nach den beiden Männern Ausschau, die hinter ihr her gewesen waren, doch von den beiden fehlte jede Spur.

Michel nickte. »Die sind weg. So wie die aussahen, geben die allerdings nicht so schnell auf.«

Cristin verzog das Gesicht.

»Warum schließt du dich uns nicht an? Wir verlassen noch heute Abend die Stadt und ziehen weiter nach Lübeck.«

Lübeck. Gewiss, Baldo und sie hatten erst vor ein paar Tagen darüber gesprochen, eines Tages dorthin zurückzugehen, trotzdem ... Zurück in die Stadt, in der man ihr so viel Schlimmes angetan hatte?

»Was ist?«

Sie schlug die Augen nieder. »Nichts.«

»Dann komm mit uns. Allerdings – dein Essen und den Schlafplatz musst du dir verdienen.«

Er trat einen Schritt zurück. »Du könntest den Leuten aus der Hand lesen. Mit ein wenig Geschick gehst du glatt als Zigeunerin durch.« Er lächelte. »Das gefällt den Leuten. Wenn du mit uns kommen willst, dann sei eine Stunde vor Sonnenuntergang hier. Wir müssen dann die Stadt verlassen. Über Nacht dulden die feinen Hamburger das Fahrende Volk nämlich nicht in ihren Mauern.« Er spuckte auf das Pflaster. »Wenn wir am Tag auch zu ihrer Belustigung gut sind.«

»Ich ... bin nicht allein«, unterbrach sie ihn zögernd. »Mein

Bruder … ihr müsstet ihn ebenfalls mitnehmen. Und unseren Hund.«

»Dann kommt ihr eben beide mit uns. Ein Hund ist kein Problem, bringt ihn ruhig mit. Obwohl …«, ein schiefes Lächeln erhellte sein Gesicht. »Na, wir werden sehen.«

Nachdem Cristin Baldo von ihren Erlebnissen auf dem Markt berichtet hatte, starrte er sie entgeistert an. »Wir können doch nicht so einfach …« Ächzend erhob er sich von dem Stuhl und schüttelte heftig den Kopf.

»… Ludewig im Stich lassen?«, vollendete sie seinen Satz. »Glaubst du etwa, mir fällt das leicht?« Den Bader ohne Erklärung oder ein Abschiedswort zu verlassen, war undankbar. »Aber gibt es einen anderen Weg?«, murmelte sie gedankenverloren. Sie mussten noch heute mit den Gauklern die Stadt verlassen.

»Was willst du damit sagen?« Baldos Tonfall war scharf, und seine Hände bohrten sich in ihre Schultern. »Wieso haben wir keinen anderen Ausweg, Agnes? Sprich mit mir!«

Sie löste sich aus seiner Umklammerung. »Du musst mir glauben, Adam. Bitte. Ich werde dir später alles erklären.«

Er stieß scharf den Atem aus. »Gut, Schwester. Das solltest du auch.«

»Pack alles zusammen. Es ist ja nicht viel. Ich werde Ludewig eine Nachricht hinterlassen.« Gewiss würde er erst nach Einbruch der Dunkelheit zurückkommen.

»Du kannst schreiben, Agnes?«

»Ja.« Ohne ein Wort der Erklärung verließ sie den Raum.

Auf Zehenspitzen schlich Cristin durch das Haus. Wie ein Eindringling fühlte sie sich, als sie die Tür zu Ludewigs Behandlungszimmer öffnete. Suchend glitt ihr Blick über die einfachen Regale, auf denen der Bader seine Instrumente und Materialien aufbewahrte. Ihr Herz schlug schneller. Wenn sie doch nur einen Ausweg aus der Misere wüsste! Mit gerecktem Hals hielt sie nach dem Gewünschten Ausschau. In einem

Weidenkorb wurde sie fündig, nahm ein Stück Pergament, ein Fässchen Tinte und einen Federkiel heraus und setzte sich auf einen Hocker. Als sie die dünne Tierhaut auf den Tisch legte und den Kiel in die Tinte tunkte, zitterten ihre Knie. Verflixt. In ihrer Erinnerung forschte sie nach den Buchstaben, die sie damals heimlich erlernt hatte. Es war lange her, seit sie... Cristin befeuchtete ihre Lippen und beugte sich über das Pergament. Langsam und ein wenig ungelenk begann sie, die Buchstaben zu zeichnen. Ludewig, wir danken Euch für alles, was Ihr für uns getan habt, schrieb sie. Doch nun müssen wir...

»Was suchst du denn hier?«

Cristin erstarrte, errötete bis zu den Haarwurzeln. Sie sah auf.

Ludewig stand im Türrahmen, sein Blick wanderte zu dem Federkiel in ihrer Hand. »Was soll das alles?«

»Ich wollte...«

»Was wolltest du, Agnes?«

»Ich wollte Euch... eine Nachricht hinterlassen.« Einige Atemzüge lang herrschte Schweigen. Cristin legte die Schreibutensilien auf den Tisch und erhob sich. »Adam und ich... wir müssen gehen.«

Er musterte sie mit zusammengezogenen Brauen. »Einfach so?«

Bei der Heiligen Jungfrau, wie sollte sie ihm alles erklären? »Wir sind Euch sehr dankbar, Ludewig, aber wir können nicht länger bleiben. Bitte entschuldigt unseren eiligen Aufbruch.«

Er hob ihr Kinn und strich mit der anderen Hand über das stramm gebundene Kopftuch. Seine Augen erforschten die ihren. »Sie suchen dich, nicht wahr, Agnes?«

Entsetzt wich sie zurück, und in ihrem Gesicht zuckte es. »Ihr müsst mir glauben, dass es uns leidtut. Bitte, dringt nicht weiter...«

Woher weiß er das nur?, durchfuhr es sie. Er muss Baldo und mich belauscht haben, als wir darüber gesprochen haben.

Ihre Gedanken überschlugen sich. Wenn sie ihm schon nicht alles erzählen konnte, so wollte sie wenigstens so ehrlich wie möglich sein.

»Ja«, hauchte sie und legte ihm eine Hand auf den Arm. »Ich werde gesucht. Ich …«

Ludewig schüttelte den Kopf. »Schweig, Deern.« Seine Stimme klang warm. »Je weniger ich darüber weiß, umso besser. Eines aber weiß ich, Agnes: Du bist ein gutes Mädel. Und nun geh. Ich wünsche euch beiden viel Glück.«

10

Eine Stunde später rollten die beiden in einem von einem kräftigen Kaltblüter gezogenen Planwagen durch das Spitaltor aus der stolzen Hansestadt Hamburg hinaus. Agnes und ihr Bruder Adam, wie sie sich auch den Gauklern vorgestellt hatten, saßen schweigend nebeneinander. Die Büttel seien hinter ihnen her, hatte Michel den anderen erzählt und sie nach deren anfänglichem Misstrauen davon überzeugen können, die Flüchtlinge mitzunehmen. Nachdenklich sah Cristin in den wolkenlosen Himmel. Die untergehende Sonne tauchte die Dächer der Stadt in ein weiches Licht, während in ihr widerstreitende Gefühle kämpften. Als Ludewig ihnen damals angeboten hatte, sie mit nach Hamburg zu nehmen, war sie sich so sicher gewesen, Lübeck, diese unselige Stadt, erst wieder zu betreten, wenn sie Elisabeth zu sich holen würde. Doch dieser Moment schien in weiter Zukunft zu liegen. Das Auftauchen der Büttel auf dem Marktplatz hatte ihr deutlich gemacht, dass Vogt Büttenwart auch jetzt, Monate nach ihrer Flucht, noch nach ihr suchen ließ. Die Sehnsucht nach ihrem Kind wurde übermächtig in ihr. Bei Lynhard und Mechthild wäre die Kleine in Sicherheit, die beiden waren liebevolle Eltern, und ganz sicher kümmerten sie sich genauso gut um Elisabeth wie um ihre eigenen Kinder. Auch wenn Mechthild sie vor Gericht der Zauberei bezichtigt und sie eine Hexe genannt hatte.

Da war allerdings noch etwas, das Cristin bis in ihre Träume verfolgte. Seit dem Tage, als das Mädchen mit den Anzeichen einer Vergiftung in Ludewigs Haus gebracht worden war, ließ Cristin diese Begebenheit nicht mehr los. War es möglich, dass Lukas etwas Ähnliches zugestoßen war? War er tatsächlich einer Vergiftung erlegen, so wie sie es damals gefühlt und geahnt hatte? Nur mit einem Unterschied: Lukas war viel zu klug gewesen, um freiwillig die Beeren der Tollkirsche zu kosten. Jedes Mal, wenn sie an diesem Punkt ihrer Überlegungen angekommen war, wurde ihr übel. Was bisher nur Vermutung gewesen war, hatte sich nun als unumstößliche Tatsache in ihr verfestigt. Lukas war getötet worden.

Deshalb musste sie zurück in die Stadt, in der sie fast den Tod gefunden hätte, koste es, was es wolle. Nur wenn ich meine Unschuld beweisen kann, werde ich in Frieden leben und Elisabeth zu mir holen können. Cristins Lippen verengten sich zu einem dünnen Strich, und sie warf Baldo einen verstohlenen Blick zu. Noch ahnte er nicht, dass sie jetzt in die Stadt fuhren, in der alle nach ihnen suchten. Am liebsten hätte sie ihrem Retter und Begleiter, der in diesem Moment ihre Hand ergriff, entgegengeschleudert, wie wenig sie seine Zuneigung verdiente. Das Herz wurde ihr schwer. An diesem Abend würde sie ihm alles erzählen müssen.

Nachdem Cristin sich innerlich wieder gefasst hatte, atmete sie tief durch und betrachtete ihre beiden Mitreisenden näher. Ihr gegenüber saß eine zierliche blonde Frau in einer einfachen weißen Tunika. Bei ihrer Abfahrt hatte sie sich Cristin als Irmela vorgestellt, und sie zählte höchstens siebzehn oder achtzehn Lenze. Neben ihr auf dem Holzbrett hockte Utz, ein junger Mann, nur wenig älter als Baldo. Ein schmaler rötlicher Haarkranz schmückte sein sonst kahles Haupt, und wenn er statt des einfachen grünen Wamses und dem Beinkleid aus grob gewebter hellbrauner Wolle eine dunkle

Kutte getragen hätte, wäre sie sicher gewesen, dass es sich bei Utz um einen Mönch handelte. Michel, der junge Mann vom Marktplatz, lenkte den Wagen. Das andere Gespann vor ihnen, auf dem sich allerlei nützliche sowie kuriose Gerätschaften, Decken, Fässer, Töpfe und Körbe befanden, in denen die Gaukler vermutlich ihre Vorräte aufbewahrten, wurde von Mathes kutschiert, einem kräftigen Mann mittleren Alters, dessen dunkles Haar wirr vom Kopf abstand. In diesem Wagen befanden sich außerdem Duretta, eine junge Frau mit dunkelbraunen, zu einem straffen Zopf geflochtenen Haaren, die nur ein Auge besaß, und Urban, ein hochgewachsener Mann mit einem runden Gesicht. Von Zeit zu Zeit schaute er sich nach einem an den Planwagen angehängten Karren um, auf dem sich ein Käfig mit der Attraktion der kleinen Gauklergruppe befand, einem jungen Bären.

Cristin starrte auf den stämmigen Rücken des Tieres, das sich unruhig in seinem Gefängnis hin und her bewegte. Von Zeit zu Zeit drehte es sich um und wandte ihr den Kopf mit der lang gezogenen Schnauze, den kleinen Augen und den runden, aufgerichteten Ohren zu. Sie schluckte. Der Karren befand sich höchstens fünf Klafter vor ihnen. Hoffentlich hielten die hölzernen Gitterstäbe, dachte sie. Auch Lump hatte das Raubtier längst gewittert und stieß ein ängstliches Fiepen aus, dann zog er den Schwanz ein und legte sich zu ihren Füßen. Jetzt hob er den Kopf. Mit rauer Stimme, die beinahe wie ein Reibeisen klang, sprach sie auf ihn ein, woraufhin das Tier verstummte und sich beruhigte.

Cristin sah Utz an. »Was habt ihr mit dem Bären vor?«

»Urban bringt ihm das Tanzen bei«, erklärte der junge Mann leichthin.

»Das Tanzen?« Sie runzelte ungläubig die Stirn. »Einem wilden Tier?«

Utz lachte. »Der ist doch nicht wild«, erklärte er. »Urban hat ihn aufgezogen. Der Bär denkt wahrscheinlich, er sei seine Mutter. Außerdem hält er die elenden Wegelagerer ab, die überall lauern.«

So etwas hatte sie noch nie gehört. Als das Tier ein lautes Brüllen ausstieß, fuhr sie zusammen.

»Und was macht ihr anderen?«, mischte sich Baldo in das Gespräch ein, ohne ihre Hand loszulassen.

Utz griff unter die schmale Holzbank und zog einen Beutel darunter hervor. Er griff hinein und entnahm ihm ein schlankes Holzinstrument. »Ich spiele auf der Schalmey und auf der Laute. Michel bläst den Dudelsack und schlägt die Trommel. Irmela und Duretta tanzen auf einem Seil in luftiger Höhe und jonglieren mit Bällen. Und Mathes verschluckt ein Schwert.«

Cristin fasste sich unwillkürlich an die Kehle. Während die Wagen an einer Mühle vorbeirollten, deren Rad sich knarzend im Wasser eines kleinen Flüsschens drehte, kroch sie nach vorn und tippte Michel auf die Schulter. »Ich möchte mich nochmals bedanken, dass ihr uns mitnehmt«, rief sie, damit er sie trotz des Windes und des Lärms verstehen konnte. »Doch wüsste ich gern, was mein Bruder und ich tun können, um unser täglich Brot zu verdienen.«

»Ich sagte ja schon, du würdest gut als Wahrsagerin durchgehen. Die Leute lieben es, wenn man ihnen etwas über ihr Leben und ihre Zukunft verrät.« Er grinste. »Darfst ihnen natürlich nur Gutes voraussagen. Welcher Bauer will schon wissen, dass er sich in der nächsten Woche ein Bein bricht oder sein Hof abbrennt! Oder welche Frau, dass ihr Mann in einem Jahr den Löffel abgibt!«

Cristin fröstelte plötzlich.

»Für Adam finden wir auch noch etwas.«

Wortlos wandte sie sich um und kroch in den hinteren Teil des Wagens zurück, wo Utz begonnen hatte, auf dem birnenförmigen Instrument zu spielen. Sie setzte sich wieder neben Baldo auf das blank polierte Holzbrett. Gebannt hörte sie zu, wie Utz seiner Laute eine leise Melodie entlockte, indem er mit dem Kiel einer Vogelfeder an den Saiten zupfte und dabei ein keckes Lied anstimmte.

»Es wollt ein Bauer früh aufstehn und auf seinen Acker

gehen. Falleri tarallalla, falleri tara. Und als der Bau'r nach Hause kam, da wollt er was zu fressen han. Und als der Bauer saß und fraß, da rumpelt in der Küche was. ›Ach liebe Frau, was ist denn das? Da rumpelt in der Küche was!‹ Falleri Tara.«

Die blonde Irmela fiel mit heller Stimme in den Gesang ein. »*Ach, lieber Mann, das ist der Wind, der raschelt da am Küchenspind …*«

Cristin drehte den Kopf und sah Baldo an. Er hatte sich verändert. Ein kurzer, dichter Vollbart bedeckte Kinn und Wangen, sein Haar war ebenfalls gewachsen und fiel ihm nun wellig bis weit über die Schultern, und seine Züge wirkten härter. Doch sie kannte auch seine warmherzige Seite, ahnte, dass diese neue Härte bloß ein Schutzwall war, den er um sich errichtet hatte. Von dem jungenhaften Mann von vor ein paar Monaten war jedenfalls kaum noch etwas übrig, stellte sie mit einem Anflug von Traurigkeit fest.

»*Der Bauer sprach: ›Will selber sehn, will selber in die Kammer gehn.‹ Falleri taralla, falleri tara. Und als der Bau'r in d' Kammer kam, da zog der Pfaff die Hosen an.*«

Baldos sonst so ernster Mund verzog sich zu einem Grinsen.

»*›Ei, Pfaff. Was machst du in mei'm Haus? Ich werf dich ja sogleich hinaus!‹ Der Pfaff, der sprach: ›Was ich verricht? Dein Frau, die kann die Beicht noch nicht.‹ Da nahm der Bau'r ein Ofenscheit und haut den Pfaffen, dass er schreit. Falleri tarallala. Falleri tara. Der Pfaffe schrie: ›Oh Schreck, oh Graus, und hängte den Arsch zum Fenster raus …*«

Auch Cristin musste nun lächeln. Die Gaukler hielten ganz offensichtlich nichts von den Pfaffen, ebenso wenig wie sie. Wie die meisten Menschen hatte sie der Geistlichkeit gegenüber immer Ehrfurcht empfunden, doch die war ihr nach allem, was sie erlebt hatte, gründlich vergangen. Vor ihrem inneren Auge tauchte das gleichgültige Gesicht des hageren Priesters auf, der ihr das Schilfrohr in die Grube herunterreichte, bevor die ersten Schaufeln Erde auf sie herabfielen.

Sie vernahm seine salbungsvolle Stimme. Spürte die schallende Maulschelle, die er ihr gab, als sie ihm ihre Verachtung entgegengeschleudert hatte. Nur mit Gewalt konnte Cristin die quälenden Bilder abschütteln und sich wieder auf die Gegenwart konzentrieren, aber die erschien ihr auch nicht freundlicher. Bald würden sie in Lübeck sein. Alles in ihr wehrte sich dagegen, diese Stadt so rasch wieder betreten zu müssen. Selbst eine noch so gute Verkleidung wird mich möglicherweise nicht genügend schützen, überlegte sie. Was war mit den Geschäftsfreunden, den Nachbarn und Kunden der Spinnerei? Ein aufmerksamer Betrachter würde sie erkennen und sicher nicht zögern, sie dem Vogt zu übergeben …

11

Gegen Abend erreichten sie Brectehegel, wo Michel und Mathes die Planwagen auf dem Anger in der Mitte des Dorfes zum Stehen brachten. Es war inzwischen dunkel geworden, und die Männer machten sich eilends daran, auf dem festgestampften Boden das Nachtlager aufzuschlagen. Nachdem Cristin Baldo vom Wagen heruntergeholfen hatte, schaute sie sich um. Die Gaukler waren nicht die Einzigen, die die Nacht auf dem Dorfplatz verbringen wollten. Etwa ein halbes Dutzend Pferdewagen und Eselkarren standen bereits in der Dunkelheit. Vor einigen brannten kleine Lagerfeuer, an denen Männer saßen und sich unterhielten.

Urban trat neben sie. »Die meisten Händler, die zwischen Lübeck und Hamburg unterwegs sind, machen hier Rast.«

Cristin nickte. »Kann ich irgendwie helfen?«

»Wenn du dich nützlich machen willst, dann hilf Irmela und Duretta beim Essenkochen«, schlug der kräftige, mindestens zwei Köpfe größere Mann vor. »Michel, Utz und Mathes tränken die Pferde. Ich muss mich um Bruno kümmern. Er braucht Wasser und etwas zu fressen.«

Sie lächelte. »Du hast dem Tier also auch einen Namen gegeben?«

Urban zuckte die Achseln. »Warum nicht? Jeder braucht einen Namen. Du willst doch auch nicht einfach nur Mädchen gerufen werden, sondern möchtest mit Agnes angesprochen werden!«

Cristin schwieg. Agnes. Sie konnte diesen Namen kaum noch ertragen. Die Kehle wurde ihr eng, während sie Baldos Profil betrachtete. Er wartete nach wie vor auf ihre Erklärungen.

Urban schlenderte zum Ende des anderen Wagens, wo der Karren mit dem Bären stand. Das Tier stieß ein tiefes Grollen aus, als der große Mann in der Dunkelheit an den Käfig trat. Kurz darauf hörte sie ihn leise und fast zärtlich mit dem Bären sprechen. Wieder schüttelte sie den Kopf. Ein Kerl wie ein Baum – mit der Seele eines Kindes.

Sie gesellte sich zu den beiden jungen Frauen, die unter einem Dreibein ein Feuer entfacht hatten und in dem Kessel darüber eine Suppe erwärmten. Nachdem Urban den Bären und Michel, Utz und Mathes die Pferde versorgt hatten, setzten sich die Männer und Frauen um das Feuer nieder und ließen sich das einfache Essen schmecken, das Irmela und Duretta zubereitet hatten. Es bestand aus einer kräftigen Rübensuppe mit Zwiebeln und Pökelfleisch und zwei runden Laiben Gerstenbrot. Mathes, ein kräftiger Mann mit halblangen schwarzen Locken, brach ein Stück Brot ab und schob es sich in den Mund. Kauend wandte er sich an Baldo, der beim Niederlassen auf der Wiese trotz Cristins Hilfe vor Schmerzen aufgestöhnt hatte. »Erzähl doch mal, was passiert ist«, forderte er ihn auf.

Cristin bemerkte, wie ihr Begleiter sich versteifte, sein Körper schien wie eine Sehne gespannt zu sein. Schnell ergriff sie das Wort. »Mein Bruder und ich waren auf dem Weg nach Lüneburg. In einem Wald nahe der Stadt wurden wir von einem Wildschwein angegriffen.«

Still wurde es zwischen ihnen, so still, dass Cristin neben dem Knistern des Feuers auch die Mücken summen hören konnte, die das Licht der Flammen anzog. Aus der Ferne meinte sie, den Flügelschlag einer Eule wahrnehmen zu können und kurze Zeit später das Fiepen ihres Opfers.

»Da habt ihr ja mächtig Glück gehabt, dass ihr mit dem Leben davongekommen seid!«, stieß Urban hervor.

Cristin sah, wie er die Augen auf den nachtschwarzen Himmel heftete. »Allerdings. Ich säße heute nicht hier, wenn Adam die Bestie nicht von mir abgelenkt und zur Strecke gebracht hätte.« Wie leicht es ihr inzwischen fiel, die Wahrheit so hinzubiegen, wie es gerade passte. Sie sah zu Boden, schwieg.

Irmela, die neben ihr saß, drehte den Kopf. »Was ist mit dir, Agnes?«

»Ich kann nicht darüber sprechen.«

Baldo fasste nach ihrer Hand, und sein intensiver Blick verunsicherte sie. Würde er auch dann noch, wenn er die ganze Wahrheit kannte, zu ihr stehen? Am liebsten wäre Cristin aufgestanden und davongelaufen. Fort vor ihrer bevorstehenden Beichte, fort von seiner Enttäuschung und dem Gefühl, alles falsch gemacht zu haben. Mit trockenem Mund erhob sie sich, blickte in die Runde und betrachtete die ihr zugewandten, freundlichen Gesichter. »Danke für das Essen, es war köstlich. Ich bin müde und gehe zur Ruhe.«

Hastig verließ sie das Lagerfeuer und hockte sich mit angezogenen Beinen auf eine der Decken, die in der Nähe des Feuers ausgebreitet waren. Lump trottete hinter ihr her, als wüsste er, dass sie seine Nähe brauchte. Sie bettete den Kopf auf die Knie und lauschte auf die hinkenden, sich nähernden Schritte Baldos.

Er setzte sich zu ihr. »Was für ein schöner Abend, Schwester.«

Sie schwieg. Das Klopfen ihres Herzens übertönte das leise Gelächter, das von dem fröhlich knisternden Feuer zu ihnen herüberdrang. Ein schöner Abend. Wie schade nur, dass sie den Zauber der Nacht zerstören musste. Langsam hob sie den

Kopf und schaute hinauf zu den unzähligen Sternen am Firmament, während Lump sich an ihrer Seite zusammenrollte.

»Ich werde dir alles erzählen, Adam«, begann sie, ohne ihn anzusehen. »Du sollst die ganze Wahrheit erfahren. Aber bitte unterbrich mich nicht, denn ich weiß nicht, ob ich noch einmal den Mut dazu haben werde.« Sie spürte, wie er sie von der Seite anstarrte, und fühlte seine Hand auf ihrem Arm. Auf einmal wurde alles wieder lebendig in ihr. Wieder drängten sich ihr Bilder aus der Vergangenheit auf, nahmen sie gefangen.

»Du … du bist nicht mein Bruder.«

Sein Griff verstärkte sich. »Ich bin nicht dein …« Seine Stimme klang belegt.

»Nein.« Sie wollte sich aus seiner Umklammerung befreien, doch er hielt sie fest. Seine Lippen wurden schmal, und er hob die Brauen. Cristin wandte den Kopf ab, um die Tränen zu verbergen, die ihr ungehindert über die Wangen liefen. Die einsetzende Stille kam ihr unendlich lang vor, und sie horchte auf seinen heftigen Atem.

Baldo zog sie näher heran. »Wer bin ich dann?« Er sprach langsam, so als würde es ihn große Anstrengung kosten, diesen Satz über die Lippen zu bringen.

Nein, sie wollte ihn nicht ansehen, während sie erzählte. Weder seine Trauer noch seine Wut oder das Entsetzen würde sie ertragen können – erst recht nicht die bittere Erkenntnis, dass er sein Leben nach dem verhängnisvollen Unfall mit dem Wildschwein auf ihren Lügen aufgebaut hatte. Cristin fuhr sich mit der Zunge über die kalten Lippen und schaute zu Boden.

»Du bist Baldo Schimpf, der Sohn von Emmerik Schimpf, dem Henker von Lübeck. Du hast mich, eine zum Tode verurteilte Hexe und Mörderin, vor dem sicheren Tode bewahrt. Wir sind zusammen auf der Flucht!« Als er nicht antwortete, brach es aus ihr heraus. »Hörst du! Alles, was ich dir über dich und mich gesagt habe, ist gelogen! Ich habe es mir ausgedacht!«

»Ausgedacht«, wiederholte er tonlos, und sein Gesicht verlor jede Farbe.

Seine Haltung, die Art, wie er den Kopf hielt, glich so sehr der seines Vaters, dass es ihr beinahe körperliche Schmerzen bereitete. Gab es noch mehr Ähnlichkeiten mit dem vermummten Henker, die sie irgendwann an Baldo entdecken würde? Cristin riss sich los, sprang auf und stolperte zu dem Stamm eines alten Baumes. Sie lehnte sich dagegen und versuchte, die Fassung wiederzuerlangen. Aus, vorbei. Aber kam es auf diesen einen letzten Verlust noch an? Die Arme schützend um den Leib geschlungen, verharrte sie, als Rauch sie in der Nase kitzelte. Sie hörte, wie die anderen drüben beim Lager das Feuer austraten. Geschirr klapperte, ein letztes Rascheln, dann verstummten nach und nach alle Laute, und die Gaukler legten sich schlafen. Während sie die wenigen Schritte zum Lagerplatz zurückging, spürte sie ihre Brust eng werden. Das Lügen hatte endlich ein Ende. Gleich am nächsten Morgen würde sie sich verabschieden und allein weiterreisen. Baldo lag inzwischen mit unter dem Kopf verschränkten Armen auf einer Decke. Das Mondlicht fiel auf seine regungslose Gestalt, sein Gesicht allerdings lag im Dunklen.

»Agnes ist dann sicher auch nicht dein richtiger Name?«

»Nein. Ich heiße Cristin und bin die Witwe von Lukas Bremer, einem Geschäftsmann aus Lübeck.«

»Lukas Bremer«, wiederholte er leise.

Fast schien es ihr, als würde er einen Augenblick über diesen Namen nachsinnen. Hatte er Lukas etwa gekannt? Das war unwahrscheinlich. Ganz sicher hatte ihr Mann nichts mit dem Henker und seinem Sohn zu tun gehabt. Sie suchte nach Worten. »Ich… ich habe dir so viel noch nicht erzählt. Bitte verzeih mir.«

Im blassen Mondlicht zeichneten sich seine Wangenknochen ab. »Ich will nichts hören, Agnes, Cristin oder wie immer du dich nennst.«

Die Heftigkeit seiner Worte löste den Wunsch in ihr aus, aufzustehen und die Flucht zu ergreifen. Sie drückte sich enger an Lump heran und vergrub die Finger in das dichte Fell.

Als Baldo eine Hand auf ihre Schulter legte, zuckte sie zusammen. »Ich danke dir… Cristin«, presste er mühsam hervor. »Danke für deine Offenheit.«

In seiner Miene suchte sie nach Wut, Trauer oder einer Reaktion, die ihr Aufschluss darüber geben könnte, wie es in ihm aussah. Nichts. »Wie… wie meinst du das, Baldo?«

»So wie ich es sage. Ich will jetzt nicht weiter darüber reden. Lass mich in Ruhe. Gute Nacht.«

Verunsicherung machte sich in ihr breit, während er sich zur Seite rollte und die Decke über sich zog. Wie sollte sie diesen Mann jemals verstehen? Mit brennenden Augen starrte sie auf seinen Rücken und versuchte, ihre Gedanken zu ordnen. Der befürchtete Tobsuchtsanfall war ausgeblieben. Vorerst. Cristin musste zugeben, dass sein Jähzorn ihr fast lieber gewesen wäre. Mit bangem Herzen drehte sie sich um, schloss die Augen und wartete auf den erlösenden Schlaf. Im Traum wurden Baldo und sie von vermummten Gestalten mit Steinen beworfen und verprügelt. Ein Mann mit einer schwarzen Kapuze über dem Kopf lachte.

12

Baldo knirschte mit den Zähnen. Was für ein verlogenes Weibsbild! Es spielte mit ihm, als wäre er eine Laute, deren Saiten sie nach Lust und Laune zupfen und wieder fortlegen konnte. Er stand auf und humpelte zu der an den Lagerplatz angrenzenden Weide. Die Schafe und Kühe, die im Mondschein grasten, schenkten ihm keine Beachtung. Wieder einmal hatte sie seine Welt auf den Kopf gestellt, mit einigen Sätzen nur, doch dafür umso gründlicher. Baldo, der Sohn des Henkers. Ein eiserner Ring schien sich um seinen

Brustkorb zu legen. Dann bin ich also … ein Geächteter, dachte er und wunderte sich über die Bitterkeit, die er bei diesen Worten empfand. Einer, mit dem niemand etwas zu tun haben will. Er spuckte neben sich auf den Boden. Aber wer sagte ihm, dass sie diesmal die Wahrheit gesprochen hatte? Agnes … Cristin, wie auch immer sie hieß, nahm es damit offenbar nicht so genau. Verdammt noch mal, wer gab ihr das Recht, so mit ihm umzugehen? Als ein stechender Schmerz seine Gedanken durchbrach, blickte er verwundert auf seine Hände und betrachtete im Mondlicht seine aufgeschürften Fingerknöchel. Erst jetzt bemerkte er, dass er die ganze Zeit über mit geballter Faust auf den Stamm einer alten Buche eingeschlagen haben musste.

Baldo stützte sich schwer auf seinen Stock, während der Sturm in seinem Inneren weiter anschwoll. Ich habe es geahnt, durchfuhr es ihn. Dann waren die zusammenhanglosen Bilder, die ihn in seinen Träumen gequält hatten, also Wirklichkeit gewesen? Cristin mit gefesselten Händen und bleichen Wangen, die ihm etwas zurief. Der Mann, dessen Gesicht von einer Kapuze bedeckt war und der ein Seil um den Hals eines Fremden zog, musste sein Vater gewesen sein. Zur Hölle mit ihnen allen! Baldo fluchte und stieß einen größeren Stein fort, nur um gleich darauf vor Schmerz aufzustöhnen. Er sank zu Boden. Lump, der ihm gefolgt war, ließ sich neben seinen Füßen nieder und stupste ihn in die Seite. Gedankenverloren fuhr Baldo über das weiche Hundefell und schloss die Augen, als sich eine weitere Erinnerung in sein Gedächtnis drängte.

Ein halbwüchsiger Junge sah ihn mit traurigen Augen an, einen schwarzen Hund mit hellen Flecken hinter sich herziehend. Ja, Niclas Küppers, der Sohn des Medicus. Jetzt fiel es ihm wieder ein. Sein Vater hatte ihm den Auftrag gegeben … Baldo schnappte nach Luft. Er hatte den Hund erschlagen sollen. Unzählige Gedanken wirbelten durch seinen Kopf, und er zwang sich zur Ruhe. Dachte an all das, was er soeben erfahren hatte. Sein Leben war ein einziger Dreckhaufen, war nicht einen Pfifferling wert. Kurz war er versucht, zu Cristin hinüberzugehen, sie zu packen und ihr wehzutun. Sie zu verletzen, wie sie ihn verletzt hatte. Im nächsten Moment wünschte er sich, er könnte sie an die Brust ziehen und seinen Mund in ihrer Halsbeuge vergraben. Würde ihr Herz ebenso rasen wie seines jetzt? Wie oft hatte er von ihr geträumt, sich wegen seiner verdorbenen Gedanken selbst verflucht und so manche Nacht schlaflos zugebracht.

Dichte Wolken hatten sich vor die Mondscheibe geschoben. Ein Ruck ging durch seinen Körper, und er setzte sich auf. Das Blut rauschte ihm in den Ohren, sein Atem ging stoßweise. Wieso verstand er erst jetzt? Hitzewellen schossen durch seinen Leib, und Baldo erhob sich. Wie ein unruhiges Tier lief er auf und ab, getrieben von dem einen ungeheuerlichen, wunderbaren Gedanken: Sie ist nicht meine Schwester. Also ist nichts von dem, was ich gefühlt habe, verwerflich und des Teufels. Ich bin frei. Ich darf sie lieben. Lieben? Eine Frau, die ihn lange Zeit hintergangen hatte. Wie konnte er dieses Weibsstück überhaupt lieben, nun, da sie sein Vertrauen zerstört hatte?

Baldo blieb stehen und kaute auf seinem Daumennagel herum. Wie gutgläubig er gewesen war! Leicht war ihr das Lügen allerdings nicht gefallen, das hatte er ihr angesehen. Wie oft war sie seinen Blicken und Fragen ausgewichen, wenn er Näheres aus seiner Vergangenheit hatte in Erfahrung bringen wollen. Plötzlich ergab alles einen Sinn. Welch lächerliches Paar sie darstellten, gemeinsam auf der Flucht vor Recht und Gesetz. Baldo lachte, doch der Laut klang heiser in seinen Ohren. Nachdenklich betrachtete er seine Hände. Hatten sie schon Leben genommen? Und *sie*? Diese hübsche, hilfsbereite Frau und Witwe eines Geschäftsmannes, dessen Name eine vage Erinnerung in ihm heraufbeschworen hatte, sollte eine Hexe und Mörderin sein? War dieser Frau, die ihn voller Hingabe gepflegt hatte, eine solche Tat zuzutrauen?

Vom Lager drang das Brummen des Bären zu ihm herüber, und Lump winselte. Ja, eine Hexe könnte sie wohl sein, sinnierte er weiter und grinste. Vielleicht besaß sie tatsächlich Zauberkräfte – denn wie sonst war es möglich, dass sie ihn so sehr in ihren Bann zog? Eine Frage ging ihm allerdings nicht aus dem Sinn. Warum war sie noch bei ihm? Ein schönes, noch dazu kluges Weib wie sie würde in einer großen Stadt wie Hamburg sicher Arbeit finden und bald auch einen neuen Gemahl, der für sie sorgen konnte. Was ging nur in ihr vor?

Ein Rascheln neben seiner Schlafstätte erregte Baldos Aufmerksamkeit, und er öffnete widerstrebend die Lider. Es dauerte einen Moment, bis seine Augen sich an das Zwielicht des nahenden Sonnenaufgangs gewöhnt hatten. Eine schmale, verhüllte Gestalt kniete auf dem Boden, kaum zwei Schritte von ihm entfernt. Cristin! Mit einem Schlag war er wach. Sein Herz krampfte sich zusammen, als er beobachtete, wie sie ein Bündel verschnürte.

»Cristin«, flüsterte er, noch heiser vom Schlaf. »Wo willst du hin?«

Wortlos und mit einem Blick, der ihm durch Mark und Bein ging, drehte sie sich zu ihm um.

Er erhob sich, so schnell sein Bein es erlaubte, und packte sie an den Armen. »Rede mit mir! Was hast du vor?«

Ihre Augen glänzten feucht in der Dämmerung, und um ihren Mund zuckte es. »Ich gehe fort. Ich möchte dich nicht länger in Gefahr bringen.«

Baldo war die Kehle wie zugeschnürt. »Wo willst du denn hin?«

Sie reckte ihr Kinn. »Keine Sorge, ich komme schon zurecht, Baldo. Sie werden nach uns beiden suchen. Es ist besser, wenn jeder allein weiterreist.«

»Nein.« Mit einer ruckartigen Bewegung umfasste er ihr Gesicht und näherte sich ihr, bis ihre Nasenspitzen einander beinahe berührt hätten. »Du wirst nicht gehen, hörst du? Wir … bleiben zusammen. Ich werde dich beschützen.«

»Beschützen, du …« Cristin verzog den Mund zu einem leichten Lächeln, doch es passte nicht zu ihrem traurigen Blick. »Nein, Baldo, du hast sehr viel für mich getan. Dafür bin ich dir von ganzem Herzen dankbar und werde es mein Lebtag sein. Aber von nun an muss ich auf mich selber aufpassen.«

Als er nach ihrem Handgelenk griff, entzog sie sich ihm.

»Ich werde tun, was ich für richtig halte, und jetzt lass mich gehen, bevor die anderen wach werden!«

»Du wirst nicht gehen, verdammt!« Baldo wollte sie an sich ziehen, trat dabei jedoch auf Lumps Schwanz, der laut aufjaulte.

»Was ist das hier für ein Lärm?«, polterte Mathes los, der plötzlich mit in die Hüften gestemmten Händen vor ihnen stand. Zwischen seinen dunklen, in der Mitte fast zusammengewachsenen Augenbrauen bildete sich eine steile Unmutsfalte. »Ihr weckt mit eurem Streit alle auf. So werdet ihr euch hier keine Freunde machen.« Mathes deutete mit dem Daumen auf die schlafenden Personen neben der Feuerstelle. »Wir können hier keine Unbill gebrauchen, davon hat jeder von uns schon mehr als genug. Also haltet endlich die Klappe, wenn ihr weiterhin mit uns ziehen wollt!«

Baldo fuhr mit der Hand über sein bärtiges Kinn, darum bemüht, sich seine aufkommende Wut nicht anmerken zu lassen. Dann stieß er ein grimmiges Schnauben aus. »Hör mal zu, du …«

»Ist noch was?«, wollte der andere wissen.

»Adam«, hörte Baldo Cristin zischen. Ihre Wangen hatten eine zarte Rötung angenommen. Er schluckte den Rest der scharfen Entgegnung hinunter, die ihm auf der Zunge lag, und legte den Arm um ihre Schultern. »Wird nicht wieder vorkommen, nicht wahr, Schwesterlein?«

»Das hoffe ich«, erwiderte Mathes und zog sich zurück. Doch der lautstarke Wortwechsel war auch von den anderen Gauklern nicht unbeachtet geblieben. Michel feixte und meinte, dass es ab und an gut sei zu zeigen, wer der Mann im Hause wäre, und Irmela war aufgestanden und machte sich an der Feuerstelle zu schaffen.

»Magst du mir helfen, Agnes?«, rief sie zu ihnen herüber und zwinkerte ihr zu.

Cristin sah zu Boden, und Baldo drückte ihren Arm. »Bitte … lass uns später reden, ja?«

Wortlos machte sie sich frei und ging auf Irmela zu, um ihr bei der Zubereitung der Hafergrütze zu helfen.

Baldo fiel es schwer, seine Erleichterung zu verbergen. Cristins Vorhaben, das Lager unbemerkt zu verlassen, hatte er vorerst vereitelt.

13

Es war bereits später Vormittag, als Michel und Mathes an einem Holzhäuschen den Torzoll bezahlten und die beiden Wagen über die Mühlenbrücke nach Lübeck hineinlenkten. Während sie an dem mächtigen Dom vorbei – begleitet von den neugierigen Blicken zahlreicher Kinder, die den Wagen mit dem Bären entdeckt hatten – über das holprige Pflaster in Richtung St. Marien rollten, breitete sich in Cristins Magen ein mulmiges Gefühl aus. Wunderschönes, prächtiges Lübeck. Eine Königin unter den Hansestädten, die Handel trieb mit aller Herren Länder. Aus Süden und Westen kamen Tuche und Weine, aus Ost und Nord Pelze, Honig, Getreide und Wachs. Das alles hatten ihre Eltern ihr berichtet und von dem Reichtum dieser Stadt geschwärmt. Wie sehr sie früher die Häuser aus rotem Backstein, die Ufer von Wakenitz und Trave und die Eleganz der Bürger geliebt hatte. Doch sie hatte nun die dunkle Seite Lübecks hinter der makellosen Fassade kennengelernt. Die Stadt, die lange ihre Heimat gewesen war, schien den Geruch von Leid, Armut und Ächtung mit sich zu tragen und hinterließ in Cristin einen bitteren Nachgeschmack.

Eine Gruppe Mönche in braunem Habit schlenderte plaudernd vorbei, offensichtlich Franziskaner, die auf dem Weg zum Katharinenkloster waren. Mühsam riss sie sich von den

Eindrücken der munteren Betriebsamkeit los und warf ihrem Begleiter einen verstohlenen Seitenblick zu. Nach dem Frühstück hatten Baldo und sie einen kurzen Spaziergang gemacht, und sie hatte ihm erzählt, dass es der Mord an ihrem eigenen Mann war, dessen man sie angeklagt und für den man sie zum Tode verurteilt hatte. Und dass Lukas' Mörder noch frei herumlief. Nur stockend war ihr dieses Geständnis über die Lippen gekommen. Dabei hatte sie sich kaum getraut, ihn anzusehen, ahnte sie doch, die Trauer um Lukas und der Hass auf seinen Mörder würden sich in ihrem Gesicht widerspiegeln. Die darauffolgende Stille hatte auf ihren Schultern gelastet wie ein schwerer Sack.

Bis Baldo ihr Kinn anhob. »Du warst es nicht. Du kannst es nicht gewesen sein, Cristin«, war sein einziger Kommentar gewesen.

Verblüfft hatte sie sich von ihm weiterziehen lassen, bis sie an einem Getreidefeld im Schatten einiger Buchen stehen geblieben waren. Nach einer Weile des Schweigens hatte sie ihren ganzen Mut zusammengenommen. »Ich … ich möchte dir erklären, warum ich dich belügen musste. Außerdem wirst du weitere Fragen haben. Ich werde sie dir beantworten, soweit …«

Sein Gesicht hatte sich verdüstert. »Nicht jetzt, Cristin. Lass es gut sein.«

Baldo hatte sie noch einmal eindringlich gebeten, die Gauklertruppe und damit auch ihn nicht zu verlassen. Nur im Schutze dieser Leute wären sie einigermaßen sicher, erklärte er ihr. So sehr sie sich auch über seine Sorge freute, im Inneren nagte noch immer die Furcht an ihr, er könne sich irren. Schließlich hatte Cristin eingewilligt und versprochen zu bleiben.

Am Rand des weiträumigen, gepflasterten Platzes zwischen Rathaus, Fronerei und St. Marien brachten die Männer die Pferde zum Stehen. Es herrschte rege Betriebsamkeit, als Cristin von dem Wagen herabkletterte und Baldo herunterhalf.

»Danke.«

Sie stutzte, als er sich ein schwarzes Stück Stoff um sein linkes Auge band, das mit groben Bändern am Hinterkopf zusammengehalten wurde. Eine Augenklappe! Cristin blinzelte. Wie fremd und finster er damit und auch mit dem Bart wirkte. Baldo hielt zum Zeichen, sie möge schweigen, einen Finger auf den Mund. Wortlos nickend lehnte sie sich mit dem Rücken gegen den Planwagen und ließ den Blick über den Platz schweifen, auf dem sich das Volk zwischen den Buden und Ständen der Bäcker, Gewürzhändler und Kräuterweiber im Schatten der hohen roten Backsteinkirche drängte. Von den grünlich schimmernden Dächern drang das Gurren der Tauben zu ihr herüber, vermischt mit heiserem Möwengeschrei. Seit dem verhängnisvollen Tag, an dem man sie hier festgenommen und in die Fronerei auf der gegenüberliegenden Seite des Platzes geführt hatte, schien die Zeit stehen geblieben zu sein. Sie zitterte.

Im nächsten Moment spürte sie Baldos kräftige Finger, die ihr Handgelenk umfassten. »Niemand wird dich, wird uns erkennen«, raunte er. »Verhalte dich so gelassen, wie du nur kannst. Du musst!«

Sie sah zu Boden und beobachtete eine Taube, die sich keck zwischen den geschäftig umhergehenden Menschen hindurchbewegte, um ein Stückchen Brot von einem Kind zu ergattern, das es dem Tier hinhielt. Dabei spürte sie die Neugier der Passanten wie Messerstiche im Rücken.

»Wir bleiben bei deiner Geschichte, sind auch weiterhin die Geschwister Adam und Agnes. Adam, der Musikant, und Agnes, die Frau, die den Leuten aus der Hand …«

»Vielleicht könnt ihr eure Unterhaltung auf später verschieben und erst mal mithelfen, die Wagen abzuladen? Hier gibt es nämlich einiges zu tun!« Es war Mathes, der sich vor ihnen aufbaute.

Baldos Gesicht hatte jenen Ausdruck angenommen, den sie von ihm kannte, wenn er sich nur mühsam beherrschte. Sein Mund wurde zu einem dünnen Strich, und in seinen Augen glitzerte es kalt. Ihr Herz machte einen Satz, als sie sah, wie Baldo sich versteifte und die Arme vor der Brust verschränkte. Doch er schürzte nur die Lippen und verzog das Gesicht zu einem geringschätzigen Grinsen.

»Soweit es einem Krüppel wie mir möglich ist, gern! Schließlich wollen wir unsere neuen Freunde nicht verärgern, stimmt's, Schwester?«

Cristin atmete erleichtert aus und nickte. »Unbill hat ja jeder von euch schon genug, werter Mathes.«

Der trat noch einen Schritt näher und begutachtete Baldos Augenklappe mit hochgezogenen Brauen. »Wollt ihr zwei mich etwa verarschen?«

Sie setzte ein harmloses Lächeln auf. »Einen freundlichen und hilfsbereiten Kerl wie dich? Wie kämen wir denn dazu?«

Der stämmige Mann warf ihnen einen letzten misstrauischen Blick zu, dann drehte er sich auf dem Absatz um und ging zu Urban, Michel und Utz hinüber, die damit beschäftigt waren, den Käfig mit dem Bären vom Wagen zu heben. Cristin und Baldo sahen sich an. Nur mit großer Anstrengung konnten sie sich zurückhalten, nicht laut herauszuplatzen. Sie wunderte sich über sich selbst. Wie lange war es her, seit sie fröhlich gewesen und einen Scherz gemacht hatte? Sie hätte nicht gedacht, dass es ausgerechnet hier in Lübeck für sie möglich war.

»Dem habt ihr es aber gegeben!« Irmela war unbemerkt neben sie getreten. »Mathes tut immer so, als sei er unser Anführer.«

Baldo verlagerte sein Gewicht auf das andere Bein. »Das haben wir schon gemerkt.«

»Lasst euch von dem bloß nichts gefallen«, sagte das zierliche Mädchen und nickte. Sie lächelte Cristin freundlich an. »Kannst du Duretta und mir beim Aufbauen helfen?«

Cristin folgte der jüngeren zu dem anderen Wagen, in dem sich das Holzgestell mit dem Hanfseil befand, auf dem Irmela in luftiger Höhe ihre Künste zeigte. Von immer mehr Schaulustigen beobachtet, errichteten die drei Frauen das Gestell am Rande des Platzes, während die Männer den Käfig mit dem jungen Bären darin herbeischafften. Lump drängte sich mit eingezogenem Schwanz eng an Cristin heran und beäugte den Bären.

Bald hatten sie alles für ihre erste Vorstellung aufgebaut, allerdings wussten weder Baldo noch Cristin, was sie am Abend zu tun hatten.

Baldo wischte sich die staubigen Hände an seiner Hose ab. »Wo werden wir lagern, Michel?«

»Nahe der Stadtmauer«, erwiderte dieser. »Wird zwar beschwerlich werden mit dem Bären, dafür sind wir sicher vor dem Gesindel.« Er zwinkerte Cristin verschmitzt zu. »Anzügliche Seeleute mag er am wenigsten. Also wirst auch du ruhig schlafen können, meine Hübsche.«

Sie lächelte freudlos. Als ob sie innerhalb dieser Mauern jemals Ruhe finden könnte. Äußerlich wirkte Baldo gelassen, aber sie kannte ihn besser, und seine Anspannung übertrug sich auch auf sie. Cristin spürte, dass er alles um sich herum beobachtete wie ein wildes Tier, das auf der Lauer lag, um bei nahender Gefahr zuschlagen zu können. Auch er hat Angst, erkannte sie. Angst vor seinem Vater, an den er sich nicht erinnerte.

»Zeit für eine erste Probe«, meinte Michel und gab den Neuankömmlingen sowie den übrigen Gauklern ein Zeichen, ihm zum Bärenkäfig zu folgen. »Duretta«, wies er die Einäugige an. »Du zeigst Agnes, wie sie sich schminken und kleiden soll, und erklärst ihr alles. Du, Adam, kommst mit Utz und mir, damit ich dich das Trommeln lehren kann.«

Duretta entnahm einem Korb mehrere Kleidungsstücke und hielt sie Cristin entgegen. Ein aus grober, roter Wolle gefertigtes Gewand verströmte einen scharfen Geruch, weshalb die junge Frau die Nase rümpfte und den Kopf schüttelte. Ein anderes schwarzes Kleid mit bunten, weiten Ärmeln war zwar schon recht fadenscheinig, aber sauber. »Vielleicht dieses?«, fragte Cristin vorsichtig.

Duretta nickte. Das Gesicht mit dem einen verkümmerten

Auge wirkte ein wenig formlos, doch die junge Frau strahlte eine fröhliche Gelassenheit aus, die Cristin anziehend fand. »Ja. Nimm das hier am besten auch noch, du brauchst viel Tand und Geschmeide«, lächelte sie und überreichte ihr einen Haufen glitzernder Ketten und Ohrringe. »Zieh dich hier um, Agnes. Ich passe schon auf, dass dich niemand sieht«, fügte sie hinzu und wies auf die Rückseite des Karrens.

Cristin schielte hinüber.

»Zier dich nicht so, Agnes, mach schon.« Duretta musterte das Gewand, und in ihrem gesunden Auge blitzte der Schalk. »Wenn es sein muss, zieh das schwarze einfach drüber. Da habe ich übrigens noch ein buntes Kopftuch für dich, damit und mit all den anderen Sachen wird dich jedermann für eine Zigeunerin halten.« Die Einäugige schmunzelte, was die Proportionen ihres Gesichtes noch schiefer erscheinen ließ.

14

»Was zum Teufel …« Der hochgewachsene Mann mit den dunklen Haaren runzelte die Stirn.

Ein seichter Wind bauschte seinen Mantel, und während er den rechten Fuß vom Pflaster hob und auf die beschmutzte Sohle seines Stiefels blickte, verzog er das Gesicht. Warum konnten die Leute nicht dafür sorgen, dass ihre verdammten Köter nicht zwischen die Stände der Markthändler schissen! Einen deftigen Fluch auf den Lippen, sah er sich nach einem geeigneten Pflasterstein um, an dem er den Hundedreck abstreifen konnte. Dabei näherte er sich einem Käfig, vor dem ein paar Frauen mit ihren Kindern standen und einen Bären bestaunten. Er rümpfte die Nase vor dem strengen Geruch des Tieres. Ein kräftiger Bursche mit einem runden Gesicht erklärte gerade, dass er das Tier gleich aus dem Käfig holen würde.

Als dieser den Unbekannten erspähte, winkte er ihm zu. »Kommt nur herbei und seht zu, wie gut mein Bruno tanzen kann!«

Der Fremde winkte ab und ging weiter. Da, neben einem kleinen Zelt, wuchsen ein paar Grasbüschel zwischen den Steinen empor. Rasch trat er näher und streifte seine Stiefelsohle daran ab. Da drang eine junge Stimme aus dem Inneren des Zeltes zu ihm herüber, einige Augenblicke lang stand er nur da und lauschte dem weichen Klang. Es war viel zu lange her, seit er ein Frauenzimmer in seinem Bett gehabt hatte, und wenn ihr Körper ebenso weich und warm war wie ihre Stimme, kam sie ihm gerade recht. In dem Moment öffnete sich der Eingang des Zeltes, und ein junger Mann trat heraus.

»Na, was gibt's da drin zu sehen?«

Der Gefragte blinzelte ins helle Sonnenlicht und trat einen Schritt zurück. »Du bist es, lange nicht gesehen. Gott zum Gruße.«

Der Angesprochene grinste anzüglich. »Was für ein Weib empfängt denn dort drinnen Männerbesuch? Eine neue Hübschlerin, oder wie?«

»Nein, nein. Meiner Klara werd ich doch nicht untreu werden, auch wenn die Frau dort drinnen ein verdammt hübsches Weibsbild ist. Nennt sich Mala. Eine Zigeunerin, so wie sie aussieht, die den Leuten für zwei Witten aus der Hand liest. Ich sag dir, wenn sie spricht und du ihr in die Augen siehst, glaubst du ihr jedes Wort. Gehört wohl zu den Gauklern, die heute in die Stadt gekommen sind.«

»Eine Spökenkiekerin?«

»Ja. Ich muss weiter. Gehab dich wohl. Und schau mal wieder im *Hafenkrug* vorbei, wenn du Lust auf ein Bier hast.«

Cristin hörte, wie sich vor dem Zelt zwei Männer miteinander unterhielten. Seit Utz und Michel am Morgen das kleine Zelt errichtet hatten, in dem gerade einmal zwei Personen Platz fanden, war die Zigeunerin Mala – den Namen hatte Utz ihr vorgeschlagen – kaum zum Luftholen gekommen. Die

Neugier der Bürger, was das Schicksal wohl für sie bereithielt, machte Mala zu einer Attraktion des Marktplatzes. Zwei junge Frauen waren ihre ersten Kundinnen gewesen, und Cristins Finger hatten sich kalt und klamm angefühlt. Schließlich war es nicht recht, diesen Ahnungslosen etwas vorzumachen und ihnen eine rosige Zukunft vorauszusagen. Doch Michel hatte ihr versichert, dass dies genau das wäre, was die Menschen wollten. »Erzähle ihnen nur Gutes, und sie werden zufrieden sein und die paar Witten gerne zahlen«, waren seine Worte gewesen.

Also tat sie es und sah in die Handflächen der Leute. Den beiden unverheirateten Frauen hatte sie gesagt, sie würden im nächsten Jahr mit einem wohlhabenden, gut aussehenden Kaufmannssohn vermählt werden. Vielleicht hatten sie ja Glück, und es geschah wirklich. Cristin erhob sich von ihrem Hocker, um ihre Glieder zu strecken. Weder die glitzernden Ketten noch die großen Ohrringe und das auffällige, bunte Kopftuch schienen zu ihr zu gehören. Ein bitteres Lächeln umspielte ihre Lippen. Der Gedanke, dass Elisabeth ganz in ihrer Nähe war, ließ sie alle Schmach ertragen. *So Gott will, werde ich sie finden.*

Wie vielen Leuten der verschiedenen Stände sie heute aus der Hand gelesen hatte, wusste sie nicht mehr zu sagen. Es waren junge Leute, die sich nach Liebesdingen erkundigten, ebenso wie alte Bauern, die fragten, ob die nächste Ernte ihre Bäuche im Winter füllen würde, und Väter, die nach dem aussichtsreichsten Ehemann für die Tochter suchten. Sie hatte jede der Fragen aufs Beste und mit einem Lächeln beantwortet. Nur das, was wirklich wichtig gewesen wäre, konnte sie nicht aussprechen. Das alte Mütterchen zum Beispiel, das vorhin mit gebeugtem Rücken in ihr Zelt gekommen war, litt unter einem nicht verheilten Bruch am Fuß. Wie gern hätte sie der Armen geholfen, um ihre Schmerzen mit einer Salbe zu lindern. Oder die junge Frau mit dem Kleinkind im Arm. Cristin hatte gespürt, dass bereits ein zweites Kind in ihr wuchs. Doch dieses Wissen musste ihr Geheimnis bleiben.

Die Luft im Zelt war heiß und stickig. In der Hoffnung, es für eine kurze Weile verlassen zu können, um die Sommersonne zu genießen, steckte sie den Kopf aus der Zeltöffnung hinaus. Draußen stand ein stämmiger Mann in mittleren Jahren, bekleidet mit einem langen, dunklen Leibrock. In seinen schwarzen Haaren zeigten sich die ersten grauen Strähnen.

Seine dunklen Augen fuhren prüfend über ihre Gestalt. »Du bist eine Wahrsagerin?«

Sie nickte. »Für zwei Witten erfahrt Ihr Eure Zukunft, Herr! Kommt nur herein. Oder habt Ihr Angst vor dem, was Euch erwarten könnte?«

»Zwei Witten sind nicht viel, Mädchen«, erwiderte er, während er sich bückte und Cristin ins Innere des halbdunklen Zeltes folgte. Sie wies auf den zweiten Hocker, und der Mann setzte sich. »Was muss ich tun?«

»Zeigt mir Eure Handflächen«, antwortete Cristin. Der Mann streckte beide Hände aus, und sie beugte sich darüber. Groß waren sie und voller Schwielen, demnach musste er harte Arbeit gewohnt sein. Kurze, dunkel umränderte Fingernägel vervollständigten das Bild. Wohl ein Schmied oder Fleischhauer, dachte Cristin.

Sie hatte sich bald daran gewöhnt, von den Kunden beobachtet zu werden, doch die Augen dieses Mannes ruhten besonders abschätzig auf ihr. Ein Frösteln überlief ihren Leib, als sein Blick auf ihrem Busen verharrte. Während sie versuchte, ihn zu ignorieren, drang von draußen das heisere Brüllen des Bären an ihre Ohren. Die Schaulustigen applaudierten begeistert, und von irgendwoher erreichte sie der Duft frischgebackenen Brotes. Noch ein tiefer Atemzug, dann nahm sie die kräftigen Hände in ihre und schloss die Lider. Im selben Augenblick spürte sie es. Cristin fuhr zusammen, zwang sich aber, ihn nicht loszulassen. Eine bleierne Schwäche nahm von ihr Besitz und kroch von ihren Armen weiter aufwärts, so als würden die Hände des Fremden jedes Leben aus ihrem Körper ziehen. Sie öffnete die Lider.

»Was ist los, Mädchen? Sieht meine Zukunft so düster aus?«

»Nein, natürlich nicht, Herr«, erwiderte sie matt.

Die Zeltwände schienen plötzlich zusammenzurücken, dann verschwamm die Umgebung vor ihren Augen. Während alles um sie herum die Konturen verlor, wurden auch die Geräusche dumpfer. Seine Stimme wurde wie von einem unsichtbaren Nebel verschluckt, verstummte. Auf einmal lichtete sich Cristins Sicht. Ihre Füße standen auf festem Boden, um sie herum nahm sie schemenhaft mehrere bedrohlich wirkende Gestalten wahr. Sie sah an sich hinunter. Grober Stoff umhüllte ihren Leib, Wolle, die auf ihrer Haut kratzte. Mit beiden Händen umfasste sie einen schweren, kreisrunden Gegenstand, den sie jedoch mühelos stemmen konnte. Als sie die Arme hob, konnte sie kräftige, sehnige Unterarme erkennen. *Das bin nicht ich*, schrie es in ihr. Dies war nicht ihr Leib! Bestürzt kämpfte sie darum, sich von diesen schrecklichen Eindrücken zu befreien und wieder in ihren eigenen Körper zurückzukehren. Vergeblich. Es war dunkel, doch die mondlose Nacht war voller Töne und Empfindungen. Cristin horchte in sich hinein. In ihrem Herzen war tiefer Groll. Und Verbitterung. Eine eisige Kälte erfasste sie, die langsam in ihre Glieder kroch, bis jeder andere Gedanke in ihr ausgelöscht war. Sie vernahm ein leises Wimmern, gestammelte Worte, einen Atemhauch. Aber die Geräusche, die auf sie einwirkten, berührten sie nicht. Etwas Warmes rann an ihrer Hand hinunter und benetzte den sandigen Boden.

Schlagartig fand sie wieder zu sich. Ihr war schwindelig, und vor ihren Augen tanzten bunte Punkte. Cristin erkannte die Wände des Zeltes wieder, den kleinen Tisch und die Staubkörner in der flirrend heißen Luft, die auf einmal einen eigenartigen Geruch mit sich trug. Das Grauen des Erlebten hallte noch in ihr nach, während sie versuchte, ihre Fassung wiederzuerlangen.

»Also, Mädchen, was wird das Schicksal mir bringen?«

Cristins Finger prickelten, als würde eine Schar Ameisen darüber hinweglaufen. Sie entzog dem Fremden die Hand und wischte sie unauffällig an ihrem Gewand ab. Fieberhaft suchte sie nach Worten, nach den üblichen Aussagen, mit denen sie ihre Kunden beglücken sollte, aber sie erinnerte sich an nichts. Alles, was sie sah, waren diese tief liegenden Augen und die Falten um seinen Mund, die von Freudlosigkeit zeugten.

»Nun? Was liest du in meinen Händen?«, fragte er mit lauerndem Unterton. »Lass mich nicht länger warten, meine Hübsche.«

Verzweiflung wallte in ihr auf. »Verzeiht. Das Bild, das ich sah … es war so stark. Bitte gebt mir einen Moment der Besinnung«, presste sie mühsam hervor, während sie innerlich um eine Eingabe flehte. »Gesundheit ist Euch beschieden, Herr«, stieß sie schließlich hervor. »Euer Geldbeutel wird stets gut gefüllt und Eure Lagerstatt von warmem Fleisch gewärmt sein. Doch hütet Euch vor dem bösen Blick, damit kein Unheil geschieht.«

Sie blinzelte. Die Worte waren ihr einfach so über die Lippen gekommen.

»So? Soll ich das?« Der Mann grinste. »Gut, ich werde auf der Hut sein.« Münzen klirrten, als er sie auf den Tisch legte. »Du hast mich gut unterhalten. Gott zum Gruß.«

Im Vorübergehen streifte er ihren Unterarm. Cristin schauderte.

»Komm heute Nacht zu mir, Mädchen, damit dein warmes Fleisch mich wärmt und ich sehen kann, ob du im Bett so viel taugst wie zum Spökenkieken.«

Sie blickte zu Boden, damit er das entrüstete Funkeln in ihren Augen nicht bemerkte. »Ich habe einen Gemahl, mein Herr.«

»Ach, wirklich? Wie schade.« Mit diesen Worten ging er hinaus.

Wie betäubt sank sie auf einen der Hocker. Luft, mein Gott, ich brauche Luft, dachte sie und wollte zum Ausgang stolpern, doch ihre Beine versagten ihr den Dienst. Sie bettete den Kopf in die Hände und atmete tief ein und aus. Wieder und wieder fragte sie sich, was die Bilder zu bedeuten haben mochten. Ein Schreck jagte ihr durch den Körper, Schweiß rann ihr in kleinen Rinnsalen den Rücken hinab. Ihre Gabe, anderen Menschen zuweilen ins Innere schauen zu können, war ihr vertraut. Aber dies hier war etwas anderes gewesen, denn der Fremde schien nicht leidend zu sein. Was sie erlebt hatte, war ein Blick in sein Leben, in seine Gedanken. Derartiges war ihr nie zuvor widerfahren. Abscheu stieg in ihr hoch. Dies musste Teufelswerk sein! Zitternd erhob sie sich, und ihr Blick fiel auf den Tisch. Fünf Witten lagen dort.

15

Gegen Abend zogen Gewitterwolken heran und verdunkelten den vorher so strahlend blauen Himmel.

»Es wird bald regnen. Michel meinte, dann wird der Marktplatz wie leer gefegt sein, und wir müssen unsere Vorstellung abbrechen«, erklärte Baldo. Als Cristin nicht antwortete, sondern weiterhin gedankenverloren mit den langen Ketten spielte, knuffte er sie in die Seite. »Sag mal, hörst du mir eigentlich zu, Schwesterherz?«

»Entschuldige, hast du etwas gesagt?«

Baldo stemmte die Hände in die Hüften. Er legte den Kopf schief, betrachtete sie nachdenklich und vergaß für einen Moment seinen Vorsatz, ihr so weit wie möglich aus dem Weg zu gehen. »Was ist los, Mädchen? Fühlst du dich nicht wohl?«

Cristin straffte die Schultern und heftete den Blick auf einen Stand gegenüber, an dem eine Frau Würste verkaufte, die sie über glühender Holzkohle röstete. Ihr Mann bot Humpen mit Met dazu an. Von dem Tisch daneben stieg ihr der Duft von Spezereien aus fernen Ländern in die Nase, an einem dritten Stand pries ein Bauer lautstark seine Hühner und Enten an. Das Gackern und Schnattern des Federviehs vermischte sich mit dem Stimmengewirr der Marktschreier. Cristin hatte das Marktreiben mit seiner Geschäftigkeit, den bunten Auslagen und Gerüchen immer geliebt, doch heute konnte sie sich nicht daran erfreuen. Dieser Mann vorhin war zwar großzügig gewesen, aber sie hätte lieber auf das Geld verzichtet, als ihm begegnet zu sein. Das unflätige Wort, das ihr auf der Zunge lag, hatte sie nur mit Mühe unterdrückt. Glaubte er wirklich, sie würde ihm in sein Bett folgen? Warum nur hatte er diese Empfindungen und Bilder in ihr heraufbeschworen, die wie Fetzen eines Albtraums vor ihrem inneren Auge vorbeigezogen waren? Konnte dieser Mann in irgendeinem Zusammenhang zu ihr stehen?

Baldos Stimme unterbrach ihre Gedanken. »Du bist bleich wie der Tod. Nun red schon.«

Cristin schüttelte den Kopf. »Es ist nichts«, log sie, während sie sich mit einer Hand über den Nacken fuhr, um den Schweiß abzuwischen. Die Luft war drückend, denn es wehte keine Brise.

»Willst du mich zum Narren halten – Agnes? Wenn du krank bist, solltest du zur Ruhe gehen. Aber mach mir nichts vor, verdammt noch mal!«

»Ich kann nicht … nicht hier, Adam.«

Duretta kam durch die Menge auf sie zu, und in der Mütze, die sie den Zuschauern entgegenhielt, klimperten bereits etliche Münzen. Über ihr, in gut drei Klaftern Höhe, tanzte Irmela auf dem Seil. Michel, Utz und Mathes standen lässig vor dem Zelt und schauten ihr Beifall klatschend zu.

Baldo nagte am Daumennagel. Cristin wich ihm aus. Wieso erzählte sie ihm nicht einfach, was sie beschäftigte? Zwei junge, kichernde Mädchen steuerten auf das Zelt zu, und Cristin straffte die Schultern. Er konnte ihre Erleichterung förmlich spüren.

»Wir sehen uns später«, sagte sie. »Ich habe zu tun.«

Seine Mundwinkel bogen sich nach unten. Er sah ihr missmutig hinterher, bis sie gemeinsam mit den Mädchen im Inneren des Zeltes verschwunden war. Dieses Weib würde er wohl nie verstehen. Jemand schlug ihm auf die Schulter. »War deine Schwester wieder ungehorsam?« Utz stand lächelnd hinter ihm.

»Wieso?«

»Ha!« Utz ließ ein tiefes Lachen hören. »Du solltest mal dein Gesicht sehen, Adam. Wie drei Tage Regenwetter.«

Baldo brummte zustimmend. »Wenn ich mir den Himmel so betrachte, könnte das sogar hinkommen.«

»Michel meint, wir sollen für heute abbauen, bevor das Donnerwetter über uns hereinbricht. Agnes soll für heute Schluss machen.«

»Du hast eine Tochter?« Baldo starrte sie an.

Sie saßen am Rande des Marktplatzes und schauten zu, wie die Männer die restlichen Gerätschaften in die Karren hievten. Cristin nickte und senkte die Lider. Mit stockender Stimme erzählte sie ihm die ganze Geschichte. Von Elisabeths Geburt und Lukas' plötzlichem Tod kurze Zeit später.

»Woran ist er denn gestorben?«, unterbrach er mit einer Stimme, die seine Erregung verriet.

Ihr war, als würde die alte, kaum verheilte Wunde wieder aufbrechen, wenn sie darüber sprach, doch es musste sein. Sie erzählte ihm von seinem furchtbaren Todeskampf, nur die Tatsache, wie sie mit ihren Händen erspürt hatte, dass Lukas an einem unbekannten Gift gestorben war, verschwieg sie. Auch die Begebenheit mit dem Fremden wollte sie für sich behalten. Cristin wusste, sie brauchte Zeit, um herauszufinden, was das alles zu bedeuten hatte. Warum also sollte sie Baldo unnötig aufregen? Schließlich war nichts geschehen. Während ein erstes Donnergrollen heranrollte und sich die ohnehin bedrückende Atmosphäre noch verstärkte, breitete sich Schweigen zwischen ihnen aus.

Baldo zog sein Wams aus und hielt es über ihre Köpfe, um sie vor dem nahenden Regen zu schützen. »Was ist mit deiner Tochter passiert?«

»Ich vermute, Elisabeth wurde zu meiner Schwägerin Mechthild gebracht, nachdem sie mich eingekerkert hatten.

Ich muss sie finden, muss wissen, dass es ihr gut geht ...« Cristins Sicht verschwamm, und sie wendete sich ab.

»Ich werde dich begleiten.«

Entschieden schüttelte sie den Kopf. »Das will ich nicht. Ich muss allein ...«

»Kommt nicht in Frage. Utz hat recht, ich sollte wirklich besser auf meine ungehorsame Schwester achten.« Baldo grinste. »Wir gehen die Kleine gemeinsam suchen. Und dieses Mal dulde ich keinen Widerspruch!«

Schweißgebadet erwachte Cristin. Sie schluckte im letzten Moment den Schrei hinunter, der in ihrer Kehle aufgestiegen war, und setzte sich auf. Das Gefühl eines nahenden Unheils, das sie im Traum begleitet hatte, hallte in ihr nach, und ihr Atem ging stoßweise. Mit einem Seitenblick vergewisserte sie sich, Baldo und die anderen nicht geweckt zu haben. Die Luft war schwer und feucht vom Regen und der Nachthimmel voller tief hängender Wolken. Das leise Schnarchen der anderen übte eine beruhigende Wirkung auf sie aus, trotzdem fand sie nur langsam in die Wirklichkeit zurück. Gesichtslose Wesen hatten sie verfolgt, um sie einzufangen, doch ganz gleich, wohin sie gelaufen waren, die Verfolger waren ihnen dicht auf den Fersen. Der Traum war so wirklich gewesen wie das feuchte Gras unter ihren Decken. Sie rieb sich die Augen und zwang sich, gleichmäßig zu atmen. Neben ihr zuckte Lump im Schlaf heftig mit den Beinen und stieß ein leises Jaulen aus.

»Träumst du auch, mein Guter?«

Das Tier blinzelte und schlief weiter.

Cristin fühlte sich wie erschlagen, ihre Knochen und Gelenke schmerzten wie nach einem harten Arbeitstag. Mit offenen Augen starrte sie in die Dunkelheit, ihre Angst, jene schrecklichen Bilder könnten sich wiederholen, sobald sie die Lider schloss, hielt sie wach. Wie ein kleines Kind rollte sie sich wimmernd zusammen, die Arme um ihren bebenden Körper geschlungen. Wie konnte sie ihren eigenen Empfindungen noch trauen? Schließlich schoss ihr das Blut in die Wangen. Konnte dies Zufall sein, oder hatten diese ungebetenen Träume etwas mit dem Besuch des fremden Mannes zu tun? Wenn ich nur Baldo nach Auftreten und Aussehen der Leute befragen könnte, mit denen er früher zu tun gehabt hatte. Um wie viel leichter wäre es, sich vor ihnen in Acht zu nehmen. Ich muss nun auf uns beide aufpassen und dafür sorgen, dass auch Baldo von niemandem erkannt wird, ging es ihr durch den Kopf. Wenn mir das nicht gelingt, hat unser letztes Stündchen geschlagen.

16

Halt still«, ermahnte sie ihn.

Baldo brummte. »Ich verstehe nicht, warum du meinen Zopf abschneiden willst, Cristin.« Er liebte es, ihren wahren Namen benutzen zu können, wenn sie allein waren. »Wozu soll das gut sein? Außerdem begreife ich nicht, warum wir Lump nicht mitnehmen sollen. Er wird Utz verrückt machen mit seinem Gewinsel, glaub mir.«

Sie biss sich auf die Lippen, ging um den Schemel herum und sah ihm fest in die Augen. Er war doch sonst nicht so begriffsstutzig. »Ich bin einfach nicht sicher, ob deine Verkleidung und der Bart ausreichen, um unerkannt durch die Straßen zu laufen. Also hab dich nicht so, dein Haar wächst schon wieder nach. Sieh dir nur meins an! Und bitte, du darfst deine Augenklappe nicht vergessen! Wegen Lump mach dir keine Gedanken, der ist bei dem Wetter besser bei Utz aufgehoben.«

Baldo band sich die Augenklappe um und schnitt eine Grimasse. »Seit wann lasse ich mir von einem Weib etwas vorschreiben?«

Cristin seufzte. Wie gern hätte sie ihm von ihren Befürchtungen erzählt, aber es war sicherer für sie beide, wenn sie schwieg. Sie strich ihm über den Arm. »Niemand hört uns. Bitte versteh doch. Meinst du, mir gefällt es, mich wie eine … eine Zigeunerin zu kleiden? Wie ein Gespenst sehe ich aus. Aber wenn ich Elisabeth suchen will …«

»Schon gut.« Sein Blick ruhte nachdenklich und mit einem gewissen Schimmer auf ihr.

Sie senkte die Lider, schließlich wusste sie selbst, wie fremd sie mit den dunkel umränderten Augen und dem einfachen braunen Leinengewand wirkte. Nachdem sie Duretta erzählt hatte, sie müsse die Kleidung flicken, hatte die junge Einäugige ihr es getrost überlassen.

»Jetzt sehe ich sicher aus wie ein Pfaffe«, beschwerte sich Baldo wenig später und fuhr tastend über seinen Nacken.

Sie lächelte nur. Regen prasselte unaufhörlich gegen das dichte Blätterwerk der mächtigen Eiche, unter der sie Schutz gesucht hatten, um für einen Moment ungestört miteinander zu sein. Cristins Erregung wuchs ins Unerträgliche. Um zu Lynhards Haus zu gelangen, mussten sie an der Spinnerei vorbei. Ob jemand in der Werkstatt war? Es war zwar unwahrscheinlich, doch auszuschließen war es nicht. Sie fröstelte und zog das Gewand enger um ihren Leib, als ihr die Knie weich wurden.

»Fertig, Cristin? Wenn wir hier noch länger stehen, werden wir bis auf die Knochen nass sein.«

Sie nickte und warf einen kritischen Blick zum Himmel. Wer nicht unbedingt unterwegs sein muss, verkriecht sich bei diesem scheußlichen Wetter daheim bei der Familie. Der Gedanke versetzte ihr einen Stich. »Ja, Baldo, fertig.«

Obwohl sie lieber durch den Regen gelaufen wäre, passte sie sich seinem schleppenden Gang an. Nichts konnten sie weniger gebrauchen, als Aufsehen zu erregen. Mit gesenktem Kopf, die Kapuze ihres Umhangs tief ins Gesicht gezogen, achtete Cristin darauf, nicht auf dem dreckbesudelten, schlüpfrigen Boden auszurutschen. Auf ihrem Weg die Burgstraße entlang wichen sie einem Eselkarren aus – und einem Eimer ungeklärten Inhalts, der beinahe über Baldos Kopf ausgekippt worden wäre. Scharfer Uringeruch stieg ihr in die Nase. Vor der Straßenecke, an der sie in die Hunnestrate abbiegen mussten, blieb Baldo so ruckartig stehen, dass sie es nicht sofort bemerkte. Wie gelähmt stand er da.

»Was ist denn?«, fragte sie beunruhigt.

Er war kalkweiß und seine Augen geweitet. »Ich ... ich. Oh, Mädchen ...«

»So sprich doch endlich«, entfuhr es ihr, während sie ihn an den Armen packte.

»Hier, hier war ich schon einmal.« In seinem Gesicht zuckte es. »Ich erinnere mich. Ich war hier. Ein Mann ging neben mir her, sprach mit mir.«

Cristin schluckte. »Wie sah er aus, Baldo? Erzähl es mir!«

Sein Blick wurde leer. »Ich weiß es nicht. Aber seine Stimme ...«

So fassungslos hatte sie ihn noch nie gesehen. Er schien nicht einmal zu bemerken, wie der Regen an seiner Kapuze hinunter in den Umhang tropfte. Sanft strich sie ihm die Tropfen von seinen Wangen. »Was war mit seiner Stimme?«

Er sah sie an. »Was er gesprochen hat, weiß ich nicht. Aber diese Stimme ... sie war scharf und ohne Wärme.« Baldo schüttelte sich.

Sie erstarrte. Konnte dies sein Vater gewesen sein, an den er sich erinnerte? Für einen Moment vergaß sie, warum sie an diesem Ort standen und was sie vorhatten. »Was auch immer es war, wir werden es herausfinden, Baldo. Dein Gedächtnis kehrt zurück. Wir sollten uns freuen, meinst du nicht?«

»Du hast recht. Nur dass ich nicht weiß, ob mir gefällt, woran ich mich erinnere.«

Cristin nickte und griff nach seiner Hand. Sie war kalt, doch sie ließ ihn nicht los. »Ich habe Angst, Baldo«, gestand sie. »Was, wenn mich jemand erkennt?«

»Gemeinsam schaffen wir das. Komm.«

Der Regen hatte endlich nachgelassen, und die tief stehende Sonne kämpfte sich durch die Wolken, als Cristin und Baldo aus der Stadt zurückkehrten. Pfützen machten den Marktplatz nahezu unpassierbar, daher rechnete keiner der Gaukler damit, die Vorstellungen wie gewohnt abhalten zu können. Müde lehnte sich Cristin gegen die Zeltwand.

»Vielleicht hat deine Tochter nur in einem Nebenraum geschlafen«, bemerkte Baldo, der den Arm um sie gelegt hatte und sie in ihr Zelt führte.

Sie schüttelte den Kopf, unfähig zu sprechen, ohne abermals in Tränen auszubrechen. All ihre Hoffnungen, Elisabeth zu finden, waren wie eine Seifenblase zerplatzt. Unerkannt waren sie die Hunnestrate entlanggegangen, vorbei an der verlassen wirkenden Werkstatt. Oh ja, sie hatte Mechthild und deren Kinder gehört und sogar einen kurzen Blick in die Dornse geworfen. Doch von Elisabeth fehlte jede Spur. Verwirrt blickte sie auf, denn vor dem Zelt hörte sie jemanden laut und schräg singen.

»Gewährt mir Einlass, liebe Leut. Hier ist Victorius, allerorten bekannter Narr und einziger Jongleur, dem es gelingt, mit sechs Bällen zu hantieren. Ein Könner seiner Zunft!«

»Dann zeig uns mal, ob du mit den Bällen wirklich so gut bist wie mit dem Maul!«, rief jemand.

Gelächter brandete auf. Michel lugte ins Zelt hinein, auf seinem Gesicht lag ein breites Grinsen. Wenn ihm die gedrückte Atmosphäre auffiel, so behielt er es für sich.

»Den komischen Vogel müsst ihr euch ansehen. Der hat uns gerade noch gefehlt«, lachte er und winkte sie zu sich.

Cristin wollte sich abwenden, doch Baldo griff nach ihrem Arm, ohne auf ihren Protest zu achten. Lump bellte, als wollte er seinem Herrn zustimmen. Widerstrebend ließ sie sich mitziehen.

Sie blinzelte in der Sonne, während sich eine Gestalt in einem bunten Kostüm zu einem fremd anmutenden Tanz bewegte, wobei kleine, an den goldenen Bundschuhen befestigte Glöckchen bei jeder der leichtfüßigen Bewegungen leise klingelten. Mit offenem Mund starrte Cristin sie an. Zu einem feuerroten Hemd trug die Person eine Hose, deren eine Seite in glänzendem Blau schimmerte, während die andere in einem kräftigen Gelb leuchtete. Auf dem Kopf saß eine Mütze, an deren drei herunterhängenden Spitzen ebenfalls kleine Schellen baumelten.

»Narr, zeig uns mehr von deiner Kunst!«, rief Michel gut gelaunt und stieß Cristin an. »So jemanden könnten wir gut gebrauchen, oder?«

Ein Narr also. Cristin hatte noch nie einen dieser Spaßmacher gesehen, die auf Jahrmärkten ihre Vorstellungen gaben. Der Angesprochene trat näher und fiel in einen Knicks, wie ein Mädchen es tun würde. Baldo, der neben ihr stand, prustete los und sprach Cristin an. Doch sie hörte nicht zu, denn sie konnte sich von dem Anblick des Fremden mit dem weiß geschminkten Gesicht und dem übermalten Mund nicht lösen.

Mittlerweile hatte sich die gesamte Gauklertruppe um den Narren versammelt. Staunend hörte sie, wie der Fremde aus dem Stegreif begann, ein »Loblied auf Irmela, die schöne Seiltänzerin«, anzustimmen. Mit schrägen Tönen besang er ihre Anmut und Tollkühnheit, mit der sie das verehrte Publikum mit ihren Kunststücken in den Bann zog. Obwohl ihr Irmela leidtat, weil dem jungen Mädchen die Darbietung des Mannes sichtlich peinlich war, musste Cristin laut lachen. Selten hatte sie etwas so Komisches erlebt wie die Vorführung dieses Narren, der sich nun nach allen Seiten verneigte.

»*Aus fernen Landen komm ich her, um Euch hier zu beglücken. So spielt' ich schon im Frankenland, zu vieler Leut' Entzücken. In Polen war's besonders fein, dort war das schönste Mädchen mein, doch als es wollt' mein Weib dann sein, da musst ich mich verdrücken.*« Tänzelnd bewegte er sich zu jedem Einzelnen hin, wobei die Glöckchen an seinen Füßen klingelten. Mal verbeugte er sich so tief, dass er ins Stolpern geriet, mal tat er, als kämpfte er mit einem gewaltigen Untier.

»Der Kerl ist gut«, murmelte Utz. »Wir sollten es mit ihm versuchen.«

Nun stand der Narr vor Baldo, und Cristin konnte ihn aus der Nähe betrachten. Das Gesicht unter der Schminke war jung und faltenlos, und wenn er lachte, zeigte er kräftige Zähne. Sein Haar allerdings, das zu einem kurzen Zopf gebunden war und unter der seltsamen Kopfbedeckung hervorschaute, war schlohweiß wie das eines alten Mannes. Fasziniert musterte sie ihn.

»Junger Freund«, sagte der Narr mit gespielt hoher Stimme zu Baldo. »Victorius wird dir zeigen, wie du das schöne Weib neben dir schmücken und beeindrucken kannst. Schau!« Mit einer schnellen Bewegung fasste er an Baldos Bart und tat, als wollte er ihn rasieren. Zu Cristins Verblüffung hielt er einen beinernen Kamm in der Hand. »Dies schenke ihr, und sie wird dich anbeten. Oder auch nicht«, fügte er feixend hinzu. Mit einem schelmischen Lächeln trat er nun an Cristin heran. »Hochverehrte Zigeunerin, gewähre mir die Ehre, deine Hand küssen zu dürfen«, näselte er, machte eine ausladende Verbeugung und griff nach ihrer Hand, um sie an seine Lippen zu führen.

Die Berührung und der Klang seiner Stimme durchzuckten sie wie ein Blitz, riefen eine beinahe verbannte Erinnerung in ihr wach. Einen Herzschlag lang erschien es ihr, als würde seine zur Schau getragene Miene erstarren. Groß wie blaue Murmeln wurden seine Augen, und sie spürte, wie ein Ruck durch seinen Körper ging. Wer war dieser Mann, dass er sie mit so eigenartigen Blicken maß? Zart küsste er ihre Hand, ohne sie dabei aus den Augen zu lassen, und ihr Herz machte einen Satz. Schon hatte er sich wieder in der Gewalt und schlug sich in gespielter Verblüffung eine Hand vor den Mund. »Schöne Seherin, was hast du in deinem Gewand verborgen?« Aus ihrem Ärmel zog er zur Belustigung aller zwei kleine Bälle hervor. Im nächsten Moment riss er in gespielter Überraschung die Augen auf. »Oh, seht nur – hier sind ja noch mehr!« Drei weitere Bälle erschienen wie aus dem Nichts aus ihrem Kopftuch, und der letzte lag plötzlich in ihrer Hand.

Cristin konnte nicht glauben, was sie da sah. Und noch weniger, was sie eben bei der Berührung empfunden hatte. Diese Stimme, fast atemlos, rau und etwas heiser. Sicher spielte die Fantasie ihr einen üblen Streich. Aufmerksam beobachtete sie, wie der Narr gekonnt mit den Bällen jonglierte und dabei ein respektloses Lied anstimmte. Dieser Mann war ganz anders als alle Menschen, denen sie zuvor begegnet war. Seine Augen blitzten, während die Leute ihm mit offenem Mund zusahen, und Cristin erkannte, dass Victorius ein Narr war, weil er genau dies und nichts anderes sein wollte. Seine Darbietung bereitete ihm ebenso viel Vergnügen wie seinen Zuschauern.

Das unterschied ihn von den anderen Gauklern der Truppe, die alle ihre eigene dunkle Vergangenheit zu verbergen versuchten. So wie Utz, den sein Vater, ein Paderborner Adliger, an seinem achten Geburtstag in das Kloster Corvey gebracht hatte, um ihn von den Mönchen erziehen zu lassen. Seine Eltern wünschten außerdem, dass der Junge durch seine Gebete für das Seelenheil der Familie sorgte. Doch die Regeln, die der Abt ihm und den anderen auferlegt hatte, hatte er eines Tages nicht mehr ertragen. Vor einem halben Jahr war Utz schließlich aus der Ordensgemeinschaft geflohen, zusammen mit Irmela, der Tochter eines unfreien Bauern, dessen Land dem Kloster gehörte, und in die er sich verliebt hatte. Wie Duretta, die aus einem Hübschlerinnenhaus in Brunswick geflüchtet war, nachdem sie sich den widernatürlichen Forderungen eines Kerls verweigert hatte. Zur Strafe hatte der Besitzer des Hurenhauses die junge Frau brutal zusammengeschlagen, und dabei hatte sie ein Auge verloren.

Oder wie Baldo und ich, durchfuhr es Cristin. In ihr regte sich ein Funken Neid auf den jungen Mann, der eine unbeschwerte Natur zu haben schien. Das Schicksal hatte ihm bisher wohl größeres Leid erspart. Ihre Gedanken wanderten zu der Goldspinnerei zurück, zu den Momenten, in denen sie einträchtig und voller Freude mit ihren Lohnarbeitern an den Gewändern und Altardecken gearbeitet hatte. Zu den Gefühlen des Glücks, die sie immer wieder empfand, wenn unter ihren eigenen Händen kleine Kunstwerke aus Samt- oder Leinenstoffen entstanden. Sie wendete sich ab, verließ die Menschenansammlung mit ihrem fröhlichen Gelächter und ging in ihr Zelt zurück. Müde sank sie auf einen der Schemel und bedeckte das Gesicht mit ihren Händen. Wir werden es nicht schaffen. Es ist nur eine Frage der Zeit, bis sie unser Versteckspiel entdecken. Sie hörte, wie der Hund hereinkam, spürte gleich darauf Lumps Pfote auf dem Schoß. Cristin hob den Kopf und streichelte ihn, doch ihre Gedanken schweiften ab. Wo sollen wir bloß hin? Wie soll ich den Mörder von Lukas finden, wenn die Häscher Lübecks nur darauf warten, mich endlich hinrichten zu können? Ich kenne nicht einmal ihre Gesichter, wie also sollen wir entkommen? Ihr Kopf schmerzte vom Grübeln, als ein Geräusch sie hochschrecken ließ.

Baldo und der Narr steckten ihre Köpfe durch den Zelteingang. »Schöne Seherin, darf ich eintreten?«, fragte Victorius.

Als sie widerstrebend nickte, duckte sich der hochgewachsene Narr und trat mit ihrem Begleiter ein.

»Geht es dir nicht gut?« Baldo kniete sich vor sie hin.

»Es geht schon, Adam. Mein Kopf schmerzt, das ist alles.«

Sie fühlte den forschenden Blick des Narren auf sich gerichtet. Diese Augen! Die Art, wie er sie von Kopf bis Fuß musterte, jagte ihr einen Schauer über den Rücken. Was hatte dieser Mann nur an sich, das ihr das Gefühl gab, er hielte ihre Hand noch immer? Für einen kurzen Moment sehnte sie sich danach, allein zu sein, um all das hinter sich zu lassen. Das Schicksal hatte es nun mal so gewollt, dass sie hier in dieser verdammten Stadt saß, verkleidet bis zur Unkenntlichkeit, um den Mörder ihres Mannes und ihre Tochter zu finden. Ein Teil von ihr wollte sich abwenden und das Zelt verlassen, um Victorius' beunruhigender Nähe zu entgehen, doch etwas hielt sie an dem Schemel fest und zwang sie, in die blauen Augen des Narren zu schauen. Auch er rang sichtlich um Fassung. Ruckartig wollte sie sich erheben, da machte Victorius eine abwehrende Geste.

»Bitte«, sprach er mit rauer Stimme. »Warte einen Moment, ich muss unbedingt mit euch reden.« Victorius sah sich nach Baldo um. »Allein.«

Baldos gekräuselte Stirn verriet seinen Unmut. »Was hat das zu bedeuten, Narr?« Er legte den Arm um Cristin.

Victorius' ernste Miene stand im heftigen Gegensatz zu der fröhlich wirkenden Narrenmaske. Er seufzte. »Vertraut mir. Ich treffe euch nach Sonnenuntergang am Hüxterdamm, drüben bei der Brauerwasserkunst.« Der Narr machte eine tiefe Verbeugung und verließ ohne ein weiteres Wort das Zelt.

Baldo und Cristin blickten ihm verdutzt hinterher.

»Welch seltsamer Geselle«, entfuhr es ihr, während sie sich leicht an Baldo lehnte.

»Allerdings. Was kann er von uns wollen?« Seine Augen nahmen einen lauernden Ausdruck an. »Oder anders gesagt: Was will der Kerl von dir? Es scheint ihm ja um dich zu gehen – *schöne Seherin*«, äffte er die Stimme des Narren nach.

»Ich kenne ihn nicht, falls du das meinst.« Wieder einmal verfluchte Cristin ihre Eigenart, ständig zu erröten. »Aber wir werden hingehen und es erfahren, oder?«

Baldo kratzte sich den Bart. »Worauf du wetten kannst. Er ist mir nicht geheuer, dieser… dieser komische Vogel.« Er packte sie an den Oberarmen, seine Stimme wurde eindringlich. »Wir sollten vorsichtig sein, solange wir nicht wissen, wer sich hinter seiner Maske verbirgt!«

17

Der Wind blies ihnen scharf ins Gesicht, während Baldo einen Stein nach dem anderen ins Wasser warf. Er wirkte angespannt, fand Cristin, doch ihre Stimmung war nicht viel besser. Sie war müde und fror, und der Geruch des brackigen Flusses, den man hier für die Bierbrauer aufgestaut hatte, verursachte ihr Übelkeit. Direkt vor ihr huschte etwas durch das Gras und verschwand mit einem leisen Platschen im trüben Nass. Den Umhang enger um den Körper geschlungen, starrte sie in die Dunkelheit, die voller Geräusche schien. Einen Steinwurf entfernt erkannte sie schemenhaft das große Rad der Brauerwasserkunst, das von der Strömung der Wakenitz angetrieben wurde. Am Tag beförderten die Schaufeln das von den Brauern benötigte Wasser in einen Behälter, von dem aus es durch hölzerne Leitungen in den Süden der Stadt floss, doch jetzt stand es still. Was Victorius wohl von ihnen wollte? Sie hasste es zu warten.

Cristin hob den Kopf und sah zum Himmel, an dem dunkle Wolken den Mond und die meisten Sterne verdeckten. Wieso mussten sie sich des Nachts treffen? Was hatte der Narr ihnen zu sagen, was die anderen nicht mitbekommen durften? Als sie dicht neben sich Schritte vernahm, zuckte sie zusammen.

»Wurde auch Zeit«, hörte sie Baldo brummen.

»Entschuldigt, ich kam nicht eher weg. Michel und Utz wollten noch einiges mit mir besprechen.«

Cristin blickte auf, während der Mond sichtbar wurde und das Flussufer und den Hüxterdamm in fahles Licht tauchte. Diesen ungeschminkten und unauffälligen Mann hätte sie niemals als den Narren vom Marktplatz wiedererkannt, wenn nicht eine weiße Haarsträhne aus seiner Gugel, die er gegen die Narrenkappe getauscht hatte, hervorlugen würde.

Er trat näher und lächelte ihr zu, aber seine Augen blieben ernst. »Danke, dass ihr gekommen seid.« Die Hände in den Taschen eines dunklen Umhanges vergraben, sah der Narr von einem zum anderen.

»Sag, was du vorzubringen hast, und dann lass uns gehen«, entgegnete Baldo unwirsch. »Ich will nicht die ganze verdammte Nacht hier verbringen.«

Der Angesprochene nickte. Sein Gesicht lag im Halbdunkel, doch sie konnte deutlich seine Anspannung spüren. »Wie ist dein richtiger Name, Zigeunerin?«

Cristin erstarrte. Hilfe suchend sah sie zu Baldo, der unmerklich den Kopf schüttelte. »Was soll das? Du kennst meinen Namen.« Obwohl sie sich bemühte, ihrer Stimme einen festen Ton zu geben, zitterte diese verräterisch. »Mala heiße ich«, sagte sie. Er unterbrach sie schroff.

»Dein Name ist Cristin. Du zählst neunzehn Lenze und trägst viel Traurigkeit in dir.«

Sie wich zurück, starrte ihn fassungslos an. Der Boden drohte unter ihr nachzugeben. »Wie? Woher weißt du …?«

Mit zusammengebissenen Lippen stolperte sie über das feuchte Gras. Wieso kannte er ihren Namen? Was wusste er noch von ihr? Wie aus weiter Ferne erreichte sie Baldos Stimme, der offenbar versuchte, Victorius loszuwerden. Er ist ein Spitzel, durchfuhr es sie. Ein als Narr verkleideter Spitzel, geschickt von den Richteherren persönlich. Kälte kroch ihr in die Glieder. Nachdem ihr Herzschlag sich ein wenig beruhigt hatte und sie aufblickte, erkannte Cristin, dass die beiden auf sie zukamen.

»Hör mich an, bitte. Ich werde dir nichts tun«, bat Victorius.

Unwillkürlich lauschte sie seiner Stimme, räusperte sich. »Nicht, bevor du mir verrätst, wer du bist und was du von mir willst!«

»Gut.« Der Narr räusperte sich. »Victorius ist nur der Name, unter dem ich auftrete. Du glaubst gar nicht, wie froh ich bin, dich endlich gefunden zu haben. Ich heiße Piet und bin … ich bin dein Bruder.«

Cristin stand da wie vom Donner gerührt und ließ seine Worte an sich vorüberziehen. Außer dieser Stimme nahm sie nichts mehr wahr. Stumm starrte sie auf Victorius' Mund, lehnte sich gegen den Stamm eines alten Baumes hinter ihr und sank ins Gras.

Starke Arme hielten sie umfangen. »Sieh mich an, Cristin!« Sie gehorchte.

»Wir sind Zwillinge, hörst du?« Er strich über ihre Wange. »Ich habe dich gefunden.«

Nein, Lüge. Alles in ihr bäumte sich auf. Meine Eltern heißen Gesche und Johann Weber. Sie hatten keinen Sohn. Verdammter Schwindler! Hitze stieg in ihr auf, und ein Sturm schwoll in ihrem Inneren an. Sie krallte ihre Finger in Victorius' Umhang. »Ich höre mir das nicht länger an«, schrie sie. »Du beschmutzt das Andenken meiner lieben Eltern! Geh mir aus den Augen!« Grob stieß sie ihn von sich, erschrocken über ihre eigene Kraft, als er unsanft auf dem Hintern landete.

»Ruhig, Mädchen. Lass ihn doch erst mal ausreden«, versuchte Baldo sie zu beschwichtigen.

»Du glaubst ihm also?« Cristin stemmte die Hände in die Hüften. »Dieser… dieser hergelaufene Komödiant taucht hier auf, erzählt uns eine rührende Geschichte von Geschwistern, die sich endlich wiederfinden, und du schenkst seinen Worten so einfach Glauben?«

Baldo zuckte die Achseln.

Aus den Augenwinkeln bemerkte sie, wie Victorius sich ihr mit ausgestreckten Händen näherte. Sie wollte sich auf ihn stürzen, doch Baldo hielt sie eisern fest.

»Verflixt, Cristin. Beruhige dich!«

Gegen seine Kraft war sie machtlos.

»Ich werde dir alles erklären, Cristin. Bitte hör mich an.« Victorius sprach stockend.

Ihre Sicht verschwamm, während sich sein Blick in ihren senkte. Diese Stimme… mein Gott, diese Stimme. Erst als Victorius sie sanft an den Schultern rüttelte, kam sie wieder zu sich. »Was willst du von mir?«

Baldo stierte Victorius und sie mit offenem Mund an.

»Fühlst du es nicht auch, dass wir uns kennen?«, murmelte der Narr, ohne auf Baldos entgeistertes Gesicht zu achten.

»Bei der Heiligen Jungfrau Maria!«, stammelte Cristin. Ohne zu wissen, wie ihr geschah, fühlte sie, wie Victorius mit zitternden Händen ihr Gesicht umfasste.

»Ja. Ich war es. Erinnerst du dich nicht? Wir sind wieder zusammen. Endlich.«

Seine Worte rauschten in ihren Ohren und gruben sich in ihr Innerstes. Jede einzelne seiner Silben schmerzte. »Das kann nicht sein. Es… es muss eine andere Erklärung…« Sie schüttelte ihn ab. »Lass mich gefälligst los! Du bist ja irre!«

Mit sich überschlagender Stimme rammte sie ihm eine Faust in den Magen, machte sich von ihm frei und rannte durch die Dunkelheit. Nur fort von diesem Gesicht, von dieser Stimme, die sie so anrührte. Beinahe wäre sie über einen dicken Ast gestolpert und blieb schließlich stehen. Aufatmend erkannte sie, dass ihr weder Baldo noch dieser Verrückte gefolgt war und lehnte sich gegen eine Mauer. Wie lange sie dort reglos stand und vor sich hin starrte, wusste sie nicht zu sagen. Als sie Schritte hörte, versteifte sie sich.

Piet blieb in sicherer Entfernung zu ihr stehen. »Ich kann mir denken, wie es in dir aussieht. Warum sollst du mir auch glauben?« Sein Gesicht lag im Dunklen. »Ich bitte dich nur, mich anzuhören. Wirst du das tun?«

Sie kämpfte mit sich, schloss für einen Moment die Augen. »Ich glaube dir nicht. Das hast du dir nur ausgedacht. Aber bitte, rede nur.«

Sein Lachen klang heiser. »Wir haben Zeit. Viel Zeit, alles verstehen zu lernen.«

Nachdem sie sich ein wenig gefangen hatte, erzählte Piet ihr die ganze unglaublich klingende Geschichte ihrer Vergangenheit. Der Mann, der behauptete, ihr Bruder zu sein, schilderte das Leben seiner und – wie er sagte – auch ihrer Mutter mit so bildhaften Worten, dass Cristin alles genau vor sich sehen konnte …

»Für mich war Sybil Kerklich, unsere Mutter, die hübscheste Frau der Welt. Sie hatte lange, glänzende Haare von der Farbe reifer Kastanien und blaue Augen, so wie ich. Ich mochte das Grübchen an ihrem Kinn und die Art, wie sie die Nase immer kräuselte, wenn sie aufgeregt oder verärgert war. Aber das ist eine andere Geschichte … Mit angezogenen Knien saß sie an diesem besonderen Tag, von dem sie mir später erzählte, auf dem Boden ihrer einfachen, aus grobem Holz errichteten Hütte und starrte mit rot unterlaufenen Augen ins Leere. Mit ihren knapp vierzig Lenzen war sie fast schon zu alt, um Kinder zu bekommen. So dachte sie jedenfalls. Bisher war es ihr immer gelungen, eine Schwangerschaft zu verhindern.

Schließlich war sie eine weise, der Heil- und Pflanzenkunde mächtige Frau und wusste, was in solchen Fällen zu tun war. Wie oft habe ich ihre kleinen, flinken Finger bewundert, wenn sie Salben zubereitete oder die Wunden ihrer Patienten behandelte. Doch für sie war es zu spät, ihre Leibesfrucht abzustoßen, vielleicht auch, weil sie die Anzeichen nicht hatte wahrhaben wollen. Mama sagte mir später einmal, insgeheim hätte sie sich immer nach Kindern gesehnt.

Damals aber vergrub sie das Gesicht in den Händen und fragte sich bange, was nun werden sollte. Eine Vision hatte ihr gezeigt, dass zwei Kinder in ihr heranwuchsen. Zwillinge, und das für eine so zarte Person wie sie. Nach dem ersten Schrecken beschwor sie wieder und wieder die Bilder herauf. Mutter hatte so sehr gehofft, sich geirrt zu haben. Aber gleichgültig, ob sie Orakel befragte oder den Stand der Sterne deutete, immer hieß es, sie würde zwei Kinder gebären – einen Jungen und ein Mädchen. Sie muss wirklich verzweifelt gewesen sein. In ihrer Not braute sie sich einen starken Aufguss aus Petersiliensamen, so wie sie es zuvor vielen Frauen empfohlen hatte. Vielleicht hast du schon von der Wirkung dieser Samen gehört?«

Cristin nickte schweigend.

»Mama brachte es allerdings nicht übers Herz, die Flüssigkeit zu trinken, denn eine innere Stimme mahnte sie, den Lauf der Dinge nicht zu verändern«, fuhr Piet fort. »Sie glaubte an den Lauf der Sterne und die Kräfte der Natur, weißt du? Nach einer schlaflos verbrachten Nacht schüttete sie letztlich den Aufguss weg. Sie fragte sich wieder und wieder, wie sie zwei Kinder durchbringen sollte, wenn sie selbst gerade genug hatte, um zu überleben.

Es war ein stürmischer Frühlingstag, als wir zur Welt kamen. Nur die alte Wehfrau aus der Engelsche Grove sei bei ihr gewesen, als Mama uns aus dem Schoß presste. Viel später berichtete sie mir, wie erschöpft sie gewesen war. Trotzdem sei dies der glücklichste Moment ihres Lebens gewesen. Mama meinte, der dünne Flaum auf meinem Kopf wäre etwas heller als deiner gewesen. Wir sollen uns überhaupt nicht ähnlich gesehen haben. Während ich viel schlief, hast du oft aus Leibeskräften geschrien, obwohl du kleiner und schwächlicher warst als ich.«

»Was geschah dann?«, wollte Cristin wissen.

Piet fuhr sich über das Gesicht und schürzte die Lippen. »Ich erinnere mich noch genau an Mutters Worte, als sie erzählte, was sich an jenem Tag ereignete. Etwa zwei Wochen, nachdem wir geboren worden waren, klopfte es an der Tür. Mama stillte mich gerade. Eine Frau in einem gut geschnittenen Mantel betrat die Hütte und setzte sich neben sie. Unsere Mutter kannte diese Frau gut.«

Cristin schloss die Augen. Während Piet weitersprach und schilderte, was nun geschehen war, sah sie alles vor sich.

»›Gott zum Gruße, Sybil.‹

›Was kann ich für Euch tun, Frau Weber?‹

Diese biss sich auf die Lippen. Ihr Gesicht war verquollen, als ob sie viel geweint hätte. ›Deine Mittel haben mir nicht geholfen, Sybil. Selbst die Zaubertränke der alten Johanna habe ich probiert. Alles vergebens.‹

Mutter war wohl aufgebracht und schimpfte. ›Zaubertränke sind Teufelswerk, Frau Weber! Es beschwört den Leibhaftigen persönlich!‹

›Glaube mir, Sybil‹, erwiderte die andere Frau mit einem sehnsüchtigen Blick auf mich. ›Für ein Kindchen wie dieses würde ich selbst meine Seele opfern.‹

›Sagt nicht so etwas!‹ Unsere Mutter muss entsetzt gewesen sein.

›Ich kann Euch nicht mehr helfen, Frau Weber. Ich habe alles versucht. Es tut mir leid.‹

Zwischen den beiden Frauen soll sich Schweigen ausgebreitet haben. Aus einer Ecke der Kammer erklang jämmerliches Weinen. ›Die beiden haben ständig Hunger‹, erklärte Mutter. Wie ich sie kannte, hatte sie gewiss dieses dünne Lächeln im Gesicht, das zeigte sie immer, um ihre Gefühle vor anderen zu verbergen. Gesche Weber beobachtete, wie

Mutter mich in ein Bett legte und zu dir hinüberging, denn deine Stimme wurde fordernder. ›Darf ich sie mal halten, Sybil?‹

Nach kurzem Zögern legte Mama dich in ihre Arme.

›Sie ist hübsch‹, soll die Besucherin gemurmelt haben, während sie dir zart über die rosigen Wangen strich. Das Schreien schien sie nicht zu stören, zu sehr war sie in deinen Anblick versunken. Mit deinen winzigen Fingern umklammertest du ihren Daumen und hieltest sie fest. Gesche Weber hob den Kopf. ›Gib mir dieses Mädchen, Sybil. Ich werde für sie sorgen und sie lieben, als wäre es mein eigenes.‹

Mutter wich zurück. ›Das kann nicht Euer Ernst …‹

›Es soll dein Schaden nicht sein, Sybil. Ich habe Geld genug, um für beide Kinder aufkommen zu können.‹

Mama riss dich aus den Armen der Frau, bebte am ganzen Leib. ›Wer denkt Ihr, wer ich bin? Nur weil Ihr reich seid und ich arm, glaubt Ihr, mein Kind kaufen zu können?‹

Gesche Weber legte ihr eine Hand auf den Arm. ›So ein Unfug. Setz dich zu mir, Sybil.‹

Das Schreien hörte schlagartig auf, als Mutter neben ihr Platz nahm und dich an die Brust legte. Bis auf die leisen, schmatzenden Geräusche soll es still in der Hütte gewesen sein.

›Denk nach, Sybil.‹ Sie machte eine ausholende Handbewegung. ›Schau dich um. Wie willst du arbeiten, wenn du zwei Säuglinge zu versorgen hast?‹

›Es wird schon gehen‹, beeilte sich Mutter zu versichern. ›Wenn sie schlafen, kann ich Tinkturen und Salben herstellen.‹

Gesche nickte gemächlich. ›Sicher, das kannst du. Aber was willst du tun, wenn ein Kranker dringend deine Hilfe benötigt? Willst du ihm sagen, er soll wiederkommen, wenn die Kinder satt und zufrieden sind?‹

Mutter erhob sich hastig, drückte dich an sich und ging, um nach mir zu schauen. Ich schlief. ›Was geht es Euch an? Lasst das nur meine Sorge sein.‹

Kopfschüttelnd betrachtete Gesche Weber ihr Gegenüber. ›Ich verstehe dich ja.‹ Ihre Stimme wurde sanft. ›Aber sei vernünftig. Sieh dich nur mal an. Man könnte meinen, der nächste Sturm würde dich umwehen, so dünn bist du geworden.‹

Mama erzählte, jedes Wort der Frau hätte ihr einen Stich versetzt. In ihr tobten innere Kämpfe, für die sie viel später noch keine Namen fand. Mit einem Wimmern brach sie auf dem rauen Boden zusammen, den Kopf an deine Stirn geschmiegt. Lange Zeit sprach niemand ein Wort.

›Es mag für dich aussehen, als würde ich nur an mich denken, Sybil. Aber das ist nicht wahr.‹ Sie hob Mutters Kinn. ›Wie lange kennen wir uns schon? Ich beobachte dich seit geraumer Zeit, weißt du?‹

Mama weinte wie noch nie in ihrem Leben.

›Obwohl du bis zum Umfallen arbeitest, bleibt nicht genug für dich übrig. Du gibst mehr, als du bekommst. Dein Herz ist großmütig. Was machst du, wenn deine Milch versiegt? Ich kann dir helfen, verstehst du?‹

›Indem Ihr mir eins meiner Kinder nehmt?‹

›Indem ich für dich und die Kinder sorge, Sybil. Du wirst nie Not leiden, solange ich lebe.‹ Sie streichelte über Mamas zuckenden Rücken.

›Ich … ich kann das nicht. Sie ist – sie ist mein eigen Fleisch und Blut.‹

›Sie wird es gut haben bei uns. Keiner wird etwas davon erfahren. Darauf gebe ich dir mein Wort.‹

Die Frauen sahen einander an.

›Niemand könnte dir je dankbarer sein als ich. Mein Herzenswunsch … mein ganzes Sehnen. Bitte überlege. Ich hätte nicht noch einmal die Kraft, dich zu bitten.‹

Gesche Weber nahm Mutter in den Arm, und sie ließ es geschehen.

Lange Zeit hielten sie einander umfangen, bis Sybil sich schließlich schwankend und mit zuckendem Gesicht erhob und dir einen Kuss auf die Stirn hauchte. Wortlos legte sie dich der Älteren in den Arm.

›Geht, rasch! Bevor ich es mir anders überlege‹, stieß Sybil mit bebender Stimme hervor.

›Gott schütze dich‹, erwiderte Gesche. ›Du wirst es nicht bereuen.‹«

In dieser Nacht fand Cristin keinen Schlaf, denn die Geister der Vergangenheit sowie die folgenschweren Ereignisse, die mit Sybils Schwangerschaft begonnen hatten, spukten unaufhörlich in ihrem Kopf herum. Piets Erzählungen über diese Kräuterfrau erschienen ihr fremd, als hätten sie mit ihr nichts zu tun. Sie waren für Cristin nicht mehr als eines der Märchen, die Mutter ihr damals erzählt hatte, wenn sie kränkelte oder nicht einschlafen konnte. Mutter. Sie rollte sich auf die Seite und zog die Decke höher, obwohl es heiß und schwül war. Unmöglich, Piet musste auf der falschen Fährte sein. Dennoch, seine Geschichte nahm sie eigentümlich gefangen. Sybil musste verzweifelt gewesen sein, so ganz allein mit ihren Ängsten und der Gewissheit, bald mit zwei kleinen Kindern zurechtkommen zu müssen. Voller Dankbarkeit erinnerte Cristin sich daran, diese Nöte niemals gekannt zu haben – bis zu jenem Tag, an dem Lukas gestorben war. Ihre Eltern hatten sie wohl behütet, Armut oder gar Hunger war das Los der Bettler gewesen, die sie täglich in der Stadt gesehen hatte. Jeder Wunsch war ihr von den Augen abgelesen worden, Fröhlichkeit und Liebe hatten ihre Kindheit bestimmt. Cristin seufzte und kehrte mit den Gedanken zurück zu der geheimnisvollen Sybil …

In ihrem Kopf schwirrte es. Cristin presste eine Hand an die pochende Schläfe und wartete, bis der Schmerz verebbte. Noch immer meinte sie, in der Hütte den Geruch von Blut und Schweiß wahrnehmen zu können, von dem Piet erzählt hatte. Die Schreie der Neugeborenen und der heulende, durch alle Ritzen dringende Wind, von dem er berichtet hatte, klangen in ihr nach. Sie schloss die Lider und kämpfte gegen den Impuls an, aufzustehen und umherzuwandern. Nur allmählich fand sie in die Wirklichkeit zurück. Und mit ihr kamen Fragen und Zweifel. Waren diese Kinder wirklich Piet und sie gewesen? Das ergab alles keinen Sinn.

Ihre Mutter, Gesche Weber, war die einzige, an die sie sich erinnern konnte. Sie war es gewesen, die sie getröstet hatte, wenn sie traurig oder krank war. Sie war es, die sie alles gelehrt hatte, was eine wohlerzogene Tochter wissen musste. Trotzdem – wenn Piets Geschichte stimmte, musste sie die Wahrheit herausfinden.

Der Schmerz in ihrem Innern nahm Cristin den Atem, und sie war wie betäubt. War ihr Leben wirklich eine einzige Lüge gewesen? Etwas bäumte sich in ihr auf, wollte sich wehren gegen die Bilder der Vergangenheit, die während Piets Schilderungen in ihr aufgetaucht waren. Tränenblind verließ sie das Zelt und stolperte über den Rasen, um sich gegen einen Baum zu lehnen. Herr im Himmel – hatte ihre Mutter das wirklich getan? Und wenn, wie hatte sie ihr das alles verschweigen können? Wenn sie doch nur mit ihr reden könnte. Aber Mutter – oder die Frau, die vorgegeben hatte, ihre Mutter zu sein – war seit Jahren tot, genau wie ihr Vater. Nach Piets Aussagen war auch Sybil vor geraumer Zeit verstorben. Ein Geräusch ließ sie hochschrecken.

»Was suchst du hier, mitten …« Urban kniff die Augen zusammen. »Hast du geweint, Agnes?«

»Selbst wenn, geht es dich etwas an?«, fauchte Cristin und wich seinem Blick aus. Im nächsten Moment senkte sie die Lider und gab ihrer Stimme einen freundlicheren Klang. »Ich kann nicht schlafen. Und du?«

»Der Bär ist unruhig heute Nacht. Ich … ähm, ich wollte eigentlich nur mal …«, Urban wies auf eine Gebüschreihe unweit von ihnen.

Cristin verstand. Sie sah ihm nach, bis die Dunkelheit seine Gestalt verschluckte. Ihre Gedanken wanderten zu Piets Offenbarung zurück. Nein! Nie mehr würde sie sich diese

Lügenmärchen anhören. Ebenso wenig, wie sie diesem Wildfremden Glauben schenkte, der zudem ein Narr war, darin geübt, andere Leute an der Nase herumzuführen.

18

Während die Gauklertruppe ihre nächste Vorstellung vorbereitete, fühlte Cristin immer wieder Baldos Blicke auf sich gerichtet. Er wartet, dachte sie voller Grimm. Soll er ruhig. Sie wich ihm aus, wann immer sie konnte, bis der Gefährte sie beiseitezog. Sein Gesicht hatte jenen düsteren Ausdruck angenommen, der ihr zeigte, dass er nicht zu Späßen aufgelegt war.

»Bisher war ich der Meinung, du könntest dich anständig benehmen. Ich muss mich wohl getäuscht haben, *Agnes*.« Sie wollte ihm eine scharfe Antwort geben, doch der strenge Zug um seine Lippen ließ sie schweigen. »Du solltest über Piets Worte nachdenken, du stures Frauenzimmer! Findest du es richtig, wie du deinen Bruder behandelst?«

Cristin war sprachlos. Sie fuhr zusammen, als er den Griff um ihre Schulter verstärkte. »Lass mich los, du Unhold! Du tust mir weh!«

Baldos Mund verzog sich zu einem spöttischen Grinsen. »So? Ich tue dir weh? Dann weißt du ja, wie Piet sich fühlen muss!«

»Ach, sei schon still«, schleuderte sie ihm entgegen, während es in ihr zu brodeln anfing. Sie trat um sich. »Du glaubst ihm also jedes Wort, wie?« Cristin versuchte sich seinem Griff zu entziehen, aber er hielt sie mühelos fest. »Mach ruhig weiter, du Furie. Krüppel bleibt Krüppel.«

Wie angewurzelt blieb sie stehen und senkte den Kopf.

»Gut, und jetzt hörst du mich an!« Er zog sie so dicht an sich, dass nicht einmal ein Blatt Pergament zwischen ihre

Körper gepasst hätte. Der Puls an seiner Halsschlagader pochte hart. »Ich habe deine Launen satt, verstehst du? Bei allem Verständnis und aller Geduld – meinst du nicht, es wird Zeit, zumindest über Piets Erzählungen nachzudenken? Wie lange meinst du, die Wahrheit noch leugnen zu können?«

Cristin schnaubte. »Über seine Erzählungen nachdenken? Sie gehen mir nicht mehr aus dem Kopf. Aber du kannst es scheinbar nicht erwarten, dass ich ihn in die Arme schließe!«

»Nein.« Auf einmal wirkte Baldos Gesicht schmerzverzerrt. »Auch Piet trägt eine Last mit sich herum, nur bist du offenbar zu eigensinnig, um das zu erkennen.«

»Du nennst mich eigensinnig? Ausgerechnet du?«

»Eigensinnig, hartherzig und dickschädelig.«

Sie schwieg, seine Worte bohrten sich wie Dolchstiche in ihr Innerstes.

»Ich wäre froh, wenn ich einen Bruder oder eine Schwester hätte, der oder die mir die Hand reicht. Und nun mach, was du willst.« Ruckartig ließ er von ihr ab, drehte sich um und humpelte zu den anderen herüber.

Cristin sah ihm verdutzt hinterher, bis irgendwann die Erstarrung von ihr wich. Mit fahrigen Bewegungen band sie ihr Kopftuch enger und ging, ohne auf die Gaukler zu achten, auf das Zelt zu. Dort angekommen, blieb sie stehen, drehte sich auf dem Absatz um und verließ den Marktplatz, der sich bereits mit den ersten Schaulustigen zu füllen begann. Am Ufer der Trave setzte sie sich nieder und streckte sich im warmen Gras aus. Aus der Ferne war das Hämmern der Werftarbeiter zu hören. Mit in den Nacken gelegtem Kopf schaute sie in die träge dahintreibenden Wolken. Alles in ihr war in Aufruhr. Eigensinnig, dickschädelig, hartherzig. Sie biss sich auf die Lippen. Die Härte, mit der Baldo gesprochen hatte, erschreckte sie. Dazu dieser Ausdruck in seiner Miene, dieser bittere Zug um den Mund. War sie tatsächlich so, wie er behauptete? Hatte sie während der gemeinsamen Zeit wirklich nie auf seine Gefühle Rücksicht genommen, sie nicht einmal bemerkt?

Sie riss ein Büschel Weidelgras aus und zerdrückte die Ähren in der geballten Faust.

Baldo weiß, dass es nicht stimmt, dachte sie. Was erwartete er denn von ihr? Sollte sie diesem Fremden, der sich einfach so in ihr Leben gedrängt hatte, Glauben schenken und ihn als ihren Bruder anerkennen? Verstand er denn nicht, was es für sie bedeuten würde? Wäre es nicht Verrat an den geliebten Eltern zuzulassen, dass deren Ansehen beschmutzt wurde? Und dennoch… Cristin blickte auf die gekräuselte Wasseroberfläche, auf der sich Sonnenstrahlen in Regenbogenfarben spiegelten. Als sie in einiger Entfernung Männerstimmen vernahm, erhob sie sich, glättete ihr dunkles Gewand und schnippte ein paar Grashalme von dem groben Stoff. Langsam schritt sie mit gesenktem Kopf den Weg zurück zum Marktplatz.

Hatte ausgerechnet sie das Recht, sich über den Narren lustig zu machen, nur weil er sich schminkte und verkleidete? Auch ihre Aufmachung war nicht echt, ebenso wenig wie ihr Name. Auch sie spielte nur eine Rolle. Je näher sie dem lebhaften Trubel kam, umso zögernder wurden ihre Schritte. Der Marktplatz war voller Menschen, und sie sollte längst in ihrem Zelt sein. Eine schöne Spökenkiekerin war sie! Gab den Besuchern der Gaukler wohlmeinende Ratschläge, wie sie Krankheiten lindern oder den besten Ehemann für ihre Tochter finden konnten. Nur mit dem eigenen Leben und mit den beiden Männern kam sie nicht zurecht. Schämen solltest du dich, Cristin Bremer!

Nach dem Abendessen hatte Cristin nach Piet gesucht und ihn schließlich auf dem Marktplatz gefunden, wo er abseits der Stände mit angezogenen Beinen am Stamm einer Linde lehnte. Inzwischen war es dunkel und der Platz menschenleer, nur die allgegenwärtigen Tauben pickten noch die letzten Reste auf, bevor sie sich auf den Dächern und Mauervorsprüngen der Stadt niederließen. Cristin setzte sich neben ihren Bruder.

Er blickte auf. Piets Miene wirkte entrückt und spiegelte seine Empfindungen wider. »Das Leben war hart für uns«, sagte er unvermittelt. »Ich erinnere mich noch, wie der Wind durch die Holzbalken pfiff und wir uns um das Feuer kauerten, um im Winter nicht zu frieren.« Wehmut war aus seiner Stimme herauszuhören. »Ich durfte immer ganz nah am Feuer sitzen, so dicht, dass meine Füße heiß wurden. Mutter sagte, der Wind ist unser Freund. Er pustet die Samen der Blumen und Bäume auf die Felder, damit sie Medizin für die Kranken herstellen kann.« Er lächelte. »Wenn der Wind dann zum Sturm wird, ist er zornig. Ihn muss man ertragen wie einen unleidlichen Gemahl, erklärte sie mir.«

»Deine Mutter war klug. Aber hat sie nicht Geld genug bekommen, um die Hütte ausbessern zu lassen?«

Piet seufzte. »Du hast sie nicht gekannt, Cristin. Nein, das Geld deiner Ziehmutter hat sie nie angerührt. Allein von dem, was sie als Kräuterfrau verdiente, konnten wir mehr schlecht als recht leben.«

»Sie hat es nie angerührt?« Fassungslosigkeit ergriff die junge Frau. »Was hat sie damit gemacht?«

Das Weiß seiner Haare leuchtete im Schimmer des Mondlichts, als er den Kopf senkte und mit einem kleinen Stock im Sand stocherte. »Das Geld sollte für die Schule sein. Mutter wollte, dass ich lesen und schreiben lerne. Wie die Söhne der Kaufleute, die ihren Rat suchten, wenn sie krank waren.«

»Du bist zur Schule gegangen?«

»Nur so lange, bis ich die mitleidigen oder höhnischen Blicke der anderen Schüler nicht mehr ertragen konnte.«

Cristin spielte mit einem Zipfel ihres Kopftuches, um die Finger zu beschäftigen. »Deine Mutter muss dich geliebt haben. Sehr sogar, wenn sie alle Münzen für deine Schule zurückgelegt hat.«

»*Uns* hat sie geliebt, Cristin. Vergiss nicht, sie war auch deine Mutter.«

Nieselregen setzte ein, doch sie spürte nichts davon. »Wie kannst du das sagen, Piet?« Ihre Stimme klang gepresst.

»Wenn es so wäre, hätte sie mich nicht fortgegeben, oder?« Sie schüttelte die Hand ab, die sich auf ihre legte.

»Sie hat es getan, weil sie dich liebte, Schwester!« Piets Gesicht rötete sich, als er ihr den Kopf zuwendete. »Hast du jemals gefroren oder Hunger gelitten? Musstest du je im tiefsten Winter auf dem Markt stehen, bis deine Beine gefühllos waren? Oder die Hänseleien anderer Kinder ertragen, weil du nicht zu den angesehenen Bürgern Lübecks zähltest?«

Cristin presste die Lippen aufeinander.

»Sag mir, was hast du ausstehen müssen bei deinen Zieheltern? Hattest du es nicht gut bei ihnen, dass du glaubst, dir wäre etwas genommen worden?«

Am ganzen Leib bebend richtete sie sich auf und hoffte, er möge in der zunehmenden Dunkelheit nicht sehen, wie sich ihre Augen mit Tränen füllten. »Oh ja, mir ist etwas genommen worden, Piet: die Wahrheit! Ich habe mir immer Geschwister gewünscht! Einen Spielkameraden, jemanden, mit dem ich mich verstehe und der zu mir gehört.«

So jemanden wie meinen unsichtbaren Freund, der immer da war, wenn ich mich allein fühlte, fügte sie in Gedanken hinzu. Sie betrachtete den Nachtwächter mit seiner Laterne, wie er die Marienkirche umrundete, und wartete, bis sie ihre Stimme wieder unter Kontrolle und die letzten Tränen hinuntergeschluckt hatte. Cristin setzte sich nieder und grub die Hände in ihren Umhang.

Zwischen ihnen wurde es still.

»Erzähl weiter«, bat sie nach einer Weile.

Piet lehnte sich zurück und fuhr sich über die weißen Haare. »Na schön. Weißt du, wie es für mich war?« Er sah sie an. »Ich war etwa vier oder fünf Lenze alt, da habe ich es das erste Mal gespürt. Es war so, als ob mir immer etwas fehlte. So wie ...« Er suchte nach Worten. »So als ob ein Teil von mir nicht da wäre. Wie bei einer Puppe, der ein Bein fehlt.«

Cristin schluckte.

»Dann fingen irgendwann diese ... diese Träume an. Da war ein Mädchen, genauso alt wie ich, wir spielten miteinander.

Manchmal kam es mir vor, als läge sie nachts neben mir und wärmte mich, wenn ich fror. Ich hörte sie lachen und weinen, ganz in meiner Nähe. Wenn ich erwachte, wurde ich traurig. Mutter meinte, das wäre nur ein Wunschtraum, aber ich konnte sehen, dass sie nicht gern darüber sprach.« Sein Blick war auf den Boden gerichtet, und Cristin konnte seine innerliche Erregung förmlich spüren. »Eines Tages«, fuhr Piet fort, »stellte ich mir das Mädchen vor, wie es neben mir saß, wenn ich spielte. Es hatte rötliche Locken und meist aufgeschürfte Knie, weil es wild und unachtsam war.«

Cristin stockte der Atem.

»Manchmal sah ich sie so klar vor mir, als wäre sie wirklich da. Sie gluckste, wenn sie lachte, alles an ihr war mir so vertraut. Ich wusste, wie sie roch und dass sie errötete, wenn sie erregt oder verlegen war.«

Alles in ihr erstarrte. Cristin war es, als sähe sie sich selbst auf dem Boden hocken, neben einem Jungen mit strohblonden Haaren, der ihr Geschichten erzählte. Sie starrte auf das Profil des Spaßmachers, lauschte seiner Stimme und stammelte: »Ich habe am liebsten… ja, am liebsten habe ich mit den Rittern aus Holz gespielt.«

»Ja«, hörte sie ihn flüstern. »Mit den Rittern. Ich musste mir Geschichten von stolzen Burgfräulein ausdenken, die im Verlies gefangen gehalten wurden. Jedes Mal, wenn es kein schönes Ende gab, warst du traurig.«

Ihre Blicke begegneten sich. Cristin überlief ein Schauer. In ihrem Kopf war ein Summen, der Puls an ihrem Hals raste. »Das… das kann nicht… Piet!« In diesem Moment nahm sie jedes Detail überdeutlich wahr. Seine weißen Haare, mit denen der Wind spielte, ebenso wie die dunklen Wolken, die den Mond verdeckten, und dieses unerklärliche Empfinden, etwas Langersehntes möglicherweise wiedergefunden zu haben. Unzählige Fragen brannten ihr auf der Seele, doch sie war nicht fähig, mehr als einen heiseren Ton herauszubringen.

»Dann, mit zehn Lenzen, alt genug, die Wahrheit zu ertragen, erzählte Mama mir alles.« Piet hob ihr Kinn, damit sie ihn ansah, und sein Blick wurde eindringlich. »Sie hatte Angst, ihr kleines Mädchen könnte krank werden und sterben. Du solltest leben, Cristin. Sie hat sich lange in den Schlaf geweint, es hat ihr beinahe das Herz zerrissen, als sie dich weggab. Ihr einziger Trost war die Gewissheit, dass gut für dich gesorgt wurde.«

Wortlos legte Cristin den Kopf gegen seine Schulter und versuchte, ihre Gedanken zu ordnen. Trotz ihrer Verwirrung fühlte sich seine Nähe vertraut an, wie selbstverständlich. »Sie tat es aus Liebe, Schwester. Bis zu ihrem Tode hat sie deiner immer wieder gedacht.«

Der Regen nahm zu und drang durch ihre Kleidung. Mit einer Hand wischte sie sich einige Tropfen von der Stirn und schwieg. Alles klang so unfassbar, unmöglich gar, und dennoch fügte sich in ihr alles zu einem Ganzen zusammen. Piets und ihre Seele hatten einander berührt, obwohl sie sich bis vor Kurzem nicht mal gekannt hatten. Sie war ein Zwilling, eng verbunden mit ihrem Bruder. Piet wusste seit Langem von ihrer Existenz. Wie hatte er sie nur gefunden? Sie musste ihn fragen, jede Einzelheit in Erfahrung bringen. Cristin dachte an ihre gemeinsame Mutter, an Sybil Kerklich. Die letzten Jahre hatte sie in Lübeck verbracht, war ihr immer ganz nahe gewesen, nur wenige Straßen entfernt, ohne es zu ahnen. Wieso tat die Wahrheit so weh, obwohl sie ihre leibliche Mutter nie kennengelernt hatte? Alle Zeit wurden die Kinder armer Leute weggegeben, trotzdem war es ihr, als hätte man ihr den Boden unter den Füßen weggezogen.

Cristin hob die Lider und betrachtete erneut Piets Profil. Wärme durchflutete sie unvermittelt, und sie drängte sich dichter an ihn heran. Als er ihren Blick spürte, lächelte er auf eine Weise, die sie den Schmerz für einen Moment vergessen ließ. »Wer … wer ist unser Vater, Piet?«

In seinem Gesicht arbeitete es. »Ich weiß nicht viel von ihm. Er soll Bauer gewesen sein und Land für den Markgrafen bewirtschaftet haben, drüben an der Nordsee. Gemeinsam mit anderen kam er hierher, um Salz einzukaufen. Als er unserer Mutter auf dem Markt begegnete, war es sofort um beide geschehen. Aber er war verlobt, die Hochzeit sollte bald stattfinden. Verliebt, wie er in unsere Mutter war, wollte er die Verbindung lösen und bat darum, sie heiraten zu dürfen.« Er zuckte die Schultern. »Mutter lehnte ab.«

»Sie lehnte ab? Wieso denn? Sie hat ihn doch geliebt, oder etwa nicht?«

»Oh ja, mehr als ihr recht war.« Sein Lachen klang hohl.

»Das verstehe ich nicht.«

»Mutter meinte, sie würde als Gemahlin nicht taugen. Sie wollte keinem Mann dienen, nicht einmal ihm. Es würde eine Zeit kommen, in der die Liebe abkühlt. Sie hätte es nicht ertragen. Außerdem war ein *Toslach* für sie etwas Heiliges. Sie schickte ihn weg. Danach hat sie nie wieder zugelassen, dass ein Mann ihr wehtat.«

»Sie ist allein geblieben?«

Piet zog Cristin hoch und führte sie zum Eingang von St. Marien, damit sie Schutz vor dem heftig prasselnden Regen suchen konnten. Er zog sie in die Arme und grinste wie ein kleiner Junge. »Oh nein, wo denkst du hin? Sie war viel zu hübsch, um allein zu bleiben. Aber länger als ein paar Tage ertrug sie niemanden an ihrer Seite, dann begannen die Verehrer, sie zu langweilen.«

Eine derartige Denkweise war Cristin fremd, und sie wusste nicht, ob sie Entsetzen oder Bewunderung für die Frau empfinden sollte, die sie geboren hatte.

Piet lachte lauthals. »Schwesterherz, du siehst aus, als hättest du einen Frosch verschluckt!«

Cristin antwortete nicht, sie starrte an ihm vorbei durch den jetzt nur noch nieselnden Regen. Ihr Blick blieb am Eingang einer Schänke hängen, aus der zwei junge Seeleute, in Trunkenheit vereint, singend auf die Straße traten. Sie schwankten und stützten sich gegenseitig. Ihre Gedanken kehrten zu der kräuterkundigen Sybil zurück, die nie geheiratet und Männer nur für ein kurzes Vergnügen gesucht hatte. War das nicht Sünde, waren Liebkosungen nicht einem rechtmäßigen Ehepaar vorbehalten? So jedenfalls hatten die Eltern es sie gelehrt.

»Erzähl mir von deinem Leben, Piet. Erzähl mir alles.«

»Gern. Aber wir sollten uns langsam auf den Heimweg machen, bevor man hier auf uns aufmerksam wird.«

Sie hakte sich bei ihm unter. Der Nachtwächter hatte seine Runde beendet, sodass der Rückweg in vollkommener Dunkelheit vor ihnen lag.

»Wir hatten auch gute Zeiten, weißt du? Manchmal schenkten zufriedene Kunden Mutter Fleisch, Getreide, Salz oder Garn zum Spinnen. Ich lernte, Salben und Pasten herzustellen und an welchen Symptomen Krankheiten zu erkennen waren. Doch als ich diese Dinge beherrschte, langweilten sie mich schnell, deshalb lungerte ich ständig in der Stadt herum.« Er wirkte entrückt. »Eines Tages, ich glaube, es war am Martinstag, waren Gaukler in der Stadt. Ich sah ihnen eine Weile zu und staunte, was sie alles konnten. Besonders der Sänger mit seiner Flöte hatte es mir angetan. Ich lauschte, wie er den Bürgern Kunde von fremden, weit entfernten Ländern und ihren Herrschern brachte. Eine völlig andere Welt tat sich für mich auf.«

Cristin ergriff seine Hand und fühlte, wie ein Teil seiner Begeisterung auf sie übersprang.

»Die Dämmerung nahte schon, da scheuchte mich einer der Gaukler vom Platz und meinte, ich sollte nach Hause gehen und mich am Feuer wärmen.« Piets Augen leuchteten, während er erzählte. »Glaubst du an Bestimmung, Cristin?«

»Ja, das tue ich.«

Er nickte und wich einer Pfütze aus. »Von dem Tag an wusste ich, ich wollte Gaukler werden. Einer, an den die Leute sich erinnern sollten, weil er sie zum Lachen gebracht hatte.« Er lachte leise. »Dass ich Mutter mit meiner Singerei und dem Jonglieren nicht in den Wahnsinn getrieben habe, grenzt an ein Wunder.«

Cristin lächelte. Selbst ungeschminkt wirkte Piet mehr als ungewöhnlich. Ihn als ihren leiblichen Bruder anzusehen, der sich in vielen Dingen so sehr von ihr unterschied, fiel ihr nicht leicht. Doch trotz aller Gegensätze spürte sie eine Verbindung zwischen ihnen beiden, die mehr war als nur die Sprache des Blutes. »Wie lange reist du schon als Narr durch die Lande?«

Sein Gesicht verdüsterte sich. »Seit Mutters Tod. Ich war vierzehn, als sie starb. Mit einem Teil des hinterlassenen Geldes sorgte ich dafür, dass sie ein anständiges Begräbnis bekam, dann zog ich los. Nichts hielt mich mehr in dieser Stadt.«

Sie waren beinahe an der Stadtmauer angekommen, wo sie nächtigten. Aus einem der Fenster drang das Gezeter zweier Weiber zu ihnen herüber, hinter einem der Backsteinhäuser kläffte ein Hund. Es roch moderig, und der allgegenwärtige Geruch menschlicher Exkremente hing in der Luft.

Cristin fror. Eines jedoch musste sie noch wissen. »Wie hast du mich gefunden?«

Piet schwieg einen Augenblick. »Ich weiß nicht, wie ich es erklären soll. Immer wieder spürte ich eine unsichtbare Verbindung zwischen uns, etwas, das unsere Seelen miteinander verband. Im Traum sah ich, wenn du Angst hattest oder krank warst. Ab und zu erkannte ich auch deine Ziehmutter, diese Gesche Weber. In den letzten Monaten wurde es stärker. Manchmal war es, als ob du mich rufen würdest, Schwester.« Er blieb stehen. »Es kam mir oft so vor, als seiest du in meiner Nähe, nur wusste ich nicht genau, wo du warst. Während ich vor ein paar Monaten mit verschiedenen Gauklergruppen umherreiste, wurde ich unruhiger. Ich erinnere mich, dass …« Piet stockte. Er fuhr sich über die Stirn. »… dass ich weiter im Süden war, wo es dichte, dunkle Wälder gibt. Ich bereitete mich mit einem Sänger auf eine Vorstellung vor. Plötzlich fing mein Herz an zu rasen. Da hörte ich Männerstimmen. ›Du wirst verhaftet‹, sagten sie. Hände griffen nach mir und zerrten mich fort.«

Cristin unterdrückte ein Stöhnen.

»Ich … ich brauchte eine Weile, bis ich verstand, dass es nicht nur ein Traum, sondern eine meiner verrückten Visionen war, wie Mutter sie immer nannte. In meinem Inneren spürte ich, es musste mit dir zu tun haben.«

Schwer stützte Cristin sich an der Mauer eines windschiefen Hauses ab. »Was … was hast du noch gesehen?«

»Bilder, immer nur kurze Momente.« Piet legte den Arm um sie. »Dunkelheit. Ich sah dich auf dem Boden kauern, fühlte Schmerz. Dann eine höhnische Stimme und Fesseln, die dir die Handgelenke einschnürten. Ich erlebte deinen Zorn, vor allem aber deine Angst.« Am Ende flüsterte er nur noch, für sie jedoch klangen seine Worte wie ein aufkommender Sturm.

»Hör auf! Bitte.«

»Cristin.«

Die Arme schützend über den Kopf gelegt, wehrte sie ihn ab. »Lass mich. Ich … ich will es nicht hören.« Ihre Stimme überschlug sich, versagte ihr den Dienst.

»Ich verstehe dich ja. Aber es ist wichtig, darüber zu reden.« Piet wiegte sie in seinen Armen wie einen Säugling. Sie barg ihren Kopf in seiner Halsbeuge und ließ es zu.

»Ich wusste weder, wie du heißt, noch wo du lebst«, fuhr er leise fort. »Hab dich ja immer nur in bruchstückhaften Bildern gesehen.« Piet blickte ihr in die Augen. »Dennoch – überall auf der Welt hätte ich dich erkannt, glaube mir.«

»Und wie, wie hast du mich …?«

»Gefunden?« Piets Augen glänzten. »Das war nicht einfach, Schwesterchen, denn als Narr war ich ständig unterwegs und stets Gast in vielen fremden Ländern.« Seine Miene nahm einen verschmitzten Ausdruck an. »Bis ich dich eines Tages in einer Vision sah, wie du aus einem vergitterten Fenster hinausgeschaut hast.«

»Ja«, raunte Cristin. »Aber woher solltest du wissen, wo das war?«

»Ich wusste es ja nicht, spürte allerdings deine Verzweiflung und wurde immer unruhiger. Dann erinnerte ich mich plötzlich. Da waren Möwen in der Vision. Ich … ich hörte ihr Geschrei.«

Sie stockte, starrte ihm in das aufgewühlte Gesicht.

»Damals war ich weit fort, im Süden des Landes. Möwen gibt es nur am Meer, sagte ich mir. Also schloss ich mich einer Gauklertruppe an, die auf dem Weg zur Nordseeküste war, in der Hoffnung, eine neue Vision könnte mir aufzeigen, wo du dich aufhältst.« Er seufzte. »Doch es gelang mir nicht. Keine Bilder, keine Verbindung zu dir.«

Cristin forschte in den Tiefen seiner Augen und schwieg, um ihn nicht zu unterbrechen.

»Der Gedanke lag nahe, dort als Erstes nach dir zu suchen, wo du als Kind gewesen bist. Bei deiner Ziehmutter Gesche Weber in Lübeck. Wobei ich mich all die Zeit über fragte, was du, eine Tochter aus offensichtlich gutem Haus, in einer Zelle verloren haben könntest ...«

Cristin antwortete nicht. Die Bilder jenes Tages, als sie auf dem Markt gefangen genommen worden war, standen ihr allzu deutlich vor Augen.

Piet holte tief Luft und sprach weiter. »Das fahrende Volk hatte vor, eine Weile in Ritzebüttel an der Nordsee zu bleiben, ich dagegen wollte nach Lübeck. Allein durch das Land zu ziehen, schien mir jedoch zu gefährlich, deshalb blieb ich vorläufig bei ihnen. Eines Tages ergab sich dann die Möglichkeit, mit einem *Spilman* und ein paar Akrobaten weiter nach Lüneburg zu reisen. Ich hörte mich um, fragte nach Frauen, die in den Fronereien saßen, aber zu dem Zeitpunkt warteten nur wesentlich ältere Frauen auf ihren Prozess.« Er strich ihr über den Rücken. »Und wieder war ich Lübeck so fern. Es dauerte, bis ich die Gelegenheit bekam, in unsere Heimatstadt zu fahren.« Ein verlegenes Grinsen zeigte sich auf seiner Miene. »Ich wollte schon aufgeben. Es schien einfach keinen Sinn zu machen, weiter nach dir zu suchen, ohne neue Hinweise.«

In Cristins Kopf summte es wie in einem Bienenstock. Visionen, unsichtbare Verbindungen. Ein Zwillingsbruder, der sie suchte. Sie fuhr sich über das Gesicht.

»Meine Truppe hatte sich aufgelöst, und ich hielt Ausschau nach anderen Gauklern, denen ich mich anschließen konnte«, erzählte Piet weiter. Sein Blick war abwesend. »Dann traf ich einen Händler, der seine Waren über die Alte Salzstraße nach Lübeck bringen wollte. Er nahm mich auf seinem Karren mit und berichtete mir unterwegs von den Gauklern, zu denen wir jetzt gehören, auch sie wären auf dem Weg hierher. So kam ich endlich nach Lübeck zurück.«

Cristin fuhr sich mit der Zunge über die trockenen Lippen. »Wie lange hast du mich gesucht, Piet?«

»Oh, mehr als vier Monate glaube ich.«

Sie verspürte einen Kloß im Hals. So lange hatte er nach ihr Ausschau gehalten, währenddessen sie nichts von seiner Existenz geahnt hatte? Selbst die Erlebnisse aus ihrer Kindheit hatte sie als Fantasterei angesehen. Wer glaubte schon an unsichtbare Freunde?

»Als ich dann endlich in Lübeck ankam, fragte ich nach deiner Ziehmutter.« Piet drehte spielerisch eine Strähne ihres Haares, die sich aus dem Kopftuch gelöst hatte, zwischen seinen Fingern. »Ich hatte Glück und fand jemanden, der sich an Gesche Weber und ihre Tochter erinnerte.«

Zwischen ihnen wurde es still. Beide waren gefangen in den Stürmen der Gefühle, die Piets Erzählung in ihnen ausgelöst hatte. »Dass wir uns letztlich auf dem Marktplatz getroffen haben, war ein Wink des Himmels, Cristin«, bekannte er. »Als ich dich sah, habe ich dich sofort erkannt, trotz deines Kopftuches und der Verkleidung.« Er lächelte schief. »Als ich dich ansprach, hast du die Nase gekräuselt, und deine Wangen verfärbten sich rot. Dies war der Moment, da ich wusste, wer vor mir stand. Dieselbe Mimik wie bei Mutter. Wie ähnlich du ihr in diesem Augenblick gesehen hast! Nun kennst du die ganze Geschichte, Schwesterchen. Willst du mir nicht auch deine anvertrauen? So vieles liegt für mich noch im Dunkeln.« Aufmerksam studierte er ihren Gesichtsausdruck und wartete.

Cristin sah an ihm vorbei und löste sich aus seiner Umarmung. Nur zu gern wäre sie ihm ausgewichen, hätte ihn auf einen anderen Zeitpunkt vertröstet, doch war das gerecht?

Hatte Piet nicht ein Recht darauf, auch ihre jämmerliche Geschichte zu erfahren, selbst wenn es sie unangenehm berührte? Nachdem sie sich gesammelt hatte, begann sie mit heiserer Stimme zu sprechen. Angefangen bei den Erinnerungen aus der Kindheit bis hin zu ihrer Hochzeit mit Lukas. Von seinem Tod und allem, was daraufhin ihren Weg bis hierher nach Lübeck zu diesem Abend, bestimmt hatte. Bis hin zu der Tatsache, dass sie als Mörderin ihres Gatten gesucht wurde und sich deshalb als Zigeunerin verkleidete.

»Himmel«, murmelte er, als sie geendet hatte und wischte sich über die Augen. »Jetzt bin ich ja bei dir. Wenn es Gerechtigkeit geben sollte, werden wir die Wahrheit herausfinden, Cristin. Obwohl, ich sollte dich lieber Agnes nennen, oder?« Piet setzte eine seiner komischen Grimassen auf.

Sie nickte und versuchte ein Lächeln. »Ja, Victorius, das wäre gewiss klüger.«

19

Morgen ziehen wir weiter«, verkündete Michel beim gemeinsamen Frühstück. »Nach Sleswig, zu einer großen Hochzeit. Alle Gaukler der Umgebung sollen kommen und ihre Künste zeigen.«

Baldo warf Cristin, die ihm gegenübersaß, einen forschenden Blick zu. Sie schien keinen Appetit zu haben, Brot und Gerstenbrei lagen unberührt an ihrem Platz, und die dunklen Ringe unter ihren Augen zeugten von Schlafmangel. Er ahnte, was in ihr vorging, aber Cristin wusste nichts von seiner Liebe zu ihr und dem Bedürfnis, sie glücklich zu machen. In ihrem Herzen würde niemals Platz sein für den Sohn des Henkers. Welches Leben könnte ich ihr schon bieten?, dachte er. Ein Leben auf der Flucht vor Gesetz und Ordnung. Nein, das hat sie nicht verdient. Auch ihm war der Hunger vergangen. Er nahm einen Schluck Bier aus seinem Becher, um das Brennen seiner Kehle zu löschen. Während die Gaukler lautstark miteinander schwatzten, beobachtete er Cristin und ihren Bruder, die sich angeregt zu unterhalten schienen. Wie schön für sie. Er wandte den Kopf und dachte an ihren Streit vor einigen Tagen zurück. Die Spannung zwischen Cristin und ihm schien nachgelassen zu haben. Stillschweigend waren sie übereingekommen, zu niemandem ein Wort über den Narren, den sie nur als Victorius kannten, verlauten zu lassen.

Als Duretta und Michel sich erhoben, stand auch Baldo auf und nahm Becher, Teller und Löffel an sich. Er wusch sie aus und steckte alles wieder in seinen Beutel.

Urban, der in der Stadt Futter für seinen Bären besorgen wollte, kam mit hochrotem Kopf angelaufen. »Ihr werdet es nicht glauben«, rief er atemlos und hielt sich die Seiten. »Da drüben haben sie eine Leiche aus der Wakenitz gezogen.«

Irmela und Duretta stießen einen Schrei aus.

Urban schüttelte sich. »Der Kerl war aufgebläht wie eine Schweinsblase, sag ich euch.«

»Wie furchtbar«, flüsterte Cristin. Sie musterte den Bärenführer, dessen Gesichtsfarbe ungefärbtem Leinen glich. »Du hast alles mit angesehen?«

»Ließ sich nicht vermeiden«, brummte Urban. »Ich war auf dem Heimweg. Auf einmal schrien ein paar Frauen um Hilfe, die dort ihre Wäsche auswuschen, und innerhalb kürzester Zeit war da eine Traube von Leuten.« Er wischte sich über das Gesicht.

Baldo drückte ihn auf einen Schemel, holte seinen Becher aus dem Wams und füllte ihn nach, um ihn wortlos an den Gaukler weiterzureichen.

Urban nahm einen tiefen Schluck. »Alles schrie durcheinander. Ich wollte nur vorbei, dann sah ich ihn.«

So aufgewühlt hatte Cristin den Bärenführer noch nie erlebt.

Duretta strich ihm über den Arm. »Sicher einer dieser Bettler, die von niemandem vermisst werden, oder?« Sie schnalzte mit der Zunge. »Hat wahrscheinlich zu viel Wein getrunken und ist ins Wasser gefallen.«

Urban schüttelte den Kopf. »Muss ein angesehener Mann gewesen sein, der Kleidung nach zu urteilen. Ein Bader, der vorbeikam, meinte, es sieht nach Selbstmord aus.«

»Selbstmord?« Cristin weitete die Augen. Warum sollte ein angesehener Mann sich das Leben nehmen, wenn er weder Hunger noch Armut kannte?

»Er soll der Medicus der Stadt gewesen sein«, murmelte der Gaukler. »Wurde wohl schon seit Tagen vermisst.«

»Ein Medicus?«

Urban kratzte sich am Nacken. »Ich glaube, jemand sagte, sein Name sei Küppers. Wieso? Kanntest du ihn, Agnes?«

»Ich? Nein, natürlich nicht«, beeilte sie sich zu versichern und ließ sich schwer auf einem Schemel nieder. Küppers, Konrad Küppers. Bittere Galle stieg in ihr hoch. Wie könnte sie jemals seine herablassenden Blicke vergessen und die Genugtuung in seiner Miene, als ihr Todesurteil gefallen war. Dieser Mann war tot. Sollte er sich tatsächlich das Leben genommen haben? Sie faltete ihre Hände im Schoß, damit die anderen nicht bemerkten, wie sie zitterten. Es sei denn …

»Ist dir nicht gut, Agnes?« Duretta legte den Arm um sie.

»Mir ist nur etwas schwindelig.« Cristin erhob sich schwerfällig und spürte, wie sie rot wurde.

Duretta, Irmela und die anderen Gaukler hatten Baldo und sie freundlich in ihrem Kreis aufgenommen, und sie tischte ihnen eine Lüge nach der anderen auf. Sie drückte Durettas Hand. »Mach dir keine Sorgen, kümmere dich lieber um Urban, der ist noch immer ganz blass um die Nase.« Sie lächelten einander an.

Baldo ergriff ihren Arm, warf den Gauklern noch eine Bemerkung zu und zog sie mit sich fort, bis sie den Marktplatz hinter sich gelassen hatten. Am Traveufer setzten sie sich ins warme Gras und lauschten dem Hämmern der Hafenarbeiter, das zu ihnen herüberdrang.

»Medicus Küppers.« Baldo kratzte sich am Kinn. »Sag, kanntest du ihn eigentlich näher?«

»Lukas und er hatten gemeinsame Bekannte«, erwiderte Cristin. »Er war manchmal bei uns zu Gast und behandelte uns, wenn wir krank waren. Außerdem war er bei meiner Verurteilung dabei.«

Baldo nickte nachdenklich, dann hingen beide ihren Gedanken nach. »Das Schwein ist also tot«, unterbrach er schließlich das Schweigen und kraulte Lump hinter den Ohren. »Was kann Küppers dazu bewegt haben, seinem Leben ein Ende zu setzen?«

Cristin beobachtete ein Entenpaar, das ruhig auf dem Wasser seine Kreise zog. Sie wischte sich einige Schweißperlen von der Stirn und versuchte ihre Gedanken zu ordnen. »Er könnte einen Kranken falsch behandelt haben und in Verruf geraten sein. Oder etwas Ähnliches.«

»Reue? Dieser Kerl? Das glaubst du doch nicht im Ernst, Mädchen?« Baldo lachte rau auf. »Ein Mensch, der seinen jungen, ängstlichen Hund erschlagen lassen will, soll ein Gewissen haben?«

Innerlich musste sie ihm zustimmen. Das ergab keinen Sinn. »Vielleicht war er selbst krank.«

»Würde er sich dann nicht auf eine andere Weise umbringen? Ertrinken ist grausam.« Baldo sah ihr in die Augen. »Hätte er sich nicht ein Schlafmittel gebraut oder ein starkes Gift eingenommen? Küppers kannte sich doch bestens aus.«

»Ach, woher soll ich das wissen?«, erwiderte Cristin ungeduldig und stand ruckartig auf. »Ich werde sicher nicht um ihn trauern.« Sie spürte Hitze in sich aufsteigen. »Im Gegenteil! Ich bin froh, dass er tot ist. Möge er auf ewig in der Hölle schmoren.« Sie wandte sich ab.

Bis zu dem Tag der Verurteilung hatte sie derart heftige Gefühle nicht gekannt. Für diesen sündigen Gedanken würde sie viele Male den Rosenkranz beten müssen, hätte sie einen besessen. Es war ihr gleich. Büttenwart, Mangel und Küppers – diese Männer trugen die Schuld an ihrem zerstörten Leben.

Ihretwegen musste sie sich verbergen und verkleiden. Ihretwegen war sie von ihrem Kind getrennt worden und auf der Flucht. Seither begleitete sie die Furcht wie ein Schatten und ließ sie auch in ihren Träumen nicht zur Ruhe kommen.

»Komm«, hörte sie Baldos Stimme hinter sich. »Die anderen werden sich sorgen.«

Cristin fühlte den warmen Druck seiner Hände auf ihren Schultern, und als er sie wortlos in die Arme zog, ließ sie es geschehen. Den Kopf an seine Brust gebettet, verharrte sie und unterdrückte einen wohligen Seufzer.

»Besser?« Baldos Stimme klang heiser. Dann gab er sie frei.

Sie wich seinem Blick aus und nickte.

»Gehabt Euch wohl. Möge das Schicksal Euch gnädig sein«, sagte Cristin zu den beiden Frauen, die soeben ihr Zelt verließen, nachdem sie ihnen aus den Händen gelesen hatte. Nach den anfänglichen Bedenken war sie mit ihrer Aufgabe als Zigeunerin ausgesöhnt. Was war schon dabei, den Leuten Ratschläge zu geben, die ihre Gesundheit betrafen? Sie tat niemandem weh, wenn sie einem Mütterchen, das zu lange auf dem Feld gearbeitet hatte, riet, die Beine vor dem Schlafengehen mit kühlender Salbe einzureiben. Oder wenn sie einer jungen Frau erklärte, wie diese ihre lästigen Läuse loswurde. Nein, sie wollte sich nicht beklagen, schließlich war sie am Leben und hatte in Baldo einen echten Freund gefunden. Dennoch schlief sie unruhig, das würde sich vermutlich erst ändern, wenn sie die Mauern Lübecks hinter sich gelassen hatte. Auch Küppers' Selbstmord beschäftigte sie, je länger sie darüber nachdachte, umso mehr kam sie zu der Überzeugung, dass etwas an der Sache nicht stimmte.

Das Herz wurde ihr schwer, wenn sie an den folgenden Tag dachte. Mit jedem Klafter, den die Gaukler in Richtung Sleswig zurücklegen würden, vergrößerte sich auch die Entfernung zu Elisabeth. Ohne zu wissen, warum, war sie sich sicher, ihre kleine Tochter lebte noch hier in dieser Stadt. Ganz nahe bei ihr und dennoch so weit entfernt.

Eine Vielzahl von Lauten drang an ihr Ohr, daher trat Cristin aus dem Zelt, blinzelte. Der Marktplatz wimmelte vor Menschen, die den sonnigen Nachmittag nutzten, um sich von den Gauklern unterhalten zu lassen. Das Stimmengewirr hüllte sie augenblicklich ein. Dicht neben dem Zelt hörte sie eine Schalmey, jemand schlug die Trommel. Sie schmunzelte, denn Baldos Trommelschlag klang noch ungeübt. Gelächter verriet ihr, dass Victorius in der Nähe seine Späße trieb. Der Bär ließ ein tiefes Brüllen hören, und eine Traube Menschen betrachtete mit einer Mischung aus Furcht und Neugier, wie Urban das Tier aus dem Käfig befreite, um seine Kunststücke vorzuführen. Cristin wich unmerklich zurück, die vielen drängenden Leiber und der Lärm schreckten sie. Mathes hatte seine Vorführung beendet. Mit nacktem, eingeöltem Oberkörper und einem Schwert in der Hand stolzierte er unter Applaus auf das Zelt zu, das er sich mit Utz und Michel teilte. Aus seinen Haaren tropfte Schweiß auf die kräftigen Schultern.

Cristin wollte sich schon abwenden, als sie bemerkte, wie zwei Männer auf ihn zutraten und ihn am Arm festhielten. Die beiden drehten ihr den Rücken zu, doch etwas an ihrer Haltung und der Art, wie sie mit Mathes sprachen, ließ sie aufmerksam werden. Obwohl sie die Ohren spitzte, war es beinahe unmöglich, etwas von der Unterhaltung der drei zu verstehen. Sie trat einen Schritt vor, doch im nächsten Moment versperrte ihr eine junge Frau mit drei kleinen Kindern die Sicht. Eins von ihnen jammerte, und die Mutter bückte sich, um es sich auf die Hüfte zu setzen. Cristin stellte sich auf die Zehenspitzen und lugte an ihr vorbei. Mit schief gelegtem Kopf redete Mathes auf einen der Männer ein, wobei die beiden ihm mehrmals ausweichen mussten, denn sein Schwert kam ihnen immer wieder bedrohlich nahe. Schließlich wendete er sich ab und verschwand im Inneren des Zeltes.

Einer der Kerle sah sich um, und Cristin erstarrte zur Salzsäule. Dieses Gesicht kannte sie, es hatte sie in ihren schlimmsten Albträumen verfolgt. Es war einer der beiden Büttel, die sie damals verhaftet hatten. Jetzt stand er mit gerecktem Hals da und ließ den Blick über den Marktplatz schweifen. Cristin hielt die Luft an und duckte sich zwischen den vorbeischlendernden Menschen hindurch. Kalter Schweiß brach ihr aus allen Poren. Sie wich zurück und stieß mit dem Fuß gegen eine Fischkiste.

»Kannst du nicht aufpassen?«, herrschte eine Marktfrau sie an, die hinter ihr einen Stand aufgebaut hatte.

Sie hob nur entschuldigend die Hände.

»Verschwinde, Zigeunerin!«, zischte das Marktweib.

Cristin wandte sich ab. Der Mann war nicht mehr zu sehen. Ihre Schläfen pochten. Wenn er mich findet, ist alles vorbei, schoss es ihr durch den Kopf. Wo war Baldo? Geistesgegenwärtig griff sie nach einem Stück Sackleinen, mit dem die Fischfrau eine ihrer Kisten abgedeckt hielt, und warf sich den Stoff unbemerkt um. Auf einmal vernahm sie die melodiösen Klänge einer Schalmey. Piet! Wo steckte er nur? Mit gesenktem Haupt schlich sie an einer Gruppe Kleriker vorbei, die das muntere Treiben düster beobachteten. Sie traute sich nicht zu laufen oder auch nur den Kopf zu heben und versteckte sich hinter einer kleinen Gruppe, die den Musikanten lauschte. Ihre Gedanken überschlugen sich. Wie sollte sie sich bemerkbar machen, ohne aufzufallen? Sie fühlte, wie ihr der Schweiß den Rücken hinunterlief.

Eine Hand legte sich ihr auf die Schulter. »Was schleichst du mit diesem Sack …«

Cristin fuhr herum, und ein weiß geschminktes, lächelndes Gesicht tauchte vor ihr auf. Sie presste eine Hand auf ihr Herz. »Piet.«

Sein Lächeln gefror. »Was ist los, Mädchen? Ist der Gottseibeiuns hinter dir her? Sprich schon.«

»Bitte … du musst Baldo holen«, stammelte sie und umklammerte seine Hände. »Wir müssen hier weg. Sofort. Mathes … er hat mich an die Büttel verraten.«

Piet wirkte verdutzt, dann kam Bewegung in ihn, und er schob sie unter den Planwagen mit dem Bärenkäfig.

»Ich hole ihn. Rühr dich nicht vom Fleck.«

Obwohl sie sich flach auf den Boden legte, bekam sie nur schwer Luft. Sand flog ihr ins Gesicht, den ein vorbeifahrendes Fuhrwerk aufwirbelte. Cristin presste die Hände auf ihre tränenden Augen, während sie so still wie möglich dalag. Wo waren die Männer geblieben? Vielleicht steht einer von ihnen schon hinter mir und wartet nur darauf, mich an den Füßen herauszuziehen?, überlegte sie.

»He!«

Sie zuckte zusammen.

»Komm raus. Rasch«, hörte sie Piet zischen.

Mühsam rutschte sie rückwärts, bis eine feuchte Hundeschnauze ihre Hand berührte. Jemand zog sie auf die Füße: Baldo. Dankbar ergriff sie seine Hand.

»Kommt heute Abend zum Hafen«, flüsterte ihr Bruder. »Ich warte zwischen Stadtmauer und Holstenbrücke auf euch.«

Cristin wollte fragen, warum er sie nicht begleitete, doch schon schob Baldo sie weiter.

»Verflucht sei dieses Pack«, stieß er kaum hörbar hervor und legte den Arm um sie. »Bleib ganz ruhig. Wir tun, als wären wir ein verliebtes Paar, das sich miteinander vergnügen will.«

Sie keuchte. Baldo hielt sie eisern fest und drängte sie weiter. Ihre Beine fühlten sich wie schmelzendes Wachs an, die Umgebung verschwamm vor ihren Augen, bestand nur noch aus Farben und Lauten.

»Sieh nicht zurück«, raunte Baldo, während er den Druck um ihre Taille verstärkte. Fell kitzelte an ihren Waden, Stimmen drangen an ihr Ohr, wurden lauter und verebbten wieder. Er wird uns finden. Dann ist es aus, schoss es ihr durch den Kopf. Cristin schloss die Lider und richtete ihr Augenmerk nur auf Baldos Hände, die sie scheinbar ungerührt lenkten. Hatte er denn gar keine Angst um sein Leben?

Ein dunkles Lachen erklang und traf sie bis ins Mark.

Cristin sah auf. Vor ihnen stand Mathes.

»Die hübsche Zigeunerin und der Trommler, sieh an. Wohin des Weges, liebe Leut?«

»Lass uns vorbei, Mathes.«

»Nicht, bevor ihr mir verratet, wo ihr hinwollt.«

Sie schaute zu Boden, denn wenn sie ihm in das grinsende Antlitz geblickt hätte, wäre sie versucht gewesen, ihn anzuspucken.

Baldos Stimme wurde gefährlich ruhig. »Was willst du von uns? Mach den Weg frei!«

»Du hast mir gar nichts zu sagen, Krüppel!« Mathes trat näher, so nah, dass Cristin seinen nach Würzbier stinkenden Atem riechen konnte. »Die Büttel, die dich suchen, werden sicher hocherfreut sein, euch hier zu treffen, nicht wahr, Agnes?«

Das Einzige, was sie wahrnahm, war das kalte Glitzern seiner Augen, das ihr den Mund trocken werden ließ. Mathes packte sie am Handgelenk. »Oder ist dein Name in Wirklichkeit gar ein anderer?«

Cristin hörte, wie jemand scharf die Luft einzog, und spürte eine Bewegung neben sich. Im nächsten Moment landete Baldos Faust in Mathes' Gesicht. Deutlich vernahm sie das Knacken seines Kiefers, Blut schoss aus seinem Mund. Der Schwertschlucker stöhnte auf, da traf auch schon ein weiterer Fausthieb den Brustkorb des Verräters.

»Baldo, hör auf! Du schlägst ihn ja tot!« Cristin presste die Hände vor den Mund.

Sein Gesicht war zu einer furchterregenden Fratze verzerrt, und in diesem Moment wurde ihr klar, dass jeder Versuch, Baldo aufhalten zu wollen, zwecklos war. Ein Schluchzen stieg in ihrer Kehle hoch, sie krallte die Finger in seinen Ärmel. Vergeblich.

»Hört auf, alle beide!«, stieß sie hervor.

Doch die Männer nahmen keinerlei Notiz von ihr. Der stämmige Schwertschlucker schüttelte sich kurz und ging zum Gegenangriff über. Mit einem Satz war er bei Baldo, hob die Faust und stieß ein wütendes Knurren aus. Cristin sah aus dem Augenwinkel, wie er die Faust durch die Luft fliegen ließ und auf Baldos Bauch zielte. Dieser griff plötzlich nach dem Dolch in seinem Gürtel.

»Nein!«, hörte sie sich selbst schreien. »Das darfst du nicht!« Mit einem Satz war sie bei Mathes und trat ihm mit aller Kraft in die Kniekehlen. Er knickte ein, fiel vornüber und landete auf dem Boden. Sofort war Baldo über ihm, sprang ihm auf den Rücken und hob das Messer, bereit, es seinem Gegner in den Nacken zu rammen.

»Ich mach dich fertig, verdammter Hurensohn!«

»Baldo, nein!«

Er hob den Kopf, seine Augen funkelten. Unwillkürlich wich Cristin ein paar Schritte zurück.

»Lass ihn laufen!«, bat sie. »Der Kerl ist es nicht wert, dass du zum Mörder wirst!«

Es schien eine halbe Ewigkeit zu dauern, bis er sich erhob und zur Seite trat. Mathes drehte sich ächzend herum. In seiner Miene war immer noch Todesangst zu lesen.

»Lass uns in Ruhe!«, zischte sie.

Der Gaukler wischte sich mit dem Ärmel über das blutverschmierte Gesicht und warf ihr einen vernichtenden Blick zu. Mühsam stand er auf. »Der Teufel soll dich holen, verdammte Hexe!«, presste er hervor.

Cristin wandte sich angewidert ab. Plötzlich hörte sie Lump knurren, schon im nächsten Moment setzte der Hund zum Sprung an. Der Schwertschlucker fluchte und stöhnte auf, als das Tier die Zähne in seine Waden grub. Blutstropfen benetzten den sandigen Boden. Mathes ging in die Knie und versuchte, den Hund abzuschütteln, doch vergebens, denn der Hovawart zerrte weiter an seinen Hosenbeinen.

»Komm, Mädchen. Schnell«, hörte sie Baldo rufen.

Cristin begriff. Lump verschaffte ihnen einen, wenn auch geringen, Vorsprung. Mittlerweile waren einige Männer und Frauen auf die Schlägerei aufmerksam geworden, was ihnen zum Nachteil gereichen konnte. Sie lief los, Baldos Hand in ihrer.

20

Nachdem sie die Bleschhowerstrate ein Stück hinuntergelaufen waren, bog Baldo in eine schmale Gasse ein, wo er schließlich vor einem zweistöckigen, lehmverputzten Giebelhaus stehen blieb. Eines der Fenster im obersten Stock war weit geöffnet, und eine alte Vettel mit fettigen Haaren lehnte sich hinaus. Er stieß die Tür auf und zog Cristin mit sich in den halbdunklen Flur, in dem es erbärmlich nach Schweiß und gekochtem Kohl stank.

»Kennst du die Leute, die hier wohnen?«, flüsterte sie.

»Nein. Ich glaube, das ist das neue Armenhaus«, erklärte er. »Hier können wir uns verstecken.«

Cristin fuhr sich mit der Zunge über die trockenen Lippen. Ein Armenhaus, Herr, stehe uns bei. Eine schmale Holztreppe führte nach oben, rechts und links davon gingen mehrere Türen ab, hinter denen sie laute Stimmen vernahmen. Eine Frau schimpfte offenbar mit einem schreienden Kind.

»Vielleicht können wir ein paar Tage hierbleiben.«

»Hierbleiben?«, echote sie entsetzt. »Das ist nicht dein Ernst!«

Baldo fuhr sich über das Gesicht. »Nur so lange, bis man uns nicht mehr sucht. Michel und die anderen ziehen morgen weiter nach Sleswig.«

Über ihnen erklang ein heiseres Husten. Auf den obersten Stufen hockten zwei abgemagerte, in Lumpen gekleidete Kinder. Die Ärmsten der Armen.

»Oh, verdammt!«

Sie fuhr herum. »Was ist, Baldo?«

»Lump – wir haben ihn verloren!« Seine Hand lag bereits auf der Türklinke. »Ich gehe ihn suchen.« Er öffnete die Tür. Cristin wollte ihm folgen, doch er schüttelte den Kopf. »Du bleibst hier. Erkundige dich nach der Aufsicht. Wünsch mir Glück!« Damit war er hinaus.

»Was willst du hier?«

Sie drehte sich um. Hinter ihr stand ein kahlköpfiger, großer Mann von etwa dreißig Lenzen, über dessen Kinn sich eine lange, fleischige Narbe zog. »Wir haben keinen Platz mehr!«

Cristin schluckte. Obwohl der Kahlköpfige einen unangenehmen Schweißgeruch verbreitete, trat sie einen Schritt näher. Sie ergriff seine Hand und verlieh ihrer Stimme einen weinerlichen Klang. »Ich bitte Euch, schickt mich nicht fort, Herr. Mein Gemahl Adam und ich sind arme Bauersleute, die alles verloren haben. Vorige Woche hat der Blitz in unser Haus eingeschlagen, alles ist abgebrannt. Deshalb sind wir heute Morgen nach Lübeck gekommen, in der Hoffnung, dass mein Adam hier irgendwo Arbeit findet.« Sie sank auf die Knie, umklammerte die kräftigen Beine des Mannes und drückte die Stirn dagegen. »Lasst uns ein paar Tage in diesem Haus bleiben, Herr. Ich bitte Euch von Herzen.«

Der Aufpasser schaute, immer noch argwöhnisch, auf sie herab. »Dein Mann, soso. Wo ist er gerade so schnell hingelaufen?«

»Mein Adam sucht unseren Hund. Er ist das Einzige, was uns noch geblieben ist. Unsere Kuh und unsere Hühner, alle sind sie verbrannt«, log Cristin. »Nun haben wir auch noch unseren treuen Lump auf dem Marktplatz verloren. Gebe der Herrgott, dass Adam ihn wiederfindet!« Flehend blickte sie zu dem Mann empor.

Der räusperte sich. »Steh schon auf. Du und dein Adam, ihr könnt vorerst hierbleiben. Wie eine Bauersfrau siehst du aber nicht aus, eher wie eine Zigeunerin. Aber ich bin schließlich kein Unmensch und schicke niemanden weg, der in Not ist, auch wenn das Haus eigentlich schon aus den Nähten platzt. Zweiunddreißig Frauen und Kinder haben wir hier«, erklärte er. »Einige von ihnen sind krank.« Er verzog bedauernd das Gesicht. »Mein Name ist übrigens Ewalt Falk. Hinrich Brandenburg, der dieses Armenhaus stiftete, hat mir persönlich die Aufsicht darüber übertragen. Hab früher mal für ihn gearbeitet, daher weiß er, dass er sich auf mich verlassen kann. Bei mir herrschen Zucht und Ordnung. Wenn die Weiber sich zanken, dann geh ich mit dem Stock dazwischen!«

Cristin erhob sich und trat einen Schritt zurück, denn seine Ausdünstungen waren kaum zu ertragen. Dennoch setzte sie ein freundliches Lächeln auf und neigte den Kopf. »Ich danke Euch. Möge der Herrgott es Euch reichlich vergelten.«

Falk nickte. »Dein Mann heißt also Adam, ja? Und wie lautet dein Name?«

»Agnes«, erwiderte sie.

»Dann komm mit nach oben, Agnes. Ich zeige dir den Schlafsaal, wo ihr die Nacht verbringen könnt.«

Piet rümpfte die Nase. Vom Hafen her roch es brackig nach Salz und toten Fischen sowie nach der Beize der Gerber und Kürschner, die diese ins Wasser der Untertrave fließen ließen. Er reckte den Hals und spähte aus seinem Versteck hinter einem der breiten Brückenpfeiler auf die Holstenstrate hinaus. Wo blieben die beiden nur? Das Letzte, was er von Cristin und Baldo gesehen hatte, war, wie sie Arm in Arm in der Menschenmenge verschwunden waren. Sie hatten sich doch bei Einbruch der Dunkelheit hier treffen wollen. Oder hatten die Büttel sie etwa erwischt? Er fuhr sich mit der flachen Hand über das Gesicht, spähte ins Zwielicht. Bald würde die Nacht anbrechen, weshalb es wenig Sinn hatte, sich auf die Suche zu machen. Besser, er versteckte sich bis zum Morgen im Schutz der Brücke und hielt dann nach ihnen Ausschau, dann könnten sie gemeinsam entscheiden, was zu tun wäre. Zu den Gauklern konnte er jedenfalls nicht zurückkehren. Wenn Mathes sie laut Cristins Bericht tatsächlich an die Büttel verraten hatte, würde der Mistkerl nicht lockerlassen, bis er wusste, wo die beiden sich aufhielten. Piet setzte sich auf den Boden, lehnte sich an den Holzpfeiler und streckte die Beine aus.

Unwillkürlich schlug Cristin die Hand vor den Mund. So viele

Menschen auf engstem Raum, zusammengepfercht wie Tiere. Hühnern auf der Stange gleich hockten Dutzende Frauen und Kinder auf den schmalen Betten, die den Schlafsaal ausfüllten, und musterten sie neugierig. Die Gesichter der Frauen waren von Krankheiten und Gram gezeichnet. Kinder hockten teilnahmslos auf dem Fußboden und spielten mit Wanzen und anderem Ungeziefer. Eine alte, verhärmte Frau saß auf ihrer Schlafstatt, eine Stoffpuppe in der Hand, und wiegte den Oberkörper hin und her. Ihre Augen glänzten unnatürlich, Speichel lief ihr aus dem Mund. Cristin schaute sich um. Am Ende des Raumes befand sich die offene Feuerstelle, deren Rauch offensichtlich über ein Loch in der Decke abzog. Der Lehmboden davor war mit allerlei Unrat übersät. Bei näherem Hinschauen entdeckte sie Knochenteile von Hühnern und Gräten, einige Fischköpfe, halb verwest, lagen obenauf. Der beißende Gestank, der ihr entgegenschlug, raubte ihr den Atem. Vor allem und in großen Mengen konnte sie jedoch Austernschalen ausmachen. Es schüttelte sie. Austern, davon ernährten sich nur die Armen. Das zumindest hatte sie bisher geglaubt. Nun mussten auch sie davon essen, wenn sie keinen Hunger leiden wollten.

Einige der Kinder brauchten dringend eine frische Windel. Ihr Blick fiel auf eine der Mütter, ein hohlwangiges Mädchen von sechzehn, siebzehn Lenzen, das einen schreienden Säugling im Arm hielt. Die Binden, in die das Kind von oben bis unten gewickelt war, waren völlig durchnässt. Während sich der Aufpasser zurückzog, betrat sie den Raum und ging auf die junge Frau zu, doch diese schaute nicht einmal auf.

»Du musst das Kleine trocken machen«, rief Cristin mit erhobener Stimme, um das Schreien des Säuglings zu übertönen.

Die Mutter reagierte nicht.

»Bitte, sieh mich an«, versuchte sie es erneut, diesmal eindringlicher. »Sonst wird es wund oder bekommt Karbunkeln und muss zum Medicus.«

Endlich hob die Frau den Kopf, und der Ausdruck ihrer

Augen war leer und stumpfsinnig. Cristin bückte sich und streckte die Arme aus. »Gib mir das Kind, ich mach das«, erklärte sie.

Sie versuchte, nicht auf den scharfen Geruch des Säuglings zu achten, griff nach ihm und ging zu einem kleinen Tisch in einer Ecke des Schlafsaals, wo sie ihn ablegte und begann, die Stoffbinden abzuwickeln, die den kleinen Körper nahezu vollständig umgaben. Schließlich hatte sie das Kind von allen Binden befreit. Es war ein kleiner Junge. Jetzt, da er die Nässe auf der Haut nicht mehr spürte, hörte der Säugling zu schreien auf, wirkte wach und aufmerksam.

Cristin drehte sich um und nickte der Mutter zu. »Siehst du, jetzt ist er zufrieden«, sagte sie lächelnd. »Dein Kleiner wollte nur frische Luft am Hintern haben. Komm her und mach ihm eine neue Windel um.«

Die junge Frau trat neben sie. Während sie ihr Kind wickelte, wandte sich Cristin an die anderen Mütter, die ihr schweigend zugesehen hatten.

»Das gilt auch für euch. Wie könnt ihr es überhaupt aushalten in so einem stinkenden Raum?«

Eine hagere Frau mit krummem Rücken und strähnigen Haaren, die sich schwer auf einen dicken Ast stützte, kam auf sie zu.

»Was geht es dich an, Frau? Kümmere dich gefälligst um deine eigene Mischpoke!« Die Frau fuchtelte mit ihrem Stock herum und kam auf sie zu. Cristin trat einen Schritt zurück, als sie das kämpferische Funkeln in ihren Augen bemerkte.

»Kommst hier herein und kommandierst uns herum. Wer bist du überhaupt, he?«

»Ich bin … ich heiße Agnes«, antwortete sie. »Ich habe es nur gut gemeint. Und wie heißt du?«

»Geht dich nichts an«, grummelte die Alte und ließ von ihr ab.

Mischpoke? Ein seltsamer Ausdruck, den sie noch nie gehört hatte. Ihr Blick streifte die Mütter und ihre Kinder. Die meisten waren noch im Säuglingsalter, darunter ein kleines

Mädchen, das wie Elisabeth ungefähr ein halbes Jahr alt sein musste, nur drei oder vier konnten bereits laufen. Ob Elisabeth Mechthild später mit Mutter anreden würde? Ohnmächtige Wut stieg in Cristin auf, wenn sie daran dachte, dass Lynhard und Mechthild ihr geliebtes Kind aufzogen – Lynhard, dieser Schnallenstanzer, vor dem kein Weiberrock sicher war. Und Mechthild, die sie vor Gericht des Mordes und der Hexerei bezichtigt hatte. *Mechthild Bremer, was hat man dir für diese Lügen versprochen? Wofür hast du dein Seelenheil verkauft? Ich möchte es gern verstehen …*

Lautes Bellen riss sie aus ihren Gedanken. Schnell stieß sie die Tür auf und lief die schmale Holztreppe hinunter in den Flur, wo Lump sie sogleich mit eifrigem Schwanzwedeln begrüßte. Cristin ging in die Hocke und nahm das Tier in die Arme. »Da bist du ja, mein Guter.«

»He, und was ist mit mir?«, brummte Baldo.

Sie schenkte ihm ein Lächeln. »Schön, dass du wieder da bist und ihn gefunden hast.«

»Nicht nur das. Ich war auch noch am Hafen und habe mich mit Piet getroffen. Dein Bruder hat schon gedacht, wir würden nicht mehr kommen.«

»Er hat sich gewiss Sorgen gemacht, oder?«

»Ja. Er befürchtete schon, die Büttel hätten uns erwischt«, erwiderte Baldo. »Ich habe ihm gesagt, wo er uns finden kann, wenn er Neuigkeiten für uns hat.«

»Neuigkeiten?«

»Natürlich kann dein Bruder nicht zu Michel, Utz und den anderen zurückgehen, bei den Gauklern wäre Piet nicht mehr sicher. Wir haben beschlossen, dass er sich in der Gropengrove versteckt, denn unter den Krüppeln und Bettlern wird ihn niemand suchen.«

Cristin nickte.

Eine der Türen öffnete sich, und der Aufpasser trat in den Raum.

»Da bist du ja wieder«, sagte er zu Baldo. »Ich habe deiner

Frau schon angeboten, dass ihr dableiben könnt. Die meisten hier sind Weiber mit ihren Bälgern, die schlafen oben im Frauenschlafsaal. Aber es gibt noch einen Raum, wo ich drei Männer untergebracht habe. Da ist noch ein Bett frei.« Der Aufpasser deutete auf Lump, der ihn neugierig beäugte. »Den Hund kannst du im Hof anbinden.«

21

Am nächsten Tag lernte Cristin einige der Bewohner des Armenhauses etwas näher kennen. Viele von ihnen waren junge Mütter, Frauen wie Lena, um deren schreiendes Kind sie sich am ersten Tag gekümmert hatte. Ihre Männer verdingten sich bei Lehnsherren weiter im Süden des Landes oder arbeiteten im fernen Dänemark. Ob sie jemals wiederkommen würden, wusste niemand. Dann gab es alte Metzen wie die Jüdin Hanna, die kein Mann mehr anrühren mochte, weil ihre Brüste schlaff und ihr Fleisch welk geworden waren. Sie war diejenige, die Cristin beschimpft hatte, doch schnell stellte sich heraus, dass unter Hannas rauer Schale ein weicher Kern steckte. Genau wie bei den meisten anderen Hübschlerinnen, die im fortgeschrittenen Alter keine Freier mehr fanden.

Zwischen ihnen waren auch einige junge Mädchen, fast noch Kinder, die bis vor Kurzem in den Straßen und Gassen der Hansestadt gelebt und gebettelt hatten. Eine von ihnen war die zwölf Lenze zählende Judith, ein zierliches flachsblondes Mädchen mit einer frechen Stupsnase. Judith konnte von Glück sagen, noch am Leben zu sein, denn sie und ihr jüngerer Bruder Peter hatten ihr ärmliches Leben nicht nur mit Bettelei gefristet, sondern sich als Beutelschneider betätigt. Und darauf stand in dieser Stadt das Abhacken der Hand, in schweren Fällen gar der Tod.

Einmal, so erzählte Judith grinsend, hätte man sie beinahe geschnappt, aber sie hatte dem reichen Bürger, dem sie den Geldbeutel vom Gürtel abgeschnitten hatte und der sie am Kittel festhielt, einen kräftigen Tritt gegen das Schienbein verpasst. Als der Mann sie mit einem Aufschrei losgelassen hatte, war sie im Gewimmel des Salzmarktes untergetaucht. Nun schliefen sie und ihr Bruder im Armenhaus und bettelten am Tage zwischen Burgtor und Heiligen-Geist-Hospital, wobei sie aufpassen mussten, nicht einem der Männer oder Frauen in die Arme zu laufen, denen sie die Geldkatze oder den Almosenbeutel vom Leibgurt abgeschnitten hatten.

Genau dies geschah eine Woche, nachdem Cristin und Baldo ins Armenhaus gezogen waren. Als Judith am Abend vom Betteln zurückkehrte, erzählte sie ihr, dass sie in der Engelsche Grove einem untersetzten, hässlichen Mann begegnet war, der sie unvermittelt auf offener Straße festgehalten hatte. »Bist du nicht das kleine Miststück, das mir meinen Geldbeutel gestohlen hat?«, hatte er genuschelt. Sein Griff war eisern gewesen, und als Judith den Mann treten wollte, hatte er ihr eine kräftige Maulschelle verpasst.

»Der war stark wie ein Bulle, Agnes«, erzählte Judith noch ganz aufgeregt.

»Warum hat er dich laufen lassen?«, wollte Cristin wissen. Schließlich saß das Mädchen zumindest äußerlich unversehrt neben ihr auf einer Bank in der kleinen Küche.

Judith schlug die Augen nieder. »Das Schwein hat gesagt, wenn ich mit ihm komme, würde er mich hinterher laufen lassen. Wenn nicht, wollte er die Büttel rufen.«

»Er hat dich mitgenommen, um …«

Sie nickte. »Die Drecksau hat mich in ein Wirtshaus mitgenommen, der brauchte wohl noch mehr Wein, um sich in Stimmung zu bringen.« Judith schüttelte sich. »Der Mann hatte so einen merkwürdigen Mund mit einer Kerbe in der Oberlippe und stank wie eine ganze Spelunke. Und Sachen hat er mit mir gemacht, von denen ich noch nie gehört habe. Es war so ekelig …« Judith brach ab.

Cristin fühlte, wie sich sämtliche Haare an ihrem Körper aufstellten. Eine Hasenscharte, die den Mann nuscheln ließ, eine untersetzte Gestalt und kräftige Arme. Sie befeuchtete ihre trockenen Lippen und zwang sich zur Ruhe, obwohl in ihrem Inneren ein Sturm tobte. Doch der Gedanke, der sich in ihr geformt hatte, wollte sich nicht verdrängen lassen. »Bist du verletzt?«, fragte sie behutsam und legte dem Mädchen den Arm um die Schultern. »Hat er dich …?«

Das Mädchen schüttelte den Kopf. »Ich weiß, was du meinst. Nein, es war nicht das erste Mal. Hab schon mal für einen Jungen die Beine breit gemacht, aber da war es nicht so schlimm.« Ihr Grinsen wirkte schief. »Ich hätte dem Kerl die Eier abreißen können! Na ja, wenigstens bin ich um den Galgen rumgekommen und hab noch alle meine Finger!«

Cristin schwieg und versuchte, ihre Gedanken zu ordnen. Was wusste sie schon vom Leben der Bettler, Diebe und Hübschlerinnen, jenem Abschaum, dem man am liebsten nicht begegnete? Vom Gesindel, wie die sogenannte bessere Gesellschaft der Stadt diese Menschen nannte? Jedoch kannte sie sich bestens mit der Gier, Eitelkeit und Herzlosigkeit der Bessergestellten aus, die nur von einer teuren Maskerade verdeckt wurden. Oder von einem galanten und außerordentlich guten Benehmen, durchfuhr es sie. Sie schluckte.

»Sag, wo ist dieses Wirtshaus?«, fragte sie heiser, nachdem sie beide eine Weile geschwiegen hatten.

Judith schaute auf. »Die Holstenstrate entlang, am gegenüberliegenden Traveufer. Es heißt *Zur Kogge*. Kennst du es?«

Cristin verneinte.

Das Mädchen erhob sich und streckte den schmalen Rücken. »Mir tut immer noch alles weh. Verdammte Drecksäue, die.«

»Was meinst du?«

»Ich bin nicht die Einzige, die dort rangenommen worden ist. Da gab es noch einige junge Mädchen, die mit anderen Kerlen in den Kammern verschwunden sind. Manche Männer waren richtig vornehm, hatten gute Kleidung an und luden die Mädchen zum Essen ein. Sogar guten Wein haben die spendiert!« Judith senkte die Stimme. »Ich muss jetzt allein sein. Bitte entschuldige.«

Cristin spürte, wie bei Judiths Worten das Blut aus ihren Wangen wich. Sie sah dem Mädchen nach, wie es aus der Küche schritt, und bedeckte dann ihr Gesicht mit den Händen.

In diesem Moment betrat Baldo die Küche und ließ sich auf einen der Stühle fallen. »Ich habe Piet getroffen«, sagte er. »Leider hatte dein Bruder keine Neuigkeiten.«

Er zog die Brauen zusammen. »Du bist ja kreideweiß. Was ist geschehen?«

Sie berichtete mit stockenden Worten, was Judith ihr erzählt hatte. »Ich glaube, ich weiß, wer der Mann ist, Baldo. Vor langer Zeit habe ich einen Knochenhauer gekannt ...«

Seine Augen wurden schmal, während er ihr zuhörte, wie sie den Kerl in der Spinnerei getroffen und eine Krankheit bei ihm erspürt hatte. »Noch ein feiner Herr, der sich an jungen Mädchen aufgeilt, soso. Hört sich an, als ob wir uns dieses ehrenwerte Haus mal ansehen sollten. Kann ja nicht schaden, sich dort auf die Lauer zu legen.« Ohne Cristins Erwiderung abzuwarten, ging er zielstrebig auf den Schlafraum des Armenhauses zu, wo Judith sich auf ein schmales Bett gelegt hatte. »Wir würden uns gern die Schänke ansehen, von der du erzählt hast. Führst du uns hin, Mädchen?«

Judith nickte.

Die Schankstube, in die Baldo und Cristin durch eines der kleinen, verdreckten Fenster spähen konnten, maß etwa zwanzig Mal dreißig Fuß. Ein offener Kamin, in dem große Holzscheite im Feuer prasselten, nahm fast die gesamte Rückwand ein. An den Tischen saßen zahlreiche Seeleute bei Würzbier, Wein und Würfelspiel. Gegenüber stand ein Weib, angelehnt an eines der mächtigen Bier- und Weinfässer, die an der Wand aufgereiht waren, und beobachtete das Treiben. Cristin fand, die Wirtin war der Gestalt nach ihren Fässern durchaus ähnlich. Was bekam die Alte wohl dafür, dass sie ihre Kammern im oberen Stockwerk zur Verfügung stellte, damit sich Kerle an jungen Frauen und halben Kindern vergehen konnten? Wenn es denn so war…

Gemeinsam mit Baldo beobachtete sie das rege Treiben in der Schänke. Den Seeleuten, die sich ausgiebig mit Spielen und Trinken vergnügten und mit jedem Becher lauter lachten, war nichts Auffälliges anzumerken. Regelrecht volllaufen ließen sie sich, bis der erste Seemann in sich zusammenfiel wie ein Sack Mehl. Cristin schaute Baldo an und hob die Schultern. Von den Mädchen, von denen Judith berichtet hatte, keine Spur und von dem Knochenhauer Bräunling ebenso wenig. Nach den Eindrücken jenes Tages, als sie bei einer zufälligen Berührung gefühlt hatte, dass der Mann leidend sein musste, würde sie ihn so schnell nicht wieder vergessen. Sie musste sich getäuscht habe… Cristin starrte angestrengt zu Boden. Wenn es diese Mädchen hier gab, hielten sie sich versteckt. Die Stunden verstrichen, während sie sich an die Hauswand drückten. Sie biss sich auf die Lippe und verlagerte ihr Gewicht, denn ihr waren die Füße vom langen Stehen eingeschlafen.

»Lass uns gehen, hier gibt es nichts zu sehen«, raunte sie Baldo zu.

Der bedeutete ihr aber mit einem Zeichen, still zu sein und sich hinter einem Mauervorsprung zu verstecken.

In diesem Moment öffnete sich die Tür neben dem Fenster, und zwei junge Männer stolperten ins Freie. Einer von ihnen rülpste, der andere kicherte.

»Ich wette, dem Judenmädchen hat's noch keiner so besorgt wie du!«

Cristin hielt den Atem an.

»Kaum, die kleine Metze war ja höchstens dreizehn Lenze! Schätze, ich war der Erste, der sie bestiegen hat. Je jünger, desto besser. Da holt man sich wenigstens nichts weg.«

»Kann schon sein. Lass uns pissen gehen, damit wir schnell wieder reinkommen und ich der Zweite sein kann.«

Lachen erklang, während die Männer um die Ecke verschwanden. Kurz darauf hörte Cristin, wie sie ihre Notdurft verrichteten, und sie fühlte eine Gänsehaut über ihre Arme kriechen, als erneut die Tür aufgestoßen wurde. Mit klopfendem Herzen stand Cristin stocksteif da, lauschte und traute sich nicht, in Richtung Tür zu spähen. Die Seemänner, offenbar Flamen, dem Klang der Sprache nach zu urteilen, verließen die Schankstube, wobei einer von ihnen der Länge nach zu Boden fiel. Sie konnte aus den Augenwinkeln noch seine Schuhe erkennen. Die anderen grölten, traten näher, sodass sie die Ausdünstungen der Männer roch, und hoben ihn auf. Es schauderte sie. Die Dämmerung setzte ein.

Als die unsicheren Schritte der jungen Kerle verklungen waren, stellte sich Baldo zu ihr. Seine Miene war ernst. »Wenn die Sonne untergeht, kriechen die Ratten aus ihren Löchern, Cristin. Wir sollten noch abwarten.«

»Mir reicht es, Baldo. Das ist widerlich!«

»Psst!«, mahnte er und presste sie wieder gegen die schützende Mauer. Leise Stimmen aus mehreren Kehlen sowie das Rascheln von Stoff drangen zu ihr herüber. Die Tür wurde aufgestoßen, brachte einen Schwall Bierdunst und Gelächter mit hinaus und fiel sogleich wieder zu. Cristin atmete auf, als endlich Stille eintrat, dann spürte sie Baldos Arm um ihre Schultern, der sie zum Fenster führte. Die Schankstube war nahezu vollbesetzt. An einem der Tische stand eine Gruppe von sieben oder acht Männern und entledigte sich ihrer Mäntel. Etwas an der Haltung der Fremden ließ sie innehalten, aufmerksam werden. Im Schein des Kaminfeuers blitzten Broschen und Knöpfe auf, als die Männer sich niedersetzten. Die Art, wie einer von ihnen mit einer Handbewegung nach der Wirtin rief, wirkte befehlsgewohnt. Cristin kniff die Augen zusammen, um einen genaueren Blick auf sie werfen zu können, doch ihre Gesichter lagen im Dunkeln.

»Feine Herren«, hörte sie Baldo neben sich zischen.

Ja, er hatte recht. Dies waren offensichtlich Männer der

Oberschicht, Ratsmitglieder, angesehene Bürger. Sie nickte Baldo zu und verließ mit ihm den Platz am Fenster. Sie schwiegen. Eine längere Zeit verstrich, und Cristin begann in der feuchten Luft zu frieren. Die Sonne versank hinter dem Haus, während ihre Gedanken um diese Männer kreisten. Abermals öffnete sich die Tür, und sie machte einen Satz hinter die Mauer. In diesem Augenblick war Cristin froh über das Schummerlicht und tastete zitternd nach Baldos Hand. Drei Männer traten aus der Tür.

»Beim nächsten Mal wirst du sehen, mein Lieber, da gibt es Revanche«, sagte ein dicker Mann mit breitem Kreuz und klopfte seinem Begleiter auf die Schulter.

»Nur zu, nur zu«, entgegnete dieser. »Wir treffen uns in einer Woche. Neues Spiel, neues Glück, nicht wahr?«

Die Männer lachten und verabschiedeten sich leise voneinander, um jeder seiner Wege zu gehen.

Cristin wartete, bis sie ihrem Sichtfeld entschwunden waren, und zerrte an Baldos Hand. »Nun komm schon, ich halte das Versteckspiel nicht länger aus. Lass uns morgen wiederkommen, ja?«

»Nein. Das heißt, du kannst natürlich gehen. Ich werde jedoch bleiben, Cristin.«

Sie wollte gerade zu einer Erwiderung ansetzen, da hörte sie das Klappern von Schuhen, die sich dem Ausgang näherten. Eine Frau trat heraus, deren Gesicht kurz vom Mondlicht erhellt wurde. Cristin stutzte. Die blonden Haare, das runde Gesicht und der etwas forsche Gang. Das war doch Mirke, ihre einstige Lohnarbeiterin. Was hatte die junge Frau hier zu suchen? Sie musste sich irren.

Von drinnen erklang eine Stimme. »Komm wieder rein, Liebchen!«

»Ich will aber nach Hause«, maulte die Frau.

Cristin reckte den Hals. Das war eindeutig Mirke. Aber auch die Stimme des Mannes, der nach ihr gerufen hatte, war ihr nicht unbekannt.

»Nur noch eine Runde, komm schon!«

Da war sie wieder, diese betörend tiefe Stimme, die sie so gut kannte. Lynhard Bremer! Seit wann verkehrte ihr Schwager in solchen Spelunken? Und warum war er mit Mirke hier? Fassungslos starrte sie Baldo an und wollte etwas sagen, aber sie brachte keinen Ton heraus. Wie hatte Lynhard seine Begleiterin genannt? Liebchen? Heilige Jungfrau Maria! Cristin schlug die Hände vor den Mund und lehnte sich gegen Baldos Schulter. Lynhard betrog seine Mechthild mit ihrer früheren Lohnarbeiterin?

»Komm endlich rein, mein Täubchen«, hörte Cristin ihn jetzt rufen. »Bin gerade am Gewinnen!«

»Na gut, noch eine Runde«, seufzte Mirke ergeben und verschwand wieder im Inneren der Schänke, gefolgt von den beiden Kerlen, die sich zum Wasserlassen in die Büsche geschlagen hatten.

»Auf ein Neues, Bruder«, hörte Cristin einen der beiden sagen. »Die Kleine dürfte sich von deinem Schlauch erholt haben.«

Sie biss die Zähne zusammen. Nur mühsam konnte sie ihre Wut unterdrücken, während Baldo und sie wieder näher an das Fenster traten und ins Innere der Schankstube spähten. Inzwischen war es anscheinend zu dunkel in der Spelunke geworden, denn die dicke Wirtin stellte auf jeden der Tische mehrere Lampen, die den Raum sofort in helleres Licht tauchten. Cristin beobachtete, wie sich die beiden Männer an den Würfelspielern und Zechern vorbeischlängelten und eine schmale Treppe am anderen Ende des Raumes hochstiegen. Sie sah zu dem Tisch hinüber, an dem vor Kurzem noch die Seeleute gesessen hatten. Tatsächlich, da saß ihr Schwager zusammen mit drei anderen Männern und schaute sichtlich gelangweilt den Kerlen nach. Mirke stand hinter ihm und blickte Lynhard über die Schultern. Cristin konnte es nicht fassen. Wieso schritt ihr Schwager nicht ein, wenn er bemerkte, wie sich diese Widerlinge frotzelnd auf den Weg zu diesem Mädchen machten?

Die Wirtin stellte Lynhard und seinen Begleitern vier frischgefüllte Bierkrüge auf den Tisch. Einer der drei Mitspieler kam ihr bekannt vor, doch konnte sie sich nicht an seinen Namen erinnern. Vor Lynhard lag ein Haufen Münzen auf dem blank polierten Eichentisch, hauptsächlich Silbergroschen, aber auch einige Goldgulden. Die anderen Männer hatten ebenfalls jeder eine erkleckliche Summe Geldes vor sich liegen. Hier ging es nicht nur um ein paar Hälblinge oder Witten, hier wurde um ein kleines Vermögen gespielt. Doch warum trafen sich die Männer, deren Äußeres einen gewissen Reichtum erkennen ließ, zum Würfeln ausgerechnet in so einer Spelunke? Ein Verdacht stieg in ihr auf. Vergnügte sich hier Lynhard lediglich mit ihrer ehemaligen Lohnarbeiterin? Oder kamen die Männer nicht nur zum Trinken und Würfelspiel zusammen?

Wieder wurde die Tür aufgestoßen, und ein Mann trat ins Mondlicht. Er war groß und massig, das schüttere, helle Haar stand ihm wirr vom Kopf ab, und als er ihnen das Gesicht zuwandte, erkannte sie, dass es von Pockennarben entstellt war. Sie wich zurück.

»Was habt ihr hier zu suchen?«, fuhr er die beiden an.

Baldo baute sich vor ihm auf. »Was geht's dich an?«

»Ihr pliert schon 'ne ganze Weile durchs Fenster. Meine Mutter hat es genau gesehen!«

»Deine Mutter?«

»Die Wirtin.« Der Mann trat näher, und Cristin roch seinen Schweiß. »Also, raus mit der Sprache! Warum schleicht ihr Strauchdiebe um das Wirtshaus rum?«

Ihre Gedanken überschlugen sich. »Ich … ich suche Arbeit«, stieß sie hervor und biss sich im selben Moment auf die Zunge.

Die Züge des Mannes entspannten sich. »Arbeit? Ach so, das ist natürlich etwas anderes. Da muss ich meine Mutter fragen. Komm rein.«

Cristin versteifte sich. Sie schluckte den Kloß in ihrem Hals hinunter und nickte.

»Was ist mit dir? Suchst du das Vergnügen oder auch eine Arbeit?«

Baldo machte eine abwehrende Handbewegung. »Nein, sehr freundlich, danke. Wollte nur mein Weib begleiten.« Er legte den Arm um sie. »Nicht wahr, Liebes?«

Sie funkelte ihn von der Seite an, und Baldo zog sie ungerührt an sich.

»Ein Frauenzimmer ist hinter den Mauern der Stadt ja nicht mehr sicher heutzutage. Stimmt's?«

Der Mann hob die Schultern. Er zeigte sein lückenhaftes Gebiss. »Dann komm, dein Mann kann hier auf dich warten.«

Während Cristin dem Sohn der Wirtin durch die Schankstube in einen angrenzenden Raum gefolgt war, hatte sie den Kopf abgewendet, damit Lynhard und Mirke sie nicht erkannten. Nun stand sie vor der Wirtin, die sie, die Fäuste in die ausladenden Hüften gestemmt, aus listigen Augen von Kopf bis Fuß musterte.

»So, Arbeit suchst du. Da hast du Glück, grad letzte Woche ist mein Mädchen gestorben, seitdem muss ich allein bedienen. Mein Sohn hilft mir ja nicht, der faule Strick. Hat nur noch die jungen Weiber da oben im Kopf.« Sie machte eine Kopfbewegung zur Decke. »Wenn du willst, kannst du sofort anfangen. Bezahlen kann ich dich aber nicht. Dafür bekommst du Essen und kannst hier schlafen.«

Cristin nickte. »Gut«, erklärte sie, »dann geh ich rasch hinaus und sag meinem Gemahl Bescheid.«

Wieder war das Glück mit ihr, denn Lynhard und Mirke hatten inzwischen die Schänke verlassen. Sie konnte nur hoffen, dass die beiden nicht jeden Abend hierherkamen, schließlich hatte ihr Schwager ein Eheweib, das zu Hause auf ihn wartete. Sie verabschiedete sich hastig von Baldo, mit der Bitte, sie am nächsten Abend zu besuchen, und kehrte in den Schankraum zurück, wo die Wirtin bereits auf sie wartete. »Ein Krug Würzbier kostet einen Hälbling, für den halben Liter warmen Wein kassierst du einen Pfennig«, erklärte sie Cristin und grinste verschlagen. »Bei denen, die schon angetrunken sind, kannst du ruhig das Doppelte berechnen.« Sie drückte ihr ein Stück Holzkohle in die Hand und zeigte auf eines der großen Bierfässer an der Wand, auf dem sich zahlreiche Striche befanden. »Da kannst du's aufschreiben! Ach, noch was. Wenn dir ein Gast etwas zusteckt, hast du es bei mir abzugeben, verstanden?«

Kurz darauf stemmte Cristin die ersten Bierkrüge über den Kopf und bahnte sich einen Weg durch das Gedränge.

»He, schöne Zigeunerin, wie wär's nach Feierabend mit einem Schäferstündchen?«

Geschickt wich sie einer Hand aus, die unter ihr Kleid langen wollte, und steuerte auf den Tisch der drei Zecher zu, die eine zweite Lage Wacholderbier bestellt hatten.

»Zum Wohl, die Herren!«

Während sie die Krüge auf den Tisch stellte und zu dem Fass lief, um die Anzahl der ausgetrunkenen Bierkrüge zu markieren, kamen die beiden jungen Männer die Treppe hinunter. Einer fasste sich ungeniert ans Gemächt, über dem sich die enge Hose beulte, der andere grinste. Dann gingen sie an Cristin vorbei durch die offene Tür des rückwärtigen Raumes, wo die Wirtin an einem aufgebockten Holztischchen saß.

»Ich hoffe, Ihr wart zufrieden, meine Herren?«

»Jawohl, Wirtin. Wir kommen gern wieder.«

In Cristin stieg Ekel auf, vermischt mit ohnmächtiger Wut.

»He, bring mir noch einen Becher Wein«, rief jemand quer durch die Stube.

Sie straffte die Schultern »Komm ja schon!«

Als gegen Mitternacht das Feuer im Kamin heruntergebrannt war und die letzten betrunkenen Zecher endlich das Wirtshaus verließen, räumte Cristin die leeren Tonkrüge und Weinbecher fort und säuberte die Tische. Vom Stemmen der schweren Humpen taten ihr die Arme weh. Mehr als einmal hatte sie sich der Hände unverschämter Kerle erwehren müssen, die immer wieder versuchten, ihre Schenkel zu betatschen. Einige der Gäste waren so aufdringlich, sie beim Kassieren auf ihren Schoß ziehen zu wollen, und als sie sich darüber bei der Wirtin beschwerte, hatte diese nur gegrinst.

»Stell dich nicht so an, das gehört nun mal dazu.«

»Bei mir nicht«, war Cristins schroffe Antwort. »Ich bin keine deiner Metzen, ich habe einen Mann, der auf mich wartet.«

In trübe Gedanken versunken, beendete sie ihre Arbeit.

»Komm mit nach oben, ich zeig dir, wo du schlafen kannst.« Die Alte stand hinter ihr und zupfte sie am Ärmel.

Cristin folgte ihr die Treppe hinauf, wo von einem schmalen Gang ein paar Türen abgingen.

Die Wirtin drückte eine Klinke hinunter. »Ein Bett ist noch frei.«

Sie betrat die kleine, ungeheizte Kammer und erkannte im schwachen Licht einer Talglampe eine junge, dunkelhaarige Frau, die etwa in ihrem Alter sein musste. Die Unbekannte saß mit angezogenen Beinen, die Arme um die Knie gelegt, auf einer Schlafstatt und beäugte sie aus halb geöffneten Lidern. Eine zweite, kleinere Frau stand an einem Fenster und schaute ins nächtliche Dunkel hinaus. Während die Schankwirtin hinter ihr die Tür ins Schloss zog, setzte sich Cristin auf das freie Bett, das unangenehm nach Schmutz roch. Sie rümpfte die Nase.

»Gott zum Gruße«, sagte sie ein wenig unsicher und nannte ihren Namen.

Die Dunkelhaarige auf dem Bett gegenüber öffnete den Mund.

»Agnes«, wiederholte sie mit einem leichten Kopfnicken. »Ich Kairas.«

Ihre Stimme klang seltsam rau und schien gar nicht zu der zarten Person zu passen.

Woher mochte sie stammen? Cristin nickte der anderen Frau, die immer noch regungslos am Fenster stand, freundlich zu.

»Und du, wie ist dein Name?«

Die Angesprochene reagierte nicht.

Die Frau, die sich Kairas nannte, seufzte. »Spricht nicht. Niemals. Aber Name ich weiß – Sarah.«

»Ein schöner Name«, erwiderte Cristin. Als die Frau ihren Namen hörte, drehte sie sich um.

Sie erschrak, denn es handelte sich um ein Mädchen von höchstens vierzehn Lenzen. Seine Augen waren seltsam starr und hatten eine ungesunde, milchige Farbe. Als sie beobachtete, wie das Mädchen sich in die Richtung ihrer Stimmen drehte und den Kopf ein wenig schief legte, stieg eine Ahnung in ihr hoch. »Du kannst nicht sehen, nicht wahr?«

Das Mädchen nickte. Indem es vorsichtig mit der ausgestreckten rechten Hand vor sich her tastete, ging es durch die Kammer und blieb vor Cristins Bett stehen. Die Finger der Kleinen berührten scheu ihr Knie und wurden sogleich wieder zurückgezogen.

»Komm, Sarah, setz dich.« Cristin rutschte etwas zur Seite. »Es tut mir leid, dass ich dir deinen Schlafplatz wegnehme.«

Das Mädchen ließ sich neben ihr nieder.

»Ach, das kennt sie schon.« Kairas zuckte die Schultern. »Anderes Mädchen auch geschlafen mit Sarah in Bett. Gestorben letzte Woche.« Die junge Frau beugte sich vor. »Du jetzt machen ihre Arbeit?«

»Ja, heute war mein erster Arbeitstag in der Schankstube.«

»Schankstube gute Arbeit, ja?«

Cristin nickte.

»Sag mir, Kairas, wie viele von euch gibt es in diesem Haus?«

Die junge Frau überlegte und schien im Geist die Namen der anderen durchzugehen.

»Acht oder neun, ich glaube. Aber weiß nicht genau.« Ein bitterer Zug legte sich um ihre vollen Lippen. »Wir uns nicht oft sehen. Fast immer in Kammer.«

Cristin schwieg. Judith hatte also recht gehabt. In ihr krampfte sich alles zusammen, wenn sie daran dachte, was hier oben mit all den jungen Frauen und Mädchen wie der hübschen Kairas und der blinden Sarah geschah. Sie schloss die Lider und sah plötzlich Gero Momper vor sich, den Mann, der sie in der Zelle der Fronerei mit Gewalt genommen hatte. Als sie die Augen wieder öffnete, lag Kairas mit angezogenen Beinen auf ihrem Bett und schien zu schlafen. Sarah neben ihr hatte sich zur Wand gedreht, auch sie atmete gleichmäßig. Cristin betrachtete die schmale, knochige Gestalt des Mädchens. Obwohl sie beinahe eine Frau war, wirkte ihr Körper mit den kleinen Brüsten und den langen, dünnen Beinen noch kindlich. An Sarahs Schenkel, der aus der Decke herausschaute, entdeckte sie mehrere blaue Flecken. Vielleicht war es gut, dass sie blind war. So konnte sie die vor Geilheit verzogenen Gesichter dieser Kerle nicht sehen, wenn die sich auf sie legten. Cristin griff nach einer Decke und streckte sich neben dem Mädchen aus.

22

Als Cristin am nächsten Morgen der Schankwirtin erklärte, dass sie ihr Frühstück zusammen mit Kairas und Sarah einnehmen wollte, runzelte die Alte zwar die Stirn, ließ ihr jedoch ihren Willen. So hatte Cristin Gelegenheit, ein wenig mehr darüber zu erfahren, wie Kairas in die Schänke gekommen war.

Noch vor wenigen Wochen hatte die junge Frau in Slupsk gelebt, einer Stadt an der polnischen Ostseeküste, in der ihr Vater eine Tuchhandlung besaß. Die Mutter war bei der Geburt des jüngsten Kindes gestorben. Kairas war bis vor etwa einem Jahr mit einem Mann namens Jan befreundet gewesen, der sie lieber heute als morgen geheiratet hätte. Doch ihr Vater hatte etwas gegen diese Verbindung, denn Jan war nur ein einfacher Handwerksgeselle und damit in den Augen des gestrengen Familienoberhauptes nicht standesgemäß. So hatten sich Kairas und Jan immer seltener gesehen, bis die junge

Frau ihn eines Tages auf dem Marktplatz mit einem anderen Mädchen beobachtet hatte. Enttäuscht ließ sie Jan eine Nachricht zukommen, in der sie ihm schrieb, dass sie ihn nie wieder sehen wollte.

Den Sohn eines wohlhabenden Gewandschneiders, der bei ihrem Vater um sie warb, lehnte sie ab, aber irgendwann kam ein deutscher Salzhändler in das Geschäft, stellte sich als Hans Klingbeil vor und machte Kairas schöne Augen. Ihr Vater, dem das nicht verborgen blieb, lud den Mann für den nächsten Abend zum Essen ein, bei dem der Salzhändler sein offensichtliches Interesse an der Tochter des Hauses bekundete. Er war zwar einige Jahre älter als Kairas, hatte ein großes Blutmal an der Stirn, doch besaß er gute Manieren und vor allem Geld. Alles Eigenschaften, die ihn in ihres Vaters Augen zu einem geeigneten Heiratskandidaten machten. Am nächsten Tag ging sein Schiff zurück nach Lübeck, und er verabschiedete sich mit der Bitte, Kairas und ihr Vater sollten sich sein Heiratsangebot überlegen. In etwa einem Monat sei er wieder in Slupsk und werde noch einmal bei ihnen vorsprechen. So geschah es.

Bei seinem dritten Besuch – inzwischen hatte sich zwischen den beiden Männern ein nahezu freundschaftliches Verhältnis entwickelt – schlug er Kairas' Vater vor, die Tochter mit nach Lübeck zu nehmen und ihr sein Geschäft und das Haus zu zeigen. Natürlich könne auch ihr Vater mitkommen, wenn er wolle. Der Tuchhändler willigte ein. Zwar hatte er selber keine Zeit, die beiden zu begleiten, aber er vertraute dem Salzhändler und Freund seine Tochter an.

»Dieser Mann, Hans, mich mitgenommen. Aber er kein guter Mann. Er mich bringen nicht in sein Haus in Lübeck. Er mich bringen hierher.« Tränen liefen ihr über die Wangen, während sie weitersprach. »Wenn mein Vater wüsste, was ist geworden aus mir – eine *prostytutka*. Ich mich schämen so.«

Cristin legte den Arm um ihre Schulter. »Du trägst keine Schuld an dem, was dieser Mann dir angetan hat, Kairas! Du bist das Opfer eines bösen Menschen geworden, der die Gutgläubigkeit und das Vertrauen deines Vaters ausgenutzt hat. Du sagtest, der Mann hieß Hans. Hans Klingbeil. Er ist Salzhändler?«

Die junge Frau nickte.

»Das er sagen, ja. Aber ich nicht wissen. Ich glauben, das nicht richtiger Name.«

»Bestimmt nicht.« Was war das für eine Ratte, der ein junges Mädchen aus dem Elternhaus holte und ihr Versprechungen machte, nur um sie dann in der Fremde als Hübschlerin arbeiten zu lassen?

Eine innere Stimme mahnte Cristin zur Vorsicht. Ein Kerl wie dieser wäre sicher zu mehr fähig, als einem jungen Ding aus dem Osten den Hof zu machen und es dann zu verschleppen. Hans Klingbeil war vermutlich wirklich nicht sein wahrer Name. Gewiss hatte er Kairas auch nur vorgemacht, ein reicher Salzhändler zu sein.

»Beschreib ihn mir, Kairas. Wie sah der Mann aus?«

Das Mädchen dachte nach.

Cristin sah, wie schwer es ihr fiel, über ihren Peiniger zu reden. »Es muss sein, bitte. Vielleicht können wir ihn anhand seines Äußeren eines Tages finden.«

Nach kurzem Zögern schilderte Kairas ihn als einen hochgewachsenen, dunkelhaarigen Mann mit weichen Zügen und einem kurz geschnittenen Bart. Seine Haare seien von grauen Strähnen durchzogen, auf der Stirn habe er ein Mal. Seine Sprache sei vornehm, ebenso seine Kleidung.

»Er sagte, er besitzen viel Land, reicher Mann. Deshalb ich haben ihm geglaubt.«

Cristins Gedanken stockten. Ein noch undeutliches Bild entstand vor ihrem inneren Auge, das Bild eines gut gekleideten Mannes von etwa vierzig Lenzen, auf dessen rechter Seite seiner hohen Stirn ein daumengroßes Blutmal prangte. Das Bild wurde klarer und ließ sie unwillkürlich die Luft anhalten. Sie hatte diesen Mann schon mal gesehen, seine Gestalt erinnerte sie an jemanden, dem sie des Öfteren begegnet war. Er sah aus wie dieser Mann… Er war manchmal in Lukas' Geschäft gewesen. Konnte das sein, oder waren das nur neue Hirngespinste, die sie verwirrten? Ihr Herz schlug schneller. Ebenso bei dem Fest, das Lukas kurz vor seinem Tod gegeben hatte. Ganz deutlich konnte sie den Mann vor sich sehen, so nahe, als bräuchte sie nur die Hand auszustrecken, um ihn zu berühren. Mein Gott. Er war einer der Schöffen gewesen, als man sie verurteilt hatte. Einen Augenblick lang betrachtete sie das Antlitz des Mannes. *Hans Klingbeil nennst du dich?*

Das Bild verschwand. Der Name blieb. Hilmar Lüttke, der Salzhändler. Der Mann mit dem Blutmal auf der Stirn. Medicus Küppers, dessen Leib nun in der Erde ruhte. Und Lynhard Bremer, ihr Schwager, der nichts dabei fand, seine Frau mit ihrer früheren Lohnarbeiterin zu betrügen. Sie alle waren in schmutzige Geschäfte verwickelt. Ich werde herausbekommen, was diese Männer miteinander zu tun haben, so wahr mir Gott helfe, schwor sie sich. Während sie das zitternde Mädchen an sich drückte, dachte sie an Baldo. Bei ihrem Abschied hatte er gesagt, er werde sich die nächsten Tage als Bettler in Lübeck herumtreiben. Vielleicht konnte er oder Piet etwas über Lüttke herausfinden.

Während Cristin, Kairas und Sarah, deren Zurückhaltung langsam schwand, ihr Frühstück beendeten, erzählte ihr Kairas, dass die anderen Mädchen, die sich im oberen Stockwerk der *Kogge* befanden, allesamt aus Litauen und Polen stammten. Was die Tochter des Tuchhändlers erlebt hatte, war anscheinend kein Einzelschicksal, sondern es schien ein ausgeklügelter Plan zu sein, junge Frauen mit falschen Heiratsversprechungen nach Lübeck zu locken. Andere waren laut Kairas sogar gegen ihren Willen auf Schiffe verschleppt und über die Ostsee ins Deutsche Reich geschafft worden. Wenn sie den Beschreibungen der anderen Frauen Glauben schenken durfte, war der Mann mit dem Blutmal auf der Stirn stets daran beteiligt. Von einem der anderen Mädchen erfuhren sie außerdem von dem plötzlichen Tod des Knochenhauers, der am frühen Morgen leblos in seinem Haus aufgefunden worden war. Es hieß, er wäre an einem langen Leberleiden zugrunde gegangen.

Gegen Abend betrat Baldo die sich langsam füllende Schänke, wo er sich an einem freien Tisch niederließ und einen Krug Wacholderbier bestellte. Als Cristin den Humpen vor ihn hinstellte, erzählte sie ihm, was sie von Kairas erfahren hatte, und beschrieb ihm auch das Aussehen des Salzhändlers.

»Einen Kerl mit einem Mal auf der Stirn? Den hab ich heute Morgen bei der Beerdigung von Küppers gesehen, in Begleitung eines anderen Pfeffersacks. So wie die beiden sich benahmen, müssen sie enge Freunde von ihm gewesen sein.«

Sie beugte sich über den Tisch und senkte die Stimme. »Du warst bei der Beerdigung des Medicus?« Manchmal war Cristin über Baldos Kaltblütigkeit mehr als überrascht.

Sein Mund verzog sich zu einem Grinsen. »Ein paar Pfennige haben sie mir zugeworfen. Dachten wohl, ich sei ein Bettler.«

Er pfiff durch die Zähne. »Saubere Herren waren das.«

»Allerdings. Zumindest, wenn die Schilderungen der Mädchen der Wahrheit entsprechen. Aber daran zweifle ich nicht. Warum sollten sie sich derartige Schauermärchen ausdenken?« Sie dachte an das Gespräch mit Kairas zurück. Wenn auch nur ein Fünkchen der Geschichte stimmte, wurde es Zeit, diesem Scheusal das Handwerk zu legen.

»He, Agnes. Hast du nichts zu tun, oder wieso stehst du da herum?«, erscholl es vom anderen Ende der Schänke.

»Ist nur mein Mann, der mal nach mir schauen will«, rief sie der Wirtin über die Schulter zu, und meinte dann an Baldo gewandt: »Du sagtest, der Mann wäre in Begleitung gewesen. Wie sah der andere denn aus?«

Baldo dachte nach. »Groß war er, vornehm und ziemlich eingebildet. Wenn ich es recht bedenke, war er dem reichen Kerl mit dem Mädchen an der Seite aus der Schänke von gestern Abend ziemlich ähnlich.«

Cristin erstarrte. Lynhard. Ihre Kehle wurde trocken. »Was

hatten Lüttke und mein Schwager dort zu suchen?«, überlegte sie laut. Die beiden waren seit Jahren befreundet, das wusste sie, und kannten Küppers natürlich von gemeinsamen Festen. Aber auch gut genug, um seiner Beerdigung beizuwohnen?

Baldo schaute sie verdutzt an. »Wie? Der eingebildete Kerl ist dein Schwager?«

»Ja, gut möglich. Zumindest passt deine Beschreibung auf ihn. Allerdings verstehe ich das nicht. Was hatten die beiden dort verloren?«

»Was auch immer. Sie haben den Friedhof gemeinsam verlassen, wenn ich mich nicht irre.« Er leerte seinen Becher, zwinkerte ihr zu und erhob sich. »Ich geh dann mal besser.«

Cristin nickte abwesend, während ihre Gedanken um Lynhard kreisten. Der Mann, der sich besorgt über sie gebeugt hatte, als sie schwanger gewesen war. Der Mann, der den Medicus verständigt hatte, als sie am Kindbettfieber erkrankt war. Der Schwager, der bei ihrer Hinrichtung zugegen gewesen war. Für ihn war sie schuldig gewesen, hätte er sonst bei der Urteilsvollstreckung dabei sein wollen? Aber war das nicht sogar verständlich, schließlich war sie diejenige gewesen, die an Lukas' Bett gewacht hatte und so die Gelegenheit zu einem Gattenmord gehabt hätte? Sie selbst hatte den Medicus weggeschickt, einen Aderlass abgelehnt und sich so mit ihrem Verhalten verdächtig gemacht. Trotzdem hatte seine offensichtliche Anklage sie entsetzt.

Über diese Empfindung schob sich plötzlich ein weiterer Gedanke. Warum gab sich der stolze, gut aussehende und charmante Mann mit Kerlen wie Hilmar Lüttke ab, war sogar mit ihm befreundet? Als Pelzhändler, noch dazu mit einer wohlhabenden Ehefrau, standen ihm sämtliche Türen Lübecks offen. Oder war er so verschuldet, dass er sich Geld bei diesem feinen Lüttke geliehen hatte, nun in seiner Schuld stand und den Freund deshalb deckte? Cristin konnte es nicht glauben. Ihr Schwager war eitel, jagte hübschen Röcken nach, frönte der Spielerei und ging leichtsinnig mit Geld um, ja. Aber ein Verbrecher konnte er nicht sein. Sie waren doch einmal eine

Familie gewesen. Gewiss war Elisabeth bei ihm und Mechthild. Die Kleine musste in Sicherheit sein!

Am nächsten Tag war die Wirtin krank. Die Alte klagte über heftige Schmerzen in den Gedärmen. Am Nachmittag verschwand sie in ihrer Kammer und übertrug dem Sohn die Aufsicht über die Schankstube. Kurz überlegte Cristin, ob sie der Wirtin anbieten sollte, ihr einen lindernden Leibwickel aus Fenchelsamen und Kamillenblüten zu machen, wie sie es bei Ludewig Stienberg gelernt hatte, aber dann verwarf sie den Gedanken wieder.

In der Schankstube war an diesem Abend nur wenig Betrieb, lediglich eine Handvoll Würfelspieler hockte bei Würzbier an den Tischen.

»Kein gutes Geschäft heute«, brummte der Sohn der Wirtin, während er Cristin aus glasigen Augen anstarrte. »Wenn nicht bald noch ein paar Leute kommen, sperr ich die Tür zu und leg mich hin. Kannst ja mitkommen in meine Kammer.«

Er streckte eine Hand nach ihr aus, doch geschickt wich sie ihm aus und trat an einen Tisch, um die leeren Krüge abzuräumen. Während Cristin an eines der Bierfässer trat und drei Krüge für die Zecher füllte, dachte sie an Piet. Wie mochte es ihm ergehen? Sie stellte die Krüge ab und ließ sich neben den Fässern auf einem Schemel nieder. Was war nur aus ihnen geworden? Herumtreiber und Bettler, der Abschaum der Gesellschaft. Als wäre das nicht genug, lebten sie in ständiger Angst, von einem ihrer Häscher erkannt zu werden. Mehr als einmal waren Cristin Leute begegnet, die sie von früher kannte. Mit gesenktem Kopf hatte sie sich an ihnen vorbeigeschlichen. Betend, der Tage möge kommen, an dem sie sich wieder frei und unbehelligt bewegen konnte. Jener Tag, an dem jeder Bürger Lübecks wissen würde, dass sie unschuldig gejagt und verfolgt worden war. Keine Nacht verging, in der sie nicht aus dem Schlaf aufschreckte und auf die Geräusche lauschte, die sie umgaben. Was war ihr Leben wert, wenn es nur auf Lügen und Täuschungen aufgebaut war? Wenn diese eine Hoffnung, ihre geliebte Tochter eines fernen Tages wieder bei sich zu haben, der einzige Grund war, den Kampf nicht aufzugeben? Einen Moment lang war sie versucht, zur Trave hinunterzulaufen und ins Wasser zu gehen, um allem Leiden ein Ende zu setzen. Aber das war eine unverzeihliche Todsünde, für die sie gewiss im ewigen Höllenfeuer büßen musste. Außerdem – was würde aus Elisabeth werden, wenn sie ohne Vater und Mutter aufwachsen müsste? Der Gedanke und die Vorstellung, wie ihr toter, kalter Leib irgendwann aus dem Wasser gezogen, an einem Strick durch die Straßen Lübecks geschleift und am Galgen aufgehängt werden würde, ließen sie schaudern.

Ein Geräusch unterbrach ihre trüben Gedanken. Der Sohn der Wirtin stand mit dem Rücken zu ihr an der Tür, und als er sich umdrehte, sah sie, dass er den schweren Riegel davorgeschoben hatte. Sie versteifte sich.

Er öffnete den Mund und grinste. Die feinen Härchen an ihren Unterarmen stellten sich auf, als er auf sie zukam, sie an sich zog und gegen eins der Bierfässer stieß, um ihre Brüste zu betatschen. Cristin gelang es, sich von ihm zu befreien und in die Kammer ins obere Stockwerk zu laufen. Sein heiseres Lachen jedoch folgte ihr.

23

Piet zog sich den löchrigen Mantel um die Schultern. Er hatte ihn am Morgen einem toten Bettler abgenommen, über den er beinahe gestolpert wäre. In den schmalen Gassen und Gängen, in denen er sich seit vier Tagen herumtrieb, war es zugig und kalt, denn die ersten Herbststürme wehten vom Meer her über die Stadt hinweg. Er hob den Kopf und betrachtete eine Schar Möwen, die am wolkenverhangenen Abendhimmel kreisten und deren schrilles Geschrei Regen ankündigte. Seine Gedanken wanderten zu

Cristin. Wie mochte es ihr gehen? Von Baldo wusste er, dass seine Schwester sich seit ein paar Tagen als Schankmädchen in einem Wirtshaus am Hafen verdingte. Wenn er ehrlich war, gefiel ihm das nicht. Eine Frau wie Cristin, die dazu noch hübsch anzusehen war, gehörte in keine Schänke. Er war in genügend Spelunken gewesen, um zu wissen, wie es dort zuging. Die Mädchen und Frauen, die dort bedienten, mussten sich oft mehr als nur geile Blicke und anzügliche Bemerkungen gefallen lassen.

»Vielleicht sollte ich die Schänke aufsuchen und nach Cristin sehen«, überlegte er halblaut. Was natürlich nur das Hirngespinst eines verrückten Narren sein kann, rief Piet sich selbst zur Ordnung, denn es stand ihm nicht zu, seine Schwester so spät am Abend zu stören. Bei diesem Gedanken fühlte er Unruhe in sich aufsteigen. Ein in einen knöchellangen Mantel gehüllter Nachtwächter, in einer Hand die Hellebarde, in der anderen eine Laterne, kam ihm entgegen, musterte ihn kurz und setzte seinen Kontrollgang durch die schmale Gasse zwischen den Holzbuden fort. Piet blieb stehen und rieb sich über das Gesicht. Allerdings – Hafenkneipen gab es wie Sand am Meer, sinnierte er. Vielleicht sollte er zu dem Armenhaus in St. Johanni gehen und Baldo fragen, ob er ihn zu der Schänke begleitete. Der Freund würde sicher den Kopf über ihn schütteln. Dabei wollte er sich nur vergewissern, dass es Cristin gutging, oder? Piet hob die Hand, fuhr sich durch das Haar. Schon fielen die ersten Regentropfen, rannen an seiner Stirn hinunter und tropften von seiner Nase, doch er beachtete sie nicht weiter. Er verließ die Gropengrove, wich Passanten und einem streunenden Hund aus.

Nicht einmal eine halbe Stunde später waren die beiden Männer auf dem Weg zur Obertrave, auf deren gegenüberliegender Seite sich die *Kogge* befand. Mittlerweile goss es in Strömen, und als die beiden endlich vor der Tür der Schänke standen, waren sie längst bis auf die Haut durchnässt.

Innen war alles dunkel und still. Die Wirtin, ihr Sohn sowie die anderen Bewohner schienen bereits zu schlafen. Trotzdem schlichen die beiden um das Haus herum, wobei sie sich immer wieder vergewisserten, dass sie nicht beobachtet wurden. Plötzlich fiel Baldo ein, dass Cristin in einer Kammer im oberen Stock schlief, gemeinsam mit zwei anderen Frauen.

Im Dunkeln wandte er sich zu Piet um. »Den Weg hätten wir uns sparen können.«

Piet hob die Schultern. »Ich weiß nicht. Mir wäre lieber, wir schauen genauer nach. Irgendwie hab ich ein komisches Gefühl. Du weißt ja, Cristin und ich …«

Baldo schnaubte.

»Also gut, wenn es dich beruhigt, lass uns nachsehen, in welcher Kammer sie ist. Vielleicht steht hier irgendwo eine Leiter oder etwas anderes herum, damit wir in die oberen Fenster spähen können.« Mit zusammengekniffenen Augen starrte er in die Finsternis und wies zur linken Seite. »Da ist ein Schuppen. Sieh nach, ob du etwas findest, was wir benutzen können.«

Während Piet vorsichtig die Schuppentür aufzog und im Inneren verschwand, bog Baldo um die Ecke des Gebäudes und hielt nach einer Leiter Ausschau. Auf einmal spürte er etwas Spitzes im Rücken, während sich gleichzeitig ein starker Arm um seinen Hals legte und ihn zurückriss.

»Was schleichst du hier herum, verdammt?« Der Sohn der Wirtin!

»Ich bin Adam. Du kennst mich doch. Meine Frau, sie arbeitet hier«, presste er hervor. »Ich wollte nach ihr sehen.«

Der Mann hielt ihn weiter umklammert. »Um diese Zeit? Du lügst doch. Gehören dein Weib und du zu einem dreckigen Gesindel, das uns ausrauben will?«

»Nein«, keuchte Baldo. »Nimm endlich den Dolch weg, oder willst du mich umbringen?«

Der stechende Schmerz in seinem Rücken ließ nach, aber der Arm, mit dem das Pockengesicht ihn umfing, blieb eisern.

»Wer weiß, was ihr alles auf dem Kerbholz habt«, knurrte der Kerl. »Ich sperr euch in den Schuppen und hol die Büttel!«

»Das kannst du vergessen, Schwachkopf«, hörte Baldo eine zweite Stimme hinter sich.

Ein dumpfes Geräusch ertönte, der Griff um Baldos Hals lockerte sich, und der Sohn der Wirtin fiel mit einem gequälten Aufstöhnen zu Boden. Hinter ihm stand Piet, eine dicke Holzlatte in der Hand.

»Das wurde aber auch Zeit«, brummte Baldo, während er nach seiner Kehle griff.

Piet formte mit den Händen einen Trichter. »Cristin!«, rief er. »Bist du da?«

Über ihnen knarrte es leise, und im Halbdunkel wurde ein Fensterladen geöffnet. Dann steckte Cristin den Kopf zum Fenster hinaus. »Baldo und Piet, seid ihr das?«

»Ja. Geht es dir gut?«, fragte Baldo.

Cristin nickte.

»Ja, schon. Aber ich will hier weg, bitte.«

»Dann beeil dich, damit wir schnell verschwinden können, bevor der Hundsfott zu sich kommt.«

»Das geht nicht. Die Wirtin lässt abends die Kammern zusperren. Ich muss aus dem Fenster springen.«

»Spring ruhig, ich fange dich auf.«

Sie zwängte sich durch die enge Fensteröffnung und landete in Baldos ausgebreiteten Armen. Während sie ihre Kleider richtete, erklang auf dem Boden ein Stöhnen.

»Verpass ihm noch eins«, schlug Baldo vor.

Piet schüttelte den Kopf und warf die Latte fort. »Der hat vorerst genug. Lasst uns lieber verschwinden.«

Er nahm seine Schwester am Arm, und gemeinsam liefen die drei zurück. Erst als sie sicher sein konnten, nicht verfolgt zu werden, blieben sie im Schutz einer Häuserecke stehen, um zu verschnaufen.

Im Mondlicht wandte Baldo sich Cristin zu. »Ist dir etwas passiert? Haben die Schweine dich … dich etwa geschlagen?«

»Nein, keine Sorge, Baldo. Ich erkläre dir alles später. Lass uns gehen.«

Piet legte ihr eine Hand an die Wange. »Wohin, Schwester?

Sag uns die Zukunft voraus, Zigeunerin – wie geht es weiter mit uns drei Vagabunden?«

»Wir müssen hier weg, bevor man uns entdeckt«, murmelte Cristin, während sie an den beiden vorüberging und den Weg geradeaus zur Untertrave einschlug. Piet und Baldo sahen sich schulterzuckend an und folgten ihr zum Hafen hinunter, bis sie am Kai kurz stehen blieb und unverwandt auf das geschäftige Treiben blickte. Ein Schiff wurde gerade mit Fässern und Kisten beladen, Männer riefen einander Befehle in einer fremden Sprache zu. Schweigend eilte Cristin weiter, ohne auf die verwirrten Mienen ihrer Begleiter zu achten. Nahe der Engelsche Grove hielt sie inne. Sie sah sich nach allen Seiten um, trat schließlich in das Dunkel eines Hinterhofes, der sich zwischen zwei Patrizierhäusern erstreckte, und zog die beiden mit sich.

»Also, das letzte Mal, als ich in eine finstere Ecke gezogen wurde«, kicherte Piet, »war es ein hübsches Mädchen, das …«

»Verschone uns mit den Einzelheiten, Narr«, unterbrach Baldo ihn unwirsch.

Cristin meinte trotz der Dunkelheit erkennen zu können, wie Baldo mit den Augen rollte, sie verspürte allerdings wenig Lust, auf die Witzeleien einzugehen.

»Ich habe nachgedacht«, erklärte sie mit abgewandtem Gesicht. »Wir werden eine weite Reise machen müssen.«

»Fein, liebste Zigeunerin. Victorius, der Narr, folgt dir auf dem Fuße. Im Reisen bin ich geübt.« Im Schein des Mondes sah sie, wie Piet eine Verbeugung andeutete, und seine Augen blitzten. »Wohin soll die Reise gehen?«

Baldo nickte. »Das würde ich auch gern wissen.«

»Wir müssen nach Polen«, erklärte Cristin. Sie warf einen Blick in den nahezu wolkenlosen Himmel und ignorierte die zischenden Atemzüge ihrer Begleiter. »Hört mir zu. Ich habe keine andere Wahl. Versteht ihr denn nicht?«

In ihrem Inneren braute sich ein Sturm zusammen. Sie schlang die Arme um ihren Leib und lehnte sich gegen eine Mauer. »Wir haben erfahren, dass Lüttke und Lynhard einander offenbar gut kennen. Lüttke und Klingbeil sind ein und dieselbe Person, und mein lieber Schwager hat zumindest nicht eingegriffen, als die Kerle zu dem Mädchen auf die Kammer gingen. Ob aus Unwissen oder Gleichgültigkeit, wissen wir nicht. Was liegt also näher, als Lüttkes und vielleicht auch Lynhards Spur nach Polen zu folgen?« Cristin seufzte.

Die Protestlaute der Männer waren verstummt. Schweigen breitete sich zwischen ihnen aus.

Piet räusperte sich vernehmlich. »Was erhoffst du dir in der Fremde zu finden, Schwesterchen?«

»Hinweise, irgendwelche Hinweise, ob Lüttke möglicherweise auch an Lukas' Tod beteiligt war«, entgegnete sie ernst.

»Moment«, Baldo umfasste ihre Oberarme und musterte sie eindringlich. »Was soll das eine mit dem anderen zu schaffen haben? Auch wenn der Kerl ein Schwein ist, das macht ihn nicht zwangsläufig gleich zum Mörder!«

»Genau«, stimmte Piet zu. »Außerdem begründet sich unser Verdacht nur auf die Beschreibungen einiger Mädchen, und das ist nicht besonders viel, meinst du nicht auch?«

»Himmel, denkt doch mal nach!«, stieß Cristin ungeduldig hervor, senkte aber sogleich wieder ihre Stimme, um keine Aufmerksamkeit zu erregen. »Lukas hatte oft am Hafen zu tun, denn er hat sich dort mit Händlern aus aller Welt getroffen, um Geschäfte zu machen. Er könnte Lüttke beobachtet haben, wie er Mädchen aus dem Osten in Empfang genommen hat. Dann hätte der Salzhändler ein Motiv, um Lukas zu töten, oder?«

»Oder du hast eine blühende Fantasie«, war Baldos trockener Kommentar.

»Ja, ich weiß«, erwiderte sie leise und löste sich aus seiner Umklammerung. »Aber diese Überlegungen sind alles, was wir haben. Wenn wir Näheres über Lüttke herausfinden möchten, müssen wir zum Ort des Geschehens. Mit etwas Glück entdecken wir irgendetwas, das uns bei der Aufklärung von Lukas' Tod weiterhilft.« Ihr war es, als läge eine unerträgliche Last auf ihren Schultern, die sie von Tag zu Tag mehr niederzudrücken schien. »Ich will, dass der Mörder gefasst wird, und ich will Elisabeth zurück. Dafür zahle ich jeden Preis, glaubt mir. Wenn das heißt, dass ich nach Polen reisen muss, um auch nur den Hauch einer neuen Spur zu finden, so will ich das tun.«

Baldos Stimme wurde warm. »Ja, ich verstehe dich. Glaubst du wirklich, Lynhard könnte …«

»… etwas damit zu tun haben?«, vervollständigte sie seinen Satz. »Nein, natürlich nicht! Wie könnte ich? Andererseits …« Cristin brach ab und atmete tief ein, bis sich ihr beschleunigter Herzschlag allmählich wieder beruhigte. »Andererseits hätte ich mir auch nie vorstellen können, dass er in schmierigen Spelunken sein Geld verprasst oder zusieht, wie halbe Kinder Männerbesuch empfangen.«

»Das ist wahr«, antwortete Baldo nach kurzem Zögern.

»Wohin genau geht unsere Reise nun?«, hakte Piet nach und strich ihr zart über die Wange.

»An die polnische Ostseeküste. Du weißt doch, was Kairas mir erzählt hat. Von dieser Stadt – ich glaube, sie heißt Slupsk – werden die Frauen und Mädchen übers Meer hierhergebracht. Ich habe so eine Ahnung, als ob wir dort die Antworten auf einige unserer Fragen finden werden.«

24

Nachdem Cristin und Baldo ihre wenigen Habseligkeiten aus dem Armenhaus geholt hatten, passierten sie im Morgengrauen das Burgtor. Wieder einmal ließ Cristin die Mauern Lübecks hinter sich. Sie erschauerte immer noch, wenn sie an den Sohn der Wirtin dachte. Wären Baldo und Piet nicht in die Schänke gekommen und hätten sie befreit, wer wusste, wie lange sie sich seiner Anzüglichkeiten hätte erwehren können.

Bedauerlich war nur, Sarah und Kairas in der Schänke zurücklassen zu müssen. Sie mochte sich gar nicht ausmalen, was nun mit den beiden jungen Mädchen geschehen würde, die ihr in den letzten Tagen ans Herz gewachsen waren. Während sie an den Fischerkaten des Dorfes Schlutup vorübereilten, dachte Cristin an die armen Frauen und Hübschlerinnen im Lübecker Armenhaus. Frauen und Mädchen wie Lena und Judith, mit denen sie sich besser verstanden hatte als mit manch vornehmer Kaufmannsfrau aus ihrer Zeit mit Lukas.

Die Nacht verbrachten sie in Wismar, einer der Städte an der Hansischen Ostseestraße. Mit dem Geld, das Baldo erbettelt und Piet durch seine Späße verdient hatten, konnten sie sich zwei einfache Kammern mieten. Am nächsten Tag reisten sie weiter nach Rostock, das wie Lübeck, Wismar und Hamburg zum Wendischen Städtebund gehörte. Piet kannte die Stadt an der Warnow bereits von früheren Reisen. Auf dem Neuen Markt, gegenüber der dreischiffigen, aus rotem Backstein gebauten Marienkirche, die ihrer Namensvetterin in Lübeck nachempfunden war, traten sie auf. Die Leute erinnerten sich an den hell geschminkten, weißhaarigen Kerl im bunten Narrenkostüm und belohnten ihn für seine Späße und Spottgesänge. Baldo begleitete ihn auf der Trommel, und Cristin spielte wieder einmal die Zigeunerin, die den Bürgern die Zukunft vorhersagte.

Für die Nacht hatten sie sich in einem Gasthaus am Hafen eingemietet. Cristin öffnete das kleine Fenster und blickte hinaus auf den breiten Fluss. Im schwachen Mondlicht erkannte sie unzählige Fischerboote, die sacht im kühlen Abendwind schaukelten. Gegenüber lagen, vertäut an hölzernen Piers, die weit in den Fluss hineinragten, drei bauchige Hansekoggen. Tief sog sie die frische Seeluft ein. Nicht weit von Rostock mündete die Warnow in die Ostsee, hatte ihr Piet erzählt.

Sie schloss die Augen und sann über die eigenartige Verbindung zu ihrem Bruder nach.

Wie konnten Zwillinge derart miteinander verbunden sein, ohne sich jemals gesehen zu haben? All die Jahre über hatte ihr Bruder immer wieder gespürt, wo sie sich aufhielt und was sie erlebte. Das war ein Mysterium, das sie ebenso fürchtete, wie es sie neugierig machte. Dennoch war es die Wahrheit. Piet berichtete, ihrer beider Mutter hätte einen Kunden manchmal nur anzusehen brauchen, um zu wissen, wie es um diesen Menschen bestellt war. Sie hatte Einsamkeit, Gier und andere niedere Gedanken ebenso wie ihre dunkelsten Geheimnisse und innigsten Wünsche erkannt. So wie Piet sagte, war es immer völlig unvermittelt über sie gekommen.

Ein Teil dieser Gabe scheint sie an uns weitergegeben zu haben, dachte Cristin.

»Traue deiner inneren Stimme«, hatte die Mutter Piet geraten. »Richte dich nach ihr. Nichts von dem, was du siehst oder träumst, ist nur bedeutungslose Illusion, immer steckt etwas Wahres dahinter, wie bei einem Vorhang. Mal ist die Sicht versperrt, und du musst ihn lüften, mal kannst du durch ihn hindurchsehen. Die Wahrheit jedoch bleibt dieselbe.«

Cristin kannte das Gefühl, manchmal in das Innere eines Menschen hineinsehen zu können. Deshalb hatten sich diese einfachen Worte auch tief in ihre Seele eingegraben. Doch nun war jemand an ihrer Seite, dem es ebenso erging und der sie verstand. Piet ging so selbstverständlich mit seiner Gabe um, als wäre sie nichts, für das man sich schämen oder das man gar fürchten musste.

Die Reise schien sich endlos hinzuziehen. Heftige Regengüsse hatten die Straßen und Wege aufgeweicht und machten sie teils unpassierbar. Immer wieder mussten die drei Unterschlupf vor zornigen Stürmen suchen, die dicke Äste abbrachen, Büsche entwurzelten, durch die Luft wirbeln ließen und so die Wege versperrten. Die Nächte waren für Cristin das Schlimmste, wenn es im Unterholz knackte und allerlei Geräusche ihr Schauer über den Körper jagten. Endlich – inzwischen hatten sie die Tore Stralsunds erreicht – klarte das Wetter auf, und der Himmel zeigte sich in einem intensiven

Blau. Regentropfen schimmerten auf Blättern und Blüten, und Sonnenstrahlen wärmten ihr Gesicht und Gemüt.

Piet war auch schon einmal in Stralsund aufgetreten und wusste zu berichten, dass die Stadt an der Ostseeküste nach Lübeck die bedeutendste Hansestadt im Norden war. Von hier aus waren es noch etwa fünf oder sechs Tagesreisen, bis sie ihr Ziel erreicht hätten, die polnische Küste und die Stadt Slupsk, von wo aus angeblich immer wieder Mädchen und Frauen nach Deutschland gebracht wurden.

Teil 3

1

Schweigend waren die drei eine Weile, ein jeder in seine eigenen Gedanken vertieft, über den feuchten, angenehm kühlen Strandsand gelaufen. Baldo empfand den Spaziergang am Meer nach der langen und beschwerlichen Reise als Erholung. Sie waren endlich im polnischen Lebamünde, einer kleinen Hafenstadt, angekommen. Staunend betrachtete er die Sanddünen, die höher als zwei Männer groß waren und vor ihnen aufragten, als hätte ein Riese sie dort aufgehäuft. Er sah Piet zu, der stehen blieb, sich nach einem langen, angespülten Ast bückte und ihn in zwei Teile brach. Als Lump, der ein Stück vorausgelaufen war, das Knacken des Holzes hörte, rannte er zu ihnen zurück, dass der Sand unter seinen breiten Pfoten nur so spritzte. Baldo lächelte, als er das Tier unter lautem Gebell und mit aufgeregt wackelndem Hinterteil vor Cristins Bruder stehen sah.

Piet hob das Holzstück hoch. »Na los, Lump! Bring es zurück!«

Mit einer kraftvollen Bewegung warf er es im hohen Bogen ins flache Wasser. Voller Begeisterung schoss der Hund an ihnen vorbei und warf sich in die auslaufenden Wellen. Baldo ließ die friedlichen Bilder auf sich wirken. Lump, der im Wasser nach dem Holz suchte, um es kurz darauf mit heftig wedelndem Schwanz vor Piet abzulegen und dafür mit einem Streicheln belohnt zu werden. Cristin, die inzwischen mit gesenktem Kopf im weichen Sand nach Muscheln suchte. Hatte er sie jemals so gelöst erlebt?

Jäh blieb sie stehen. Baldo strich sich eine Haarsträhne, die sich von dem frischen Wind aus seinem kurzen Zopf gelöst hatte, aus dem Gesicht und beobachtete, wie sie sich zwischen Seetang und Muscheln bückte. Dabei schirmte er die Augen gegen das Sonnenlicht ab.

Cristin drehte sich zu ihm um. »Schau mal, Baldo, was ich gefunden habe.« Sie hielt einen taubeneigroßen Stein in der Hand, der goldgelb im Sonnenlicht schimmerte.

»Ist der nicht wunderschön?«

Baldo trat näher. »Was mag das sein?«

»Da ist etwas drin.« Sie blickte sich nach ihrem Bruder um. »Sieh nur, Piet.«

Dieser pfiff Lump herbei, der nur widerwillig sein feuchtes Spiel unterbrach. Der Hund schüttelte sich und trottete auf die kleine Gruppe zu.

»Zeig her.« Piet streckte die Hand aus, und sie ließ den Stein hineinfallen. Er hielt ihn gegen das Licht und betrachtete ihn von allen Seiten. »Das ist eine kleine Libelle«, murmelte er. »Sie hat die Flügel ausgebreitet. Ich frage mich nur, wie die da hineingekommen …?«

»He, da liegt ja noch einer!«, unterbrach Cristin ihn aufgeregt. Sie beugte sich hinunter und griff nach einem weiteren, etwas größeren kugelförmigen Stein derselben Farbe, der allerdings nicht durchsichtig war. Doch als beide die Köpfe zusammensteckten und ihn genauer besahen, konnten sie Dutzende winziger Luftbläschen darin ausmachen. »Was mag das sein, Baldo? Die Steine sind leicht wie Federn.«

Er zuckte die Achseln. »Steck sie ein. Vielleicht können wir sie noch gebrauchen.«

Cristin ließ die seltsamen Steine in ihren Beutel fallen.

Sie wollten weitergehen, als hinter ihnen eine Männerstimme erklang. »Dürfte ich mir Euren Fund auch einmal ansehen?«

Kaum einen Steinwurf entfernt stand ein Mann mittleren Alters in einem einfachen Rock und knielanger Hose, das schulterlange braune Haar hinter die Ohren geschoben und auf dem Kopf einen schmucklosen Filzhut. Cristin schaute Baldo Hilfe suchend an, der ihr zunickte. Seine Hand ruhte längst auf dem Griff des Messers, das er am Gürtel trug.

»Was wollt Ihr von uns?«

Der Fremde hob beschwichtigend die Hände. »Keine Angst, ich bin kein Räuber«, beeilte er sich zu versichern und fuhr an Cristin gewandt fort: »Ich würde mir Euren Fund gern einmal ansehen, wenn Ihr gestattet.«

»Die Steine?« Cristins Haltung drückte Abwehr aus. »Sie gehören mir!«

Der Mann machte Anstalten näher zu treten, doch Baldo hob die Hand und bedeutete ihm, stehen zu bleiben.

»Wieso wollt Ihr sie sehen? Sind sie wertvoll?«

Der Mann nickte. »Sie könnten wertvoll sein, aber um das besser einschätzen zu können, müsste ich einen Blick darauf werfen. Erlaubt mir, dass ich mich erst einmal vorstelle. Mein Name ist Bastian Landsberg, ein Deutscher wie Ihr, wenn auch aus dem Süden. Ich bin einer der vielen Bernsteinhändler hier in der Gegend und immer auf der Suche nach besonders schönen Stücken.«

»Und Ihr meint, wir hätten solche Bernsteine gefunden?«

»Wahrscheinlich. Ich selbst habe hier schon einige schöne Stücke entdeckt.«

Baldo schnippte mit den Fingern und gab so Lump zu verstehen, dass er sich ruhig zu verhalten hatte, während seine Gedanken wild durcheinanderwirbelten. Was, wenn Cristins hübsch anzusehende Fundstücke tatsächlich etwas wert waren? Sie könnten das Geld gut gebrauchen, ihre Reserven waren nahezu aufgebraucht. Vielleicht könnte er Cristin ein neues Gewand machen lassen. Er nickte ihr zu, woraufhin sie in den Beutel griff, die Steine herausnahm und sie dem Mann reichte.

Landsbergs Brauen hoben sich, seine Zunge benetzte die Lippen. »Ein wirklich außergewöhnlicher Fund.« Besonders eingehend untersuchte er den Stein mit der eingeschlossenen Libelle.

Die drei sahen einander an.

»Wie sind die Luftblasen und das Tier hineingekommen?«, wollte Cristin wissen.

Der Mann lächelte. »Ihr kennt doch bestimmt das klebrige Zeug, das Nadelbäume absondern.« Mit dem Kopf wies er auf eine Reihe Tannen, die abseits des Strandes auf einem Hügel wuchsen.

»Natürlich«, nickte Baldo. »Aber was hat das mit diesen Steinen zu tun? Die sind doch offensichtlich vom Wasser angeschwemmt worden.«

»Das stimmt«, erklärte der Mann weiter. »Das klebrige Zeug, man nennt es übrigens Harz, wird erst hart wie Stein, wenn es längere Zeit auf dem Meeresboden gelegen hat.« Er gab Cristin die beiden Steine zurück, griff in einen kleinen Lederbeutel, der an seinem Gürtel hing, und holte eine Handvoll fingernagelgroßer goldbrauner Kügelchen hervor. »Hier, die habe ich heute Morgen gefunden. Eure sind allerdings schöner und damit weitaus wertvoller.«

Baldo schluckte. Er bemerkte, wie Cristins Hände zitterten, ebenso wie seine.

Sie räusperte sich. »Und die Libelle?«

»Ach ja, die Libelle.« Der Fremde ließ die Steine in seinen Beutel zurückfallen. Der Wind hatte an Stärke zugenommen, und Baldo legte Cristin seinen Mantel um die Schultern. »Die wird vor hundert Jahren auf dem flüssigen Harz gelandet sein, konnte nicht mehr fortfliegen und starb. Dann floss noch mehr Harz darüber, und das Tierchen war eingeschlossen.«

Cristin nahm den Stein zwischen Daumen und Zeigefinger und drehte ihn im Sonnenlicht hin und her. »Er ist herrlich.«

»Ein kleines Wunder Gottes«, bestätigte Landsberg.

»Ein Wunder Gottes?« Baldos Lippen bogen sich nach unten. »Ihr habt uns doch gerade eben erklärt, wie diese Steine entstehen. Was hat Gott damit zu tun?«

Der Bernsteinhändler schaute ihn ernst, wenngleich nicht unfreundlich an. »Ihr haltet wohl nicht viel vom christlichen Glauben?«

»Dafür haben wir zu viel erlebt mit diesen Pfaffen, nicht wahr, Mädchen?«, schnaubte Baldo. Er spuckte im hohen Bogen in den Sand.

Piet verzog das Gesicht. »Wenn es drauf ankommt, sind die immer auf der Seite der Mächtigen und Reichen.«

Baldo nickte grimmig. Erst gestern hatte Cristins Bruder ihm erzählt, wie verächtlich die Geistlichkeit über Narren wie Victorius dachte. Sie verhöhnten die harmlosen Spaßmacher, weil sie in ihren Augen dumm und gottlos waren, standen sie doch dem Teufel nahe, dem Ursprung aller Narrheit. Er spürte, wie die alte Wut wieder in ihm hochkroch. Gott! Wer war schon Gott?

Landsberg seufzte. »Ihr habt leider recht. Die Kirche hat viel Schuld auf sich geladen, und sie tut es immer noch. Trotzdem liebt Gott die Menschen und hat seinen Sohn Jesus Christus zu uns gesandt, um für uns zu sterben und uns von unseren Sünden zu befreien.« Der Bernsteinhändler zog ein zusammengefaltetes Pergament aus seiner Manteltasche. »Lasst mich Euch vorlesen, was Christus, unser Herr, durch den Apostel Johannes über die Hure Babylon schreiben ließ: ›Von dem Wein des Zorns ihrer Hurerei haben alle Heiden getrunken, und die Könige auf Erden haben mit ihr Hurerei getrieben, und die Kaufleute sind reich geworden von ihrer großen Wollust. Und ich hörte eine andere Stimme vom Himmel, die sprach: Gehet aus von ihr, mein Volk, dass ihr nicht teilhaftig werdet ihrer Sünden, auf dass ihr nicht empfanget etwas von ihren Plagen. Denn ihre Sünden reichen bis in den Himmel, und Gott denkt an ihren Frevel!‹« Landsberg ließ das Pergament sinken. »Das Wort Gottes spricht hier von der Kirche in Rom und Papst Bonifatius, dem sogenannten Stellvertreter unseres Herrn.«

Baldo verstand nicht viel von dem, was der Mann vorgelesen hatte, doch er spürte den festen Glauben, von dem Landsberg erfüllt war. Es stand ihm nicht zu, andere für ihre Einstellung zu verurteilen, nur weil er selbst keinen Gott anbeten konnte.

Cristin runzelte die Stirn. »Ihr seid ein Händler, aber Ihr kennt die Bibel und redet wie ein Priester. Trotzdem sagt Ihr, dass die Kirche …«

»Ich bin ein Anhänger von Petrus Waldus«, unterbrach Landsberg sie. »Deshalb nennt man uns Waldenser. Vielleicht habt Ihr diesen Namen schon mal gehört?«

Baldo schüttelte den Kopf.

»Petrus Waldus, der Gründer unserer Bewegung, lebte vor etwa zweihundert Jahren in Lyon. Eigentlich war er ein Kaufmann, aber eines Tages begann er damit, die Bibel zu studieren, und erkannte, dass allein der Glaube an Christus vor dem ewigen Verderben rettet und nicht die Lehren der römischen Kirche, die die Menschen nur unterdrückt und ihnen das wahre Evangelium von der Liebe Gottes vorenthält.«

Baldo bemerkte Cristins verwirrten Gesichtsausdruck. Was der Mann von sich gab, roch verdächtig nach Ketzerei!

Als weder er noch Cristin antworteten, sprach Landsberg weiter. »Für uns ist nicht das Wort des Papstes die oberste Autorität, sondern die Heilige Schrift. Deshalb lehnen wir auch die Heiligenverehrung, die Lehren vom Fegefeuer und vom Sündenablass ab.«

Piet hob eine Braue. »Ich kann mir denken, dass die Kirche darüber nicht erfreut ist«, entgegnete er. Schließlich bedeutete es, den Heiligen Vater mit all seinen Gesetzen anzuzweifeln.

Landsberg nickte. »Roms Antwort kam schnell. Sie lautet Verleumdung und Verfolgung, wo immer ihre Häscher uns finden. Doch nicht nur unsere Schriften, die in ihren Augen ketzerisch und teuflisch sind, verbrennen sie, Tausende von uns haben sie schon zu Tode gebracht. Aber nicht wir Waldenser allein werden um unseres Glaubens willen verfolgt, in England bekämpft die Kirche auch die Anhänger John Wycliffs, weil sie den Papst als Antichristus bezeichnen und dieselben Lehren vertreten wie wir. All das wurde schon über tausend Jahre vorher gesagt. Es war Rom, das der Apostel unseres Herrn in seiner Offenbarung prophetisch beschrieb – eine von Christus abgefallene Kirche, die der Herr schon bald für ihre Sünden richten wird!«

Genau wie Baldo und Piet verstand auch Cristin kaum etwas von dem, was dieser dem ersten Anschein nach etwas unscheinbare Mann sagte, aber seine lebhafte Gestik und das

Leuchten seines Gesichtes zeigten die Leidenschaft, mit der Landsberg seinen Glauben vertrat. Es war faszinierend, zu beobachten, wie aus dem unauffälligen Händler ein überzeugender Redner wurde, der es verstand, die Menschen in seinen Bann zu ziehen. Insgeheim musste sie ihm recht geben. Sie hatte es ja am eigenen Leibe erfahren, wie Priester und Richteherr Hand in Hand zusammengearbeitet und sie zum Tode verurteilt hatten.

»Was meint Ihr, Landsberg? Wie viel ist unser Fund wert?«, unterbrach Piets Stimme ihre Gedanken.

Der Angesprochene schürzte die Lippen. »Ich schätze, zumindest der größere Stein muss kaum noch bearbeitet werden.« Er zwinkerte Piet zu. »Vielleicht hängt er schon bald an einer goldenen Kette und ziert den Hals der Frau eines Grafen oder Fürsten …«

»Wie viel, Landsberg?« Baldo kreuzte die Arme vor der Brust.

Der Bernsteinhändler streckte die Hand aus. »Lasst mich noch mal sehen!«

Cristin gab ihm die beiden Steine.

Der Mann wiegte den Kopf leicht hin und her, als überlegte er. »Ich gebe Euch drei Goldgulden dafür.«

Ihr Herz machte einen Hüpfer. Drei Gulden, Goldgulden sogar! Diese Summe musste man auf dem Markt für ein Rind bezahlen!

»Für den Stein mit der Libelle kriegt Ihr fünf.«

»Acht Gulden sind Euch die beiden Steine wert?«, stieß Cristin hervor.

»Mehr kann ich Euch leider nicht geben.« Landsberg hob die Schultern. »Seid Ihr damit einverstanden?«

Sie nickte, immer noch verblüfft über die hohe Summe, die der Bernsteinhändler ihnen bot. Schließlich handelte es sich bei ihrem Fund nicht um Goldstücke, sondern nur um zwei ungewöhnliche Steine.

»Ihr müsst mich allerdings zu meinem Geschäft begleiten. So viel Geld trage ich natürlich nicht bei mir.«

»Natürlich nicht.« Piet warf Cristin einen bedeutungsvollen Blick zu.

»Dann kommt.«

Landsberg setzte sich in Bewegung, und die drei folgten ihm. Lump hielt sich dicht neben ihnen.

2

Einige Zeit später erreichten sie ein reetgedecktes Häuschen, das sich am Ende einer engen, ungepflasterten Gasse von Lebamünde befand.

»Fische und Bernstein«, erklärte der Bernsteinhändler ihnen. »Davon leben die Menschen hier.«

Er schloss die Haustür auf und bat sie einzutreten. Während Landsberg einen Vorhang zur Seite schob und in einer Kammer verschwand, schaute sich Cristin um. Ein Tresen und einige Holzregale an den Wänden waren die einzigen Möbel in dem kleinen Raum, doch als sie näher an die Regale trat, bemerkte Cristin sie: eine Unzahl offener Kästen, Körbchen und anderer Behältnisse, in denen Bastian Landsberg seine Bernsteine aufbewahrte. Behutsam nahm sie einen der größeren aus einer hölzernen Schale und hielt ihn hoch. Anders als im hellen Tageslicht leuchtete der Stein im Halbdunkel des nur mit einem Fenster ausgestatteten Raumes kaum.

»So, da bin ich wieder.« Landsberg nickte Cristin zu, die den Stein zurücklegte. »Hier ist Euer Geld. Darf ich Euch noch etwas zu essen anbieten, bevor Ihr weiterzieht?« Er zog den Vorhang zur Seite, hinter dem sich die Stube des Bernsteinhändlers befand. »Ein paar Heringe habe ich noch da, etwas Brot und einen Krug Bier. Kommt nur herein.«

»Gern. Mir hängt der Magen schon bis zu den Schuhsohlen.« Piet grinste schief.

»Ich könnte auch etwas vertragen«, gab Baldo zu.

»Dann folgt mir«, forderte Landsberg sie auf einzutreten.

Mit Lump an ihrer Seite trat Cristin nach den Männern in die Stube.

Nachdem der Bernsteinhändler einen halben Laib Haferbrot, eine Schale gesalzener Heringe und einen Krug mit verdünntem Bier auf den Tisch gestellt hatte, setzten sich die vier. Landsberg faltete die Hände zum Gebet und schloss die Augen.

Cristin tat es ihm gleich.

»Himmlischer Vater, durch Jesus Christus komme ich zu dir und danke dir für diese Speise, die wir von deiner Güte empfangen. Segne sie und lass sie uns zur Stärkung dienen. Ich befehle dir auch meine drei jungen Freunde hier für ihre Weiterreise an und bitte dich, dass du deine Engel um sie stellst auf allen Wegen, die noch vor ihnen liegen. Amen.«

Sie schlug die Augen auf. Dieser Mann hielt keine langen Litaneien wie die Priester in der Heiligen Messe, sondern sprach mit einfachen Worten zu Gott, beinahe wie mit einem Freund.

»Ich danke Euch«, sagte sie mit brüchiger Stimme.

Bastian Landsberg nickte ihr freundlich zu. »Sagt mal, wie heißt Ihr drei eigentlich? Seid Ihr miteinander verwandt?«

Sein Blick war offen. Fast hätte Cristin dem Drang nachgegeben, ihre wahren Namen zu verraten und sich diesem gastfreundlichen Mann anzuvertrauen. Lübeck war schließlich weit entfernt, etliche Tagesreisen lagen zwischen der Stadt, in der man sie suchte, und diesem kleinen Ort an der polnischen Ostseeküste. Niemand würde hier von ihnen Notiz nehmen. Doch etwas hielt sie zurück.

»Ja ... wir sind Geschwister«, antwortete sie zögernd, während sich Baldo ein Stück Brot abbrach und in den Mund schob. »Mein Name ist Agnes, und die beiden hier sind meine Brüder Piet und Adam.«

Autsch. Baldo hatte ihr unter dem Tisch einen Tritt gegen das Schienbein verpasst, und Cristin errötete.

Der Bernsteinhändler hob seinen Becher. Er nahm einen

herzhaften Schluck und wischte sich mit dem Handrücken den Schaum von der Oberlippe. »Agnes, Piet und Adam, so. Woher kommt Ihr drei?«

Cristin warf Baldo einen Seitenblick zu, und seine Lippen verzogen sich zu einem Strich.

»Wahrscheinlich kennt Ihr die Stadt nicht«, antwortete sie betont gleichmütig. »Sie liegt im Norden des Reiches und heißt Ham…«

»Lübeck«, platzte es aus Baldo heraus.

»…burg.« Cristin schloss die Augen.

»Ihr scheint Euch nicht ganz einig zu sein«, bemerkte Landsberg und hob fragend die Brauen.

»Sie heißt Hamburg«, beharrte sie mit zitteriger Stimme und fing einen Blick ihres Bruders auf. Piet war kreidebleich. Während der nun herrschenden Stille schielte sie zu dem Bernsteinhändler hinüber.

Der schob seinen Stuhl zurück, erhob sich und trat neben sie. »Gibt es etwas, das Ihr mir erzählen möchtet?« Er berührte leicht ihre Schulter. »Seid Ihr etwa auf der Flucht, oder warum macht Ihr aus Euch so ein Geheimnis?«

Cristin schluckte, und als Baldo ihr unmerklich zunickte, holte sie tief Atem.

»Ich habe Euch nicht die Wahrheit gesagt«, gestand sie. »Bitte verzeiht. Unsere Namen sind nicht Agnes und Adam, und wir sind auch keine Geschwister. Doch mehr kann ich Euch nicht sagen.«

Piet beugte sich vor und sah den Bernsteinhändler eindringlich an. »Wir würden Euch gern mehr verraten, aber leider…«

Landsberg nickte. Er wandte sich ab und trat an das kleine Fenster. Eine Weile sah er mit nachdenklicher Miene durch die dünne Hornscheibe hinaus, die als Fenster diente. Niemand sagte ein Wort.

Dann drehte er sich um. »Ich habe den Eindruck, Ihr braucht Hilfe. Kann ich etwas für Euch tun?« Er verschränkte die Arme vor der Brust. »Es wäre schön, wenn Ihr in Zukunft bei der Wahrheit bleiben würdet und mir vertraut.«

Baldo räusperte sich. »Ich glaube, Ihr seid ein ehrlicher Mann. Deshalb will ich Euch reinen Wein einschenken. Wir sind hier, weil wir erfahren haben, dass immer wieder junge Mädchen aus dem Königreich Polen nach Lübeck und in andere Städte des Deutschen Reiches verschleppt werden. Wisst Ihr vielleicht, ob an diesen Gerüchten etwas wahr ist?«

»Verschleppt?« Landsbergs Brauen hoben sich. »Was für Mädchen meint Ihr?«

»Sehr junge Mädchen. Jüdinnen, Polinnen.«

»Woher wisst Ihr das alles?«

»Es gibt ein Wirtshaus in unserer Heimatstadt«, erklärte Baldo. »Dort haben wir ein paar dieser armen Mädchen angetroffen.«

Cristin warf ihm einen warnenden Blick zu, und Baldo brach ab.

Landsbergs Augen wurden schmal. »Die Sündhaftigkeit der Menschen kennt keine Grenzen«, murmelte er wie zu sich selbst. »Ich wünschte, ich könnte Euch helfen. Leider kann ich Euch nicht mal einen Schlafplatz für die Nacht anbieten, mein Haus ist zu klein. Doch im nächsten Dorf gibt es ein Gasthaus. Dort könnt Ihr sicher die Nacht verbringen, bevor Ihr morgen weiterreist.«

Für zwei winzige Kammern verlangte der polnische Wirt fünfzig Pfennige, fast einen Viertelgulden.

»Ein Wucherpreis«, wie Baldo grollend feststellte, während er die Pfennige und Hälblinge nachzählte, die ihm der Wirt auf einen der Goldgulden herausgab.

Piet erinnerte ihn daran, dass sie dank des Geldes, das ihnen Bastian Landsberg für die Bernsteine gegeben hatte, froh sein konnten, nicht in einer muffigen Scheune oder unter freiem Himmel schlafen zu müssen. Außerdem wurde es abends schon empfindlich kühl. Dass Piet den Wirt überreden konnte, den Hund mit auf die Kammer nehmen zu dürfen, sowie das reichhaltige Abendessen, eine kräftige Gemüsesuppe mit geräuchertem Fleisch und mit Pilzen gefüllte Maultaschen, besserte Baldos Stimmung schnell wieder. Ebenso wie das polnische Bier, dem die beiden Männer reichlich zusprachen, bis sie schließlich Arm in Arm und herzhaft gähnend, in die gemeinsame Kammer wankten und in ihre Betten fielen. Auch Cristin war erschöpft, aber das kräftige Schnarchen, das aus der Kammer nebenan durch die Holzwand an ihre Ohren drang, hielt sie noch lange wach.

3

Als sie am nächsten Morgen in Richtung Süden aufbrachen, lag Nebel über den Feldern und Weiden und kündigte den Wechsel der Jahreszeit an. Cristin zog den Umhang enger um ihren Leib und hoffte, sie würden am Nachmittag in Slupsk sein, der nächstgrößeren Stadt und Mitglied der Hanse, wie Landsberg ihnen erklärt hatte. Hier hatte Kairas gelebt. Unterwegs begegneten ihnen immer wieder Menschen, die zu Fuß reisten, aber auch Pferdefuhrwerke und Ochsenkarren, auf denen Händler und Bauern zwischen den Ortschaften im Norden des polnischen Reiches unterwegs waren. Als die Sonne bereits hoch am Himmel stand, kamen ihnen mehrere Reiter im Galopp entgegen. Cristin und Piet sprangen zur Seite, und Baldo packte Lump im Genick und zog ihn von der ungepflasterten Straße, damit der Hund nicht unter die Pferdehufe geriet. Acht hochgewachsene Männer ritten mit erhobenen Häuptern an ihnen vorüber, auf ihren geöffneten Helmen prangten schwarze Federn. Die Reiter trugen weiße, im Wind flatternde Mäntel, die weit über den Rücken der Pferde reichten, und an der linken Seite der Umhänge waren schwarze Kreuze aufgenäht. Cristin konnte unter den schweren Stoffen das Schimmern ihrer Rüstungen erkennen. Jeder der Männer trug ein Schwert bei sich.

Einer der Reiter wandte den Kopf, und ein Blick aus kalten

Augen glitt über die kleine Gruppe am Straßenrand. Cristins Herz pochte hart gegen die Rippen, schnell schlug sie die Augen nieder. Piet stieß hörbar die Luft aus, als die Reiter vorbei waren, und Baldo klopfte sich den Staub von der Hose, den die Hufe der Pferde aufgewirbelt hatten.

»Puh, was waren das denn für Kerle?« Er ließ Lump los und gab ihm einen Klaps. »Habt ihr die Rüstungen unter den Mänteln gesehen?«

Cristin nickte. »Waren das Ritter?«

»Ja, Schwesterherz, aber nicht irgendwelche«, erwiderte Piet. »Das sind Deutschritter. Die schlimmsten, wenn ihr mich fragt. Haben im Heiligen Land gegen die Muselmanen gekämpft und unterstehen nur dem Papst. Reich sind sie, Ländereien und ganze Städte sollen ihnen gehören, habe ich mir sagen lassen.«

»Woher weißt du das alles?«, wollte sie wissen.

Ihr Bruder hob die Schultern. »Bin eben viel herumgekommen. Nicht nur im Deutschen Reich, sondern auch in Polen. Da lernt man so einiges.«

Kurze Zeit später erreichten sie eine Anhöhe, von der aus sie in etwa einer Viertelmeile Entfernung eine kleine Ortschaft vor sich liegen sahen, die malerisch zwischen abgeernteten und gepflügten Feldern ruhte. Ein Flüsschen schlängelte sich um das Dorf wie eine blau schimmernde Schlange, ein Kirchturm wies empor zum Himmel, an dem ein paar Vögel kreisten. Von diesem Dorf aus war es vielleicht noch eine Meile bis zu ihrem Ziel. Cristin legte die Hand über die Augen, um sie vor der Sonne zu schützen, als ein durchdringender Geruch mit dem Wind zu ihnen herübergetragen wurde. Sie rümpfte die Nase und nieste, dann erst sah sie es. Rauch stieg von mehreren Häusern zum Himmel auf.

»Seht doch!« Sie wies auf die Rauchschwaden.

Baldo und Piet nickten grimmig, sie hatten es ebenfalls bemerkt, und Entsetzen machte sich auf ihren Mienen breit.

Wortlos näherten sie sich dem Dorf, bis sie die ersten Bauernkaten erreichten. Die strohgedeckten Dächer waren verbrannt, Holzbalken und bis zur Unkenntlichkeit verkohlte Gegenstände versperrten ihnen den Weg.

Baldo löste sich aus seiner Erstarrung und bückte sich, um Holz beiseitezuräumen. Die Rauchsäulen, die sie von Weitem gesehen hatten, waren bereits dünner geworden. Vor einer der Hütten sahen sie etwas liegen und traten zögernd näher. Ein Toter lag zusammengesunken und bleich vor der Tür. Leere Augen starrten sie an. Der wie zu einem stummen Schrei aufgerissene Mund wurde von Fliegen umschwärmt.

Cristin schlug die Hand vor den Mund. Sie glaubte, sich erbrechen zu müssen, als sie die klaffende Wunde an seinem Hals sah. Das Blut hatte das einfache Hemd des Mannes scharlachrot verfärbt.

»Was ist hier geschehen?«, hörte sie Piets tonlose Stimme.

Lump winselte.

Während sie weiter in das Dorf hineingingen, stießen sie auf immer mehr Leichen – Frauen, Männer, Kinder. Eine der Frauen hielt selbst im Tod noch ihr Neugeborenes umklammert. Unter ihr hatte sich eine Blutlache gebildet. Einem der Männer war mit einem einzigen Hieb der Schädel gespalten worden. Cristin wandte sich ab. Ein heiseres Krächzen über ihr ließ ihr das Blut in den Adern gefrieren. Ein Schwarm Krähen kreiste über dem Dorf, wartete darauf, sich an den Körpern der Toten gütlich tun zu können. Mindestens zwei Dutzend Dorfbewohner waren auf grauenhafte Weise umgebracht worden, und es hatte den Mördern offenbar nicht gereicht, all diese Menschen niederzumetzeln, denn auch ein Großteil der einfachen Häuser war bis auf die Grundmauern heruntergebrannt.

»Wer kann so etwas getan haben?«, flüsterte Cristin.

Piet zog sie an sich. »Ich habe da eine Vermutung.«

Baldo zog Lump von einem der Toten fort, an dem er schnüffeln wollte.

»Du meinst die …«

»Die Deutschritter, ja. Die Kerle kamen doch aus dieser Richtung.«

»Warum tun Menschen so etwas?«

Cristin wischte sich mit dem Arm über das Gesicht. Wer, außer dem Teufel selbst, war zu solcher Tat fähig? Was hatten diese Leute, hauptsächlich Bauern, verbrochen, dass sie diesen Tod verdienten? Ihr Magen rebellierte, da fielen ihr die Worte Bastian Landsbergs wieder ein. »Die Sündhaftigkeit der Menschen kennt keine Grenzen.« Ja, der Bernsteinhändler hatte recht. Es gab wohl keine Grausamkeit oder Sünde, zu der Menschen nicht imstande waren.

»Wir sollten verschwinden«, unterbrach Baldo ihre Gedanken.

»Nicht, bevor wir sicher wissen, ob es hier noch Verletzte gibt, die unsere Hilfe brauchen«, widersprach Piet.

Er steuerte auf das nächste Haus zu, eine halb zerstörte Bauernkate mit einem angrenzenden Hühnerstall, den die Flammen verschont hatten, und Baldo und Cristin folgten ihm. In die Stille, die nur vom heiseren Krächzen der schwarzen Totenvögel unterbrochen wurde, mischte sich ein Laut. Sie blieb wie angewurzelt stehen und hielt ihren Bruder am Arm fest. Einen Finger auf den Mund gelegt, bedeutete sie ihm zu schweigen. In diesem Moment hörte sie es wieder. Sie konnte ihre eigene Angst riechen, als sie mit gekräuselter Stirn erneut lauschte. Nein, sie hatte sich nicht geirrt. Da hustete jemand.

Auch Piet war stehen geblieben. Ihre Blicke kreuzten sich, und ihr Bruder nickte. Schon stieg er über den niedrigen Zaun, der die Kate umgab, trat an den kaum drei Fuß hohen, aus Holzlatten gebauten Stall und bückte sich. Langsam schob er die Klappe hoch, spähte in das Dunkel hinein.

»Wen haben wir denn da?«

Baldo und Cristin traten an den Zaun. Piet kratzte sich am Kinn und öffnete den Mund. Er suchte nach den richtigen Worten, das war unübersehbar. Cristin, die nach einigen Schreckensmomenten ihre Sprache wiedergefunden hatte, schubste ihren Bruder energisch beiseite und kniete vor dem Eingang des Stalls nieder. Ein blonder Junge von neun oder zehn Lenzen hatte sich im Inneren zusammengekauert und zitterte wie Espenlaub. Das schmale Gesicht, aus dem ihr ein dunkles Augenpaar entgegenstarrte, war bleich.

Mein Gott, dachte sie, während sie sich zu einem beruhigenden Lächeln zwang.

»Du musst keine Angst mehr haben, mein Junge.« Ihre Stimme klang sanft. »Sie sind weg. Du kannst herauskommen.«

Als sie eine Hand nach ihm ausstreckte, wimmerte er und hielt die Arme schützend über den Kopf.

»Hab keine Angst!«, wiederholte sie und berührte ihn sachte am Bein. Ihr Herz machte einen schmerzhaften Satz, als er in die hinterste Ecke des Stalls rutschte und die dünnen Beine anzog. »Niemand wird dir etwas tun. Komm.«

Cristin hielt den Atem an, während der Junge zwischen seinen erhobenen Armen hindurchlugte. Leise Hoffnung machte sich in ihr breit, doch mit dem, was nun kam, hatte sie nicht gerechnet. Mit einem Satz sprang der Junge auf sie zu und umklammerte ihre Taille, sodass sie Mühe hatte, wieder aufzustehen.

»Ich bin ja da. Ist schon gut«, flüsterte sie an seinem Ohr und strich ihm über den bebenden Rücken. Ohne darüber nachzudenken, begann sie ein Kinderlied zu summen.

Die beiden Männer warfen ihr Blicke zu, aus denen Bewunderung, aber auch Erleichterung zu lesen waren.

»Nun wird alles gut, du wirst sehen.« Cristin konnte den hämmernden Herzschlag des Jungen an ihrer Brust fühlen, als er sich mit aller Kraft an sie drückte. Er roch nach Staub und Blut. Ihre Gedanken überschlugen sich, während sie ihm einige Strohhalme aus dem Lockenschopf zupfte. Was sollte nun geschehen? Der Kleine machte einen verstörten Eindruck. Hilflos sah sie zu Baldo. »Wo sollen wir hin? Der Junge ist schwach. Ich glaube nicht, dass er einen längeren Marsch aushält.«

Die beiden Männer traten näher.

Piet hielt sie am Arm fest. »Wir müssen fort, Schwester. So schnell die Beine uns tragen, verstehst du?«

Sollte der Junge ihre Sprache verstehen, würden sie mit ihren Äußerungen achtsam sein müssen, um ihn nicht weiter zu verschrecken. Keiner konnte ahnen, ob die Mörder noch einmal zurückkommen würden, um nach überlebenden Zeugen zu suchen. Die beiden sahen einander an.

»Adam, du gehst mit Agnes und dem Jungen und suchst einen Unterschlupf für uns. Ich werde nach weiteren Überlebenden Ausschau halten.«

»Kommt nicht in Frage«, versetzte Baldo. »Ich komme mit dir.«

Piet wies auf dessen verletztes Bein. »Ich bin schneller. Lump nehme ich mit.«

Baldos finstere Miene verriet, was er von dem Vorschlag hielt. Er machte einen Schritt vorwärts und streckte die Arme aus, um Cristin den Jungen abzunehmen. Sie schüttelte den Kopf. »Lass *mich* das machen.«

»Wie du meinst.« Baldo zuckte die Achseln. »Kommt jetzt, es ist schon spät.«

Cristin verspürte auf einmal den Wunsch, ihn an sich zu drücken, ahnte sie doch, was in ihm vorging. Seit er sie damals am Hafen umarmt hatte, war ihr dieses Gefühl, als sie ihn so nahe bei sich gespürt hatte, nicht mehr aus dem Sinn gegangen. Sie schaute sich um. Nicht weit vom Dorfrand erstreckte sich ein Wäldchen, das sich dunkel vom Himmel abhob. Cristin sah Baldo fragend an.

»Wir werden uns dort verstecken«, erklärte er.

Piet nickte. »Gut, ich komme dorthin, sobald ich weiß, dass es niemanden mehr gibt, der das hier …« Er brach ab und ging zum nächsten Haus, von dem nur noch die Grundmauern zu sehen waren.

Cristin strich dem Jungen über das Haar. »Komm, wir werden in den Wald dort gehen.«

Sie griff nach seiner Hand und zog ihn mit sich, fort von diesem Ort des Grauens, von dem der Gestank des Todes buchstäblich zum Himmel aufstieg. Hinauf zu einem Gott, der das alles mit angesehen hatte. Wieder einmal fragte sie sich, warum dieser Gott, von dem Bastian Landsberg voller Überzeugung behauptet hatte, er liebe die Menschen, all das Unrecht zuließ, das Menschen – oftmals sogar in seinem Namen – anderen antaten. Sie betraten den Laubwald und bahnten sich einen Weg durch das hüfthohe Gestrüpp. Das Laub der Bäume begann sich zu verfärben, überall schmückten gelbrote Blätter den Waldboden und raschelten unter ihren Schuhen. Cristin liebte den Geruch von Moos und feuchter Erde und musste daran denken, wie Baldo und sie in einen anderen Wald gegangen waren, um sich vor ihren Häschern zu verstecken. Der Wald, in dem das Unglück in Gestalt einer Wildsau über sie hereingebrochen war. Das Tier, dem Baldo sein Hinken verdankte. Unwillkürlich wandte sie den Kopf. Ob es hier wilde Tiere gab, Wildschweine oder gar Bären? Hatte sie nicht mal gehört, Wölfe würden Polens Wälder durchstreifen? Sie unterdrückte ein Seufzen, doch der Junge hatte es bemerkt und hob den Kopf. Ob er ihre Sprache verstand?

Baldo hatte anscheinend denselben Gedanken. Er beugte sich zu ihm hinunter und sprach betont deutlich. »Ich bin Adam.«

»Adam?«, wiederholte der Junge leise.

»Adam, genau. Das ist mein Name.« Jetzt tippte er dem Jungen vorsichtig auf die Brust. »Wie heißt du? Wie ist dein Name?«

Der Kleine schien zu überlegen. Cristin wollte Baldo schon in die Seiten knuffen, als er den Mund öffnete. »Janek.«

Baldos Brauen hoben sich. Er setzte zu einer Erwiderung an, aber Cristin brachte ihn mit einem mahnenden Kopfschütteln zum Schweigen. Sollte der Junge tatsächlich ihre Sprache nicht nur verstehen, sondern auch sprechen, konnte er ihnen immer noch erzählen, was sich in seinem Dorf ereignet hatte. Sie drehte sich um. Zwischen dem dichten Blattwerk der Bäume und dem Gestrüpp war das zerstörte Dorf gut zu erkennen. Ihr Bruder und Lump, die mit schnellen Schritten dem Waldrand zustrebten, schienen wohlbehalten zu sein.

»Ich habe dreiundzwanzig Tote gezählt, außerdem zwei Schwerverletzte. Eine alte Frau konnte mir noch sagen, dass ein paar Leute in den Wald geflohen sind«, berichtete er, als er wieder vor ihnen stand, und sah sich suchend um. »Habt ihr jemanden bemerkt?«

Cristin schüttelte den Kopf.

»Bis jetzt nicht. Sicher sind sie tiefer in den Wald hineingelaufen.« Sie deutete auf den Jungen. »Aber wir wissen jetzt, dass der Junge Janek heißt.«

Als sie seinen Namen nannte, fühlte sie seinen traurigen Blick auf sich ruhen. Seine Finger waren kalt, als er sie in ihre Hand schob.

»Hat er sonst noch etwas gesagt? Über das, was hier geschehen ist und warum?«

»Nein«, unterbrach Cristin ihren Bruder ernst. »Wir werden ihn auch nicht bedrängen.«

»Ja. Lassen wir ihn in Ruhe. Obwohl – ein wenig Polnisch habe ich beim Herumziehen gelernt. Hab mal mit einem Narren zusammengearbeitet, der aus Polen stammte und mir einiges beigebracht hat.«

»Das ist gut. Wird uns sicher helfen, wenn wir weiterreisen«, meinte Baldo.

»Was ist mit den Verletzten?«, wollte Cristin wissen. »Du hast von zwei Schwerverletzten gesprochen.«

Piet wischte sich mit der Hand über das Gesicht. »Ich fürchte, ihnen ist nicht mehr zu helfen. Diese armen Menschen werden sterben, wir können nur hoffen, dass sie nicht allzu lange leiden müssen.«

Sie schwieg. Sollte der Tod hier wirklich den Sieg davontragen? Niemand würde den Sterbenden die letzte Kommunion reichen, niemand die Totenglocke läuten, weil auch der Priester nicht mehr lebte oder in die Wälder geflohen war. Vielleicht würde der Junge eines fernen Tages so weit sein, von dem zu berichten, was hier geschehen war. Janek schaute zum Himmel hinauf und schien zu lauschen. Wie still es auf einmal ist, dachte sie. Die Krähen, die eben noch über dem Dorf gekreist hatten, waren verschwunden. Sie zog den Umhang enger um ihren Leib. Übelkeit stieg in ihr auf, und ein bitterer Geschmack füllte ihren Mund. Vermutlich taten sich die Vögel bereits am Fleisch der Dahingemetzelten gütlich.

Sie drehte sich zu Baldo um. »Sollten wir nicht wenigstens die Toten begraben?«, fragte sie und wusste im selben Moment, dass dies unmöglich war.

Baldo schüttelte den Kopf. »Wir können hier nichts mehr tun, weder für die Lebenden noch für die Toten«, sagte er mit finsterer Miene. »Außerdem könnte diese gottverdammte Mörderbande jederzeit zurückkommen! Wir müssen hier verschwinden.«

»Nein!« Sie baute sich vor ihm auf. »Das kann ich nicht.« Ohne auf Baldos Protest zu achten, beugte Cristin sich zu Janek hinunter. »Hör mir zu. Ich muss nach den Verletzten sehen.« Sie streichelte seine Wange und zwang sich zu einem Lächeln. »Verstehst du, was ich sage?«

Der Junge nickte zögernd.

»Ich möchte, dass du bei Adam und Piet bleibst. Sie werden auf dich aufpassen.«

Janek kämpfte mit den Tränen und schlang die Arme um ihre Taille.

»Ich bin bald zurück.« Sie strich ihm einige wirre Haarsträhnen aus dem Gesicht. »Du bist schon groß. Kann ich mich auf dich verlassen?«

Der Junge ließ sie los und senkte den Kopf.

»Danke, Janek.«

Baldo trat ihr in den Weg. »Du wirst nicht gehen«, presste er hervor. Er fasste nach ihrem Oberarm und hielt sie fest. »Das ist zu gefährlich, begreifst du denn nicht?«

»Er hat recht, Agnes.« Piets Miene war sorgenvoll. Selten hatte sie ihren Bruder so ernst erlebt. »Wir sollten verschwinden, und zwar schnell!«

Ihr wurde kalt. Das konnte doch nicht ihr Ernst sein! Sie sollten gleichmütig weiterziehen, ohne auch nur den Versuch unternommen zu haben, diesen armen Leuten zu helfen? Sie wollten diesem Dorf den Rücken kehren, wohl wissend, dass es Überlebende gab, die Schmerzen und Fieber litten? Die voller Furcht auf ihren letzten Atemzug warteten, ja, ihn gar herbeisehnten? Alles in ihr wehrte sich dagegen, drängte sie zurückzugehen. Mit Schaudern erinnerte sie sich, wie Baldo sie aus ihrem sicheren Grab befreit hatte. Ohne seinen Mut und die Bereitschaft, sein Leben für sie zu riskieren, wäre sie längst tot. Müsste nicht gerade er sie verstehen? Gleichzeitig mahnte eine andere Stimme sie zur Einsicht, denn gegen eine Horde plündernder Ritter wären sie machtlos. Ihr Magen krampfte sich zusammen. Zwei der Dorfbewohner lebten noch, hatte Piet gesagt. Sie reckte das Kinn.

»Ich werde nach diesen armen Menschen sehen! Und keiner von euch beiden wird mich daran hindern.«

»Du wirst nicht gehen, verdammt!«, herrschte Baldo sie an.

Rasch schüttelte sie ihn ab, drehte sich ohne ein weiteres Wort um und eilte davon.

4

Bei dem ersten Toten, den Cristin vor dem Eingang einer halb niedergebrannten Kate am Rand des Dorfangers fand, kniete sie nieder. Für ihn kam jede Hilfe zu spät, und sie schlug die Hand vor den Mund. Über seinen halb geöffneten Lippen kreisten fette Schmeißfliegen, ebenso wie über dem blutgetränkten Wams. Sie schlug ein Kreuz über dem Leichnam, erhob sich schwankend und verließ die Hütte. An der Straße angekommen, blickte sie sich um und entdeckte am Wegesrand zwei weitere tote Männer, deren Köpfe merkwürdig verdreht waren. Mit zusammengebissenen Zähnen steuerte sie auf die kleine Kirche zu. Vielleicht hatte jemand hier Zuflucht gesucht? Sie stieß die windschiefe Holztür auf, betrat das Gotteshaus, kniff die Augen zusammen und spähte hinein. Da, ein paar Schritte neben dem Altar, lag jemand auf dem Holzboden. Sie lief den kurzen Mittelgang hinunter, ging in die Hocke und betrachtete die Frau aufmerksam. Ihr Brustkorb unter dem aufgerissenen Gewand hob und senkte sich gleichmäßig, und ihre Atemzüge waren in der Stille der Kirche deutlich zu hören. Cristin konnte keine äußeren Wunden erkennen, doch das Antlitz der jungen Frau war leichenblass. Vielleicht gab es noch Hoffnung. Mit klammen Fingern strich Cristin ihr über die Stirn. Sie war kühl.

»Kannst du mich hören?«, fragte sie leise.

Die Frau öffnete die Augen, als würde es sie große Anstrengung kosten. Ihr Blick schien leblos zu sein. Sie murmelte einige fremd klingende Worte.

»Ich … verstehe dich nicht, gute Frau.«

Die Fremde schloss die Augen und biss sich auf die Unterlippe, als würde sie über etwas nachsinnen. »Sind sie … sind sie fort …?« Die Worte waren kaum mehr als ein Flüstern. Cristin griff nach ihrer schmalen Hand und drückte sie. Die Frau sprach ihre Sprache! »Ja, sie sind fort! Hast du Schmerzen?« Sie ließ die Augen über die Gestalt der Fremden wandern.

Die Polin öffnete den Mund, sog tief die Luft ein. »Janek«, sagte sie. »Wo ist …«

Cristins Herz hüpfte, und die Handflächen wurden ihr feucht. »Dein Sohn heißt Janek?« Ihre Stimme zitterte vor Erregung.

Die Augen der Verletzten füllten sich mit Tränen. »Ja. Hast du meinen Jungen gesehen?«

»Ja. Dein Sohn lebt, er ist in Sicherheit.«

Eine zarte Röte kehrte in die Züge der Frau zurück, und ihr Mund verzog sich zu einem Lächeln.

»Kannst du aufstehen?«, fragte Cristin.

Die Angesprochene schüttelte den Kopf und wies auf ihren Leib.

»Darf ich?« Ohne auf eine Antwort zu warten, schob Cristin die Stofffetzen des Gewandes beiseite. Nur mit Mühe unterdrückte sie einen Aufschrei, denn aus einer Stichwunde über der Scham lief langsam, aber unaufhörlich ein feines Rinnsal Blut. Der metallische Geruch drang in ihre Nase, doch sie nahm noch etwas anderes wahr: den Gestank getrockneten männlichen Samens. »Heilige Jungfrau Maria!«, entfuhr es ihr.

Cristin schnappte nach Luft. Bilder aus der Vergangenheit drängten in ihr Bewusstsein, und nur mühsam konnte sie sie fortschieben.

»Es… es tut mir leid, so leid…«, stammelte sie. *Sie wird sterben.* Selbst die Kraft ihrer Hände würde sie nicht retten. »Kannst du mir sagen, warum… warum das alles geschehen ist?«

Die Verletzte schloss kurz die Lider und öffnete sie wieder. Ihr Blick wanderte ins Nichts. »Wir waren früher Prußen, wie alle Menschen in dieser Gegend«, erklärte sie leise. »Das war, als mein Großvater noch lebte.« Sie stockte, suchte nach Worten. »Dann kamen die Ritter. Viele Ritter.«

»Ich verstehe dich. Sprich weiter.« Cristin nahm ihren Umhang von den Schultern und schob ihn der Frau unter den Kopf.

»Weil wir an andere Götter glaubten, nannten sie uns Heiden. Sie wollten, dass wir das Richtige glauben.«

Die Frau stöhnte auf. Cristin ballte die Hände.

»So bauten wir diese Kirche, beteten zu Christus und hielten seine Gebote, wie man uns gesagt hatte.« Sie brach ab und schwieg.

Cristin beugte sich tiefer über sie. Der Atem der Geschändeten ging jetzt flach und unregelmäßig.

»Sind alle tot?«, presste sie hervor. Das Sprechen fiel ihr sichtlich immer schwerer.

Cristin schwieg.

Die Frau tat einen tiefen Atemzug. »Alle tot… aber mein Janek lebt, sagst du?«

»Ja. Ich werde ihn mitnehmen und für ihn sorgen.«

»Pass bitte gut auf meinen Jungen auf«, die Frau drückte ihre Hand. »Bitte.«

»Ja, das werde ich. Sei ohne Sorge«, versprach Cristin. »Weißt du, warum man euch das angetan hat?«

Die Augen der Verletzten lagen nun tief in den Höhlen, und sie hatte bereits die durchscheinende Blässe eines Menschen, der an der Schwelle des Todes stand. Ein rasselnder Atemzug, dann sprach sie weiter.

»Vor einigen Monaten kamen Männer in unser Dorf«, flüsterte sie. Ein Beben überlief ihren Körper. »Gute Männer, wahre Christen. Sie sagten, Gott liebt uns. Der Papst sei nicht gut, sagten sie, und wir sollten nicht zur Jungfrau und zu den Heiligen beten – nur zu Christus, du verstehst?«

»Ja.« Cristin dachte an Bastian Landsberg, der Ähnliches erzählt hatte.

»Fast alle hier im Dorf wollten den neuen Glauben. Aber als wir ein Bild von Maria aus der Kirche genommen hatten, schimpften einige Männer mit uns. Sie haben uns bestimmt verraten.« Erschöpft schloss die Frau die Augen.

Tatsächlich, das kleine Gotteshaus enthielt – anders als Cristin es aus anderen Kirchen kannte – kein Bildnis, keine Statue der Mutter Gottes, ebenso wenig wie Heiligenbilder. Als die Dorfbewohner sich immer mehr vom katholischen Glauben abgewendet hatten, mussten sie alle entfernt haben. Ob diejenigen, die den neuen Glauben gebracht hatten, wohl wussten, dass ihre Lehre für die Menschen hier das Todesurteil sein würde? War es das wert gewesen? Cristins Blick fiel auf das einfache Kruzifix über dem Altar. Ein Sonnenstrahl drang durch das schmale, unverglaste Fenster gegenüber und wanderte zum Kreuz. Ihr war, als veränderte sich der Ausdruck im Antlitz des leidenden Christus, und sie hielt den Atem an. Die Züge des Gekreuzigten waren jetzt weich und voller Barmherzigkeit, mitleidig schienen seine Augen auf der Sterbenden zu ruhen. Beinahe meinte Cristin, die bekannten Worte zu hören, die der Herr einst zu seinen Jüngern gesprochen hatte: »Es kommt aber die Zeit, dass, wer euch tötet, wird meinen, er tue Gott einen Dienst damit.«

»Sieh nur«, raunte sie und wies auf das Kreuz.

Die Sterbende schlug die Augen auf und folgte ihrem Blick. Auf dem eben noch schmerzverzerrten Gesicht breitete sich ein seliges Lächeln aus, dann fiel ihr Kopf zur Seite, und die Hand, die Cristin zwischen ihren Fingern hielt, erschlaffte. Wie bei dem alten Mann in der Bauernkate schlug sie auch über dieser Toten das Kreuz. Sie erhob sich und schaute ein letztes Mal auf das Kruzifix an der Wand, das wieder im Halbdunkel lag. Kein Sonnenstrahl erhellte mehr das Antlitz des Gekreuzigten. Mit weichen Knien ging Cristin den Gang hinunter und verließ die Kirche.

Baldo und Piet erwarteten sie bereits ungeduldig.

»Wird auch Zeit, dass du kommst«, brummte Baldo.

Ohne ihn eines Blickes zu würdigen, ging sie an ihm vorbei.

»Konntest du noch etwas tun?«, wollte ihr Bruder wissen.

Cristin schüttelte den Kopf. Sie setzte sich neben Janek auf einen umgestürzten Baumstamm und legte ihm den Arm um die Schultern. Nie war ihr etwas so schwergefallen, wie das, was jetzt vor ihr lag. Sie zog den Jungen an sich und schaute in die Wipfel der Bäume, durch die gleißendes Sonnenlicht auf den Waldboden fiel. Es musste sein.

»Janek«, begann sie. »Schau mich an. Ich muss dir etwas sagen …«

Der Junge drehte den Kopf. Sein Gesicht war ernst und wirkte nicht wie das eines zehnjährigen Kindes.

»Du bist doch ein tapferer Junge, habe ich recht?« Sie schluckte, um den Kloß in ihrem Hals loszuwerden. Janeks Augen weiteten sich.

»Du weißt, deine Mutter war verletzt. Sie ist …« Cristin brach ab. Wie sagte man einem Kind, dass seine Mutter tot ist? Mit diesem einen Satz würde sie den Rest seiner Kindheit für immer zerstören. Sie fühlte, wie er sich in ihren Armen versteifte. Was sollte jetzt aus ihm werden? Ob er überlebende Verwandte hatte, wusste sie nicht. Sie konnte ihn nicht sich selbst überlassen, doch behalten konnten sie ihn genauso wenig, auch wenn sie der Sterbenden versprochen hatte, für ihren Sohn zu sorgen. Das Leben, das sie führte, war zu gefährlich für einen kleinen Jungen. Er brauchte Fürsorge und die Gewissheit, dass jemand für ihn da war.

Der Junge starrte sie an. »Matka?«, flüsterte er. Er schien sie zu verstehen.

»Matka, ja. Sie hat nicht überlebt, Janek. Es tut mir so leid…«

Der Junge schluchzte laut auf, seine schmalen Schultern bebten. »Moje Matka! Moje Matka!«, rief er aus. Im nächsten Moment sprang er auf und rannte zwischen zwei mächtigen Buchen hindurch auf das umgepflügte Feld zu, das zwischen dem Wäldchen und dem zerstörten Dorf lag.

»Nein«, rief Baldo. »Du darfst nicht dorthin zurück!«

Mit angehaltenem Atem beobachtete Cristin, wie der Junge über das Feld lief. Baldo stieß einen Fluch aus und setzte sich in Bewegung. Nach ein paar langen Sätzen hatte er Janek eingeholt, griff nach seinen Schultern und hielt ihn fest.

Cristin ging ihnen nach, doch der Junge war offensichtlich nicht bereit, sich von seinem Vorhaben abbringen zu lassen. Mit Leibeskräften, die sie dem Kind nicht zugetraut hätte, wehrte er sich gegen Baldo, schlug und trat um sich und schrie den Älteren in seiner Sprache an. Immer lauter wurde seine Stimme, überschlug sich, bis sie schließlich nur noch ein gurgelndes Geräusch war, das die Verzweiflung in ihm offenbarte. Hilflos streichelte Cristin ihm über den Kopf und murmelte beruhigende Worte, aber er beachtete sie nicht, sondern attackierte Baldo weiterhin mit kräftigen Fußtritten.

Dieser verstärkte nur seinen Griff. »Jetzt reicht es, verdammter Bengel!«, stieß er schließlich hervor, packte den Jungen, warf ihn sich über die Schultern wie einen Sack Mehl und trug ihn zurück in das schützende Grün des Waldes.

Es war längst dunkel, als sie endlich die Stadtmauern von Slupsk vor sich aufragen sahen. Weil Piet der Einzige war, der ein wenig Polnisch sprach, hatte Baldo ihm die Führung der kleinen Gruppe überlassen und auch den Geldbeutel übergeben. An einem haushohen und ebenso breiten Stadttor, das ein Treppengiebel zierte, wie Cristin es sonst nur von Lübecker Bürgerhäusern kannte, musste ihr Bruder einem vierschrötigen Mann die doppelte Summe Torzoll zahlen, damit die beiden Zöllner sie passieren ließen.

Er sah sich um. Wohin sollten sie nun gehen? Die Straße führte an zwei- und dreistöckigen Bürgerhäusern vorbei auf einen gepflasterten Marktplatz zu, von dem sich der schindelgedeckte Turm einer Backsteinkirche hoch in den abendlichen Himmel erhob. Nur wenige Menschen waren unterwegs. Piet roch den würzigen Geruch von Holzfeuern, der aus den Schornsteinen in den dunklen Himmel aufstieg. Aus einer Gasse gegenüber trat ein Mann auf sie zu, in der einen Hand eine Hellebarde, in der anderen eine Laterne mit einem flackernden Talglicht. Ein Nachtwächter wohl, der seine erste Runde durch die Straßen und Gassen machte und darauf achtete, dass sich kein Gesindel in der Stadt herumtrieb.

Er hob die Laterne und musterte die kleine Gruppe aufmerksam im Schein der Lampe. »Ihr seid fremd in der Stadt?«

Piet nickte. »Ja. Kannst du uns ein Gasthaus empfehlen?«

Der Nachtwächter machte eine Kopfbewegung zu der Gasse, aus der er gekommen war. »Zum *Hahn* ist es nicht weit«, antwortete er. »Eine Schänke am Ende der Bäckergasse. Seht zu, dass ihr von der Straße kommt.« Er hob die Hand zum Gruß und ging weiter.

Baldo, Piet, Cristin und der Junge wanderten die dunkle Gasse hinunter. Aus dem Wirtshaus, über dessen Holztür ein Schild mit einem aufgemalten Hahn hing, drangen Männerstimmen, und durch die trüben Fenster aus Ochsenhaut fiel warmes Licht. Piet stieß die Tür auf, und sie traten ein. Die Gäste saßen auf grob gezimmerten Bänken an langen Holztischen, und niemand nahm von den vier Neuankömmlingen Notiz. Er sah sich um. Sie hatten Glück, ein kleiner Einzeltisch war noch frei. Sie bestellten Gerstensuppe mit geräuchertem Fleisch und Gemüse, dazu drei Krüge Bier und einen Becher Milch für Janek. Doch als sich Cristins Bruder nach zwei Kammern für die Nacht erkundigte, schüttelte die Wirtin den Kopf.

»Sie bedauert, aber es ist nichts mehr frei«, übersetzte Piet.

Cristin nagte an ihrer Unterlippe. »Frag sie, wo wir jetzt noch einen Schlafplatz finden.«

Piet und die Frau sprachen kurz miteinander.

»Und, was sagt sie?«, wollte Baldo wissen.

»Sie rät uns, wir sollen zum Spital gehen. Die Schwestern dort nehmen auch Durchreisende auf.«

Cristin horchte auf. »Ein Spital? Wo ist das?«

»Am anderen Ende der Stadt. Aber sie meint, das würden wir in der Dunkelheit allein nie finden.«

Piet beugte sich vor, denn das Gelächter und die Töne eines fremden Instruments machten es ihm schwer, die Wirtin zu verstehen. »Hast du jemanden, der uns hinbringen kann?« Er fasste in sein Wams und zog den prall gefüllten Geldbeutel hervor. Als er ihn vor sich auf den Tisch fallen ließ, gab er ein klimperndes Geräusch von sich. Er öffnete das Säckchen, nahm einen Goldgulden heraus und bewegte ihn spielerisch zwischen den Fingern hin und her.

Die Wirtin machte große Augen. »Wladislaw, mein Ältester, er könnte Euch zum Spital bringen.«

»Vielen Dank.«

Während er die Münze wieder in dem Beutel verschwinden ließ, wandte die Frau den Kopf. »Wladi, komm einmal her«, rief sie quer durch die Trinkstube.

Ein blonder Halbwüchsiger stellte zwei Bierkrüge auf den Holztresen am anderen Ende des Raums und bewegte sich zwischen den vollbesetzten Tischen auf sie zu. »Ja, Matka?«

»Nimm dir eine Fackel und bring diese Leute zum Spital am Neuen Tor. Aber pass auf dich auf.«

Der Junge nickte.

Piet griff in den Beutel und warf ihm zwei Silberpfennige zu.

»Wenn wir dort sind, gebe ich dir noch zwei«, versprach er in polnischer Sprache.«

Geschickt fing der Junge sie auf, und ein breites Grinsen lief über das runde Gesicht.

Wladi schritt voran. Ohne die hell lodernde Fackel, die er vor sich her trug, hätten sie den Weg in der mondlosen Nacht tatsächlich nicht erkannt. Sie mussten aufpassen, denn allzu schnell konnten sie auf dem schlüpfrigen und nach Unrat stinkenden Boden ins Rutschen geraten. Cristin genoss, wie der Wind ihre von der stickigen Wirtshausluft erhitzten Wangen kühlte, als der Sohn der Wirtin sie durch enge Gassen und uneinsehbare Hinterhöfe führte. Die Bewohner schienen schon zur Ruhe gegangen zu sein, nur hier und da drangen leise Geräusche zu ihnen herüber. Janek hielt ihre Hand fest umklammert. Die Sorge um den Jungen ließ sie nicht los. Seit sie ihn gefunden hatten, war kaum ein Wort über seine Lippen gekommen. Das Entsetzen über die Gräueltaten der Deutschritter hält seinen Mund verschlossen, grübelte sie. Dabei war sie sicher, dass es Janek helfen würde, über die Ereignisse zu reden. Irgendwann. Das Fauchen einer Katze und das kurz darauf ertönende Winseln eines Hundes rissen sie aus ihren Gedanken. Lump bellte und zog den Schwanz ein.

Wladi wies auf eine Gasse zu ihrer Rechten und murmelte etwas. Kurz darauf hob der Sohn der Wirtin die Fackel und beleuchtete das Eingangstor in der hohen Steinmauer vor ihnen, in deren Mitte sich eine kleinere Türöffnung befand. Der Junge hielt die andere Hand auf, und Piet ließ zwei Pfennige hineinfallen. Wladi starrte auf die Münzen in seiner Hand, drehte sich auf dem Absatz um, und schon verschluckte ihn die Dunkelheit. Nur das Feuer, das er bei sich trug, war noch zu sehen. Baldo trat vor, zog an einem Strick und läutete damit die Glocke an der Spitalpforte. Sie warteten. Nichts geschah.

»Hoffentlich hört uns jemand«, meinte Piet.

Erneut läutete Baldo die Glocke.

Endlich schabte ein Riegel, und das Holztürchen wurde geöffnet. »Was wollt Ihr?«, fragte eine Stimme.

»Wir brauchen ein Bett für die Nacht«, erklärte Piet. »Uns wurde gesagt, das würden wir hier finden.«

Der Schein eines brennenden Kienspans beleuchtete ein bärtiges, von vielen Falten durchzogenes Gesicht. Ein schmaler Haarkranz schmückte den sonst kahl geschorenen Schädel. Der Mann musterte sie argwöhnisch. »Könnt Ihr bezahlen?«

»Sehen wir etwa aus wie Bettler? Wir wollen schließlich nichts geschenkt!« Piet hob den Beutel und ließ die Münzen darin klingeln.

»Dann tretet ein.« Der Alte wies auf Lump. »Der da muss draußen bleiben.«

»Was sagt er?«, wollte Baldo wissen.

»Dein Hund darf nicht mit ins Haus«, erklärte Piet.

Baldo wollte zu einer scharfen Antwort ansetzen, doch Cristin legte ihm eine Hand auf den Arm.

»Frag ihn, wo ich Lump anbinden soll.«

Piet wandte sich wieder dem Alten zu.

»Dort vor dem Haus, man wird sich gleich um das Tier kümmern«, lautete die Antwort. Der Mann wies auf einen schlanken Baum vor dem Tor des zweistöckigen Gebäudes, und seine Stimme klang jetzt freundlicher. »Ich bin Zygmunt, der Pförtner. Unser Spitalmeister Bruder Krzysztof hat sich schon zur Ruhe begeben, aber ich zeige Euch, wo Ihr schlafen könnt. Kommt mit mir zum Gästehaus.«

Baldo führte Lump zu dem Baum und band ihn fest.

»Ist nur für kurz, mein Freund«, murmelte er. »Morgen sehen wir uns wieder.«

Sie folgten dem Pförtner in das Gebäude und gingen einen langen Gang hinunter, vorbei an einem Dutzend Türen, durch deren Ritzen leises Schnarchen an Cristins Ohren drang.

Bruder Zygmunt stieß eine Tür auf und reichte Piet das nahezu heruntergebrannte Holzstück. »Die Kammer hat leider nur drei Betten«, erklärte er achselzuckend und sah Cristin an. »Vielleicht, wenn du und der Junge …«

Sie nickte.

Cristin lauschte auf Janeks gleichmäßigen Atem, während der Junge mit angezogenen Beinen neben ihr lag und von Zeit zu Zeit im Schlaf den Kopf hin- und herdrehte. Auch die beiden Männer auf der anderen Seite des Raumes schliefen längst. Sie starrte an die dunkle Kammerdecke, und hinter ihr in der Wand nagte eine Maus. Doch es war nicht nur das leise Knispeln, das sie wachhielt. Vielmehr beschäftigten sie die schrecklichen Erinnerungen an das Erlebte. Vor ihrem inneren Auge sah sie wieder den hoch zu Ross thronenden Deutschritter, dessen eisiger Blick ihr noch immer Schauer über den Rücken laufen ließ. Der Gedanke, dieser Mann könnte Janeks Mutter geschändet haben, noch dazu in einer Kirche, unter den Augen des Gekreuzigten, bestürzte sie zutiefst. Wie war es möglich, im Zeichen des Kreuzes und im Namen Gottes das Schwert zu erheben, noch dazu, wenn die Opfer nicht den Hauch einer Flucht- oder Verteidigungsmöglichkeit besaßen? Wie fehlgeleitet mussten sie sein, wie abgrundtief schlecht? Oder der Hass auf alle Heiden war ihnen eingetrichtert worden, so lange, bis sie selbst glaubten, was ihnen gepredigt wurde. Und das Ganze nur, weil diese armen Menschen sich von den Lehren Roms abgewendet hatten.

Das Herz wurde ihr schwer, wenn sie an all die entseelten Leiber dachte, die nun in der Sonne verrotteten wie faulendes Obst. Sie atmete tief ein, um den Druck in ihrer Brust zu mildern, wickelte sich die dünne Decke enger um ihren Leib und stellte sich vor, wie es wäre, würde Lukas jetzt neben ihr liegen. Brust an Brust. Herz an Herz. Cristin rückte näher an Janek heran, schloss die Augen und schlief endlich ein. In jener Nacht geisterte allerdings ein anderes Gesicht durch ihre Träume und schob sich über Lukas' vertraute Züge. Tiefes Lachen und die Empfindung von großen, dennoch zarten Händen in den ihren begleiteten ihren Schlaf.

5

Am nächsten Morgen klopfte es an die Tür ihrer Kammer. Die Frau, die im Türrahmen stand, trug ein dunkles, bis auf den Boden fallendes Leinenkleid, auf das vorne ein großes weißes Kreuz aufgenäht war, und auf ihrem Kopf saß eine breite dunkle Haube. Der daran befestigte Schleier reichte fast bis zum Gürtel und zeigte nur wenig von ihrem Gesicht, doch die helle Stimme, mit der die Schwester sie ansprach, ließ auf eine junge Frau schließen.

»Ihr deutsch?«

Cristin nickte.

»Ich Schwester Zofia. Ihr gut geschlafen hoffentlich«, plapperte sie fröhlich drauflos. »Frühstück jetzt fertig, Ihr könnt in Refektorium, oberes Stockwerk gehen. Speisesaal«, erklärte sie.

Cristin senkte zum Dank den Kopf. »Wo können wir uns waschen?«

»Kommt mit mir, ich Euch zeigen Waschräume.«

Nachdem sie sich frisch gemacht hatten, begaben sich die drei in den großen Speisesaal im ersten Stock, wo bereits mehrere Gäste an einer langen Tafel saßen und ihr Frühstück – frischgebackenes Brot, Milch und Haferbrei – zu sich nahmen.

Verstohlen betrachtete Cristin Baldo von der Seite. Wie kam es, dass sie von ihm geträumt hatte und nicht wie sonst von Lukas? Er war ein guter Freund, der beste, den sie sich wünschen konnte, doch in letzter Zeit ertappte sie sich immer häufiger dabei, wie sie seine Nähe suchte, und sei es nur, um einen kurzen Moment lang seine Hand berühren zu können. Es war nicht schicklich, auf diese Weise an ihn zu denken. Ich bin noch in der Trauerzeit, ermahnte sie sich in Gedanken, während sie Baldos Hände aus den Augenwinkeln besah. Nach dem Essen erhob er sich, um eine der Küchenschwestern nach etwas Futter für Lump zu fragen.

Cristin gab Janek einen liebevollen Klaps. »Geh ruhig mit ihm. Lump wird sich über deine Gesellschaft freuen.«

Der Junge nickte nur, aber ihr entging das kurze Aufleuchten seiner Augen nicht, und sie sah ihnen nach.

»Was geht in dir vor, Schwesterchen?« Piet steckte sich den letzten Bissen Brot in den Mund und nutzte die seltene Gelegenheit, mit ihr allein zu sprechen.

»Ich weiß nicht. Manchmal denke ich, unsere Suche nach Lukas' Mörder ist sinnlos.« Sie fing seinen Blick ein und senkte die Stimme. »Wir haben noch immer keine Spur. Nichts von dem, was ich glaube, kann ich beweisen. Vergeuden wir nicht unsere Zeit, Piet?«

Ihr Bruder beugte sich vor und öffnete den Mund, als plötzlich Unruhe entstand. Einige Schwestern fanden sich im Refektorium ein, steckten die Köpfe zusammen und flüsterten mit vor Aufregung geröteten Wangen miteinander. Mehrmals meinte sie, die Worte *Krol Jadwiga* zu verstehen. Eine wohlbeleibte Schwester stand in der Tür des Saales und ruderte aufgeregt mit den kurzen Armen.

Cristin sah Piet an. »Was sagt sie?«

»Wenn ich es richtig verstanden habe, ist ihre Königin auf dem Weg nach Slupsk. Schon heute Nachmittag will sie sich das Spital ansehen!«

Die polnische Königin kam in dieses Spital? Auf einmal glich das Haus einem Bienenstock, von überallher erklangen Stimmen und eifrige Schritte. Flugs wurden Befehle erteilt, um alles für die Ankunft des hohen Gastes vorzubereiten. Die Schwester steuerte auf Cristin und Piet zu und redete auf ihn ein. Es hatte sich wohl herumgesprochen, dass er ihre Sprache verstand.

»Was sagt sie?«, wollte Cristin wissen.

»Sie benötigen unsere Hilfe, deshalb bittet uns der Spitalmeister zu bleiben«, erklärte er. »Wir brauchen unser Essen und das Nachtlager nicht zu bezahlen und dürfen uns gern noch ein paar Tage hier aufhalten. Dafür müssen wir mithelfen, hier sauber zu machen und aufzuräumen, bevor die Königin eintrifft.«

»Wenn wir nicht zu bezahlen brauchen, warum nicht?« Das Angebot kam tatsächlich wie gerufen, somit waren sie ihre Sorge, wo sie mit Janek die nächsten Tage und Nächte bleiben sollten, zunächst los. »Sag ihr, wir bleiben gern«, bat Cristin, »und frag sie, was wir tun können.«

Piet nickte und sprach einige Zeit mit der Schwester.

»Sie bedankt sich vorab für unsere Hilfe«, übersetzte er dann. »Janek soll die Kaninchen- und Hühnerställe ausmisten. Du könntest den Frauen in den Krankensälen zur Hand gehen, schlägt sie vor. Auf mein Angebot, die Kranken bis zur Ankunft der Königin mit meinen Späßen zu unterhalten, ist sie leider nicht eingegangen.«

Cristin lachte, während die Schwester sich umdrehte und den Raum verließ.

Piet schnitt eine Grimasse. »Sie möchte stattdessen, dass Baldo und ich den Gartenzaun und das Dach des Ziegenstalls reparieren.«

»Tja, mein Lieber«, lächelte Cristin. »Das ist nun mal Männerarbeit.«

Mit diesen Aufgaben waren die vier die nächsten Stunden beschäftigt, bis es endlich hieß, die Königin sei nun in der Stadt und werde das Spital in Kürze besuchen.

Die Ankunft der polnischen Regentin war ein großes Ereignis. Türen und Fenster der zwei- und dreistöckigen Backsteinhäuser, die die Straße zum Spital säumten, waren weit geöffnet. Darin standen und saßen Männer, Frauen und Kinder in ihrem Sonntagsstaat, viele hielten bunte Fähnchen in den Händen und schwenkten sie. Überall herrschte erwartungsvolle Spannung. Baldo, Piet und Cristin waren mit den Schwestern vor das Spitaltor getreten und standen am Straßenrand inmitten der jubelnden Menge. Der Junge hockte auf Baldos breiten Schultern, um besser sehen zu können.

Während um sie herum die ersten Hochrufe erschollen, wandte sich Cristin an Schwester Zofia, die neben ihr stand.

»Eure Herrscherin ist wohl sehr beliebt beim Volk.«

Die junge Frau nickte, ohne den Kopf zu wenden. »Krol Jadwiga nicht nur schön und klug, sie auch Herz für Arme und Kranke…« Sie beendete den Satz nicht und reckte stattdessen den Hals. »Da ist sie.«

Die polnische Königin saß kerzengerade auf einem prächtigen Rappen, den sie mit nur einer Hand lenkte, während sie mit der anderen den Menschen links und rechts der Straße zuwinkte. Ihre Haut hatte die Farbe von Milch und Honig, und ein durchsichtiger Schleier bedeckte ihre zu zwei Zöpfen geflochtenen, über den Ohren aufgesteckten Haare. Cristin hielt den Atem an, denn sie hatte in ihrem ganzen Leben nie etwas Schöneres gesehen. Schlank und zierlich, strahlte Jadwiga dennoch Kraft aus, und die dunklen Augen, die durch den Schleier blickten, wirkten wach und ernst. Obwohl die Regentin ein einfach geschnittenes, wenn auch kostbares Gewand in Scharlachrot trug, wirkte sie strahlend wie ein Edelstein. Als die Königin langsam an ihr vorbeiritt, meinte Cristin allerdings, um Jadwigas Mund einen traurigen Zug ausmachen zu können. Im nächsten Moment war die Regentin auch schon an ihnen vorbei. Ritter mit ihren Knappen und eine Handvoll Bedienstete folgten ihr. Freude und Stolz waren aus den Mienen der Bürger zu lesen, die sich dicht an dicht drängten, um noch einen letzten Blick auf die Regentin zu erhaschen. Piet stieß einen leisen Pfiff aus, und Baldo schüttelte in gespieltem Entsetzen den Kopf.

»Sieh nur, unser Victorius hat Feuer gefangen«, feixte er an Cristin gewandt.

»Wer würde nicht gern aus diesem Honigtöpfchen schlecken?«, versuchte dieser sich zu verteidigen und seufzte theatralisch.

Cristin sah der Königin nach, die ihr Pferd vor der weit geöffneten Pforte des Spitals zügelte. Sogleich eilte ein Mann aus ihrem Gefolge herbei, eine kleine Holztreppe in den Händen. Er stellte den dreistufigen Tritt auf das Pflaster, damit die Königin leichter absteigen konnte, und verbeugte sich ehrerbietig. Ein zweiter Begleiter ergriff die Zügel des glänzenden

Rappen und tätschelte den Hals des edlen Tieres. Jadwiga senkte den Kopf zum Dank und sprang leichtfüßig hinunter.

Cristin war überwältigt von dem eleganten und rassigen Tier. Um wie viel derber und stämmiger die Arbeitspferde waren, die sie von den Bauern ihrer Heimat kannte! Dieses Pferd musste ein Vermögen gekostet haben, dennoch diente es allein zum Reiten. Sie konnte sich nicht sattsehen an seinen Formen.

»Mach den Mund zu, Schwesterchen«, raunte Piet ihr lachend zu.

Baldo grinste verschmitzt. »Das musst du gerade sagen! Die Blicke, die du dem entzückenden Hinterteil der Königin schenkst, sprechen Bände!«

Piet setzte eine entrüstete Miene auf und schnaubte. »Schönen Frauen kann ich eben nicht widerstehen.«

»Sag, wie oft haben dich eifersüchtige Männer schon mit Waffengewalt vertrieben, du Narr?«

»Ach, das kann ich nicht mehr zählen«, gab Piet schmunzelnd zurück. »Die gefährlichste Waffe war eine Mistgabel, die mir in den Allerwertesten…« Sie steckten die Köpfe zusammen und glucksten. »Nur einfangen konnte mich bisher kein Weib, und war es auch noch so schön«, fügte Piet hinzu. »Für ein Leben an Herd und Hof bin ich nun mal nicht gemacht.«

Cristin empfand stille Freude, als sie ihre Begleiter neben sich betrachtete. Gebannt musterte sie Baldo, der dicht neben ihr stand. Er war kaum wiederzuerkennen, denn das sonst oftmals finstere Gesicht wirkte wie verwandelt, und in seinen Augen blitzte der Schalk, als er Piet etwas zuflüsterte und ihm auf die Schulter klopfte. Baldos lächelnder Mund nahm seinen Zügen die Härte. Ihr Herz machte einen Satz, und sie überlegte, wie es wohl wäre, seine Lippen und die Lachfalten, die sich um seine Augen gegraben hatten, zu berühren. Betreten schaute Cristin zu Boden. Piet hakte sich bei ihr unter, sie folgten der Regentin in gebührendem Abstand und betraten das Spital.

6

Cristin saß am Bett eines Jungen, der kaum älter als Janek sein mochte. Schwester Zofia hatte ihr erzählt, dass Pavel sich das Bein gebrochen hatte, als er seinem Vater beim Hüten seiner Ziegenherde geholfen hatte und dabei einen kleinen Abhang herabgestürzt war.

»Wenn du bald wieder bei deinen Ziegen sein willst, musst du aber auch besser essen«, sprach sie ernst auf den Jungen ein und strich ihm über die Wange. Pavel verstand sie nicht, öffnete jedoch die Lippen, und Cristin flößte ihm einen weiteren Löffel mit heller, nach Majoran duftender Kartoffelsuppe ein.

Die Schwestern waren erfreut gewesen, als sie erklärt hatte, ihnen bei der Versorgung der Kranken helfen zu wollen. Während der Junge die dünne, aber schmackhafte Suppe schlürfte, hörte Cristin, wie sich hinter ihr die Tür des Krankensaales öffnete.

Der Junge riss die eben noch müden Augen auf. »Krol Jadwiga!«, stieß er beinahe andächtig hervor.

Cristin wandte den Kopf. Tatsächlich, die polnische Königin stand in der Tür, begleitet von einem groß gewachsenen Mann in brauner Kutte. Es war Bruder Krzysztof, der Spitalmeister, der sich ihnen im Refektorium nach der Mittagsmahlzeit vorgestellt und sich für ihre Hilfe bedankt hatte.

Jadwiga reichte dem Spitalmeister ihren Umhang und trat an das erste Bett neben der Tür, in dem ein alter Mann mit einem Verband um den eingefallenen Leib lag. Bruder Krzysztof flüsterte ein paar Worte, und die Königin folgte seinen Ausführungen aufmerksam. Sie setzte sich zu dem Alten, drückte ihm die Hand, beugte sich über ihn und sprach tröstend auf ihn ein, woraufhin sein zahnloser Mund sich zu einem seligen Lächeln verzog. Dann schritt sie weiter und steuerte auf Pavels Bett zu. Während sich Cristin von ihrem Hocker erhob, um der Königin Platz zu machen, nahm sie den angenehmen Duft von Rosen, Minze und Melisse wahr, der Jadwiga umgab.

Die Regentin ließ sich auf dem Hocker nieder und beugte sich vor. Sanft klang ihre Stimme, als sie zu dem Jungen sprach. Dann hob sie den Kopf, sah Cristin an, die sich an die Wand zurückgezogen hatte, und sagte etwas.

Als Cristin das Wort Matka verstand, schüttelte sie den Kopf. »Nein, ich bin nicht Pavels Mutter …«

Der Spitalmeister unterbrach sie und redete auf die Königin ein. Als er geendet hatte, streckte Jadwiga die Hand nach ihr aus.

»Du bist Deutsche? Bruder Krzysztof erzählte mir gerade, dass du und deine Begleiter so freundlich wart, den Schwestern zur Hand zu gehen.«

Cristin spürte Hitze in ihre Wangen steigen. Mit gesenkten Lidern ergriff sie zögernd die Hand, fiel auf die Knie und küsste den Ring der Königin.

»Wie ist dein Name?«, fragte die Herrscherin in perfektem Deutsch.

»Agnes heiße ich. Ich … ich bin mit meinen Brüdern Piet und Adam hier. Und mit dem kleinen Janek.«

»Erhebe dich, Agnes mit dem guten Herzen.«

»Nein«, hörte sie sich selbst sagen, »ich bin nur …« Eine zum Tode Verurteilte, die sich nicht einmal scheut, eine Königin zu belügen.

Jadwiga zog sie hoch und hielt weiterhin ihre Hand fest. Cristin traute sich kaum, der Regentin ins Antlitz zu schauen.

»Janek, sagtest du?« Jadwiga lächelte, doch das Lächeln erreichte nicht ihre Augen. »Wer ist Janek, und wo steckt er?«

»Das ist eine längere Geschichte«, wich sie aus.

Die Königin wiegte den Kopf. »Gut, wir werden noch darüber sprechen, Agnes«, sagte sie und strich sich eine hellbraune Strähne aus dem Gesicht.

»Ich möchte euch für die Hilfsbereitschaft danken, die ihr diesem Spital zuteilwerden ließet.«

Wie schön sie ist, dachte Cristin abermals und musste an

sich halten, um Jadwiga nicht bewundernd anzustarren. »Wir haben zu danken, denn wir dürfen als Lohn einige Tage bleiben.«

Die Königin musterte sie nachdenklich, dann wandte sie sich an den Spitalmeister. »Bruder Krzysztof, ich erwarte, dass Ihr die guten Leute so lange aufnehmt, wie sie es wünschen.«

Der Spitalmeister neigte den Kopf.

»Ich werde mich noch ein Weilchen hier bei den Kranken aufhalten. Agnes, komm mit deinen Begleitern nach dem Abendmahl ins Refektorium, damit ich mich auch bei ihnen bedanken kann.« Sie lächelte. »Wir wollen noch ein wenig plaudern, bevor ich abreise.«

Cristins Handflächen wurden feucht. »Wie Ihr wünscht, Majestät. Es wird uns eine Ehre sein.«

Sie sah Jadwiga nach, wie sie aus dem Krankenzimmer schritt, nicht ohne dem alten Mann und Pavel noch einmal zu winken. Als Bruder Krzysztof die Tür hinter sich zuzog, schloss Cristin die Augen und atmete tief ein. Ein Hauch von Jadwigas Duft, der noch im Raum hing, zeigte ihr, dass das soeben Erlebte nicht nur ein Traum gewesen war. Schwer ließ sie sich auf den Hocker sinken.

Wo steckten die Männer nur? Mit ausholenden Schritten ging Cristin die Gänge des Spitals entlang. Erst im Garten wurde sie fündig, als Janeks helles Lachen ihr mitten ins Herz drang. Er lag auf dem Rasen und tollte mit Lump herum, während Baldo und Piet ihnen zusahen. Sie verstehen sich auch ohne Worte, dachte Cristin. Wehmütig erinnerte sie sich daran, dass Janek ein ordentliches Zuhause brauchte und es Zeit wurde, sich mit dem Gedanken an den nahenden Abschied zu befassen. Vielleicht konnten die Schwestern ihnen helfen. Sie nahm sich vor, mit Bruder Krzysztof darüber zu sprechen.

»Da bist du ja«, rief Piet und winkte ihr zu. »Konntest du einen Blick auf die schönste aller Königinnen werfen, Schwesterherz?« In seinen Augen blitzte es.

»Oh ja, und mehr als dies.«

Drei Augenpaare waren auf sie gerichtet.

»Mach es nicht so spannend«, brummte Baldo. »Piet gibt sonst sowieso keine Ruhe.«

In kurzen Zügen berichtete Cristin, was sich zugetragen hatte. Die beiden lauschten gebannt, und selbst Janek hing an ihren Lippen.

Baldo legte den Kopf schief. Obwohl er versuchte, sich seine Erregung nicht anmerken zu lassen, verriet ihn seine heisere Stimme. »Wir sollen zu ihr kommen? Ist das dein Ernst?«

»Jadwiga? Krol Jadwiga?« Janek zerrte an ihrem Gewand, seine Augen weiteten sich.

»Ja, Janek. Sie möchte euch sehen.«

Als die kleine Gruppe sich gekämmt und gewaschen auf den Weg zum Refektorium machte, sprach niemand ein Wort. Lump hatten sie bei einer der Schwestern im Garten gelassen, und der Hund hatte sich sichtlich wohlgefühlt, als sie ihn allein ließen. Nun lag Janeks Hand vertrauensvoll in Cristins. Für den Jungen musste es noch aufregender sein, von der Königin empfangen zu werden. Cristin warf Piet einen belustigten Blick zu. Er trug seine Narrenkleidung, die etwas zerknittert von der Reise war, und hatte sich geschminkt, wie damals in Lübeck bei den Gauklern. Abermals fiel ihr auf, wie sehr die Maskerade nicht nur sein Äußeres verwandelte, und auch jetzt wurde sie gewahr, wie sein Gang plötzlich schwebender wurde und sich seine Laune hob. Ob er sich dessen überhaupt bewusst war?

»Ich glaub, ich muss mich noch mal erleichtern«, stammelte Piet und wollte sich auf dem Absatz umdrehen.

»Dummes Zeug, du warst gerade auf dem Abtritt, Narr.« Baldo schnaubte. »Eine Königin lässt man nicht warten!«

Piet zog eine Grimasse. Cristin hakte sich mit dem freien Arm bei ihm unter und zog ihn mit sich, doch so selbstsicher, wie sie tat, war sie keineswegs. Auch ihr wurden die Knie ein wenig weich, während sie auf die Tür zum Speisesaal zusteuerten. Baldo bückte sich und wischte mit der Hand über die polierten Stiefel, während Piet den korrekten Sitz seines Kostüms überprüfte. Auf seiner weiß geschminkten Stirn glänzten Schweißperlen.

»Wie sehe ich aus, Schwester?«

»Wie ein aufgeregter Narr, Piet.« Sie lächelte. »Nein, gut siehst du aus, wirklich. Du wirst Eindruck machen auf die Königin.« Sie musterte Janek. »Wollen wir hinein, bist du so weit?«

Die Augen des Jungen leuchteten voller Vorfreude, als er nickte. Baldo stieß die Tür auf und trat ein. Cristin und Janek folgten ihm, Piet bildete die Nachhut.

Polens Königin saß auf einer der beiden langen Holzbänke inmitten von zwei Dutzend Männern und Frauen, jede von ihnen besser gekleidet als Cristin. Hofdamen nannte man sie, erinnerte sie sich, Frauen aus gutem Hause, manche sogar adelig, die der Königin auf ihren Reisen und bei Hofe Gesellschaft leisteten. Die Männer trugen halblange Kettenhemden über ihren Wämsern, an den breiten Gürteln hingen Schwerter. Cristin wandte sich ab, wieder hatte sie die grausigen Bilder vor Augen. Doch diese Männer bildeten die Leibwache der Königin, und sie begleiteten sie auf ihren Reisen. Auch Bruder Krzysztof war anwesend, und ein paar der Schwestern hielten sich im Hintergrund, bereit, den Gästen Erfrischungen anzubieten. Die Königin hatte das Festgewand gegen ein schlichtes Leinenkleid getauscht, die Haare zu einem dicken Zopf geflochten und nippte an einem Becher. Cristin war überrascht. Wenn sie es nicht besser wüsste, hätte sie nie vermutet, die polnische Königin vor sich zu haben, die ihnen nun zuwinkte.

»Da seid ihr ja, tretet näher.«

Als Piet auf die kleine Gesellschaft zuschritt, sah sie, wie Jadwigas Augen sich weiteten. Einige Frauen aus ihrem Gefolge steckten die Köpfe zusammen und raunten hinter vorgehaltener Hand.

»Gestattet mir, dass ich mich Euch vorstelle, Hoheit! Ich bin Victorius, Narr und Jongleur – ein Könner meiner Zunft.«

Mit einer eleganten Handbewegung verbeugte er sich tief vor ihr, sodass die Schellen an seiner Mütze klimperten. Dabei geriet er ins Straucheln, ruderte mit den Armen und fiel mit gespielt entsetzter Miene vor ihre Füße.

Jadwiga lachte hell auf, und auf einmal wirkte sie wie ein junges Mädchen. Die Männer und Frauen, die sie umgaben, fielen in ihr Lachen ein. »Sei mir willkommen, Victorius. Setz dich zu mir.«

»Sofort, schönste aller Königinnen.« Piet drehte sich im Kreis und holte sechs Bälle aus seinem Gewand. Geschickt jonglierte er damit, und sein Publikum applaudierte. Zum Dank senkte er den Kopf, erst danach nahm er den ihm zugewiesenen Platz ein.

Leises Stimmengewirr hüllte Cristin ein, die sich vorkam wie in einem Traum. Ein junger Mann in einer farbenprächtigen Schecke und einer ebenso schönen Hose erhob sich, verbeugte sich formvollendet und bat Cristin, neben der Regentin Platz zu nehmen.

»Aber das geht nicht«, stammelte sie.

Doch Jadwiga nickte ihr aufmunternd zu und klopfte auf die Bank. Eine der Schwestern stellte wortlos einen Becher vor sie hin und rückte eine Obstschale näher, damit die Gäste sich bedienen konnten. Die Königin wies auf den Jungen, der sie unverhohlen anstarrte. »Dies ist sicher Janek, von dem du mir berichtetest, oder?«

Wieder einmal bewunderte Cristin, wie gut die Regentin ihre Sprache beherrschte. »Ja, Majestät.«

Die Königin lächelte Janek zu und begann eine Unterhaltung mit ihm. Auch wenn Cristin nichts verstehen konnte, bemerkte sie, wie der Junge nach und nach seine Scheu verlor. Baldo warf ihr einen fragenden Blick zu, den sie mit einem Schulterzucken erwiderte. Augenscheinlich hatte die Königin Vergnügen an der Unterhaltung. Scheu betrachtete Cristin Jadwigas feines Profil. Wir sind im selben Alter. Sicher hat sie schon einige Kinder daheim und weiß deshalb so gut mit ihnen umzugehen, dachte sie.

Die Königin sprach mit einer ihrer Dienerinnen, einer jungen Frau von höchstens siebzehn Lenzen. Diese erhob sich, flüsterte dem Jungen etwas ins Ohr und verließ mit ihm an der Hand den Raum. Was mochte die Königin der jungen Frau gesagt haben?

»Erzähl mir von ihm, Agnes«, riss Jadwiga sie aus den Gedanken. Cristin wandte sich der Königin zu, die sich nun vorbeugte.

»Ich möchte alles über Janek wissen.«

Cristin ließ ihren Blick über die Männer schweifen, die Jadwiga begleiteten. Soeben hatte Victorius einen seiner Witze zum Besten gegeben, und die Männer in den Kettenhemden lachten herzhaft. Sie richtete ihre Aufmerksamkeit wieder auf die Königin, wobei niemand auf sie achtete. »Das ist eine traurige Geschichte, Majestät. Seid Ihr sicher, dass Ihr sie hören wollt?«

Jadwiga legte ihr eine Hand auf den Arm. »Ja. Erzähl mir, was es mit dem Jungen auf sich hat.«

Zögernd berichtete Cristin von dem Überfall auf das Dorf, von den Toten und Verletzten und wie sie Janek gefunden hatten. »Er hockte wie ein verschrecktes Kaninchen in einem Käfig. Der Junge muss alles mit angesehen haben.«

Die Königin hörte stumm zu, und ihre Finger krallten sich in den Stoff ihres Gewandes.

»In der Kirche fand ich Janeks Mutter.« Cristins Stimme zitterte. »Sie wurde geschändet und schwer verletzt, Hoheit.«

»Wer hat das getan?« Die Königin war bleich, ihre Lippen blutleer.

»Deutschritter, Majestät. Meine Brüder und ich haben sie gesehen, nicht lange, bevor wir das Dorf erreichten.« Sie nahm all ihren Mut zusammen und sah der Königin ins Gesicht. »Sie haben die Leute regelrecht niedergemetzelt, Majestät. Alte Leute und junge Frauen mit Säuglingen auf den Armen! Manchen Männern haben sie einfach den Schädel gespalten. Die wenigen Überlebenden flüchteten in den Wald oder warteten darauf, dass der Herr sie zu sich nimmt.« Es drängte sie aufzustehen, da sich das jedoch nicht schickte, begnügte sie sich damit, tief Luft zu holen, bevor sie weitersprach. »Ich konnte der armen Frau immerhin noch sagen, dass ihr Sohn lebt. An der Schwelle zur Ewigkeit galten ihre letzten Gedanken ihrem Kind, und sie bat, ich möge mich um den Jungen kümmern. Ich habe es ihr versprochen.«

Täuschte sie sich, oder schimmerte es feucht in den Augen der Königin? »Du hast den Jungen sehr gern, nicht wahr, Agnes?«

Sie nickte nur.

»Wirst du ihn bei dir behalten?«

»Ich wünschte, ich könnte es«, stammelte Cristin, während sie mit den Händen ihr zuckendes Gesicht verbarg.

Baldo setzte sich neben sie.

»Schon gut, Adam«, beantwortete sie seine unausgesprochene Frage.

Auch Piet sah sie von der anderen Seite des Tisches an und gab ihr mit einem Wink zu verstehen, vorsichtig zu sein, um nicht zu viel zu verraten.

»Mit solchen Brüdern an der Seite solltest du dich glücklich schätzen«, meinte die Königin lächelnd, dann wurde ihre Miene ernst. »Sorge dich nicht, Agnes. Es wird sich alles finden.« Jadwiga seufzte. »Wie stickig es hier ist!« Ihr Blick suchte den Spitalmeister, der sich sofort erhob, um eines der Fenster zu öffnen. »Danke, Bruder Krzysztof«, sagte die Königin und sog tief die frische Luft ein. Auf ihrer Stirn glitzerten Schweißperlen, die Wangen waren gerötet.

Als sie nach einem Fächer griff, der in einem Beutel an ihrem Gürtel steckte, bemerkte Cristin das Zittern ihrer Hände. Nur einige gemurmelte Worte, und die Kammerfrau war an ihrer Seite.

Die Königin erhob sich. »Ich werde mich eine Weile zurück …« Sie brach ab und presste eine Hand auf den schlanken Leib, während das anmutige Gesicht jäh aschfahl wurde.

Alle Gespräche verstummten, und der Spitalmeister eilte mit fliegender Kutte herbei. Zu spät. Jadwiga sackte lautlos in sich zusammen. Bruder Krzysztof fing sie gerade noch rechtzeitig auf, um zu verhindern, dass die Regentin von der Bank rutschte und auf den Steinboden fiel.

Entsetzt starrte Cristin auf die reglose Gestalt. Der Mann mit der prächtigen Schecke trat näher, wedelte der Ohnmächtigen Luft zu und redete auf sie ein, doch die Königin rührte sich nicht. Die Mienen der Umstehenden spiegelten ihre Bestürzung wider, als die Kammerfrau vor ihrer Herrscherin niederkniete und ihr ein Fläschchen unter die Nase hielt. Die Königin war offenbar leidend und die Frau darauf vorbereitet, ihr helfen zu müssen. Eine kleine Ewigkeit sagte niemand ein Wort. Eigenartig, dachte Cristin, warum wird nicht nach einem Arzt gerufen oder nach einer der Schwestern, die sich mit Heilkunde auskennen? Ihr Blick flog zu Bruder Krzysztof. Stumm formten ihre Lippen die Worte: *Holt Hilfe!* Der Spitalmeister erwachte aus seiner Erstarrung, riss die Tür auf und verschwand. Die anderen traten immer noch von einem Fuß auf den anderen und flüsterten miteinander, ohne jedoch Anstalten zu machen, etwas zu unternehmen. Ein ungutes Gefühl beschlich Cristin, während sie das mit einem Male eingefallen wirkende Gesicht der Regentin eingehend betrachtete. Sah so eine Königin in der Blüte ihrer Jahre aus?

Endlich. Jadwigas Lider flatterten, und ein Aufatmen der Erleichterung wurde hörbar.

Cristin ging in die Hocke und ergriff die schlaffen Finger. »Könnt Ihr mich hören, Majestät?«

In diesem Moment ging ein Kribbeln durch ihre Hände. Sie erschrak und ließ Jadwigas Hand los, denn aus dem Kribbeln wurde ein Stechen wie von Tausenden Nadelstichen, das nun ihren gesamten Körper befiel. Gleichzeitig benebelte ein leichtes Schwindelgefühl ihre Sinne. Cristin blinzelte und wartete, bis ihre Sicht sich klärte und der Schreck nachließ. *Sie ist krank. Etwas zerstört ihren Leib,* schoss es ihr durch den Kopf.

»Majestät, hört Ihr mich?«, wiederholte sie ihre Frage, diesmal lauter.

Jadwiga schlug die Augen auf, doch sie waren ohne Glanz. »Agnes?«

Cristin nickte und griff erneut nach ihrer Hand. Im nächsten Moment verzerrte sich Jadwigas Gesicht, und sie schnappte nach Luft.

»Sie sagen, das passiere ihrer Herrin häufiger«, vernahm Cristin ihres Bruders Stimme an ihrem Ohr und blickte zu ihm auf.

Auch Baldo hatte sich zu ihnen gesellt. »Niemand weiß, was ihr fehlt.«

Bruder Krzysztof kam zurück und trat neben sie. »Lasst Schwester Maria nach ihr sehen.«

Cristin machte einer kräftigen Frau in dunkler Schwesterntracht Platz, die sich über die Königin beugte und in polnischer Sprache auf sie einredete. Sie kann ihr nicht helfen, schoss es ihr durch den Kopf, während widerstreitende Gefühle sich in ihr abwechselten. Die Furcht, jemand vom Hofstaat oder gar die Königin selbst könnten etwas von ihren heilenden Händen erfahren, und der Drang helfen zu wollen, kämpften gegeneinander. Sollte sie wirklich tatenlos zusehen, wie Jadwiga litt, wenn sie die Möglichkeit hatte, ihr Linderung zu verschaffen? Cristin straffte die Schultern und ignorierte Baldos warnenden Händedruck.

»Piet, bitte erkläre Bruder Krzysztof, dass ich etwas von der Heilkunst verstehe. Die Schwestern sollen die Königin bequem lagern, damit ich nach ihr sehen kann.«

Sogleich hallte Piets Stimme durch den Raum, woraufhin sich zwei der Schwestern und ein Ritter von der kleinen Gruppe trennten und hinauseilten.

Obwohl das Kribbeln ihrer Hände beinahe unerträglich wurde, ließ sie die Finger der Königin nicht los. »Wo habt Ihr Schmerzen? Sagt es mir.«

»In meinem Leib brennt es wie Feuer. Ich… ich halte es kaum noch aus.« Die Kranke schloss gepeinigt die Lider und presste die Lippen aufeinander.

Da flog die Tür auf, und der Ritter und die beiden Schwestern kamen mit einer Trage zurück. Trotz ihrer Schmerzen gab die Königin keinen Laut von sich, als man sie hochhob, um sie in eine etwas abseits des Spitals gelegene Kammer zu bringen, die eilends für sie hergerichtet worden war.

7

Die Kammer hatte sich gefüllt. Mehrere Schwestern und Dienerinnen umringten das Bett, auf dem die Königin mit dunkel umrandeten Augen lag, während Krämpfe ihren Leib schüttelten.

»Kann ich Euch etwas bringen?«, fragte eine Dienerin.

Jadwiga stöhnte leise auf.

»Majestät, ich werde dafür sorgen, dass man Euch einen Kamillenaufguss bereitet«, meinte eine der Dienerinnen, die mit roten Wangen und offensichtlich hilflos mit kaltem Wasser getränkte Lappen auf Jadwigas Stirn legte. »Ich werde nach der Heilerin schicken lassen.«

Cristins Brauen schossen nach oben.

»Eine Heilerin?«, fragte Christin leise.

»Ja, sie heißt Donata und begleitet unsere Königin auf allen Reisen.«

»Dann sollte sie jetzt besser bei ihr sein«, gab sie kopfschüttelnd zur Antwort. Die Dienerin verließ den Raum.

Stark riechende Kräuterdämpfe kitzelten Cristin in der Nase, während sie den Puls der Kranken fühlte.

»Agnes?«

»Ja, Majestät?« Besorgt beugte sie sich über das schweißnasse Antlitz auf dem Lager.

»Schick sie alle weg. Bitte. Ich… ich kann es nicht mehr ertragen.« Jadwiga umklammerte Cristins Handgelenk.

»Aber das kann ich nicht, Hoheit. Außerdem wird die Heilerin gleich kommen. Ich bin nur eine…«

Sie sahen einander an, und die Königin schüttelte den Kopf. »Fort mit euch allen«, schrie die Leidende mit überraschender Kraft in der Stimme. »Geht! Nur Agnes soll bleiben!«

Cristin senkte die Lider.

»Aber Herrin«, wagte eine Dienerin zu widersprechen. »Donata kommt gleich und …«

»Die kann mir schon lange nicht mehr helfen. Nun alle hinaus, alle bis auf Agnes!«

Die Frau zuckte unter dem harschen Tonfall zusammen. Erst als die Tür sich hinter den Frauen geschlossen hatte, wagte Cristin aufzusehen.

Jadwiga atmete aus. »Endlich. Dieses … dieses Geplapper und die vielen Frauen um mich …«

Cristin musste ihr insgeheim recht geben. Sie nahm die Hand der Königin in ihre. Wieder fühlte sie das Kribbeln.

»Bei der Jungfrau Maria! Was war das?« Die Augen der Königin weiteten sich. »Was machst du da? Hast du Nadeln in den Händen?«

»Nein, keine Sorge.« Cristin suchte nach Worten. »Bleibt nur still liegen, damit ich Euch untersuchen kann.«

Die Herrscherin kämpfte mit den Tränen, aber sie schloss ihre Lider und rührte sich nicht.

Unschlüssig erhob Cristin sich. Noch einmal sah sie sich um, schlich zur Tür und lauschte. Niemand schien da zu sein. Mit klopfendem Herzen trat sie erneut an das Bett der Kranken. Einige tiefe Atemzüge, dann hob sie ihre Hände, spreizte die Finger wie ein Vogel sein Gefieder und ließ sie über Jadwigas Kopf kreisen. Sofort spürte sie, wie eine Verbindung entstand, die sie selbst kaum verstehen konnte. Wie ein Strom aus gleißendem Licht, der zwischen ihren Händen und Jadwigas Körper hin- und herfloss.

Die Königin seufzte auf, während Cristins Hände tiefer wanderten, suchten. In Höhe der Herzgegend angekommen, war es ihr, als würden sich dunkle Wolken über der Brust der Königin zusammenbrauen, die sich schwer und bedrückend über sie legten. Wolken aus Einsamkeit und Trauer. Sie stutzte. Was machte die Herrscherin derart unglücklich? Dann schüttelte sie den Kopf und fuhr in ihrer Arbeit fort. Als ihre Finger über dem Leib der Kranken innehielten, stöhnte diese auf, und nur einen Wimpernschlag später erreichte Cristin ein nagender Schmerz, der sich über ihre Finger weiter ausbreitete. Es fühlte sich an wie … wie ein eisiger Sturm, der auf ihre eigenen Eingeweide übergriff und jede Wärme, jede Kraft aus ihrem Körper pressen wollte.

Wie damals im Kindbett, als dieselbe Eiseskälte ihren geschwächten Leib erfüllt hatte und sie beinahe gestorben wäre. Etwas in ihr wollte sich krümmen, sich zurückziehen. Ich kann es nicht, schoss es ihr durch den Kopf. Sie trat einen Schritt zurück, da drang aus dem Mund der Königin ein Laut, der sie an den Ruf eines verletzten Tieres erinnerte. Schon war sie wieder an Jadwigas Seite. Zischend stieß diese die Luft aus, als könnte sie damit den Schmerz in ihrem Inneren hinaustreiben. Wieder hob Cristin die Hände, verharrte über dem Leib, wartete. Kleine Sonnen, stellte sie sich vor, waren ihre Finger. Sonnen, deren Strahlen auf Jadwigas Körper fielen, um sie zu wärmen. Wenn nur die Kälte in ihrem Inneren nicht wäre. Sie erzitterte. Der Körper unter ihren Händen wurde stiller, die Atemzüge der Königin wurden gleichmäßiger. Dann endlich ließ die Kälte allmählich nach. Während Cristin ausharrte, bis in ihr alles wieder friedlich und warm wurde, öffnete sie die Augen. Noch immer benommen, dauerte es eine Weile, bevor sie ihre Umgebung wahrnehmen konnte. Ihr Herz machte einen freudigen Satz, denn die Königin war eingeschlafen.

8

Auf Jadwigas Bitte hin waren sie der Einladung auf ihr Schloss in Krakow, der Hauptstadt Polens im Süden des Landes, gefolgt.

»Versteht es als Zeichen meiner Dankbarkeit für das, was Agnes für mich getan hat«, hatte die Königin gesagt. »Ihr allein verdanke ich es, dass es mir schon viel besser geht.«

Mit Freuden hatten sie zugestimmt und sich am Folgetag den Rittern und Gefolgsleuten angeschlossen. Diese hatten ihnen höflich Jadwigas Kalesche zugewiesen, da die Königin auch den Rückweg zum Schloss hoch zu Ross zurücklegen wollte. Die gut gepolsterten Bänke waren etwas anderes gewesen als die Ochsenkarren oder Pferdewagen, die Cristin und ihre Begleiter kannten. Janek hatte sich während der Fahrt dicht neben ihr gehalten und war jedem Blickkontakt sowie den freundlichen, in Polnisch gesprochenen Worten der Ritter und Hofdamen nach Möglichkeit ausgewichen. Einzig Lump hatte ihn zeitweilig aus der Reserve locken können. Geistesabwesend hatte Janek das Tier gestreichelt, sobald es den Jungen mit der Schnauze anstupste.

Von der Königin bekamen sie kaum etwas zu sehen, denn sie war stets von ihren Gefolgsmännern umringt. Piet reckte unermüdlich den Hals, um wenigstens einen kurzen Blick auf Jadwiga erhaschen zu können, wie Cristin schmunzelnd bemerkte. Bis auch er schließlich bedauernd aufgab und sich in den Polstern zurücklehnte. Im Laufe jeden Tages legten sie jeweils nur eine Rast ein, um sich mit dem großzügig bemessenen Reiseproviant zu stärken und die Pferde tränken und abreiben zu können. Die Nächte verbrachten sie zumeist in abgelegenen Klöstern oder Burgen, in denen immer Kammern für die Königin und ihre Bediensteten vorbereitet waren. Cristin hatte gestaunt, denn selbst die einfachsten Räume waren bequem eingerichtet und sauber, und Schüsseln mit frischem

Wasser standen in jeder Kammer bereit. Zwei Nächte hatten sie in einem Gasthof verbracht. Die Art und Weise, wie Jadwiga dort willkommen geheißen worden war, zeigte deutlich, dass sie ein gern und oft gesehener Gast war. Trotz aller Annehmlichkeiten, die sie unterwegs genießen durften, war Cristin froh, als die beeindruckende Kulisse des königlichen Schlosses auf dem Hügel des Wawel endlich vor ihnen aufgetaucht war und ihre Reise nach gut zwölf Tagen ein Ende gefunden hatte.

Nun erhob sich Cristin von ihrem Bett in einem der unzähligen Zimmer des Schlosses und streckte sich wohlig. So gut hatte sie schon lange nicht mehr geschlafen. Sie trat an das schmale Fenster des Raumes. Mit seinen leuchtenden Dächern und den hoch in den rötlichen Morgenhimmel aufragenden Kirchturmspitzen bot Krakow einen wunderschönen Anblick. Am vergangenen Abend hatte Baldo Cristin kurzerhand hinter sich auf eins der Pferde gehoben. Ihren Einwand, sie könnte nicht reiten, ignorierte er und forderte sie mit knappen Worten auf, sich an ihm festzuhalten. Mit geschlossenen Augen hatte sie die Arme um seine Taille geschlungen und sich ängstlich an ihn geklammert. Piet und Janek waren vor ihnen geritten, offenbar genossen sie die Reise zu Pferde. Direkt zu dem Hügel hinauf waren sie geritten, auf dem der Wawel, das von hohen Mauern umgebene königliche Schloss, erbaut war. Eine Dienerin Jadwigas hatte ihnen ihre Kammern gezeigt und eine gute Nacht gewünscht.

Cristin ließ den Blick über die Stadt schweifen, die sich um den Hügel schmiegte. Sie schien aus zwei Teilen zu bestehen, die jeweils von einer hohen Stadtmauer umgeben waren. Dazwischen floss die Weichsel, ein breiter Fluss, der an mehreren Stellen von schmalen Holzbrücken und Stegen überspannt war, auf denen sich viele Menschen bewegten, die aus dieser Höhe klein wie Ameisen wirkten. Zur Linken konnte sie einen ausgedehnten Marktplatz zwischen mehrstöckigen Bürgerhäusern aus rotem Backstein ausmachen, und auch hier herrschte bereits reges Treiben. Sie kniff die Augen zusammen, erkannte Stände und Buden. Markttag.

»Herrin?«

Cristin fuhr herum. In der offenen Tür stand eine junge Frau mit einem runden Gesicht, das lange blonde Haar zu einem dicken Zopf geflochten. An dem Stoffgürtel, der ihre helle, knöchellange Tunika zusammenhielt, hingen ein kleiner Leinenbeutel, eine Schere und ein kurzes Messer. Cristin hatte ihr Klopfen gar nicht gehört.

»Entschuldigen, Herrin! Ich Euch habe erschreckt.«

Herrin. Wie lange war es her, seit sie so angesprochen worden war? Fremd klang dieses Wort in ihren Ohren. Sie schüttelte die Erinnerung an ihre Zeit als wohlhabende und geachtete Frau ab.

»Schon gut. Was möchtest du?«

»Meine Name Ewa.« Die Dienerin verbeugte sich. »Königin befohlen, ich Euch soll sein zu Diensten. Wenn Herrin hat gefrühstückt, ich bringen zu ihr.«

Jadwiga wollte sie sehen? Cristins Herz machte einen Sprung. »Geht es deiner Königin gut?«, fragte sie zögerlich.

Die junge Frau nickte. Während sie an das Bett trat und die dicken, mit Daunen gefüllten Kissen aufschüttelte, sagte sie: »Aber zuerst ich Euch führen zu Badestube, gut?«

»Ja, das ist gut, Ewa!«

Als die junge Dienerin die Tür aufstieß, betrat Cristin hinter ihr den Raum und erstarrte. In einem großen Waschzuber aus Eichenholz saßen zwei Männer, die sich nun mit einem breiten Grinsen im Gesicht zu ihr umwandten – Baldo und Piet. Lump hatte sich nahe dem Zuber zusammengerollt. Sie schluckte. Während Ewa die Tür hinter sich schloss und abwartend stehen blieb, wich Cristin an die Wand zurück.

»Komm herein, Schwesterchen!«, rief ihr Bruder gut gelaunt. »Das Wasser ist herrlich.«

»Ich soll zu euch Kerlen ins Wasser steigen?« Sie starrte von einem zum anderen.

Die Arme vor der Brust verschränkt, hob sie die Brauen und betrachtete die achtlos hingeworfene Kleidung der Männer. Das Blut stieg ihr in den Kopf.

»Natürlich. Oder bist du etwa wasserscheu?«

Baldo griff nach einem Schwamm und schleuderte ihn in ihre Richtung. Gerade rechtzeitig konnte sie dem klatschnassen Ding noch ausweichen, das sie rasch aufhob und zurückwarf, Piet mitten ins Gesicht.

Baldo lachte laut auf. »Der Wurf war nicht schlecht«, rief er. »Wenn du auch den Falschen getroffen hast.«

Piet schüttelte sich wie ein nasser Hund.

»Nun komm schon. Oder hast du noch nie gemeinsam mit Männern in einem Zuber gesessen?«

Sie schob trotzig die Unterlippe vor. »Nein, stell dir vor. Man weiß ja, was da so alles geschieht.«

Mit gesenkten Lidern spähte sie zu Baldo hinüber, dessen feuchte Haare sich auf der Stirn und im Nacken kringelten. Wassertropfen rannen von seinem Hals hinab auf die breite, unbehaarte Brust. Der Anblick löste eine ungeahnte Wärme in ihr aus, hastig sah sie zu Boden.

»Das stimmt. Aber von uns hast du nichts zu befürchten«, grinste Piet. »Wenn sich allerdings die schöne Jadwiga zu uns gesellen würde …«

Baldo prustete los, ohne sie aus den Augen zu lassen.

»Du bist unmöglich, Bruder! Wenn dich nun jemand hört! Du sprichst schließlich nicht von einer Kammerdienerin, sondern von der polnischen Königin!«

»Und was für eine Königin!« Träumerisch verdrehte er die Augen und leckte sich über die Lippen.

Cristin schüttelte den Kopf. »Sind eigentlich alle Narren so respektlos den Obrigkeiten gegenüber?«

Piet feixte. »Das war doch nur ein Spaß, Schwesterlein. Nun komm endlich ins Wasser, bevor es kalt wird.«

Warum eigentlich nicht? Sie war hier, um ein Bad zu nehmen und sich vom Staub der langen Reise zu befreien, und genau das würde sie jetzt tun. Allerdings zu *ihren* Bedingungen. Cristin drehte sich zu der Dienerin um, die noch immer auf Anweisungen wartete.

»Könnte ich wohl ein großes Tuch bekommen?«

Aus den Augenwinkeln nahm sie wahr, wie Piet scheinbar verzweifelt die Hände rang. Lump hingegen beobachtete sie mit schräg gelegtem Kopf.

Das junge Mädchen ging hinaus und kam kurz darauf mit einem frischen Tuch zurück.

»Kann ich helfen, Herrin?«

Die Dienerin hielt das Leinentuch so vor Cristin, dass sie sich vor den Blicken der beiden geschützt entkleiden konnte. Sie schlüpfte aus ihrem Gewand, wickelte das Tuch um den Leib und ließ sich bis zum Hals in das herrlich warme, nach Kräutern duftende Wasser gleiten. Kurz darauf schnappte die Tür leise hinter Ewa ins Schloss. Der überraschte Blick der Polin ob ihrer kurzen Haare war Cristin nicht entgangen. Wahrscheinlich dachte die Dienerin, dass sie unter besonders starkem Läusebefall litt und sie sich deshalb abgeschnitten hatte. Cristin legte die Arme über den breiten, glatt polierten Rand des Bottichs und schloss die Augen ob aus dem Wohlgefühl eines warmen Bades heraus oder weil sie Baldos unergründlichen Blick auf sich gerichtet fühlte, vermochte sie nicht zu sagen.

Baldo fühlte ein Ziehen zwischen seinen Lenden und schluckte schwer, denn zum ersten Mal sah er sie nackt. Nun ja, nicht wirklich nackt, doch der nasse, eng anliegende Stoff um ihren schmalen Leib offenbarte fast mehr von Cristins Oberkörper, als er verbarg. Er spürte seine Kehle trocken werden, während er sie aus halb geöffneten Augen betrachtete. Fasziniert beobachtete er, wie kleine Wassertropfen über ihren schlanken Hals und den Ansatz ihrer Brüste liefen, um schließlich in dem nassen Tuch zu verschwinden, das ihren Busen verbergen sollte. Baldo sah, wie sie nach einem Schwamm griff, den Kopf in den Nacken legte und ihn mit einem leisen Seufzen genüsslich über ihrem Oberkörper ausdrückte. Verlangen schoss heiß wie Glut durch seinen Körper, als Cristin sich vornüberbeugte und den Schwamm tiefer führte, der unter Wasser verschwand. Gequält schloss Baldo die Augen. Er brauchte nur zwei Schritte auf sie zuzugehen, musste nur die Hände ausstrecken, um sie zu berühren. Seine Finger würden über ihr Schlüsselbein streichen, die Stelle, an der ihr Blut pulsierte. Endlich wüsste er, wie sich ihre Haut an seiner anfühlte.

Ob sie sich wehren würde, mit jenem entrüsteten Blitzen in den Augen, das er so sehr liebte? Es drängte ihn, es auszuprobieren, dennoch versuchte er mit zusammengebissenen Zähnen, seine Gedanken in eine andere Richtung zu lenken. Er war schließlich nicht mit ihr allein, Piet stand nahe bei ihm und summte eins seiner albernen Lieder. Baldos Herz schlug höher, als er sich einen letzten Blick auf ihr entspanntes, vom warmen Wasser gerötetes Gesicht gönnte. Nur gut, dass sie nicht sehen konnte, was sie bei ihm bewirkte, ebenso wenig wie ihr Bruder. Er sollte sich ein Mädchen suchen, eines dieser willigen, vielleicht kann er sich Cristin dann aus dem Kopf schlagen. Doch wenn er ehrlich zu sich selbst war, hatte er nie den Wunsch nach einer anderen Frau verspürt, seit er sie damals kennengelernt hatte, auch wenn ihm auf ihrer Reise so manches hübsche Frauenzimmer während seines Trommelspiels zugezwinkert hatte.

Als Cristin endlich aus dem Zuber stieg, stieß er erleichtert die Luft aus.

Sie wandte sich um und warf ihnen einen strengen Blick zu. »Umdrehen, alle beide!«

Piet grinste. »Wie ihr wünscht, *Herrin*!«

Während die beiden Männer ihr widerwillig den Rücken zudrehten und an die Wand starrten, öffnete sich die Tür, und die Dienerin eilte mit einem Tuch herbei und half ihr beim Abtrocknen. Dann reichte sie ihr ein Kleid.

Cristin hob eine Braue. »Das ist nicht mein …«

Die junge Frau nickte. »Von Königin. Ihr könnt so lange tragen, bis Euer Kleid ist gewaschen. Männer auch bekommen frische Sachen. Wenn alle fertig gebadet und angezogen, ich Euch bringen in Speisesaal.«

9

Nach einem reichhaltigen Frühstück – hellem, mit goldgelber Butter bestrichenem Weizenbrot, geräucherten Schweinswürsten, Äpfeln und Birnen, Honig, warmer Milch und verdünntem Würzwein – führte Ewa Cristin in die Gemächer der Königin. Diese war nicht allein. Neben der Herrscherin, die von mehreren Kissen gestützt, in ihrem Bett saß, stand eine ältliche Frau, das hochgesteckte Haar unter einer Haube verborgen. Aus schmalen Augen musterte sie Cristin argwöhnisch.

Jadwigas Blick dagegen ruhte freundlich auf ihr. »Tritt näher, Agnes. Ich hoffe, ihr habt gut geschlafen.« Die Königin war noch immer bleich, aber ihr Gesicht trug ein Lächeln.

»Tief und fest, Majestät«, nickte Cristin. »Das Frühstück, das man uns aufgetragen hat, war auch sehr gut.«

»Das freut mich.« Jadwiga machte eine Kopfbewegung zu der Frau an ihrer Seite. »Donata, meine Heilerin«, sagte sie. »Sie dient mir schon lange. Leider hat sie mir in letzter Zeit nur selten helfen können, deshalb möchte ich, dass du ihre Stelle einnimmst und meine Heilerin wirst, solange ihr drei an meinem Hof weilt.«

Die Frau öffnete den schmalen Mund und wollte etwas erwidern, doch Jadwiga schnitt ihr freundlich, aber bestimmt das Wort ab. »Du kannst jetzt gehen, Donata.«

Das Gesicht der Heilerin entfärbte sich. »Ja, Herrin«, presste sie hervor. Dann verließ sie den Raum.

Als sich die Tür hinter der entlassenen Frau geschlossen hatte, verzog sich Jadwigas Mund zu einem Lächeln. »Setz dich zu mir, Agnes«, forderte die Königin sie auf.

Cristin verneigte sich und nahm in einem gepolsterten Lehnstuhl gegenüber der polnischen Herrscherin Platz.

»Ich hoffe, ihr bleibt noch recht lange in Krakow.«

Cristin dachte an den Grund ihrer weiten Reise. »Wie lange wir bleiben, kann ich noch nicht sagen. Aber wenn Ihr es wünscht, Majestät, nehmen wir Eure Einladung gern an.«

Jadwiga wiegte nachdenklich den Kopf. »Das freut mich. Allerdings weichst du mir aus, Agnes. Wirst du meine Heilerin sein, solange ihr euch bei Hofe aufhaltet?«

Cristin spielte mit dem fein gewebten Leinen des Gewandes, das ihr kostbarer erschien, als alles, was sie zuvor getragen hatte. »Das wird leider nicht gehen, Hoheit.« Ihre Wangen glühten. »Ich habe mir geschworen, nicht mehr …« Sie stockte und schalt sich in Gedanken für ihre Worte. Wie konnte sie es wagen, sich dem Wunsch der Königin zu widersetzen? »Bitte verzeiht. Ihr seid so gut zu uns, aber …«

»Was, Agnes?«

»Ich bin keine Heilerin, Majestät, und ich möchte auch keine sein.«

Ein Blick aus Augen von der Farbe dunklen Bernsteins ließ sie verstummen. »Du bist keine Heilerin? Was bist du dann?«

»Nur eine einfache Frau auf Reisen.«

Die Regentin lachte hell auf. »Ach ja? Das mögen dir andere glauben, mich dagegen kannst du nicht an der Nase herumführen.«

Cristin fuhr hoch. »Majestät, bitte. Ihr dürft nicht denken, dass ich …«

Jadwiga setzte sich auf und griff nach ihrer Hand. »Was ich denke, tut nichts zur Sache, Agnes mit dem guten Herzen. Aber was ich mit eigenen Augen sehen kann, ist eine Frau, die weit mehr ist als eine einfache Reisende. Du bist fähig, anderen Menschen etwas sehr Wertvolles zu geben, nämlich Hoffnung und Linderung ihrer Gebrechen. Sag mir, warum weist du diese Gabe von dir?«

»Weil sie eine Last ist, die ich nicht tragen möchte, Hoheit. Weil sie ihren eigenen Regeln folgt und nicht meinen Wünschen«, brach es aus Cristin heraus. Sie erhob sich, trat an eines der hohen Fenster und blickte hinaus, ohne jedoch etwas von der Schönheit der malerisch zu den Füßen des Schlosses gelegenen Stadt wahrzunehmen. Aufgewühlt bis ins Innerste, kämpfte sie gegen die aufsteigenden Tränen an. »Und weil diese Gabe, wie Ihr sie nennt, des Teufels ist und ihretwegen in meinem Land Menschen geächtet und sogar umgebracht werden!«

»Des Teufels?« Das Lachen der Königin klang bitter. »Ja, Agnes, so wird gesprochen, und das nicht nur in deinem Land. Trotzdem frage ich mich: Wie kann dies ein Werk des Leibhaftigen sein, wenn nur Gutes daraus entsteht?«

Cristin drehte sich verblüfft um.

Jadwigas Stimme klang sanft. »Wie ich sehe, kannst auch du mir diese Frage nicht beantworten. Heißt es in der Heiligen Schrift nicht, dass des Menschen Gesundheit von Gott kommt? Hat nicht auch unser Herr viele Menschen geheilt, als er auf Erden wandelte? Und wurden nicht sogar jene wieder gesund, die Schweißtücher des heiligen Paulus auf ihren kranken Leib legten? Sag mir, Agnes, bist du eine Christin?«

Sie nickte.

»Dann denke nie wieder, dass es der Teufel ist, der durch dich wirkt! Gebrauche die Gabe, die dir geschenkt wurde.«

Mit angehaltenem Atem lauschte Cristin den Worten der polnischen Königin und schüttelte dann den Kopf. »Ich kann nicht. Bitte! Schon einmal habe ich versagt.« Sie presste die Lippen aufeinander, damit ihr nicht mehr entschlüpfte, als klug wäre.

Mit einer Hand bedeutete Jadwiga ihr, sich an ihr Bett zu setzen. »Ich werde nicht in dich dringen. Du wirst Gründe haben, wenn du nicht darüber reden möchtest. Aber sei dir meiner ewigen Dankbarkeit gewiss, solltest du deine Meinung jemals ändern.« Zu ihrer Überraschung drückte die Königin einen zarten Kuss auf ihre Hand. »Ich weiß, was Herzeleid bedeutet, Agnes. Auch ich kenne Seelenqualen, die einen des Nachts nicht schlafen lassen.«

»Ihr?« Aufmerksam betrachtete Cristin das kluge, fein geschnittene Gesicht, über das nun Schatten huschten, die von tiefem Leid und ungestillten Sehnsüchten kündeten. Welche Kümmernisse mochten die Königin belasten, eine Frau, die in Reichtum herangewachsen war, mehrere Sprachen beherrschte und alles bekommen konnte, was sie begehrte?

Jadwiga seufzte und strich über Cristins Finger. »Ich bin eine Frau wie du«, sagte sie, als hätte sie Cristins Gedanken erraten. »Auch wenn mein Leben in anderen Bahnen verlaufen sein mag als deines.« Die beiden Frauen schwiegen, doch die Stille wirkte nicht bedrückend. »Nichts von dem, was wir uns erzählt haben, wird diese Wände verlassen, das verspreche ich dir, Agnes. Aber versprich auch du mir etwas: Wirst du über meine Worte nachdenken?«

»Ja, Hoheit. Ich werde später noch nach Euch sehen, wenn Ihr es wünscht«, beeilte sich Cristin zu versichern, während sie in einen tiefen Hofknicks sank.

»Was ich von Zauberei halte?«, fragte Piet mit verständnisloser Miene. »Was meinst du damit?«

Cristin blickte aus dem Fenster ihrer Kammer und beobachtete, wie Baldo, Lump und Janek durch die Gärten der Königin spazierten.

»Was ist mit diesen unerklärlichen Kräften, wenn man die Hände über einem Kranken wandern lässt und seine Gebrechen erspürt? Wenn einen das Gefühl beschleicht, in den Körper des Kranken hineinsehen zu können, und bereits die Wärme der Hände ausreicht, um ihm Linderung zu verschaffen?« Sie wandte sich zu ihm um und hob die Schultern. »Ist das Teufelswerk, Piet?«

»Langsam, Schwesterherz.« Er trat neben sie. »Wie kann das des Teufels sein? Ich verstehe kein Wort.«

Mit stockender Stimme berichtete sie ihm von den ersten Erlebnissen in der Kindheit, bis hin zu ihrem verzweifelten und sinnlosen Versuch, Lukas zu retten. »Damals habe ich mir geschworen, diese Gabe nie wieder zu gebrauchen, Piet, denn ich habe versagt. Ich musste zusehen, wie mein Gemahl starb, ohne ihm helfen zu können.« Sie schnappte nach Luft, um den Schmerz der Erinnerungen zu verdrängen. »Danach glaubte ich, Gott hätte mir die Gnade erwiesen und diese Last von mir genommen. Denn das war diese Gabe für mich – eine Last, die immer schwerer wurde. Aber dann kamen wir nach Polen, zu Jadwiga, und …« Sie brach ab.

»… und was?« Ihr Bruder legte einen Arm um sie.

»Ich war soeben bei ihr. Die Königin möchte, dass ich ihre Heilerin werde. Die Kraft in meinen Händen hätte ihr mehr geholfen als jede Medizin und die besten Ärzte des Landes, sagt sie.«

»Aber das ist doch wunderbar, Schwester.«

»Ich weiß es nicht.« Cristin fuhr sich über das Gesicht. »Was, wenn diese Gabe nicht vom Herrn ist? Was, wenn ich eine Hexe bin und es der Leibhaftige ist, der meine Hände führt? Ich weiß nicht, was ich tun soll.«

Piet schüttelte den Kopf. »Wie kommst du nur auf so etwas?« In seinen Augen blitzte der Schalk. »Wenn du eine Hexe bist, dann bin ich ein Muselman!«

Sie knuffte ihn in die Seite.

Er wurde ernst.

»Hör zu, Cristin. Die Zeiten sind rau für jeden, der mit ungewöhnlichen Mitteln in der Lage ist, anderen zu helfen. All jene müssen auf der Hut sein und ihre Fähigkeiten verbergen, deshalb verstehe ich deine Angst. Aber was glaubst du, wie vielen Menschen es ähnlich ergeht? Sind sie etwa alle Hexen oder Scharlatane? Glaubst du das wirklich?«

»Ach, Piet, ich weiß nicht, was ich glauben soll.« Sie machte sich von ihm los und schielte zur Tür. Jeden Moment konnte Ewa, die sie mit einer Ausrede weggeschickt hatte, die Kammer wieder betreten.

»Was dich quält, ist in Wahrheit nichts als Eitelkeit.«

Wie vom Donner gerührt blieb sie stehen. »Eitelkeit? Was soll das bedeuten?«

»Setz dich.« Er drückte sie in einen bequemen Lehnstuhl

und bedachte sie mit einem gutmütigen Grinsen. »Du denkst also, die mysteriöse Kraft in deinen Händen kommt vom Teufel oder aus dir selbst heraus, ja? Du glaubst, es liegt in deiner Macht, ob jemand geheilt wird oder nicht, habe ich recht?«

Verwirrung machte sich in Cristin breit. Sie grübelte und nickte zögernd. »Ja, so ähnlich. Und ich habe Angst, bei Jadwiga zu versagen.«

Piet baute sich vor ihr auf. »Genauso habe ich mir das gedacht.« Er seufzte theatralisch. »Nein, Cristin, nicht du bestimmst, wem geholfen werden kann und wem nicht. Begreifst du denn nicht? Du bist nur ein Werkzeug des Herrn.«

»Denkst du, das weiß ich nicht?«, antwortete sie ungehalten.

»Dann lerne, demütig zu sein.«

»Demütig, pah!« Sie verzog das Gesicht. »Du hättest Priester werden sollen, Bruder, und nicht Narr.«

Piet lächelte. Ohne auf ihren Scherz einzugehen, fuhr er fort: »Gesundheit oder Krankheit eines Menschen liegen nicht in deiner Hand. Das hat unsere Mutter mir einmal gesagt. Wie recht sie hatte! Du kannst nur versuchen zu helfen, alles andere bestimmst nicht du. Wenn die schönste aller Königinnen beschlossen hat, dass du ihre Heilerin sein sollst, dann sei es, verdammt!«

Sie warf ihm einen strafenden Blick zu. »Deshalb brauchst du nicht zu fluchen, Bruder!«

Er winkte ab. »Vertraue Gott und vertraue dir selbst! Hör endlich auf, dich mit unsinnigen Selbstzweifeln zu martern, und nun mach ein anderes Gesicht. Nur ein Narr könnte glauben, du bist eine Hexe.« Piet kicherte hinter vorgehaltener Hand.

In diesem Moment war er wieder der Gaukler, ein in bunte Kleider gehüllter Spaßmacher, der mit einem Lächeln die Herzen der Menschen im Sturm eroberte und sie mit seinen Possen zum Lachen brachte.

Voller Zuneigung sah sie zu ihm auf. Ihr kam es wie eine Ewigkeit vor, seit sie ihn in Lübeck auf dem Marktplatz das erste Mal gesehen hatte.

Piet, Baldo und Cristin saßen nahe des Kamins in ihrer Kammer an einem kleinen Tisch, auf dem Becher mit gutem Burgunderwein standen, die Königin Jadwiga ihnen durch Ewa hatte schicken lassen. Cristin nippte daran und leckte sich über die Lippen. Dieser Tropfen war so ganz anders als die Würz- oder Honigweine, die sie von früher kannte. Sie musterte die beiden Männer, die ihre langen Beine ausgestreckt hatten, es ihr gleich taten und das edle Getränk genossen.

»Morgen breche ich zu einer Belustigung in Krakow auf, die über mehrere Tage stattfinden soll«, verkündete Piet und zwinkerte. »Das gibt mir die Gelegenheit, mich umzuhören, ob noch weitere Mädchen vermisst werden. Als Narr ist es einfach, mit anderen ins Gespräch zu kommen.«

»Das glaube ich dir gern«, erwiderte Baldo. »Besonders mit den jungen Weibern, nicht wahr?« Er rollte mit den Augen. »Sie folgen dir ja wie Schatten.«

»Nur kein Neid, mein Freund«, erwiderte Piet trocken.

»Gut, Piet«, antwortete Cristin, ohne auf die Frotzeleien der Männer einzugehen. Ihr war nicht nach Späßen zumute. »Solange es noch nicht zu kalt ist, wäre es schön, wenn du dich auf Märkten oder Festen erkundigen könntest.« Sie seufzte. »Wenn wir nur wüssten, wo wir suchen sollen oder wenigstens die Sprache beherrschen würden.« Grübelnd zog sie die Stirn in Falten.

»Ich werde tun, was ich kann«, versprach ihr Bruder. »Ein paar Freunde könnte ich schon gebrauchen …«

»Sei nur vorsichtig«, unterbrach ihn Baldo scharf. »Wir dürfen nicht auffallen, hörst du?« Er nickte Cristin zu. »Ich mische mich unters Volk und werde überall dort sein, wo die Bauern sich aufhalten. Unter den einfachen Leuten werden wir am ehesten etwas in Erfahrung bringen, was meinst du?«

»Das mag sein, Baldo. Ich werde über Ewa versuchen, etwas herauszubekommen, vielleicht kann sie mich anderen Bediensteten vorstellen. Außerdem plaudern Spinnerinnen und Weber gern während der Arbeit.«

Auch wenn das Gespräch alsbald wieder fröhlich dahinzuplätschern schien, bei Cristin wollte keine gute Laune aufkommen.

Obwohl Jadwigas Zustand sich rasch besserte und ihre Beschwerden nach einigen Tagen gänzlich verschwunden waren, machte Cristin sich Gedanken, was die Ursache für die immer wieder auftretende Krankheit der Königin sein könnte. Jadwiga hatte von Seelenqualen gesprochen, aber sie darauf anzusprechen, stand ihr nicht zu. Gewiss gab es andere Möglichkeiten, Näheres über Jadwigas Gemütszustand herauszufinden. Als Ewa verlauten ließ, der Wunsch der Königin nach Leibesfrucht sei wieder nicht erfüllt worden, geriet Cristin ins Grübeln. Jadwiga und ihr Mann waren schon seit vielen Jahren verheiratet und immer noch kinderlos.

Sie vermochte sich lebhaft vorzustellen, wie schmerzlich das für die Königin sein musste, bestand ihre Hauptaufgabe doch darin, für Nachkommen zu sorgen, die später einmal den Thron besteigen sollten. Jagiello, der 1384 nicht nur um ihre Hand angehalten, sondern sich somit auch um die polnische Krone beworben hatte, war seiner Gemahlin rechtlich ebenbürtig. Cristin hatte gehört, dass es bei Königen durchaus üblich war, sich unter den Hofdamen eine oder mehrere Mätressen zu halten, und sie hatte keinen Grund, daran zu zweifeln, dass auch Jagiello so verfuhr und längst etliche königliche Bastarde in die Welt gesetzt hatte. Aber das war nicht dasselbe. Ein Kind für Jadwiga musste her. Auch Lukas und sie hatten lange auf den ersehnten Nachwuchs gewartet, bis Elisabeth auf die Welt gekommen war. Auf den Schultern dieser Königin lastete jedoch die Verantwortung für ein ganzes Volk. Vielleicht sollte ich ihr Tränke bereiten, die ihre Fruchtbarkeit steigern, dachte Cristin. Piet hatte ihr erzählt, ihre Mutter habe damals einigen jungen Frauen helfen können. Nein, solange Jadwiga sie nicht darum bat, wäre das ein ungehöriges Eingreifen in das Privatleben des Königspaares.

Jagiello war nach Aussagen einiger Bediensteter in einen ständigen Machtkampf mit seinem Vetter Vytautas eingebunden und hatte bereits Teile Litauens an ihn abgeben müssen. Jadwiga und er begegneten sich nur selten, außerdem schien das Herrscherpaar nicht viele Gemeinsamkeiten zu haben. Während ihr Mann um Macht und Ruhm rang, war es der tiefgläubigen Regentin ein Bedürfnis, sich um die Kranken und Ausgestoßenen ihres Volkes zu kümmern und ihnen Mut und Trost zuzusprechen. Dies tat sie mit einer Hingabe, die so manchen Medicus den Kopf schütteln ließ. Sie solle sich schonen, hieß es dann, doch die Königin wollte nichts davon wissen. »Diese Menschen brauchen mich«, widersprach sie den gut gemeinten Ratschlägen und fuhr mit ihrer Arbeit fort.

Auch Cristin beobachtete mit Besorgnis, wie die Königin selbst jetzt, da sie kaum genesen war, sogleich wieder ihre Reisen durch Polen aufnahm, um Kranken- und Armenhäuser zu besuchen. Außerdem hatte sie vor, die Krakower Akademie auszubauen, denn die Entwicklung der einst in ganz Europa bekannten Forschungs- und Lehranstalt stockte schon seit Längerem.

»Menschen brauchen Bildung, Cristin«, erklärte Jadwiga ihr bei einem ihrer Spaziergänge durch den Garten. »Nur gebildete Menschen können weise Entscheidungen treffen, deshalb möchte ich, dass Philosophen und Theologen, Mediziner und Astronomen zu uns kommen und am *Collegium Maius* lehren.«

10

Immer heftigere Stürme peitschten über das Land und versetzten die Baumwipfel rund um die königliche Burg in wilde Tänze. Schneidend kalter Wind drang durch die Fenster und Türen, als wolle er die Bewohner an seine Macht erinnern. Als auch noch Regen aufkam und die Weichsel über die Ufer trat, zogen sich die Ritter und Hofdamen trübselig in ihre Kammern zurück, während die Bediensteten jenen Aufgaben nachgingen, die über den Sommer liegengebliében waren und die es zu erledigen galt, bevor der Frost einsetzte. Fleisch wurde getrocknet oder geräuchert, um es haltbar zu machen, Bier musste für die langen Winternächte gebraut werden, Knechte schleppten Holz und Torf für die Feuerstellen herbei. In der Küche duftete es nach Pasteten und Kräutern, und die Mägde hatten alle Hände voll zu tun, um Kleider zu flicken oder neue zu weben.

Am vergangenen Abend hatte die Königin Cristin erzählte, dass Jagiello Günstlinge und Verbündete zu einer Jagd in den königlichen Wäldern eingeladen hatte, um die Speisekammern des Wawel mit Wildschwein- und Hirschfleisch zu füllen. Cristin, die nichts für die Jagd übrighatte, beobachtete mit unverhohlener Abscheu vom Fenster ihrer Kammer aus, wie etwa zwei Dutzend Männer – mit Sauspießen und langen Jagdmessern bewaffnet und umringt von einer Meute Hunde – vom Schlosshof ritten. Jagiello saß hoch erhobenen Hauptes auf seinem Schimmel und führte den Jagdtrupp an. Cristin wunderte sich längst nicht mehr über die Traurigkeit, die Jadwiga umgab. Wie einsam musste das Leben an der Seite eines Mannes sein, dessen Denkweise sich so sehr von der ihren unterschied? König und Königin, nur verbunden durch Allianzen und Strategien.

Cristin schaute der Jagdgesellschaft hinterher, bis Reiter und Hunde um eine Kurve der steilen Straße bogen und nicht mehr zu sehen waren. Nur das aufgeregte Bellen der Bracken war noch zu hören, das der frische Wind zu ihr herauftrug. Sie schloss das Fenster und wandte sich um, als ein Brennen in ihrem Leib aufstieg. Im Jahr zuvor hatte sie beim Einsetzen der ersten Stürme in der Werkstatt der Goldspinnerei gearbeitet, während sie die leisen Bewegungen des Kindes in ihrem Leib gespürt hatte. Cristin fuhr sich mit der Zunge über die trockenen Lippen. Wenn ich in diesem Moment vor ihr stünde, würde sie dann wissen, wer ich bin? Würde sie die Ärmchen nach mir ausstrecken, um mich voller Freude zu begrüßen? Oder würde sie mich nicht beachten, weil ich eine Fremde für sie wäre?

Die Tür öffnete sich, und Baldo trat mit Lump herein, der sich sogleich freudig winselnd zu ihren Füßen niederließ.

»Hier steckst du also! Piet und Janek suchen dich auch schon. Wir wollten doch das neue Brettspiel ...« Er legte den Kopf schief. »Stimmt etwas nicht?«

Sie beugte sich hinunter und kraulte die Ohren des Hundes. »Nein, es ist nichts. Ich ... ich fühle mich hier nur so unnütz. Wie leid ich es bin, mich den ganzen Tag bedienen zu lassen. Mir fehlt eine Aufgabe, damit ...«

Baldo trat näher. »Damit was?«

»Schon gut. Ich komme gleich. Geh ruhig schon vor.«

Plötzlich stand er dicht vor ihr, und sein Atem streifte ihre Wange. Ihr Herz klopfte schneller.

Er hob ihr Kinn. »Warum sagst du mir nicht die Wahrheit? Hast du kein Vertrauen mehr zu mir?«

Sie wagte nicht aufzublicken, sonst würde sie wieder den Wunsch verspüren, sich an seine Schulter zu schmiegen. Sein vertrauter Duft würde ihr für einen Moment das Gefühl von Geborgenheit geben, ein wenig Licht, das die Dunkelheit in ihr erhellen könnte. All das wollte sie nicht.

»Welchen Sinn soll es haben, dir von Dingen zu erzählen, die niemand von uns ändern kann?« Ihre Stimme wurde heiser. »Geh zu Piet und Janek. Ich werde Elsa, eine der Spinnerinnen, fragen, ob sie Hilfe brauchen kann. Ich komm bald nach.«

Seine Züge versteinerten. »Wie du willst«, murmelte er, pfiff Lump an seine Seite, der widerwillig gehorchte, und ging steifen Schrittes hinaus.

Cristin sank auf einen Sessel und starrte in die Luft, bis ihr rasend klopfendes Herz sich wieder beruhigt hatte. Warum nur reagierte sie immer wieder so auf ihn? Wie sehr sie gehofft hatte, diese Augenblicke wären nur sentimentale Gefühle gewesen, das einfache Bedürfnis einer Frau nach Schutz und Zuneigung in einer rauen Zeit. Sie musste sich diese seltsamen

Empfindungen aus dem Kopf schlagen, schließlich war sie Witwe, und das seit nicht einmal einem Jahr. Ein Seufzen entrang sich ihrer Brust. Wie stickig es in der Kammer war! Sie erhob sich und nahm ihr verschwitztes Kopftuch ab, das aus feinstem Linnen und am Saum mit Blumenranken umstickt war. Cristin kämmte sich die Haare, die ihr inzwischen knapp bis über die Ohren reichten, nahm ein zweites, ähnlich gearbeitetes Stück und band es fest.

Energisch verdrängte sie ihre beunruhigenden Gedanken. Baldo war ihr Vertrauter, ihr Retter und Freund, nicht mehr. Sie hatten einander belogen und verletzt, sich jedoch auch in Gefahr und Not getragen und gestützt. Der Herr hatte es so gewollt, dass sie durch die Wirren des Schicksals auf Gedeih und Verderb aufeinander angewiesen waren. Selbst wenn Baldo irgendwann eine Frau fand, mit der er eine Familie gründete, würde er immer ein Teil ihres Lebens bleiben. Gedankenvoll glättete sie ihr Gewand. Aber war es das, was sie wirklich wollte? Sie horchte in sich hinein. »Ich wünsche dir alles Glück der Welt, Baldo Schimpf«, flüsterte sie. Aber *sie* begehrte keinen Gemahl, weder an diesem Tag noch für die Zukunft. Alles, was sie wollte, waren Gerechtigkeit und Wiedergutmachung. Lukas' Mörder musste gefunden werden, damit sie die Goldspinnerei fortführen konnte, und sie wollte Elisabeth endlich zu sich holen. Damit wäre sie für den Rest ihres Lebens zufrieden.

Außerdem wusste sie oft nicht, was in Baldo vorging, warum er ihr an einem Tag voller Wärme begegnete und am nächsten aus dem Wege ging. Wieso also erwartete er von ihr Offenheit, wenn er sich selbst vor ihr verschloss?

Leise zog sie die Tür hinter sich ins Schloss, lief eine Treppe hinunter und wandelte durch die mit Fackeln erleuchteten Hallen. Mit dem Trübsalblasen musste endlich Schluss sein, auf einer Burg gab es schließlich genug zu tun. Danach würde sie wie sonst auch mit einem Lächeln auf den Lippen zu den anderen zurückkehren und versuchen, ihr Herz vor den neuen Empfindungen zu verschließen. Nun galt es, sich an das Wesentliche zu erinnern, den Grund, warum sie ins polnische Reich gereist waren. Selbst nach all den Wochen, die sie nun schon bei Hofe weilten, waren sie noch immer keinen Schritt weiter, was die Verschleppung der Mädchen und Lüttkes Beteiligung daran anging. Niemand schien etwas von verschwundenen Mädchen zu wissen. Wen auch immer sie gefragt hatten, hatte einsilbig oder schulterzuckend geantwortet, ihnen nicht weiterhelfen zu können. Entweder wurde tatsächlich niemand vermisst, oder die Mädchen waren so entbehrlich, dass es nicht auffiel. Wie seltsam. Sie musste mit Piet sprechen, vielleicht wusste er Rat. Allerdings bekam sie ihren Bruder seit einigen Tagen immer seltener zu Gesicht. Bei einem seiner Ausflüge nach Krakow hatte er ein Mädchen kennengelernt, die Tochter eines Kupferschmieds. Cristin hatte sofort gespürt, dass sich eine Veränderung an ihm vollzog, denn er suchte plötzlich Jadwigas Badehaus regelmäßig auf. Außerdem frisierte und schminkte er sich so sorgfältig, dass Cristin ihm kopfschüttelnd hinterherblickte, wenn er ohne weitere Erklärungen den Wawel für Stunden verließ.

Die Spindel in Cristins Hand tanzte auf und ab. Elsa saß neben ihr am Spinnrad und sang eine fremde Weise, während sie dem Rauschen des Windes lauschte. Der Sturm hatte nachgelassen, doch die kalte Luft, die durch die Ritzen der Tür zur Hofspinnerei drang, kündete einen frühen Winter an. In der Kammer herrschte ein angenehmes Halbdunkel, und Elsas Gesang verbreitete eine gelassene, beinahe fröhliche Atmosphäre. Cristin schaute auf ihre Hände. Die Wollfasern in ihrer Linken erinnerten sie an den Umhang, den sie vergangenen Herbst für Lukas gefertigt hatte, er war aus der gleichen Wolle hergestellt worden. Während sie die Spindel mit geübten Bewegungen bediente, tauchten vor ihren Augen Bilder auf …

Mit angezogenen Beinen saß sie auf einem Sessel, den sie nahe Elisabeths Bettchen aufgestellt hatte. Ihr war kalt, so kalt, dass sie meinte, von innen her erstarren zu müssen. Elisabeth.

Ihretwegen musste sie am Leben bleiben und für sie sorgen. Mit brennenden Augen sah sie zu dem schlummernden Kind hinüber. Sie fürchtete sich vor dem Schlaf, denn dann würden die letzten Augenblicke vor Lukas' Tod zurückkehren und sie quälen. Alle Tränen waren versiegt, was blieb, war Leere. Mit steifen Gliedern erhob sie sich und nahm seinen Umhang vom Haken. Sie schlang ihn eng um den Leib und hüllte sich darin ein. Sein Duft hing noch in den Wollfasern, besonders am Kragen. Tief sog sie den Geruch ein, der für sie Liebe und Nähe bedeutete, wobei die weiche Wolle sie am Hals kitzelte. Das Gesicht in dem Stoff vergraben, verharrte sie, bis sich der Morgen über die Kammer senkte.

Sie fuhr zusammen und zog im letzten Moment an der Holzspindel, bevor diese auf dem Steinboden zerschellen konnte. Elsa lächelte ihr zu. Das rundliche Gesicht der Spinnerin, die gut und gern ihre Mutter hätte sein können, war von Falten durchzogen, doch ihre Finger waren flink wie die eines jungen Mädchens. Cristin erwiderte das Lächeln und wandte ihre Aufmerksamkeit wieder der Handspindel zu, aber das Besinnen auf die sich ständig wiederholenden Arbeitsschritte fiel ihr schwer.

Nie mehr möchte ich einem Mann so nahe sein, nur damit ich ihn dann erneut verliere. Ich könnte es nicht ertragen, dachte sie.

Baldos vertrautes Antlitz drängte sich ihr ungewollt auf. Sie hatte sich einfach zu sehr an seine Anwesenheit gewöhnt, und es wurde Zeit, sich das einzugestehen. Nur wo sollte er hin? Nach Lübeck zurück, dort, wo die Häscher des Vogts nur darauf warteten, ihn gefangen zu nehmen? Selbst wenn es Baldo und ihr gelingen sollte, Lukas' Mörder zu stellen und somit ihre Unschuld zu beweisen, in der Stadt würde er das Amt des Scharfrichters übernehmen müssen, wenn sein Vater zu alt wäre, um die Verurteilten mit sicherer Hand ins Jenseits zu befördern. Der Gedanke ließ sie schaudern. Er muss hier in Polen bleiben, überlegte sie. Unter Jadwigas Schutz.

11

Emmerik Schimpf starrte mit offenen Augen an die Zimmerdecke. Sein nichtsnutziger Sohn war immer noch nicht nach Hause zurückgekehrt, obwohl er geglaubt hatte, dass Baldo schon bald wieder reumütig vor der Tür stehen würde. Als Vater wäre es seine Pflicht gewesen, Baldo zu züchtigen, kräftig sogar, außerdem hätte der Bengel sich vor dem Vogt für seine Tat verantworten müssen. Ein oder zwei Jahre in einer Zelle der Fronerei wären ihm sicher gewesen, doch Emmerik hätte seinem Sohn verziehen und ihn wieder bei sich aufgenommen, wenn dieser seine Strafe hinter sich gebracht hätte. Nun war alles anders gekommen. Was für ein verdammter Sturkopf! Lange Zeit hatte ihn Zorn bewegt, wenn er an Baldo dachte, aber nun, viele Monate später, musste der Scharfrichter sich widerwillig eingestehen, sich in ihm getäuscht zu haben. Die beiden Männer, die er beauftragt hatte, nach Baldo zu suchen, hatten Cristin Bremer in Hamburg entdeckt. Leider war sie ihnen im Gewühl des Marktplatzes entwischt. Seinen Sohn hatten die Kerle nicht gesehen, aber Emmerik war sich sicher: Die beiden waren zusammen unterwegs. Er grinste. Die Frau war ja auch eine reizvolle Person. Schon bei der Hinrichtung war ihm ihr verführerischer Leib aufgefallen, fast wie Maries, der Frau, die neben ihm lag. Während er ihren runden Hintern streichelte, dachte er an die Begegnung in dem kleinen Zelt zurück. Er hatte Cristin nicht sofort erkannt, wenngleich sie ihm bekannt vorgekommen war, denn die Verkleidung als Zigeunerin war äußerst gelungen gewesen. Doch dann war ihm ein Licht aufgegangen. Leider zu spät, denn da hatten die beiden Lübeck schon wieder verlassen. Nicht lange darauf hatte er Marie kennengelernt, die zwar nicht sonderlich hübsch, aber fröhlich und arbeitsam war. Außerdem störte sie sich nicht daran, wer er war. Sie hatte ein wenig Licht in sein Leben gebracht und freute sich, wenn er freundlich zu ihr war.

Als hätte die junge Frau es gehört, drehte sie sich zu ihm um, drückte sich enger an ihn heran und schlief weiter. Ihre scheue Zuneigung stimmte ihn milder, besänftigte seine Seele. Dieser junge Kerl aus der Gropengrove, der Bettler, dem er neulich eine Münze zugesteckt hatte, vielleicht sollte er den Kerl noch einmal aufsuchen… Er gäbe sicher einen guten Gehilfen ab. Einen, der sein Erbe eines Tages übernehmen könnte. Überrascht, weil er sich auf einmal leichter fühlte, schloss er die Augen.

Wladislaw II. Jagiello, König von Polen, und seine Gemahlin Jadwiga hielten eine Audienz, weshalb es im Thronsaal des Wawel von Menschen jedes Standes wimmelte. Festlich gekleidete Fürsten und Grafen aus nah und fern waren ebenso erschienen wie einfache Bauern und Bürger, und nun wartete alles gespannt auf die Ankunft des Herrscherpaares. Cristin verfolgte mit großen Augen das Treiben, und ihr Gefühl, hier fremd zu sein, wurde noch durch die unterschiedlichen Sprachen und Dialekte verstärkt, die an ihre Ohren drangen. Der Saal, in dem Baldo und sie standen, war der größte Raum, den sie jemals gesehen hatten, und mochte einige Hundert Menschen fassen. So viele hatten sich wohl auch versammelt, um ihre Königin und den König zu sehen.

Cristin hielt nach Piet und Janek Ausschau, konnte sie aber nirgends entdecken. Der Junge würde sich die Gelegenheit, die Königin zu sehen, bestimmt nicht entgehen lassen. Sie lächelte. Aus Janeks Miene war der Schock über die Erlebnisse in seinem Heimatdorf allmählich gewichen, und sie hörte ihn beim Spielen immer häufiger hell auflachen, ein Geräusch, das ihr das Herz erwärmte. Jeder am Hof hatte ihn lieb gewonnen, obwohl er nach wie vor wenig sprach, denn der Junge war aufgeweckt und lernte schnell. Besonders angetan hatten es ihm die Pferde der Königin. Wann immer er sich davonstehlen konnte, fand man ihn bei den Stallungen, wo er mit roten

Wangen und leuchtenden Augen den Stallburschen bei der Arbeit zusah. Lump gesellte sich oft zu ihm und machte sich einen Spaß daraus, die Katzen rund um den Besitz zu jagen, während Janek sich Mühe gab, niemandem im Wege zu stehen, und sich stets abseits hielt. Als Cristin ihn eines Tages dort besucht hatte, fand sie ihn bei einem der gutmütigen Arbeitstiere. Er hatte dem Schmied geholfen, die Vorderhufe des Pferdes zu halten, obwohl der Huf des robusten Tieres dicker war als sein Oberschenkel. Cristin staunte, mit wie viel Geschick der Junge dem Mann zur Hand gegangen war. Offenbar hatte Janek etwas gefunden, was ihn glücklich machte.

Cristin rückte näher an Baldo heran, der neben sie getreten war und unruhig von einem Fuß auf den andern wechselte. Er wich zurück und verschränkte die Arme hinter dem Rücken. Verwirrt sah sie zu ihm auf, doch er hielt seinen Blick starr geradeaus gerichtet, und so zuckte sie mit den Schultern und reckte den Hals. Direkt vor ihr stand eine Matrone mit hochgetürmten grellblonden Haaren, über die sie einen Schleier gelegt hatte. Offensichtlich hatte die Frau ihr Haar mit Kamillentee und Apfelessig hell gefärbt und dabei etwas zu viel des Guten erwischt. Der Stoff ihres samtenen Gewandes raschelte bei jeder Bewegung, und sie verbreitete einen süßlichen Duft, der Cristin zum Niesen reizte. Ein Mann an ihrer Seite mit einem teuren Stoffhut auf dem sonst kahlen Kopf und einem Leibrock, der sich bedrohlich um den gewaltigen Bauch spannte, gestikulierte wild mit einigen umstehenden Männern. Nervös wischte er sich dabei immer wieder über die feuchte Stirn. Cristin verstand nicht, was gesprochen wurde, doch die Hitzigkeit des Gesprächs ließ auf Schwierigkeiten schließen.

Inzwischen war es dunkel geworden, und man hatte zahllose Fackeln an den mit großformatigen Gobelins geschmückten Wänden entzündet. Das flackernde Licht ließ die detailgetreuen Jagdszenen – Reiter, die Hirschen und Bären nachjagten – fast lebendig erscheinen. Cristin schaute sich um. Der Schein der Fackeln tauchte die Gesichter der Anwesenden in warmes Licht, allerdings konnte es nicht über die angespannte Atmosphäre hinwegtäuschen, die Cristin deutlich wahrnahm. Sie griff nach Baldos Hand, um ihn durch die Menge in Richtung der großen, geöffneten Flügeltüren zu lotsen, doch er schüttelte sie ab. Was war nur mit ihm los? Vermutlich fühlte er sich zwischen den vielen Menschen ebenso unwohl. Sie blieben vor den Türen stehen, und Cristin atmete erleichtert aus, denn ihre Beklemmung ließ nach.

Baldo pustete sich Luft zu. »Was mag hier vor sich gehen?«, murmelte er. »Die herausgeputzten Pfauen scheinen aufgebracht zu sein. Das riecht förmlich nach Ärger.«

Cristin nickte. »Warten wir ab, was geschieht, wenn Jadwiga und ihr Mann den Saal betreten.«

Von ihrem Standort aus hatte sie eine gute Übersicht über einen Großteil des Saales. In einer Ecke stand eine kleine Gruppe ärmlich gekleideter Männer, augenscheinlich Bauern. Ein Greis mit struppigen Haaren stützte sich schwer auf den Arm eines jungen, hohlwangigen Mannes und sprach auf ihn ein. Die beiden wurden von ihren auffallend stillen Frauen und einer kleinen Schar Kinder begleitet, die wegen ihrer gesenkten Köpfe einen unsicheren Eindruck machten. Cristin folgte dem verstohlenen Blick einer jungen Mutter. Ganz in ihrer Nähe stand ein hagerer Kleriker in einer fein gewebten Leinenrobe. Das kahle, nur von einem dünnen Haarkranz umgebene Haupt erhoben, beobachtete er scheinbar unbeteiligt das Geschehen, doch Cristin bemerkte ein leichtes Lächeln, das seine Lippen umspielte. Dass der Stolz und die Strenge, die der Priester ausstrahlte, die junge Frau verunsicherten, konnte Cristin gut nachempfinden.

Auf der anderen Seite des Thronsaals konnte sie nun auch die Gestalten von Piet und Janek ausmachen. Neben ihrem Bruder stand ein Mädchen mit einem dicken Zopf, der ihm bis zu den Hüften reichte. Das musste die junge Frau sein, von der ihr Bruder ihr erzählt hatte. Die beiden schienen in ein angeregtes Gespräch vertieft, und Piet, der an diesem Abend auf seine Narrenmaske verzichtet hatte, beugte sich gerade zu ihr hinunter, gewiss, um sie trotz des Stimmengewirrs verstehen zu können. Seine Miene wurde weich, während er dem Mädchen in die Augen sah. Janek, der neben Piet stand, hatte Cristin entdeckt und winkte ihr zu. Sie hob die Hand und winkte zurück.

In diesem Moment kündigte ein Herold den König und seine Gemahlin an, und ein Raunen ging durch die Menge. Die Menschen verstummten und verbeugten sich, während Wladislaw Jagiello und Jadwiga den Saal betraten und in den mit rotem Samt bezogenen Thronsesseln Platz nahmen. Cristin gab Baldo einen Wink, sich ebenfalls zu verbeugen, was er mit leisem Widerspruch tat. Wahrscheinlich schmerzte ihn das Bein, seit die Temperaturen gesunken waren.

Mit einem Kopfnicken gab der König den Anwesenden zu verstehen, sie sollten sich erheben. Jadwiga und Jagiello machten eine wahrhaft königliche Figur, in ihrer kostbaren Kleidung und mit den hell schimmernden, mit Edelsteinen besetzten Kronen. Jagiello, um einiges älter als seine Gemahlin, wirkte mit seiner hohen Stirn, den dünnen, bis auf die Schultern herabhängenden Haaren und der langen, gekrümmten Nase wie ein Vogel in der Mauser. Cristin senkte den Kopf und biss sich auf die Lippen, um das Kichern, das ihr bei dem Gedanken in der Kehle hochzusteigen drohte, zu unterdrücken. Erst als sie sich gefasst hatte, traute sie sich aufzusehen. Eines musste sie ihm allerdings zugestehen: Jagiellos herrischer Blick und das stolz erhobene Haupt ließen keinen Zweifel an seiner Position aufkommen. Er schien kein Mann zu sein, der Spaß verstand, doch vermutlich brachten die Wirren der Politik und die Last seines Amtes dies mit sich und hatten ihn zu dem gemacht, was er war. Jadwiga an seiner Seite, begrüßte er die Anwesenden mit einem freundlichen Lächeln.

Einer nach dem anderen trat nun vor das Herrscherpaar, um sein Anliegen vorzubringen. Mal waren es Streitigkeiten benachbarter Bauern, die es zu schlichten galt, dann wieder Neuigkeiten aus den umliegenden Reichen, die geschildert und beratschlagt werden mussten. Während die Zeit nur langsam verstrich, lehnte sich der König von Polen und Litauen in seinem Thronsessel zurück und gähnte hinter vorgehaltener Hand. Cristin zog Baldo mit sich, denn sein gequälter Gesichtsausdruck machte ihr deutlich, wie schwer ihm das Stehen fiel. Als sie sich zu Janek, Piet und dem blonden Mädchen gesellten, tastete der Junge nach ihrer Hand, und sie schloss die Finger um seine.

»Meine Lieben. Darf ich euch Marianka vorstellen?« Er lächelte ein wenig verkrampft. »Marianka, dies ist meine Schwester… Agnes. Wir haben uns erst vor kurzer Zeit wiedergefunden. Und Adam… unser Bruder.«

Cristin erkannte, wie schwer ihm diese Worte fielen. Dieses Mädchen musste ihm etwas bedeuten, denn ansonsten vermischte er Wahres und Unwahres mühelos, wenn es notwendig war.

Mariankas dunkle Augen strahlten im Schein der Fackeln. »Wie schön, euch kennenzulernen.«

Cristin fühlte sich sofort zu der jungen Frau hingezogen. Mariankas Fröhlichkeit wirkte ansteckend, und die Art, wie sie Piet in die Augen sah, verriet Cristin, dass seine Gefühle erwidert wurden.

»Du sprichst unsere Sprache?«, fragte sie erfreut.

Marianka nickte. »Meine *matka* war Deutsche. Sie folgte meinem Vater hierher, damit er die Werkstatt seines Vaters übernehmen konnte.«

Baldo wies auf die Gestalt des Klerikers unweit von ihnen. »Du kennst doch sicher diesen finsteren Gesellen dort, Marianka, oder?«

»Meinst du den Priester dort? Sein Name ist Bozyda. Der Mann ist hier sehr…« Sie suchte nach dem passenden Wort.

»Angesehen?«, half Piet.

Sie nickte. »Ja. Angesehen.«

»Hoheit, ich bitte Euch untertänigst…« Eine heisere Männerstimme ließ die junge Frau verstummen.

»… Ihr möget uns einen Teil der Steuern erlassen.«

Cristin stellte sich auf die Zehenspitzen und erkannte einen Bauern in den besten Jahren, dessen krummer Rücken von lebenslanger Arbeit zeugte. Hinter ihm stand seine Familie, die ihm mit kleinen Gesten Mut zusprach.

»Deine Bitte ist kühn«, entgegnete Jagiello. »Warum sollten wir dies tun? Sprich.«

Eine verhärmte Frau gab dem Mann einen Schubs, und er sank auf die Knie.

»Wir sind treue und ergebene Gemüsebauern, Majestät. Unser bescheidenes Stück Land liegt auf der anderen Seite der Weichsel. Nun hat Ungeziefer unsere Felder heimgesucht, und die Hälfte unserer Ernte ist vernichtet. Bitte gewährt uns einen Teilerlass, denn wir können die Steuern nicht bezahlen.«

Im Saal wurde es still. Alle Augen waren auf den Mann gerichtet, der seine Bitte mit gesenktem Haupte vorgetragen hatte. Cristin hielt den Atem an, während Jadwiga und Jagiello sich miteinander berieten. Der König winkte jenen würdig aussehenden Priester zu sich, den Cristin schon vorher bemerkt hatte.

Nach einer Weile erhob sich Jagiello. »Wir verkünden: Ihr seid tugendhaft und huldigt dem Allmächtigen. Deshalb gewährt Unsere Majestät euch Aufschub bis zur nächsten Aussaat. Und nun hinfort mit euch.«

Ein Raunen ging durch die Menge, als die Gruppe nach einer tiefen Verbeugung den Saal verließ. Während andere ihre Bitten vortrugen, musterten sich Baldo und Cristin in stummem Einverständnis.

»Lass uns gehen, Mädchen«, flüsterte er ihr ins Ohr. »Ich habe genug gesehen.«

Sie hatten sich bereits von den anderen verabschiedet, als Unruhe ausbrach. Aus dem Augenwinkel konnte sie erkennen, wie sich die Gruppe ärmlich gekleideter Leute, die in der Nähe des Kirchenmannes gestanden hatte, einen Weg zum Thron bahnten, um vor dem Königspaar stehen zu bleiben.

»Was hast du vorzubringen, guter Mann?« Jadwiga, die in ihrem dunklen Gewand sehr schmächtig wirkte, musterte den jungen Bittsteller ernst.

Einen winzigen Moment lang durchfuhr Cristin der unsinnige Gedanke, die Krone und der prächtige Thronsessel wären zu groß für sie, doch sie wusste, die Königin war sehr wohl imstande, mit ihrer ruhigen Stimme den Audienzsaal auszufüllen.

Der Mann, der den Greis mit dem Arm stützte, stand nun vor Jadwiga und verbeugte sich. »Verehrte Königin. Im Namen meiner Familie bitte ich, auch uns einen Teil der Steuern zu erlassen, wie Ihr es in Eurer Gnade bei dem treuen Bauern tatet. Unsere Schafe, die auf Eurem Land grasen, waren krank. Viele Tiere sind verendet, und ich werde nicht genügend Felle und Fleisch verkaufen können, um die Bäuche meiner Familie im Winter zu füllen …« Der Schafhirte brach ab, die Schultern des alten Mannes bebten.

Sofort scharten sich die Berater sowie der Priester um das Regentenpaar, und jeder von ihnen versuchte sich Gehör zu verschaffen. Cristin spürte einen schalen Geschmack im Mund. Janek, der sich sichtlich langweilte, zerrte an ihrer Hand.

»Die kenne ich! Das sind Heiden!«, schrie plötzlich eine Adelige und zeigte mit ihrem Fächer auf die Familie. »Sie verhöhnen den Herrn, indem sie seine Gesetze missachten!«

Cristin zuckte unter den rüden Worten zusammen.

Ausrufe der Entrüstung wurden laut. Die Damen steckten ihre Köpfe zusammen und tuschelten, während eine Anzahl von Männern sich versammelte und die Gruppe abschätzig betrachtete.

»Tretet vor!« König Jagiello erhob sich. Seine Miene war undurchdringlich. »Ist das wahr? Seid ihr Heiden?«

Der junge Mann begegnete dem Blick des Königs ungerührt. Seine kerzengerade Haltung und die Gelassenheit, mit der er antwortete, ließen in Cristin Bewunderung aufkommen.

»Nein, Majestät. Wir sind keine Heiden. Wir sind Juden und beten zu Jahwe, dem Gott, von dem Eure Bibel im Alten Testament spricht.«

Es schien ihr, als wehe plötzlich ein eisiger Wind durch den

Audienzsaal. Die Menschen wichen vor den Hirten zurück und bildeten einen Kreis um sie, während die Familie sich schützend um ihren Sprecher stellte. Eines der kleineren Kinder begann zu jammern und umklammerte den Hals der Mutter. Cristin schauderte. Was bewegte die Anwesenden dazu, vor diesen Menschen zurückzuweichen, als wären sie Aussätzige? Sie hatte noch nie Bekanntschaft mit Juden gemacht, aber diese Gruppe hier fiel weder durch ungewöhnliche Kleidung noch durch ungebührliches Benehmen auf.

»Was will dieses Judenpack hier? Sollen ihre Schafe doch verrecken!«, tönte es aus einer Ecke herüber.

»Ja! Werft sie hinaus!«, stimmten andere in die Rufe ein.

Baldo beugte sich zu Cristin hinunter. »Schau dir den König an«, raunte er. Der Kirchenmann und Jagiello standen dicht beieinander. Warum geboten sie dem Treiben keinen Einhalt? Wieso ließ der König die Beleidigung des Schäfers und seiner Familie zu?

»Majestät!« Eine Gruppe Adeliger trat vor. »Diese … diese Juden sorgen ständig für Ärger und passen sich uns nicht an«, ereiferte sich einer der in vornehme Kleider gehüllten Männer. »Sie verkaufen ihre Waren viel zu teuer und betrügen uns rechtschaffene Christen!«

Jagiello verzog das Gesicht. »Ihr braucht mich nicht aufzuklären«, entgegnete er scharf. »Ich weiß über dieses Volk Bescheid.«

»Hinaus mit den Christusmördern!« Die aufgebrachte Menge näherte sich der Familie. »Was haben sie überhaupt im Schloss zu suchen?« Schon wurde der Kreis um die kleine Gruppe enger, und die ersten Hände streckten sich aus, um das Geforderte in die Tat umzusetzen.

»Schweigt still!«

Alles verstummte. Jadwiga hatte eine Hand erhoben. Bleich, aber mit gestrafften Schultern stand sie neben ihrem Gemahl, und die Menschen starrten wie gebannt auf ihre Königin, in deren Augen ein Feuer zu glimmen schien. So hatte Cristin die junge Frau noch nie gesehen. Während ihr Mann sie mit gerunzelter Stirn maß, sah die Regentin dem Hirten ins Gesicht, ohne auf die Umstehenden zu achten.

»Wir, Jadwiga von Polen, Königin von Gottes Gnaden, gewähren dir Kredit in der benötigten Höhe, damit du die fehlenden Schafe ersetzen kannst!«

Ein Raunen ging durch den Saal.

Jadwigas Lippen umspielte ein freundliches Lächeln.

»Du zahlst es mir bei der nächsten Aussaat zurück.« Sie gab einem der Berater einen Wink. Mit unverhohlenem Widerwillen reichte er ihr einen ledernen Beutel, den sie dem Hirten zuwarf. »Und nun geh mit Gott.«

Der junge Mann lauschte Jadwigas Worten, fiel auf die Knie und dankte ihr leise. Die Gäste im Saal rührten sich nicht, doch ihre Gedanken schienen so laut zu Cristin herüberzudringen, dass sie meinte, sie hören zu können. Ein Skandal! Eine Demütigung! Die Königin verwies ihren Gemahl an seinen Platz! Oh ja, Cristin konnte sich die Welle der Entrüstung vorstellen, die Jadwigas Verhalten auslösen würde. Nie zuvor hatte sie so viel Hochachtung für die Königin empfunden wie in diesem Moment, als sie mit sanfter Hand für Gerechtigkeit gesorgt hatte. Cristin blinzelte zu Jagiello herüber, der mit hochrotem Kopf und Lippen so schmal wie eine Linie den Arm der Königin ergriff, um sich ohne ein Wort des Abschieds mit ihr zu entfernen.

»Puh«, entfuhr es Piet mit einem schiefen Grinsen. »Was für eine Vorstellung! So etwas bekommt man nicht alle Tage zu sehen, nicht wahr, Schwesterherz?«

Sie knuffte ihn in die Seite. »Lass uns gehen, du respektloser Narr. Die Luft hier drinnen ist stickig.«

Baldo kommentierte ihre Worte nur mit einem Nicken und ließ ihr den Vortritt. Cristin war heilfroh, den Audienzsaal hinter sich zu lassen. Janek zog sie mit sich den Gang hinunter, vorbei an goldgerahmten Gemälden, von denen Männer und Frauen mit ernster Miene auf sie herabsahen, ihrer würdevollen Haltung und der kostbaren Kleidung nach Könige und Königinnen, die vor dem jetzigen Herrscherpaar das Land regiert hatten.

Schweigend betraten sie die königlichen Gärten, die von zahllosen Feuerbecken erhellt waren. Die prächtig angelegten Rabatte und Teiche, die im Mondlicht wie verzaubert wirkten, bemerkte Cristin allerdings nicht, denn ihre Gedanken weilten bei der Königin. Mit dem gewährten Kredit hatte Jadwiga ein Zeichen gesetzt. Andere würden vermutlich folgen, um sie an diese Anordnung zu erinnern, und dieselbe Behandlung erwarten. Ihr stand ein erbitterter Kampf bevor, gegen die vorherrschende Meinung des Volkes und für die Andersgläubigen Polens. Und gegen ihren Gemahl, der ganz offensichtlich nicht der Juden bester Freund war. Cristin bekam auf einmal eine Ahnung dessen, warum die Königin ihre Anwesenheit bei der Audienz angeordnet hatte. Der Wind frischte auf, und sie wünschte, sie trüge ihren warmen wollenen Umhang statt des seidenen, der zu ihrem Gewand gehörte.

Piet legte ihr den Arm um die Schulter. »Jadwiga ist nicht nur wunderschön, sondern auch eine Kämpferin, nicht wahr? Hoffentlich steht sie damit nicht allein.«

Verblüfft sah Cristin auf. »Hast du meine Gedanken gelesen, Bruder?«

Er klimperte mit seinen langen Wimpern wie ein Mädchen auf Brautschau. »Ich höre sie einfach zuweilen.«

Cristin lachte und schmiegte sich an ihn.

»Ich gehe zur Ruhe. Janek, kommst du mit?«, knurrte Baldo hinter ihr.

Sie wandte den Kopf. Der Junge nickte, und sie verließen einträchtig die Gärten, ohne sich noch einmal umzusehen.

»Was… warum…« Cristin ließ sich auf eine Bank sinken und verfolgte, wie das Portal geöffnet wurde und die beiden im Inneren der Burg verschwanden. Piet und Marianka setzten sich zu ihr.

»Lass ihn, Schwesterchen.«

Sie antwortete nicht. Schon den ganzen Tag über war Baldo so seltsam gewesen. Merkte er denn gar nicht, wie sehr er sie damit verletzte? Je öfter sie sich bei dem Wunsch ertappte, ihn zu halten und zu liebkosen, desto weiter schien er von ihr abzurücken, als wäre ihre Gegenwart ihm lästig. Vielleicht bin ich das ja auch, durchfuhr es sie. Vielleicht bin ich ihm ebenso lästig wie die nicht enden wollende Flucht und der Aufenthalt in einem Land, das nicht das seine ist. Die Kehle wurde ihr eng, und es drängte sie, ihrem Bruder von ihren Gedanken zu erzählen. Diese Nacht war allerdings nicht der richtige Zeitpunkt für eine ernste Unterhaltung, wie sie mit einem Seitenblick auf das junge Paar feststellte, dessen Hände sich zärtlich umfangen hielten. Marianka plapperte munter von ihrer Familie, den kleinen Geschwistern und der Arbeit auf den Märkten der Umgebung, aber Cristin war zu aufgewühlt, um dem Gespräch folgen zu können, und verabschiedete sich bald.

12

Als Cristin nach einer unruhigen Nacht das Bett verlassen, sich gewaschen und angekleidet hatte, schaute sie gedankenverloren aus dem Fenster. Der Herbst hatte Einzug gehalten, rot und gelb verfärbte Eichen- und Buchenblätter glänzten feucht im Dämmerlicht, und der Boden war mit Reif bedeckt. Nicht mehr lange, und Väterchen Frost würde seine eisigen Finger ausstrecken, die Landschaft mit Eis und Schnee überziehen und die Straßen und Wege unpassierbar machen. Cristins Stimmung sank, denn sie hatte gehofft, längst mehr über Lynhards und Lüttkes Machenschaften in Polen herausgefunden zu haben, um noch rechtzeitig vor dem Gefrieren der Ostsee nach Lübeck zurückreisen und ihre Unschuld beweisen zu können. Aber alles sah so aus, als würden sich die Spuren der Verbrecher auf polnischem Boden verlieren. Wenn sie nicht bald neue Hinweise bekämen, würden sie den Winter auf dem Wawel ausharren und auf den Frühling warten müssen. Ohne Beweise jedoch war eine

Rückkehr in die Hansestadt sowieso undenkbar. Cristins Inneres zog sich krampfartig zusammen. Die Stadtbüttel würden sie gefangen nehmen, sobald sie die Tore Lübecks passierten, und der Tod wäre ihnen sicher.

Cristin blickte sich in der Kammer um, die von der Einrichtung und Größe einer Fürstin würdig gewesen wäre. Ewa, die zu ihrer persönlichen Kammerdienerin bestimmt worden war, kam auf leisen Sohlen herein, grüßte schüchtern und setzte sich nahe dem Feuer an den Webrahmen. Das Geräusch des sich rhythmisch hin- und herbewegenden Schiffchens machte Cristin unruhig. Mit zusammengebissenen Zähnen gesellte sie sich zu der jungen Frau und nahm die Arbeit an der Handspindel wieder auf, aber so sehr sie auch versuchte, gleichmäßiges Garn zu spinnen, es wollte ihr nicht gelingen. Das Gesicht des Mannes, der selbst durch ihre Träume spukte, schob sich immer drängender in ihren Geist. Baldos abweisendes Verhalten vom Vortag hatte sie in ihren Grundfesten erschüttert. Den wortkargen, doch stets verlässlichen Freund an ihrer Seite zu wissen, war für sie so selbstverständlich geworden wie die Gewissheit, dass auf die Nacht ein neuer Morgen folgen würde. Er bedeutete ihr weit mehr, als er je ahnen konnte, aber diese Erkenntnis musste sie in ihrem Herzen verschließen. Solange er nur da war. Resigniert warf sie ihre Handspindel aufs Bett und verließ die Kammer.

»Hast du Lust, uns zu begleiten, Adam?«, fragte Piet und klopfte ihm auf die Schulter.

»Was habe ich bei dem Schmied verloren? Geht allein und lasst mich in Ruhe.«

»Adam, jetzt schau doch nicht so grimmig«, erwiderte Marianka ausgelassen. »Meine Familie wird erfreut sein, dich kennenzulernen – ebenso wie Piet.« Sie warf ihrem Liebsten einen strahlenden Blick zu.

Baldo verdrehte die Augen und wollte sich zum Gehen wenden, da fasste Marianka ihn am Arm und lächelte. Seine abweisende Miene schien sie nicht zu beeindrucken.

»Ich würde mich wirklich freuen. Komm schon, ja?«

Seufzend ergab Baldo sich in sein Schicksal und lief hinter der quirligen, jungen Frau her, die sich bei ihm unterhakte wie bei einem guten Bekannten, während Piet eins seiner selbst gedichteten Lieder summte und sie den Schlosshof überquerten.

Konnte der Narr nicht endlich aufhören, ihn mit den albernen Reimen von schönen Weibern und durchtanzten Nächten zu ärgern? Baldo bereute schon, dass er sich von Marianka hatte überreden lassen. Kupferschmiede. Pah! Letztlich war es gleichgültig, ob er nun bei Hofe weilte oder die beiden begleitete. Die Sonne kämpfte sich durch die Wolken, und er blinzelte. Plötzlich jagte ein stechender Schmerz durch seinen Oberschenkel, und er war froh, sein Bein in dem Ochsenkarren ausstrecken zu können, der vor der Burg auf sie gewartet hatte. Mariankas blonder Zopf wippte, während sie ununterbrochen sprach, und entlockte ihm ein Grinsen. Die beiden passen wunderbar zueinander, dachte er mit einer Spur Ironie. Piet war den Reizen eines hübschen Weibes nie abgeneigt gewesen, daher konnte Baldo nur hoffen, er würde diesem reizenden Exemplar, das neben ihm saß, nichts versprechen, was er nicht halten konnte. Schließlich hatte Cristins Bruder seinen eigenen Aussagen zufolge schon genügend Weiberherzen gebrochen und hielt es nie lang an einem Ort aus. Aber was ging's ihn an? Liebe war etwas für Träumer oder Dichter, mit der Wirklichkeit hatte sie nur wenig gemein.

Kurze Zeit später erreichten sie Krakow am Fuß des Wawels und hielten vor einem bescheidenen, jedoch ordentlich wirkenden Haus am Ende einer Gasse. Zwei Jungen kamen herbeigerannt, rotznäsig, aber mit blitzenden Augen, und begrüßten ihre Schwester mit feuchten Küssen. Aus einem der Fenster drangen aromatische Düfte an seine Nase.

»*Matka* macht *krokiet*, Pfannkuchen mit Fleischfüllung«, erklärte Marianka und zog Piet und Baldo ins Innere des Hauses.

Die Gastfreundschaft von Mariankas Familie machte Baldo sprachlos. Niemand stellte Fragen oder beäugte ihn neugierig, stattdessen wurden sie mit den Köstlichkeiten und dem Frohsinn der Hausherrin verwöhnt, sodass Baldos Anspannung allmählich von ihm wich und er begann, die angenehme Gesellschaft zu genießen. Nach dem üppigen Mahl ließ Piet es sich nicht nehmen, seine Jonglierkünste vorzuführen und brachte damit alle zum Entzücken. Mit großen Augen verfolgten Mariankas Brüder die kleine Vorstellung. Baldo sah zu der jungen Frau hinüber, und die Blicke, die sie Piet zuwarf, sprachen eine deutliche Sprache. Ein Stich ging ihm durchs Herz, wenn er die Verliebten ansah, die in diesem gemütlichen Haus einträchtig bei der Familie saßen. Könnte er sich doch nur an seine Jugend erinnern und die Nebel des Vergessens auflösen, die ihm den Blick versperrten.

Am nächsten Tag fehlte Baldo beim Frühstück, und Piet war ungewöhnlich wortkarg an diesem Morgen. Auf Cristins Frage, wo Baldo wäre, antwortete er nur einsilbig, dieser sei schon kurz nach Sonnenaufgang mit dem Ochsenkarren, den Mariankas Vater ihm vor ein paar Tagen zur Verfügung gestellt hatte, in die Stadt hinuntergefahren. Vermutlich hielt er sich in der Kupferschmiede auf.

Cristin tunkte ihren Löffel in den Gerstenbrei. Warum hatte er ihr das nicht selbst erzählt?

»Ich darf gehen?«, riss Janek, der ihr gegenübersaß, sie aus ihren Überlegungen.

Sie sah auf. »Zu den Pferden, Junge?« Das Aufleuchten seiner Augen ließ sie lächeln. »Gehe nur.«

Janek stieß einen leisen Pfiff aus, und Lump, der unter dem Tisch gelegen hatte, trollte sich an seine Seite. Baldo hatte selbst den Hund auf der Burg gelassen? Das war wirklich eigenartig.

»Was gibt es denn so Wichtiges in der Schmiede, Piet?«, fragte Cristin. Im nächsten Moment biss sie sich wegen ihrer Neugierde auf die Lippen, doch ihr Bruder zuckte die Achseln.

Kam es ihr nur so vor, oder war da ein Blinzeln in seinen Augen?

»Ich glaube, er wollte sich die Werkstatt genauer ansehen. Mariankas Vater hat ihn eingeladen, ihm zur Hand zu gehen.«

Auch die nächsten Tage bekam Cristin Baldo kaum zu Gesicht. Wenn er zum Abendessen erschien, hatte er es meist eilig und zog sich danach in seine Kammer zurück. Auffällig waren seine ungewöhnlich entspannte, ja beinahe heitere Miene und dieses Strahlen, das von innen heraus zu kommen schien. Ob Marianka eine hübsche Schwester hatte, mit der er sich traf? Wenn schon, schließlich war er ihr keinerlei Rechenschaft darüber schuldig, wo und mit wem er seine Zeit verbrachte. Trotzdem, der Gedanke, dass es eine andere Frau in seinem Leben geben könnte, schmerzte sie von Tag zu Tag mehr.

»Warum redest du nicht mit ihm, Schwester?«, riet ihr Piet eines Morgens.

Sie schoss in die Höhe. »Hör endlich auf, dich einzumischen, und kümmere dich um deine eigenen Angelegenheiten!« Sie wandte sich zum Gehen.

Piet griff nach ihrem Ärmel, um sie festzuhalten, doch mit einer schnellen Bewegung entwischte sie ihm und ging davon, ohne ihn noch eines Blickes zu würdigen.

Glücklicherweise bot der Verlauf des Tages genügend Abwechslung, um nicht in Grübeleien zu versinken. Jadwiga reiste mit einem kleinen Trupp Vertrauter, Ritter und Zofen ab, um sich vom ordnungsgemäßen Zustand einiger Waisenhäuser in Krakow zu überzeugen. Gerüchte über mangelnde Versorgung waren ihr zu Ohren gekommen, die ihr sofortiges Erscheinen erforderlich machten. Das hatte die Königin ihr am Morgen anvertraut. Cristin überreichte ihr noch eine stärkende Kräutermischung für die Reise und verabschiedete sich, um an ihren Spinnrocken zurückzukehren.

13

Die ersten Schneeflocken fielen träge vom verhangenen Himmel und legten sich mit einem glitzernden, eisigen Hauch über die Dächer und Bäume rund um die Burgmauern. Lumps aufgeregtes Gebell und das Wiehern der Pferde, die von Stallburschen aus dem Marstall geführt und auf dem Hof bewegt wurden, drangen zu Cristin hinüber, die am Fenster ihrer Kammer saß. Die Spindel ruhte in ihrem Schoß, während sie die Idylle auf sich wirken ließ. Die kräftigen Arbeitspferde ebenso wie Jadwigas edle Rösser hatten ein flauschiges Winterfell bekommen, und die Männer zogen die Kapuzen ihrer Mäntel tief ins Gesicht, um sich vor dem beißenden Wind zu schützen. Hier, zwischen den schützenden Mauern, schienen Leid und Elend so fern zu sein wie der Frühling.

Wie leicht es wäre, mit der Vergangenheit abzuschließen, auf dem Wawel zu bleiben und ein neues, bequemes Leben als Jadwigas Heilerin zu beginnen, mit Ewa als Zofe und all den anderen Annehmlichkeiten, die sie hier genoss. Die Königin würde sie mit Freuden aufnehmen. Ein Leben ohne Furcht vor Verfolgung, jedoch voller Lügen und Ungewissheit. Wie würde Jadwiga auf ihr Geständnis reagieren, dass sie eine Entflohene war, die in ihrer Heimat wegen Mordes gesucht wurde? Sie sah zu Ewa hinüber, die am Webrahmen saß und eine leise Melodie summte. Die Polin schaute auf und lächelte. Cristin nickte ihr zu und blickte wieder auf den Hof hinaus. Wo mochte *er* nur stecken? Baldo war an diesem Morgen nicht zum Frühstück erschienen und selbst jetzt, da die Sonne schon über den roten Dächern des Palasts stand, war er immer noch nicht zurück.

Die Tür wurde aufgerissen, und die beiden Frauen schraken zusammen.

Baldo stand im Türstock, die lange Nase war rot vom Frost,

und als er eintrat, hinterließen seine schneebedeckten Stiefel kleine Pfützen auf dem Boden.

»Gott zum Gruße, werte Damen«, begrüßte er Ewa und Cristin mit einem feinen Lächeln auf den Lippen.

Cristin legte die Spindel aus der Hand und eilte zu ihm.

»Wo warst du nur, Bal... ähm, Bruder? Ich... ich habe mir schon Sorgen gemacht.«

»Ewa, würdest du uns bitte allein lassen?«, antwortete er ungerührt, ohne sie aus den Augen zu lassen.

Die Dienerin trat vom Webstuhl und ging hinaus. Mit einem Male wusste Cristin nicht, wohin mit ihren Händen, also verschränkte sie diese hinter dem Rücken.

»Du hast dir Sorgen gemacht?« Baldos Worte klangen eher wie eine Feststellung.

»Ja«, platzte es aus ihr heraus, »stell dir vor!«

Sein Lächeln wurde zu einem unverschämten Grinsen. »Wo drückt dich denn der Schuh?«

»Seit Tagen kommst und gehst du, wie es dir beliebt. Aber warum solltest du mir auch sagen, was du treibst?«

Die belustigte Miene wurde ernst, und er ging auf sie zu. Äußerlich wirkte er ruhig, doch die aufeinandergepressten Lippen zeigten ihr, wie es um ihn stand. »So ist es, Cristin. Ich komme und gehe, wie ich will. Das stört dich?« Er umfasste ihre Schultern. »Sei's drum. Nie... niemals, seit wir uns kennen, habe ich etwas gehabt, was ich für mich beanspruche. Immer hat sich alles um dich gedreht. Damit ist nun Schluss!«

Der Druck seiner Hände war fest, ebenso wie seine Stimme. Forschend betrachtete sie ihn, doch er hatte sich längst vor ihr verschlossen.

»Was willst du damit sagen, Baldo? Ich... ich verstehe kein Wort.«

»Was ich sagen will? Dass ich weiterhin über meinen Tag bestimmen werde, wie es mir beliebt. Und niemand anders, auch du nicht!« Er ging zum Fenster und blickte hinaus. »Hier gibt es nichts für mich zu tun.«

Seine Worte waren wie Dolchstiche. Cristin rang nach Luft,

um den Schmerz in ihrem Inneren zu betäuben, und trat nach kurzem Zögern neben ihn. »Habe ich dir je Vorschriften gemacht?«

Er zog sie näher an sich heran und lachte, doch es klang heiser. »Oh nein, liebste Cristin, im Gegenteil! Du hast hier ja auch eine Aufgabe. Und ach so viele Sorgen. Da ist es natürlich zu viel verlangt, wenn du dann und wann meiner gedenkst!«

Sie wollte sich aus seinem Griff befreien, aber er war stärker. »Du tust mir weh.« In ihren Augen brannten Tränen.

Mit einem Ruck ließ er sie los, und Cristin rieb sich die schmerzenden Oberarme. Was war nur in ihn gefahren? »Bitte, so war das nicht gemeint, Baldo. Ich weiß nur nicht, wieso …« Sie brach ab und suchte nach Worten. »Ich weiß nicht, warum du mir aus dem Weg gehst. Wieso sprichst du nicht mit mir?« Um ihn nicht weiter ansehen zu müssen, wandte sie sich dem Fenster zu und blickte hinaus. »Gibt es ein hübsches Weib, das auf dich wartet?« Jetzt war es heraus.

Hinter sich hörte sie ihn schnauben. »Du verstehst tatsächlich nichts.«

Die Tür schlug geräuschvoll zu, und Cristin lauschte Baldos langen Schritten, bis sie in einem der Flure verhallten. Schwer ließ sie sich aufs Bett fallen und vergrub das Gesicht in den Kissen. Was hatte er nur damit gemeint, für ihn gebe es hier auf dem Wawel nichts zu tun? Wusste er überhaupt, wie sehr sein harscher Ton sie verletzte? Wieder einmal beschuldigte er sie, selbstsüchtig zu sein. Er konnte ja nicht ahnen, wie oft sie in Gedanken bei ihm war, wie sehr sie sich nach seiner Umarmung sehnte. Wehmütig erinnerte sie sich an die Zeit, als sie noch in Eintracht miteinander gelebt hatten. Was war geschehen? Wann hatte sich das Blatt gewendet? Ganz schwach meinte sie, noch immer seinen typischen Duft im Raum wahrnehmen zu können, doch das Einzige, was an seinen kurzen Besuch erinnerte, war die kleine Lache geschmolzenen Schnees an der Tür. Du hartherziger Klotz! Nie wieder wollte ich so tief für einen Mann empfinden, niemals mehr mich einem Menschen so ausliefern. Aber dir, Baldo Schimpf, ist es gelungen, verdammt.

Ewa trat leise ein, als Cristin jedoch nicht reagierte, schloss sie die Tür wieder hinter sich und ging hinaus.

Sollte er ruhig! Wir waren wohl nur Weggefährten auf Zeit, sinnierte sie. Für seine Kameradschaft sollte sie dankbar sein, denn nie zuvor hatte jemand so viel für sie riskiert. Wenn eines Tages ihr guter Leumund wiederhergestellt war, sie Elisabeth bei sich hatte und Lukas' Mörder gestellt war, konnte sie die Sehnsucht nach Baldo gewiss überwinden. Cristin ging zum Bett, schlüpfte aus ihrem Gewand und zog die Decke über sich.

14

»Ihr habt nach mir schicken lassen, Hoheit?« Cristin sank in einen Hofknicks.

»Ja. Wir gehen spazieren.« Jadwiga gab der Kammerfrau einen Wink, die ihr sogleich einen Umhang reichte. »Leg ihn dir um. Es ist frostig heute.«

Cristin tat wir ihr geheißen.

»Ich wünsche, mit meiner Heilerin allein zu sein!«

Verblüfft beobachtete Cristin, wie die Herrscherin die Frau aus der Kammer wies, und folgte ihr durch die labyrinthartigen Flure, die im Kriegsfall als Fluchtwege dienten. Sie stiegen die steinernen Treppen hinab, und im Burghof angekommen, blinzelte Cristin in die Helligkeit der Mittagssonne.

»Ich habe uns von Juri eine Kalesche anspannen lassen«, meinte Jadwiga und deutete auf einen herrlichen Zweispänner, der vor einem der breiten Marstalltore schon auf sie wartete. »Am liebsten wäre ich geritten, aber ich wusste nicht… bist du des Reitens fähig, Agnes?«

»Leider nicht, Hoheit. In der Stadt, in der ich zu Hause bin, war das nicht notwendig.«

Jadwiga lachte fröhlich auf. »Dann wird es Zeit, dies zu ändern. Für mich gibt es nichts Schöneres, als durch unsere herrlichen Wälder und über die Felder zu reiten, das Gesicht im Wind.« Sie hob den Kopf und sah zum Himmel hinauf, wo ein Bussard auf der Jagd nach Beute kreiste. »Und frei wie ein Vogel.« Ein Schatten huschte über ihre ausdrucksvollen Züge. »Freiheit, Agnes. Auszureiten, wann immer und so lange es mir beliebt, bedeutet Freiheit für mich. Ein Privileg, das leider nur die wenigsten Menschen meines Volkes ihr Eigen nennen können.«

Cristin nickte, ein weiteres Mal verblüfft über Jadwigas Tiefsinnigkeit. Das polnische Volk konnte sich wirklich glücklich schätzen. Allerdings war da auch noch Jagiello …

»Nun komm schon. Worauf wartest du?«, unterbrach die Königin ihre Gedanken und winkte sie zu sich in die offene Kutsche.

Cristin ließ sich neben Jadwiga auf der gepolsterten, mit dunkelrotem Leder bezogenen Sitzbank nieder. Während der junge Mann auf dem Kutschbock die beiden Rappen durch das Burgtor lenkte, schwiegen die Frauen. Das leise Schnauben der Pferde, das Geräusch der Peitsche, wenn sie die Luft zerriss, und der kräftige Wind, der an ihrer Kapuze zerrte, gaben ihr eine Ahnung dessen, was Jadwiga gemeint hatte. Als sie wenig später – begleitet von zwei berittenen Leibwächtern, die der Kutsche in respektvollem Abstand folgten – die Stadt verlassen und das Waldgebiet erreicht hatten, durchbrach die Regentin die Stille.

»Bist du frei, Agnes?«

Cristin schüttelte den Kopf. »Nein, wer ist das schon?«

Die Königin legte ihre behandschuhte Hand auf ihre. »Bitte verzeih meine Neugierde, doch ich frage mich schon seit geraumer Zeit, wer du bist, wer auf dich wartet, und warum du, selbst wenn du lächelst, diesen traurigen Blick hast.«

Sie atmete tief die kalte Luft in ihre Lungen. »Ja, es gibt

jemanden, der auf mich wartet, doch ich weiß nicht, ob ich sie jemals wiedersehen werde.« Als Cristin die Tragweite ihrer Antwort klar wurde, biss sie sich auf die Lippen.

Überraschenderweise blieb Jadwiga stumm.

»Sie heißt Elisabeth, und sie ist meine kleine Tochter«, fuhr Cristin mit tonloser Stimme fort, ohne die Königin anzusehen.

Der Druck um ihre Hand verstärkte sich.

»Ich bin auf der Suche nach dem Mörder ihres Vaters, deshalb sind wir hier.« Nun war es heraus!

Sie spürte, wie sich Jadwiga neben ihr versteifte. »Sieh mich an, Agnes.«

Tränen verschleierten Cristins Sicht.

»Ich ... kann nicht. Bitte verzeiht, wenn ich Euch nicht die ganze Wahrheit erzählt habe.« Um Fassung ringend schaute sie auf ihre Hände. »In meiner Heimat in Lübeck ... für die Bürger dort bin ich schuldig. Sie wollten mich ...« Sie brach ab.

»Was wollten sie?«

»Sie wollten mich hinrichten. Adam hat mich vor dem sicheren Tod bewahrt. Ich werde erst zurückkehren, wenn ich meine Unschuld beweisen kann.«

Jadwigas Augen ruhten unvermindert freundlich auf ihr, doch die von der Fahrt zart geröteten Wangen wurden wieder durchscheinend bleich. »Heilige Mutter Gottes«, entfuhr es ihr. »Wie unglücklich musst du sein! Erzähl, liebe Agnes, und lasse nichts aus. Bei mir ist dein Geheimnis sicher.«

Cristin tat, worum die Regentin sie gebeten hatte. Selbst die Tatsache, dass Adam nicht ihr Bruder und dies auch nicht sein richtiger Name war, verschwieg sie nicht. Als sie endete, war ihre Stimme nur noch ein Hauch.

»Kutscher. Halte an! Wir wollen aussteigen.«

Die Kalesche hielt, und die Frauen stiegen in einem Eichenwald aus. Schweigend schritten sie über den gefrorenen Waldboden, jede von ihnen in ihre eigenen Gedanken versunken. Die Stille, die nur ab und zu vom Knacken eines unter der Schneelast brechenden Astes unterbrochen wurde, tat Cristins angespannten Sinnen gut, doch die Luft stach wie Eiskristalle in den Lungen.

Sie warf der Königin einen verstohlenen Seitenblick zu. War sie nicht entsetzt oder enttäuscht über ihre Lügen? Gewiss würde Jadwiga sie nun fortschicken, verdenken könnte sie es ihr wahrlich nicht.

»Du hättest dich mir früher anvertrauen können.« In der Stimme der Regentin schwang Traurigkeit mit.

Cristin schoss die Röte ins Gesicht.

»Ich weiß, Hoheit. Euch hätte ich auch zu jeder Zeit alles berichtet, aber …«

»Ich verstehe besser, als du denkst.« Mit einem Seufzen wandte die Königin sich ihr zu. »Die Höflinge, sie alle warten nur auf Neuigkeiten.« Sie blieb stehen. »Ich werde euch weiterhin Agnes und Adam nennen, damit niemand Verdacht schöpft. Du sagtest, dein Schwager wäre der Einzige, der einen Vorteil aus dem Tode deines Gatten hätte ziehen können. Hast du hier in meinem Reich seine Spur verfolgen können?«

»Leider nein«, räumte Cristin ein. »Aber wir haben eine Spur seines Freundes entdeckt. Wenn ich nachweisen könnte, dass Lynhard in diese Machenschaften verwickelt war oder ist, dann …«

»Dann gäbe es eine Möglichkeit, deine Unschuld zu beweisen«, vollendete die Königin ihren Satz. Sie legte die Hand auf Cristins Schulter. »Wenn ich dir helfen kann, will ich das gerne tun.«

Beschämt senkte Cristin den Kopf. »Majestät. Ich bin Euch von Herzen dankbar, dennoch muss ich diesen Weg allein gehen. Würden die Lübecker mir nicht ansonsten vorwerfen, ich hätte Euch beschwatzt und Eure Gunst ausgenutzt?«

Jadwiga lächelte. »Sei versichert, dass ich mich nicht so leicht ausnutzen lasse. Aber wie du meinst. Es gibt allerdings noch einen weiteren Grund, warum ich mit dir allein sprechen wollte.«

Cristin sah sie erwartungsvoll an.

»Du weißt, ich war auf Reisen, nicht wahr?« Fröstelnd zog die Königin den Mantelkragen hoch. »Ich habe großes Leid gesehen in diesen Waisenhäusern, Agnes. Kinder, um die sich niemand kümmerte, mit Augen, in denen ich keine Hoffnung fand.« Jadwiga griff nach ihren Händen. »So soll es Janek niemals ergehen, niemals, hörst du?«

»Hoheit, ich würde ihn so gern zu mir nehmen, nur …«

Diese schnitt ihr das Wort ab. »Das ist mir klar. Aber ich kenne einen Weg, wie wir verhindern können, dass der Junge ins Waisenhaus kommt.«

Cristins Herz machte einen Satz. »Wie denn?«

»Mein Hufschmied Jaromir, du kennst ihn auch. Sein Weib und er hatten einen Sohn, der leider vergangenen Winter mit nur neun Lenzen gestorben ist. Sie haben unseren Janek in ihr Herz geschlossen, wie wir alle.« Jadwigas Augen bekamen einen neuen Glanz. »Der Junge stellt sich recht geschickt an, sagte mir Jaromir. Sie würden ihn gern an Kindes statt bei sich aufnehmen. Meinst du, das würde ihm gefallen?«

Das Blut rauschte in Cristins Ohren. »Was sagt Ihr da, Majestät? Janek soll …«

Jadwigas warf den Kopf in den Nacken, und ihr Lachen klang wie das eines jungen Mädchens.

»Agnes. Zum ersten Mal seit ich dich kenne, sehe ich dich sprachlos. Herrlich, wie du ausschaust, wirklich.«

»Ihr meint … Ihr wollt …«

»Jaromir und seine Frau wünschen sich so sehr, Janek bei sich großziehen zu dürfen. Gut, sie sind nicht mehr die Jüngsten, aber gewiss liebevolle Eltern. Der Junge wird es gut bei ihnen haben, glaub mir.«

Cristin schlug die Hände vor das Gesicht, ein Schluchzen schüttelte ihren Leib.

Weiche Arme umfingen und hielten sie. »Aber, aber, warum bist du denn so betrübt? Ist dies nicht ein Grund zur Freude?« Jadwiga drückte sie an sich. »Stell dir nur vor, Janek kann bei Jaromir das Handwerk des Hufschmieds lernen. Er liebt Pferde.« Aus ihrer Manteltasche zog sie ein Leinentüchlein hervor und tupfte Cristin über die Wangen. »Nun, was sagst du zu meinem Plan?«

Diese hob die Lider. Widerstrebende Gefühle schüttelten sie hin und her wie ein Boot auf stürmischer See. »Was … was sagt Janek dazu?«

»Er weiß es noch nicht. Ich wollte erst mit dir darüber sprechen.«

»Das ist wunderbar, Hoheit. Er wird hier auf dem Wawel glücklich sein.« Warum nur hörten die Tränen nicht auf, ihr über das Gesicht zu laufen? Als Cristin sich abwandte, riss ihr ein Windstoß die Kapuze vom Kopf.

Jadwiga warf einen nachdenklichen Blick auf die kurzen Haare der Vertrauten und berührte sie am Arm. »Lass uns noch ein Stück gehen. Das wird uns guttun.«

Nur das Knirschen ihrer Schritte auf der verharschten Schneedecke und ihr Atem waren zu hören, während sie durch den Wald schritten. Cristin konnte es nicht fassen. Janek musste nicht ins Waisenhaus, er würde auf der Burg leben, inmitten einer richtigen Familie, bei Menschen, die für ihn sorgten. Und doch … Der Gedanke, den Jungen zurückzulassen, schnitt ihr ins Herz. Bald schon, wenn der Frühling Einzug hielt, würden sie aufbrechen. Heim nach Deutschland und in eine ungewisse Zukunft. Es war nur recht, den Jungen hier zu lassen – wenn er denn wollte. Doch seine Antwort kannte sie bereits. Überglücklich würde er sein.

»Ich weiß, du wirst ihn vermissen. Aber Piet, Adam und du seid jederzeit auf meiner Burg willkommen.«

Cristin sah auf. »Gott segne Euch, Majestät.« Sie scharrte mit einem Fuß einige brüchige, gefrorene Blätter beiseite. »Es ist nur … ich glaube, ich habe nie ganz die Hoffnung aufgegeben, ihn mit mir nehmen zu können. So töricht es auch sein mag.«

Jadwiga nickte nur.

»Lasst mich bitte mit ihm reden, ja? Ich habe ihn gefunden, damals nach dem Überfall der Deutschritter.«

»Natürlich, Agnes. Aber nun komm zurück zur Kutsche,

wir wollen heim. Am Nachmittag erwarte ich den König zurück, er soll angemessen empfangen werden.«

Die Worte der polnischen Regentin klangen, als würde sie in eine bittere Speise beißen.

15

»Wie hat Janek die Nachricht aufgenommen?« Piet streckte die Füße nahe dem Kamin aus, um sich zu wärmen.

»So ähnlich wie ich, Bruder. Er war überrascht und freute sich, aber später weinte er. Ich denke, er braucht Zeit, um sich an den Gedanken des Abschieds zu gewöhnen.« Cristin wandte ihre Aufmerksamkeit wieder der Handspindel zu, doch der Faden verschwamm vor ihren Augen. »Obwohl es so aussieht, als ob wir nicht allzu schnell zurückkehren könnten.« Sie blickte auf. »Es gibt keine einzige Spur, die zu Lüttke oder Lynhard führt. Nicht einen Hauch.« Mit einem Ruck erhob sie sich von ihrem Schemel und begann in der Kammer auf und ab zu wandern. »Ich fühle mich so hilflos, Piet. Irgendwo in Lübeck wartet Elisabeth auf mich. Und ich? Ich sitze hier und lasse es mir gut gehen, während diese Schurken uns an der Nase herumführen!« Sie warf ein Holzscheit in den Kamin.

»Ruhig, Schwes…«

»Ach, hör schon auf«, unterbrach sie ihn mit einer hastigen Handbewegung. »Vermutlich haben diese Verbrecher bereits andere Mädchen verschleppt, solche, die von niemandem vermisst werden. Du hast doch gehört, was sie mit ihnen anstellen!« Cristin fröstelte. »Aber du hast es gewiss nicht besonders eilig, die Heimreise anzutreten, nun, da du eine Liebste hast, habe ich recht?«

Piet, der vorher die Hände in den Schoß gelegt hatte und wirkte, als könnte er kein Wässerchen trüben, wechselte die

Gesichtsfarbe. »Nun, ja«, wich er aus. »Marianka bedeutet mir viel. Mehr, als ich je für ein Mädchen empfunden habe. Das heißt allerdings nicht, dass ich die Schweine nicht finden will, die dir das alles angetan haben, Cristin.« Er stand auf, trat zu ihr und bettete ihren Kopf an seiner Schulter. »Wart's nur ab, bis dir die Liebe begegnet...« Piet hob ihr Kinn. »Obwohl, wenn ich es recht betrachte, ist es schon geschehen, oder?« Sein Blick schien ihr Innerstes zu erforschen.

»Nein, wie kommst du darauf?«

Er grinste auf diese unverschämte Weise, die ihm eigen war. »Mir kannst du nichts vormachen, Schwester. Ich bräuchte nur in deine Gedanken...«

»Untersteh dich!« Sie entwand sich seinem Griff und trat ans Fenster. »Es ist alles so... so schwierig.«

»Sprich mit ihm.«

»Wo denkst du hin? Soll ich ihm etwa hinterherlaufen?«

Piet näherte sich ihr und strich ihr über die Wange. »Seid ihr nicht gemeinsam durchs Fegefeuer gegangen? Warum zauderst du und fragst ihn nicht selbst, was ihn quält?«

Cristin schwieg eine Weile, dann drehte sie sich zu ihm um. »Hat deine Marianka eigentlich eine Schwester?«

»Nein, nur zwei Brüder. Warum willst du das wissen?«

»Weil ich glaube, dass Baldo auch mit jemandem tändelt.«

Als Piet sie nur stirnrunzelnd betrachtete, senkte sie die Lider. »Wäre das so abwegig? Morgens in der Frühe reitet er fort und kommt selten vorm Abendessen zurück. Es muss da jemanden geben, mit dem er sich trifft. Was sollte er sonst den ganzen Tag treiben?« Sie spürte ihr Herz schmerzhaft pochen. »Und dann diese Seligkeit in seinem Gesicht. Er ist verliebt, Piet, auch wenn er es nicht zugeben will.«

»Hast du ihn gefragt?«

Sie nickte. »Vor ein paar Tagen schon, aber er hat seltsam reagiert.«

»Ja, die Liebe ist ein gar seltsames Ding«, trällerte der Bruder, lachte ihr ins Gesicht und wirbelte sie auf dem Absatz herum, bis ihr schwindelte.

Sie drückte sich an ihn, erwiderte sein Lachen und spürte, wie sich der Druck in ihrer Brust löste.

Ein leises Lied auf den Lippen und mit weit ausholenden Schritten näherte Baldo sich Cristins Kammer, klopfte und trat ein. Lump folgte ihm auf leisen Pfoten.

Piet und Cristin tanzten, feine Staubflocken schwirrten in der Luft, und das helle Lachen und der Übermut in ihren blitzenden Augen brachten eine Saite in ihm zum Klingen.

Wie ertappt fuhren die beiden auseinander.

»Ba… Adam«, meinte Cristin atemlos. »Ich habe dich gar nicht klopfen hören.«

»Ewa, bitte bring uns etwas Warmes zu trinken«, bat sie die Kammerfrau, die mit gesenktem Kopf über einer Decke saß und nähte.

Diese huschte hinaus und schloss die Tür hinter sich.

Cristins Wangen waren erhitzt, und bei ihrem Anblick krampfte sich Baldos Herz zusammen.

»Ich werde dann mal«, murmelte Piet, der von einem zum anderen sah. »Marianka, sie wartet auf mich.« Ein weiteres Mal klappte die Tür.

Nun waren sie endlich unter sich.

»Du bist früh zurück.« Cristin lächelte.

Baldo verschränkte die Arme hinter dem Rücken.

»Ja, ich bin mit meiner Arbeit fertig.«

»Welche Arbeit?«

Ein zarter Duft umwehte ihn, als sie auf ihn zuging und abwartend zu ihm aufsah.

»Hier, ich habe etwas für dich«, erwiderte er, ohne auf ihre Frage einzugehen, und hielt ihr seine geöffnete Handfläche hin.

»Baldo! Wo… wo hast du das her?« Die Brosche war gerade groß genug, um Cristins Handfläche zu füllen. Mit leicht geöffnetem Mund strich sie zart über das kupferne Schmuckstück, in das ein Schiff eingearbeitet war, das im Licht der untergehenden Sonne aufleuchtete.

»Ich habe sie für dich gemacht.«

Ihre Augen waren groß und rund. »Baldo, das ist … das ist ja eine Kogge! Die Brosche ist … sie ist wundervoll!« Verblüffung machte sich auf ihrer Miene breit.

»Du hast sie gemacht? Wie … ich verstehe kein Wort.« Cristins Wangen waren gerötet, und sie stand da, als wäre der Blitz in sie gefahren.

Er lächelte. »Sie soll dir Glück bringen. Möge die Kogge dich sicher in die Heimat zurückgeleiten«, antwortete er ein wenig heiser. »Sie gehört dir.« Regungslos beobachtete Baldo, wie sie sich auf ihre Schlafstatt sinken ließ, die Brosche in der Hand.

»Ich weiß nicht, was ich sagen soll. Du kannst schmieden? Wo hast du das gelernt? Bei Mariankas Vater?«, fragte sie, ohne den Blick von dem Schmuckstück zu wenden.

Baldo setzte sich neben sie. »Ja, ich durfte ihm zusehen.« Wieder erfasste ihn Erregung über diese unglaubliche Erfahrung. »Eines Tages musste ich es selbst versuchen, verstehst du? Es war, als würde sich mir eine neue Welt offenbaren. Meine Hände sind tatsächlich zu etwas nütze.« In ihm wuchs das Bedürfnis, Cristin in die Arme zu nehmen, sie seinen vor Freude hüpfenden Herzschlag spüren zu lassen, damit sie begriff, was ihm die Entdeckung bedeutete.

»Wieso sollten deine Hände nutzlos sein? Wie kommst du darauf?« Fassungslosigkeit spiegelte sich in ihrem Gesicht wider, als sie sachte seine Hände in ihre nahm und sie an die Wange schmiegte. Baldo schluckte.

»Diese Hände«, flüsterte sie. »Diese Finger haben sich durch feuchte Erde gegraben und mich befreit. Sie haben mich aufgefangen, beschützt und sich so manches Mal bei einer Prügelei verletzt. Alles meinetwegen.«

Er schüttelte den Kopf. »Schlingen um Hälse haben sie gezogen, ohne Gnade. Rot vom Blut der Gerichteten sind sie gewesen. Sie haben Dinge getan, die zu grausam sind, um ausgesprochen zu werden«, presste er hervor und verstummte, weil er wieder jenen Ekel fühlte, der ihn ein Leben lang zu begleiten schien.

»Du weißt…?«

»Ich habe davon geträumt, schon öfter. Es war, als wäre es gerade geschehen.«

Er wollte sich erheben, doch Cristin hielt ihn fest und sah ihn an.

»Ja, das ist wahr, aber es ist ebenso wahr, dass diese Hände zu vielem anderen taugen, auch zu feinen Schmiedearbeiten.«

Seine Fingerspitzen prickelten, wollten sich endlich um ihre Taille legen und ihre Wärme spüren. Mit enger Kehle entzog er sich ihr. Er musste sich beherrschen. Mit wenigen Schritten war er am knisternden Kamin, legte Holz nach und schaute in die Flammen, die sich wie gierige Zungen nach dem neuen Scheit ausstreckten und daran leckten. Eine Hand legte sich auf seine Schulter, und er drehte sich jäh um. Cristins Gesicht zuckte, als würde sie einen inneren Kampf ausfechten, doch sie nahm ihre Hand nicht fort. Ihr Blick war offen und ließ den seinen nicht los, bis ihre Miene diese Entschlossenheit annahm, die er nur allzu gut an ihr kannte. Sie verstärkte den Druck auf seine Schulter, reckte ihr Kinn.

»Baldo Schimpf, du bist ein ahnungsloser Tropf!«

Er stutzte.

Cristins Atem ging stoßweise. »Wenn du nicht endlich…«

Er starrte auf ihre Lippen, unfähig zu begreifen, und sein Körper war gespannt wie eine Sehne. Mit angehaltenem Atem fühlte er, wie sie seine Hand ergriff und jeden seiner Finger einzeln liebkoste.

»Verstehst du denn nicht, du sturer Esel? Du sollst mich endlich küssen!«

»Was redest du denn da, Weib? Du bist nicht für mich gemacht.« Beinahe erschrak er selbst über die Härte, mit der er sprach.

Ihre Augen blitzten. »Ach nein?« Sie trat näher, so nahe, dass er ihren Puls in der Halsbeuge sehen konnte. »Sieh mich an, Baldo.«

Die Lippen fest zusammengepresst, tat er, worum sie ihn gebeten hatte. Nur einmal das rotblonde Haar berühren, das ihr schönes Gesicht umrahmte. Seine Finger fühlten die Weiche, sein Herz flog ihr entgegen. Endgültig. Auf einmal lagen seine Lippen auf ihren. Nichts war mehr von Bedeutung, nichts, außer dem weichen Mund, der seinen Namen flüsterte, und den Armen, die sich zärtlich um seinen Hals legten. Ihm war, als würde er sich ausdehnen in ihrer Wärme und endlich zu einem Ganzen werden. Sein Herz schlug im selben Rhythmus wie ihres. Eng aneinandergeschmiegt standen sie da, als wäre die Zeit stehen geblieben. Küssten sich immer wieder.

»Du … du hast mich gefunden«, stammelte Baldo atemlos, als er sich schließlich von ihr löste.

»Gewiss, werter Herr Schimpf. Von Euch war ja nichts zu erwarten«, konterte Cristin mit einem kecken Zwinkern und lehnte sich leicht gegen seine Brust.

Er blinzelte und schob seinen schönsten Wunschtraum beiseite. Es konnte nur ein Wahn sein, der ihm diese Bilder und Gefühle vorgaukelte. Ihn, den verfluchten Sohn des Henkers, wollte diese herrliche Frau lieben? Ein tiefer Atemzug und er nahm seinen ganzen Mut zusammen, um die Augen zu öffnen.

Cristin hauchte ihm einen Kuss auf die Nase.

»Das geht nicht, Mädel!« Mit den Händen fuhr er sich über das Gesicht, Schwäche breitete sich in ihm aus. »Kein guter Einfall, nein, überhaupt nicht«, hörte er sich selber murmeln. Abrupt wendete er sich ab und nahm eine Wanderung durch die Kammer auf.

Sie stellte sich ihm in den Weg, die Hände in die Hüften gestemmt, die Lippen noch feucht von seinen Küssen. »Und wieso nicht, Baldo?«

»Du hast etwas Besseres verdient«, antwortete er mühsam beherrscht und wagte nicht, ihren Blick zu erwidern. Sonst würde er sie an sich ziehen und nie mehr loslassen.

Ihre Augen wurden zu Strichen. »Du hast Angst, nicht wahr?«

Er fuhr zusammen.

»Du fürchtest dich, weil ich dich will.«

»Unsinn!«

»Du hast Angst, weil ich außer dir niemanden an meiner Seite haben möchte.«

»Treib keine Spielchen mit mir, Weib«, zischte Baldo. »Auch ich bin nur ein Mann, und meine Geduld ist am Ende!«

Cristins Lächeln traf ihn bis ins Mark. »Dann geht es dir wie mir, mein Lieber. Nimm mein Herz oder lass es bleiben. Es gehört dir.«

Sein Kopf schwirrte. »Du … du meinst es ernst, oder?«

»Worauf du dich verlassen kannst, Baldo Schimpf.«

Er wollte protestieren, aber es war längst zu spät. Er riss sie an sich, bettete seinen Kopf in ihrer Halsbeuge und sog ihren vertrauten Duft ein, wie er es schon früher getan hatte. Zart war ihre Haut, sie schien unter seinen Lippen zu pulsieren und zu glühen. »Du überlegst es dir auch nicht anders?«, brummte er an ihrem Ohr.

»Nein, niemals.«

Ein wenig hielt er sie von sich ab. »Wenn wir wieder in Lübeck sind, werde ich eines Tages mein Erbe antreten müssen, das weißt du?«

Cristin nickte ungerührt.

»Du willst eines Tages das Weib eines Henkers sein, eines von der Gesellschaft Ausgestoßenen?«

»Wenn der Herr dies für mein Leben beschlossen hat, soll es so sein, Baldo.«

»Du hast es so gewollt, Liebes«, flüsterte er und suchte ihren Mund, um ihn erneut mit seinen Lippen zu verschließen. Staunen erfüllte ihn, denn er konnte nicht genug bekommen von ihren scheuen Liebkosungen. Ewigkeiten später löste er sich von ihr, atemlos, mit nur mühsam zurückgehaltenen Gefühlen. Ihm war, als würde sein Innerstes sich nach außen kehren. Mit heftig klopfendem Herzen sah er sie an. Wollte etwas sagen, doch ihm fehlten die Worte, die ausdrücken könnten, was er empfand. Jäh zuckte ein stechender Schmerz durch seine Schläfen. Baldo schwankte und stützte sich auf Cristin. »Ich muss … muss mich setzen.«

»Was ist mit dir?« Sie führte ihn zu ihrer Schlafstatt.

Schwer ließ er sich auf die Decke sinken. »Kopfschmerzen, nichts weiter«, wich er aus, aber hinter seinen Augen dröhnte es wie Hammerschläge. Cristins erregte Stimme drang gedämpft, wie hinter einem dicken Vorhang, an sein Ohr, und die Umgebung verschwamm. Bilder in rascher Folge begannen sich vor ihm zu bilden, Farben und Formen, Gerüche von Kaminfeuern, eine helle Stimme, die ihn beim Namen rief. Darauf eine zweite. Dunkles Männerlachen und das Klappern von Geschirr. Er fühlte sich hochgehoben und getragen, helles, glattes Haar fiel auf sein Gesicht. Dann sah er die Frau. Sie küsste ihn auf die Stirn, murmelte etwas, das er nicht verstand. Mutter. Hinter ihr ein Mann mit buschigen Brauen und dunklen, vollen Haaren. Ein Augenpaar, das ihn stumm betrachtete.

Seine Sicht klärte sich so rasch, wie sie verschwommen war. Baldo fuhr sich mit der Hand über das Gesicht, um die letzten Reste des Gesehenen zu verscheuchen, und atmete tief ein.

»So sag doch was, Liebling! Du machst mir Angst!« Cristins Stimme überschlug sich.

»Schon gut.« Wie ein trockener Schwamm war sein Mund. Er befeuchtete seine Lippen und setzte sich auf. »Ich habe mich wieder an etwas erinnert. Mein Gedächtnis, ich glaube … Mein Gott.«

Warme Hände schoben sich in seine. »Wirklich?« Ihre Stimme überschlug sich. »Oh, wie schön!« Sie schlang ihm die Arme um den Nacken.

In seinem Gesicht zuckte es. Die Maske der Selbstbeherrschung, die Baldo zu tragen pflegte, bröckelte.

»Es war nur kurz. Nur ein Augenblick, Cristin. Aber … aber ich habe mich an meine Mutter erinnert, an ihre sanften Hände, die hellen Haare, die … die mich an der Wange kitzelten, wenn sie sich über mich beugte.« Er machte sich von ihr los, damit sie die Tränen nicht sah, die seinen Blick verschleierten. Sie ließ ihn gewähren. »Mein Vater. Ich... ich habe ihn gesehen. Wie er einst gewesen ist.« Er verstummte, spürte im selben Moment Cristins Hände, die ihn umdrehten.

»Wie sah er aus, Baldo? Woran kannst du dich erinnern?«

»Ein dunkler Zopf, beinahe schwarz«, murmelte er und fixierte einen Punkt an der Wand. »Dicke Brauen, die seinem Gesicht etwas Finsteres geben. Seine Augen, ja, es war, als könnte er in mein Innerstes schauen. Er war so ernst.«

Cristin war es, als würde ihr der Boden unter den Füßen fortgezogen, und sie ließ sich schwer auf einen Sessel sinken.

»Was ist mit dir, Liebes?«

Sie hob den Kopf. »Er... ich glaube... Er war es, ganz sicher.«

Baldo strich ihr über die Wange, registrierte ihre weit aufgerissenen Augen. »Du sprichst in Rätseln. Wer war er?«

»Dein Vater.« Sie atmete tief. »Er war damals im Zelt und hat sich von mir aus der Hand lesen lassen. Ich habe es dir nie erzählt.« Dann berichtete sie ihm von der Begegnung mit diesem Fremden und den seltsamen furchteinflößenden Bildern, die sich ihr aufgedrängt hatten, als sie seine Hände nahm.

Baldo versteifte sich, während er ihren Worten lauschte. Sein Vater, der Henker. Die geschilderten Eindrücke passten zu seinen kurzen Erinnerungen. »Du hast recht, Cristin. Er muss es gewesen sein.« Er fuhr sich durch die dichten Haare. »Weißt du, er war nicht immer so bitter und grausam. An seinem Blick konnte ich es sehen.« Baldo lächelte dünn. »Bisher dachte ich immer, nun... ja, ich glaubte, meine Kindheit hätte nur aus Groll, Tod, Blut und Dunkelheit bestanden.« Er wischte sich über das Gesicht. »Aber das ist nicht wahr, weißt du? Sie... sie haben mich geliebt, jeder auf seine Weise.«

Wortlos schmiegte sie sich an ihn, dann nahm sie sein Gesicht in ihre Hände und küsste ihn lang und innig. »Wie schön, Liebster. Obwohl ich es geahnt habe.«

»Wie konntest du es ahnen?« Verständnislos betrachtete er sie.

In ihren Augen war ein Blitzen. »Wer nie Liebe erfahren hat, kann auch keine geben. Und du hast so viel davon in dir, dass es nicht anders sein konnte.«

Alles in ihm war in Aufruhr, und seine Augen wurden feucht. In seinem Leben hatte es also auch Licht gegeben – und Liebe. Wenn es auch nur dieser eine Moment gewesen wäre, für ihn war er so kostbar, dass er ihn nie vergessen wollte.

16

»Baldo, du siehst so verdrießlich drein. Was ist los, alter Freund?«

Der Angesprochene unterbrach seine unruhige Wanderung durch den Raum, den er zusammen mit Cristins Bruder bewohnte, seit sie auf dem Wawel zu Gast waren.

»Mir fällt hier langsam die Decke auf den Kopf. Das ist los«, erwiderte er. »Das Leben am Hof ist ja alles in allem sehr angenehm, aber manchmal auch verdammt langweilig. Ich brauche einfach ein bisschen Abwechslung.«

»Ist dir Cristin nicht Abwechslung genug?«, fragte Piet mit einem frechen Grinsen im Gesicht. Seit einigen Tagen wusste er, dass seine Schwester und sein bester Freund ein Paar waren.

Baldo zuckte die Achseln. »Cristin ist mal wieder bei der Königin«, erklärte er.

Piet stellte die Laute, auf der er eine Melodie gespielt hatte, neben dem gepolsterten Stuhl ab und reckte sich. »Wie wär's mit einem kleinen Streifzug durch Krakows Wirtshäuser?«, schlug er vor. »Wir satteln die Pferde, reiten in die Stadt hinunter und genehmigen uns in einer der Schänken ein paar Becher heißen Würzwein.«

Baldos Miene hellte sich auf. »Was hindert uns noch?«

Wenig später ritten die beiden Männer – mit dicken, warmen Mänteln und Mützen aus Bärenfell gegen die beißende Kälte geschützt – durchs Schlosstor. Die gepflasterte Straße, die sich vom Wawelhügel zur Stadt hinabwand, war stellenweise vereist, sodass Baldo und Piet die Pferde nur langsam hinunterlenken konnten, damit die Tiere nicht ausglitten. Die Dämmerung setzte bereits ein, als sie durch die sich leerenden Straßen und Gassen der polnischen Hauptstadt ritten. Vor einem Wirtshaus brachten sie ihre Pferde zum Stehen und banden sie an zwei in die Wand eingelassenen Eisenringen fest. Dann öffneten sie die Tür der Schänke, aus der ihnen Bierdunst und fröhlicher Lärm entgegenschlugen.

Baldo ließ den Blick durch die Schankstube schweifen. In einer Ecke, unter einem Fenster aus Ochsenhaut, war noch ein schmaler Tisch frei. Schnell steuerten Piet und er durch die bei Wein, Bier und Würfelspiel sitzenden Männer auf die freie Bank zu und ließen sich nieder. Sie nahmen die Pelzmützen vom Kopf und legten sie neben sich, ihre Mäntel hängten sie über die Lehne eines freien Stuhls. Ein eiserner Bollerofen sorgte für wohlige Wärme. Der Wirt, ein rothaariger Mann, über dessen dickem Bauch sich eine lederne Schürze spannte, hatte sie erspäht, trat an ihren Tisch und fragte auf Polnisch, was sie trinken wollten. Piet antwortete ihm in seiner Sprache. Bald darauf kam der Mann zurück, in der einen Hand zwei leere Becher, in der anderen einen Halbliterkrug mit warmem Würzwein. Er stellte alles auf den blank gescheuerten Tisch und entfernte sich. Baldo griff nach dem Krug und goss ihnen ein.

»*Na zdrowie*!« Piet hob seinen Becher.

»Zum Wohl!«

Eine Stunde später waren sie beim dritten Krug angelangt. Langsam leerte sich die Schänke, und Baldo mahnte, sie müssten allmählich zum Schloss zurückkehren, bevor es zu finster war, um noch etwas erkennen zu können.

Piet winkte ab und hätte dabei beinahe seinen leeren Becher umgestoßen.

»Ach was, die 'Ferde fin'n den Weg sum Schloss auch allein.«

Hoffentlich kann er sich noch im Sattel halten, dachte Baldo besorgt, als er den Wirt heranwinkte, um die Rechnung zu bezahlen. Dann griff er nach seiner Mütze und stand auf. Piet erhob sich ebenfalls leicht schwankend. Baldo half ihm in den Mantel und drückte ihm die Fellmütze aufs schlohweiße Haar.

»Auf geht's.« Er fasste den Freund am Arm und zog ihn mit sich durch die Schankstube hinaus ins Freie. Der eisige Wind, der ihm ins Gesicht wehte, ernüchterte ihn, doch nicht die Kälte ließ ihn frösteln und einen lauten Fluch ausstoßen, sondern der Anblick der nackten Hausmauer.

»Was 'n los?«, murmelte Piet hinter ihm.

Baldo zeigte auf die leeren Eisenringe in der Wand. Im spärlichen Licht der Talglampe über der Wirtshaustür sah Baldo, wie Piet die Augen aufriss.

»Oh, nein! Jemand hat …«

»… unsere Pferde gestohlen, allerdings!«

Piet schnitt eine Grimasse. »Wie sollen wir nun zum Schloss zurückkommen?«

Baldo zuckte die Achseln und nagte an seinem Daumennagel.

»Lass uns zum Haus von Mariankas Eltern gehen«, schlug er vor. »Konstanty ist ein gastfreundlicher Mann und hat bestimmt ein Nachtlager für uns. Dann können wir morgen zum Wawel zurückkehren. Dort wird man sicher nicht begeistert sein, wenn wir von den gestohlenen Pferden berichten.«

Piet nickte. Auch er schien nun stocknüchtern zu sein.

»Gehen wir zum Hauptmarkt. Von dort aus ist es nicht mehr weit bis zu Konstantys Kupferschmiede.«

Nach einiger Zeit hatten sie den Rynek erreicht, Krakows größten Marktplatz, von wo aus sich zwei hohe Kirchtürme in den nächtlichen Himmel erhoben. Unterhalb des Gotteshauses verkauften die Tuchhändler in der langen Halle, vor der die beiden nun standen und die den Platz in zwei Hälften teilte, am Markttag ihre Waren. Um diese späte Stunde war allerdings kaum noch jemand unterwegs. Vor ihnen gingen zwei Gestalten, die sich leise unterhielten. Die Männer sprachen Deutsch miteinander, und es tat gut, die Heimatsprache wieder zu hören. Piet lächelte. Sein Freund schien dasselbe zu empfinden, denn wie auf ein unausgesprochenes Kommando hin beschleunigten sie ihre Schritte. Während sich der Abstand zu den Männern weiter verringerte, schnappte Baldo weitere Worte auf.

»Jüdische Mädchen, sagst du?«

»Ja, schon nächste Woche.«

Baldo horchte auf. Jüdische Mädchen? Er drehte den Kopf und sah Piet an. Der schien ihn auch ohne Worte verstanden zu haben, denn er nickte nur. Unauffällig folgten sie den Deutschen, die nun eine Straße überquerten und am Eingang einer kleinen Kirche stehen blieben.

»Hier?«, hörte Baldo einen von ihnen fragen.

»Ja, er sagte, die Tür sei offen.« Die Männer blickten sich um.

Baldo und Piet drückten sich gegen die Wand eines zweistöckigen Bürgerhauses und suchten Schutz im Schatten des Mondlichts. Die beiden Fremden verschwanden in der Kirche.

Piet wiegte nachdenklich den Kopf. »An irgendjemanden erinnert mich einer der beiden Kerle. Ich überlege schon die ganze Zeit, wo ich den schon einmal gesehen habe. Jedenfalls stimmt etwas nicht mit ihnen. Ich hab's im Gefühl. Warum sonst müssen sie sich in einem Gotteshaus verstecken?« Er löste sich aus dem Schatten der Mauer und trat ins Mondlicht. »Komm!«

»Vielleicht wollen sie auch nur die Beichte ablegen, und wir werden langsam irre.« Baldo folgte seinem Freund über die Straße, und auf Zehenspitzen traten sie an die Holztür.

»Du bleibst hier und passt auf, Baldo.«

Piet fasste nach dem Griff, drückte ihn vorsichtig hinunter und öffnete die Tür einen Spalt breit. Er streckte den Kopf hindurch und kniff die Augen zusammen. Aus dem von ein paar Talglichtern nur spärlich erhellten Altarraum drangen leise Stimmen nach hinten. Nun schob er sich ein Stück weiter durch die Tür, legte den Kopf schief und lauschte. Offenbar waren die beiden Deutschen nicht allein, sondern sprachen mit einem dritten Mann, der im Inneren der Kirche auf sie gewartet hatte. Piet biss sich auf die Unterlippe, stieß die Eichentür ein Stück weiter auf und trat ins Innere. Der Eingangsbereich lag im Dunkeln. Er ließ sich auf Knie und Hände hinunter und kroch zwischen den Bänken den Mittelgang entlang nach vorn.

Einer von ihnen, hochgewachsen und mit geradem Rücken, trug das Gewand eines Klerikers. Piet konnte nur sein Profil erkennen, doch es schien sich um einen Mann in den besten Jahren zu handeln. Mit schräg gelegtem Kopf hörte er einem der Gesprächspartner aufmerksam zu und nickte bedächtig. Sie sprachen zu leise, als dass die beiden etwas hätten verstehen können.

So lautlos wie möglich kroch Piet auf allen vieren voran, bis er in der Mitte des Kirchenraumes angekommen war, und spähte vorsichtig hoch. Für einen kurzen Moment ärgerte er sich, nicht den Umhang mit der Kapuze übergeworfen zu haben, denn sein Haar musste in der Kirche leuchten wie eine weiße Fahne. Der Saum seiner Hose blieb an einer der Bänke hängen, und einen Fluch unterdrückend, löste er sie. Das Geräusch des schweren Mantels auf dem Steinboden klang viel zu laut in seinen Ohren. Wenn die Kerle ihn bemerkten …

»Es ist alles vorbereitet, Hochwürden. In der nächsten Woche, spätestens bis zum Sonntag sollte die Ware ausgeliefert sein«, sprach einer der Deutschen. »Alles wird zu Eurer vollen Zufriedenheit laufen, das kann ich Euch versichern.«

Piet reckte sich ein wenig. Baldo und er mussten falsche Schlüsse aus den Worten der Männer gezogen haben, er sollte hier verschwinden. Er warf einen letzten Blick auf den Mann, der soeben gesprochen hatte, und das Licht der Talglampen fiel auf die hohe Stirn, auf der ein daumengroßes Blutmal prangte. Piet stutzte. Hatte Cristin nicht gesagt, dass dieser Lüttke … Was hatte der Mann in Krakow, in dieser Kirche, zu suchen? Er zog den Kopf tiefer zwischen die Schultern und drückte sich in die dunkle Bankreihe. Nur wenige Schritte trennten ihn von den Männern.

»Wie viel?«, wollte der Kleriker in gebrochenem Deutsch wissen.

»Dreizehn diesmal«, antwortete der dritte Mann, dessen Haare hell im Talglicht schimmerten. Piet erstarrte. »Ganz jung und garantiert unberührt.«

Piet hielt die Luft an. Seine Gedanken überschlugen sich. Er stutzte. Konnte der andere Lynhard Bremer sein, Cristins Schwager? Ihrer Beschreibung nach könnte es passen. Blonde, schulterlange Haare, schlanke Erscheinung und eine teuer wirkende Pelzmütze. Piet fuhr sich mit der Zunge über die spröden Lippen. Die Räucherkerzen, die in der Kirche brannten, verursachten ein Kratzen in seinem Hals, das immer stärker wurde. Verflucht, wenn er sich wenigstens räuspern könnte. Angestrengt lauschte er dem Gespräch der drei Männer, in dem es um junge Mädchen ging, die demnächst in ein Lager an der Küste und von dort übers Meer nach Sleswig und Lübeck gebracht werden sollten. Jüdinnen diesmal. Von einem einträglichen Gewinn war die Rede.

Bittere Galle sammelte sich in seinem Mund, aber er schluckte sie hinunter. Cristins und Baldos Verdacht stimmte also – Bremer und Lüttke betrieben Frauenhandel und waren daran beteiligt, junge Frauen und Mädchen aus Polen zu entführen, um sie in deutschen Städten an Frauenhäuser und Schänken zu verkaufen. Piet biss die Zähne zusammen, als Wut in ihm aufstieg. Und dann geschah es: Ein leises, aber vernehmliches Husten entrang sich seiner Kehle.

»Wer ist da?«

Den Kopf gesenkt, faltete Piet die Hände wie zum Gebet.

Schritte näherten sich.

»Was hast du hier zu suchen?«, wurde er in polnischer Sprache gefragt.

Piet sprang auf, sein Puls hämmerte. Eine bestickte Priesterrobe, an der Hand ein funkelnder Ring. Sein Blick wanderte höher. Der Mann, der vor ihm stand, überragte ihn um eine Haupteslänge. Ein blitzartiges Erkennen jagte durch Piets angespannten Körper. Den Mann kannte er doch! Er war es. Bozyda. Jener Priester, den er zum ersten Mal bei der Audienz von Jadwiga und dem König gesehen hatte und der sich so manchen Tag im Schloss aufhielt.

Der Kleriker hielt ein Talglicht in der Hand und starrte ihn mit erhobener Braue an.

»Was hast du hier zu suchen?«, fragte er erneut.

Piets Hirn arbeitete fieberhaft. »Ich … bin …« Wieder musste er husten, und das gab ihm etwas Zeit zum Nachdenken. »Ich bin gekommen, um zu unserer lieben Jungfrau Maria zu beten. Außerdem habe ich gesündigt«, erklärte er mit frommem Augenaufschlag. »Wollt ihr mir die Beichte abnehmen, Vater?«

Der Priester schüttelte unwillig den Kopf. »Komm morgen wieder, heute habe ich keine Zeit.« Er machte eine Kopfbewegung zur Tür. »Und jetzt raus mit dir!«

An der Tür blickte sich Piet ein letztes Mal um, aber die drei Männer waren bereits wieder in ihre Unterredung vertieft, und so schlüpfte er erleichtert durch die halb offene Tür hinaus.

»Das war knapp«, flüsterte er Baldo zu, der an der Wand lehnte. »Lass uns verschwinden.«

Während sie sich raschen Schrittes entfernten, gab Piet in kurzen Worten wieder, was er in der Kirche mit angehört hatte. »Wir müssen etwas unternehmen, Baldo«, zischte er ihm zu. »Wo sind wohl diese Mädchen, die sie wie Vieh verladen wollen?«

Etwas Dunkles löste sich von der Traufe eines Hauses und flog lautlos über sie hinweg. Baldo spürte nur den Luftzug, den die Schwingen des Vogels verursachten. Eine Eule auf Beutefang wahrscheinlich. Unwillkürlich zog er den Kopf ein und ließ sich von Piet in eine schmale Gasse hineinziehen. Die

Kirche war endlich seinem Sichtfeld entschwunden. Eine Weile hingen die beiden Männer ihren Gedanken nach.

»Wir werden die Schweine überführen, Baldo. Wirst schon sehen. Eines Tages werden sie unvorsichtig werden und einen Fehler begehen. Bis dahin müssen wir sie so gut es geht im Auge behalten.«

Baldo schüttelte den Kopf.

»Bozyda ist hoch angesehen auf dem Wawel. Selbst wenn die Königin uns Glauben schenken sollte, wird er alles abstreiten – und dann?« Er stieß einen derben Fluch aus. »Nein. Wir müssen sie auf frischer Tat ertappen, Piet. Er ballte eine Hand zur Faust. »Ich schwöre bei allen Heiligen – wenn ich die Gelegenheit bekommen sollte, werden sie büßen für das, was sie Cristin und den Mädchen angetan haben.«

Piet nickte.

»Ich weiß. Da ist es«, sagte er und wies auf ein Haus am Ende der Gasse.

Sie hatten Glück, denn aus einem der kleinen Fenster drang der schwache Schein einer Lampe nach draußen. Piet klopfte an die Scheibe, hinter der sich eine kräftige Gestalt bewegte: Mariankas Vater Konstanty. Dieser drehte sich um, spähte hinaus, und als er die beiden erkannte, öffnete er ihnen die Haustür. Piet erklärte dem Kupferschmied, warum sie um diese späte Stunde noch in Krakow unterwegs waren, und bat Konstanty, ihnen ein Nachtlager zur Verfügung zu stellen. Morgen früh würden sie dann zum Wawel zurückkehren.

Würzige Dämpfe stiegen auf, als Cristin eine Handvoll Kräuter in das siedende Wasser im Kessel warf. Die Königin litt seit geraumer Zeit an Schlaflosigkeit, und um den Grund dafür zu erkennen, bedurfte es keinerlei Zauberkräfte. Cristin wusste um den wachsenden Druck, endlich einen Thronerben zu gebären. Jadwiga hatte sich ihr anvertraut und von Jagiellos kurzen, lieblosen Besuchen in ihrem Schlafgemach erzählt. Ansonsten begegneten sie sich wenig, denn die Zeiten, in denen sie am Ende eines Tages noch geplaudert hatten, wenn der

König sich auf dem Wawel aufhielt, waren längst vergangen. Um wirksame Mittel gegen ihre Kinderlosigkeit hatte sie gebeten, doch wie sollte eine Frucht in ihrem Leibe wachsen, wenn das Paar einander keine Freuden zu schenken vermochte? Cristin fürchtete gar eine mögliche Schwangerschaft. Würde Jadwiga die Strapazen einer Geburt überstehen?

Ein leises Lächeln stahl sich auf ihr Gesicht. Wie glücklich konnte sie sich schätzen, einen Mann wie Baldo an ihrer Seite zu haben, der sie um ihrer selbst willen liebte. Es erschien Cristin noch immer wie ein Wunder, dass sie zueinandergefunden hatten. Von seiner Scheu, ihr gegenüberzutreten, hatte er ihr erzählt und wie schwierig es für ihn gewesen war, seine Gefühle zu verbergen. »Ich liebe dich seit dem Tag, an dem ich dich aus dem Grab befreit habe.« Diese schlichten Worte aus seinem Munde berührten sie tief. Sie hatten noch lange geredet, aber dann … Ihr Gesicht begann zu glühen, während sie sich an seine Berührungen und Küsse vom Vorabend erinnerte. Sie hatten die Hände kaum voneinander lassen können, doch der Anstand hatte es geboten, Baldo irgendwann aus der Kammer zu schicken.

Cristin goss die heiße Flüssigkeit in einen Becher und hob die Mundwinkel. An diesem Abend allerdings war nicht mit seinem Besuch zu rechnen, vermutlich würde sie ihm helfen müssen, seine Schlafstatt sicher zu erreichen, denn wie sie Piet und Baldo kannte, sprachen sie in diesem Moment dem Würzbier oder dem Wein kräftig zu.

Ein Geräusch ließ sie aufblicken.

»Agnes?« Janek stand in der offenen Tür und brachte einen Schwall kalter Luft sowie den Geruch von Pferden und Schweiß mit hinein. Seine Stiefel starrten vor Schmutz. »Darf ich dich besuchen?« Der Junge nahm die Wollmütze ab und grinste.

»Natürlich, Janek. Aber die Stiefel ziehst du bitte vor der Tür aus, ja?«

Als der Junge wieder hereinkam, nahm er auf ihrem Hocker Platz und sah zu, wie sie mit geübten Griffen eine Salbe zubereitete.

Cristin spürte, wie er nach Worten suchte, und wischte sich die Hände an einem Tuch ab. »Hast du etwas auf dem Herzen, mein Schatz? Du wirkst bedrückt.«

»Agnes, ihr ...«, er sah zu Boden, »ihr bald fahrt fort, oder? Adam sagte ... er sagte, du musst zu Tochter.«

»Ja, Janek. Bald.« Sie strich ihm über das strubbelige Haar, und ihre Blicke begegneten sich. Worte waren nicht nötig, sie wussten auch so, was sie empfanden. Cristins Stimme wurde brüchig. »Du wirst es hier gut haben. Jaromir und seine Frau haben dich von Herzen gern.«

Janek lächelte dünn. »Gute Leute. Ich habe sie auch gern. Aber du ... du warst wie Mutter zu mir.« Sie zog ihn auf die Füße und legte den Arm um seine Schultern. »Wir werden uns besuchen, mein Schatz. So oft es geht. Einverstanden?«

Der Junge antwortete nicht, ließ jedoch den Kopf an ihre Brust sinken.

Cristin rang um Fassung. »Sobald das Wetter es zulässt, brechen wir auf. Bis dahin werden wir noch viel Zeit miteinander verbringen, ja?«

Stumm hielten sie einander umfangen.

17

Piet trank einen Schluck Bier und setzte den Becher ab. »Du musst es Jadwiga sagen! Nur die Königin kann diesem unseligen Geschäft ein Ende setzen.« Gerade hatten Baldo und er seiner Schwester nach dem Mittagsmahl von ihrem gestrigen Erlebnis berichtet.

»Du bist dir wirklich ganz sicher, dass es mein Schwager war, den du in der Kirche zusammen mit Lüttke und dem Priester gesehen hast?«, fragte Cristin mit roten Wangen. Mit wachsender Erregung hatte sie den Bericht der beiden verfolgt.

Piet wischte sich den Bierschaum von den Lippen.

»Ganz sicher. Der Kerl hat genauso ausgesehen, wie du ihn mir immer beschrieben hast.«

»Diesen Lüttke an seinem Mal zu erkennen, war ein Leichtes«, setzte Baldo hinzu.

Cristin schob ihren Teller mit *pierogen*, gefüllten Maultaschen, von sich fort. Der Appetit war ihr vergangen. »Gut, ich werde Jadwiga davon berichten. Sie wollte mich heute Nachmittag sowieso sehen.«

Die Königin sah Cristin ungläubig an.

»Frauenhandel? Und Bozyda ist darin verstrickt?«

»Ja.« Sie nickte. »Mein Bruder hat es selbst mit angehört.«

Jadwiga lehnte sich in ihrem Sessel zurück. »Es fällt mir schwer, das zu glauben, Agnes. Dein Bruder muss sich irren. Versteht er unsere Sprache wirklich so gut? Bruder Bozyda hat stets mein Vertrauen genossen und sich aufopfernd um seine Gemeindemitglieder gekümmert. Sowohl als Priester als auch als Berater bei Hofe war er immer ein angesehener Mann. Wie kann er an einem so abscheulichen Verbrechen beteiligt sein? Sag es mir.«

»Ich weiß es nicht, Majestät«, seufzte Cristin. »Das Gespräch in der Kirche war jedoch unmissverständlich. Sie planen gemeinsam die Verschleppung von dreizehn jungen jüdischen Frauen, schon in der kommenden Woche.«

»Jüdinnen.« Das schöne Gesicht umschattete sich und nahm einen sorgenvollen Ausdruck an. »Sie sind hier bedauerlicherweise vielen ein Dorn im Auge, und auch Bruder Bozyda straft die Juden gern mit Missachtung.«

Nicht nur dieser Mann, überlegte Cristin, dein Gemahl ebenfalls. Sie hütete sich, diese Worte auszusprechen, konnte jedoch in der Miene der Königin ablesen, dass sie Ähnliches dachte.

»Deine Vorwürfe wiegen schwer, liebe Agnes. Besteht wirklich kein Zweifel an dem, was du mir berichtet hast?«

»Nein. Es ist so, wie ich sagte, Hoheit.«

»Gut.« Jadwiga warf den Kopf zurück. »Dann wird er sich

vor mir verantworten müssen, so wahr mir Gott helfe!« Sie zog die Stirn kraus. »Soweit ich weiß, ist er morgen am Hof.«

Ihr Schwager, der Salzhändler und der Priester steckten unter einer Decke, aber welche Beweggründe trieben diesen Priester? Er verkehrte am königlichen Hof und gehörte ganz offensichtlich nicht zu den Ärmsten. Geld konnte demzufolge nicht der Grund für diese abscheulichen Taten sein.

»Grüble nicht, Cristin«, riss Baldos Stimme sie aus ihren Gedanken. »Komm her.« Er legte den Arm um sie.

In der Kammer wurde es still bis auf das Knistern des Feuers im Kamin. Sie hatte den Kopf an seine Schulter gelehnt und schaute in die Flammen. Er hatte recht. Morgen war früh genug, um über alles nachzudenken. Sie lächelte. Nie hätte sie geglaubt, noch einmal so tief für einen Mann empfinden zu können wie für Baldo. Heimlich, still und leise hatte er sich in ihr Herz geschlichen, und allein seine Anwesenheit genügte, um sie glücklich zu machen. Seine schwielige Hand lag auf ihrer, und mit ihren Fingern fuhr sie die Verhärtungen entlang. Statt einer Antwort hob er ihr Kinn.

Baldos Mund erkundete den ihren, zunächst unbeholfen, doch dann zunehmend sicherer. Er zog ihren Leib mit einer Leidenschaft an sich, die Cristin nicht an ihm vermutet hätte. Seine Hände glitten durch ihre Haare, und ihr Atem ging schneller, als er ihren Namen flüsterte. Sie seufzte an seinem Mund und ließ es zu, dass seine Lippen abwärts zu ihrem Hals wanderten und dort feuchte Spuren hinterließen. Nach Luft schnappend gab sie sich seinen Zärtlichkeiten hin, jeder Gedanke in ihr wurde ausgelöscht. Alles, was zählte, waren seine Hände, seine Wärme und das Glück, den Mann, den sie liebte, endlich im Arm halten zu können. Die Luft um sie herum schien zu knistern, Hitze schoss durch ihren Körper. Ohne ein Wort stand er auf, packte sie und hob sie hoch, um sie auf ihrem Bett niederzulegen. Seine Züge waren weich, die scharfen Linien verschwunden und der früher so oft verkniffene

Mund zu einem Lächeln verzogen. Verhangen waren seine Augen, als er sich über sie beugte. Wie rau seine Finger waren und gleichzeitig doch so voller Hingabe. Cristin half ihm, die bronzenen Tasseln zu lösen, die ihren Umhang zusammenhielten, dann richtete sie sich auf und zog sich die Tunika über den Kopf. Endlich, ja endlich, wollte sie wissen, wie es war, von ihm geliebt zu werden. Mit einem heiseren Laut warf Baldo sein Wams neben das Bett und legte sich neben sie. Vorsichtig zogen ihre Finger die Narben an seiner Seite nach, die das Wildschwein ihm einst zugefügt hatte. Sie waren gut verheilt, würden ihn jedoch sein Leben lang begleiten.

Sein Atem ging stoßweise. »Ich gehöre dir«, stieß er hervor, ohne sie aus den Augen zu lassen. Mit einem Seufzen wälzte er sie herum, bis er über ihr war. »Ich … kann nicht länger warten.«

Sie lachte heiser und zog sein Gesicht nahe an ihres. »Ach ja? Das trifft sich gut, Baldo Schimpf.« Sie verschloss ihm den Mund mit ihren Lippen.

18

Als sich die Tür des Zimmers öffnete und der Priester den Raum betrat, in dem die drei gemeinsam mit der Königin auf Bozydas Erscheinen warteten, hob Piet den Kopf.

»Tretet ein, Bruder Bozyda.« Jadwiga hob die Hand und winkte den Kleriker heran, der in ein teures Habit gekleidet war. Als der Priester sah, dass die Königin nicht allein war, zog er die Brauen zusammen und nahm eine kerzengerade Haltung ein. Sein Blick begegnete dem Piets, und ein Hauch des Erkennens huschte über sein Gesicht.

Der hagere Mann trat vor die Königin, beugte die Knie und senkte den Kopf.

»Ihr habt mich rufen lassen, Majestät?«, hörte Piet ihn in polnischer Sprache fragen.

»Ja, Bruder Bozyda.« Jadwiga bedeutete ihm mit einer Geste, sich zu erheben. »Mir sind Anschuldigungen zu Ohren bekommen.«

Der Priester stand auf. »Anschuldigungen, Majestät?«

»Allerdings. Es heißt, Ihr wäret an abscheulichen Geschäften mit jungen, hauptsächlich jüdischen Mädchen beteiligt, kurzum – wir reden hier über Frauenhandel. Was habt Ihr dazu zu sagen?«

Bozydas Augen verengten sich. »Wer... wer wagt es, so etwas zu behaupten, meine Königin?« Er drehte sich zu Baldo, Piet und Cristin um. »Sind es diese Fremden? Haben sie mich etwa beschuldigt?«

Jadwigas Augen blickten ernst. Sie nickte. »Ihr wurdet vor zwei Tagen mit zwei deutschen Männern gesehen und dabei belauscht, Bruder Bozyda, als Ihr über diese schändlichen Dinge spracht. In einer Kirche am Rynek habt Ihr Euch getroffen. Gebt Ihr es zu?«

Bozydas Augen flackerten unruhig. »Hoheit, glaubt Ihr wirklich diesen Fremden mehr als mir, einem Gottesmann, der seit Jahren im Wawel ein und aus geht und Euch immer treu ergeben war?«

Die Königin schloss einen Moment lang die Augen.

Sie ist müde, dachte Piet. Würde sie ihnen glauben? Wer waren sie schon? Drei Fremde, die sich seit ein paar Monaten nur deshalb im Schloss aufhalten durften, weil Cristin die Gunst der polnischen Regentin erlangt hatte und...

»Ja, ich glaube diesen Leuten«, unterbrach Jadwiga seine Gedanken. »Mir ist schon lange bekannt, wie geringschätzig Ihr über den jüdischen Teil unserer Bevölkerung sprecht und den Hass meiner Landsleute gegen die Juden geradezu schürt, indem Ihr sie in Euren Predigten als Christusmörder bezeichnet.« Sie machte eine bedeutungsvolle Pause, und als der Kleriker zu einer Erwiderung ansetzte, schnitt sie ihm das Wort mit einer Bewegung ab. »Habt Ihr nicht mehrfach Verständnis dafür geäußert, dass Angehörige des Deutschritterordens in der Vergangenheit bei ihren Kreuzzügen gegen die Pruzzen auch Synagogen zerstört und Juden getötet haben?« Wieder öffnete der Priester den Mund, aber Jadwiga schüttelte energisch den Kopf. »Schweigt. Diese anständigen Leute hier«, sie zeigte auf Cristin, Piet und Baldo, »haben mein volles Vertrauen und werden meine Gastfreundschaft so lange genießen, wie ich es will. Euch aber möchte ich im Wawel nicht mehr sehen! Und nun geht!«

19

Amen.« Cristin schlug die Augen auf und hob den Kopf.

Auf ihre Bitte hin hatte Piet sie in die Wawelkathedrale begleitet und mit ihr ebenso wie mit zahlreichen Hofdamen, Kammerfrauen und anderen Bediensteten des Herrscherpaares am Ostergottesdienst teilgenommen.

Der alte Priester hatte die Gemeinde gesegnet und die Entlassungsworte gesprochen, und nun leerte sich die Kathedrale allmählich. Im Mittelschiff der prachtvoll gestalteten Basilika, in der man, wie Ewa ihr kürzlich erzählt hatte, die polnischen Könige krönte und in den labyrinthartigen Krypten begrub, wurde es still. Nur der Priester und ein junger Messdiener standen noch am Altar und stellten Kelch, Hostienschale und die anderen liturgischen Gefäße zusammen. Cristin schloss die Augen. Der Gottesdienst hatte ihr gutgetan. Seit einiger Zeit ging sie zur Messe, meist allein, denn Baldo machte aus seiner Abneigung gegen Priester und Kirche weiterhin keinen Hehl, und auch Piet zog es vor, seine Zeit mit Marianka zu verbringen. Heute Morgen jedoch war ihr Bruder bereit gewesen, sie in die Schlosskathedrale zu begleiten, um mit ihr an der Eucharistiefeier teilzunehmen.

Nachdem sie noch einen Moment dagesessen hatte, erhob sie sich, um ebenfalls die Kathedrale zu verlassen, aber Piet rührte sich nicht vom Fleck.

»Kommst du, Piet?« Sein Blick war leer, schien seltsam entrückt. Sie legte ihm die Hand auf die Schulter. »Was ist mit dir, Lieber?«

»Das Mädchen …«, flüsterte er. »Wie sieht es aus?«

»Welches Mädchen meinst du?«

»Deine Tochter.«

Cristins Mund wurde trocken. »Hast du etwa …?«

»Ja.« Seine Stimme klang tonlos. »Da war dieses Mädchen, vielleicht ein Jahr alt.« Piet wischte sich über die Augen. »Welliges, helles Haar. Es hat im Schatten einer hohen Mauer gespielt.«

Sie hielt seine Hände in den ihren, und es rauschte in ihren Ohren. »Oh, mein Gott. Du hast Elisabeth gesehen, Piet? Sag mir … erzähl, was hat sie getan?«

»Das Mädchen hat im Schatten einer hohen Mauer gespielt«, wiederholte er. »Zusammen mit ein paar anderen Kindern. Dann kamen zwei Frauen. Sie waren dunkel gekleidet und brachten sie in ein Haus.«

»Du bist dir wirklich sicher?« Cristins Gedanken überschlugen sich, und sie umklammerte seine Hände. »Elisabeth? Du hast meine Elisabeth gesehen, Bruder?«

»Liebes, du tust mir weh«, protestierte er schwach.

»Entschuldige.« Cristin ließ ihn los, ihre Knie waren wie Butter. »Wenn sie, wenn sie hinter hohen Mauern lebt, dann ist sie also nicht bei Mechthild und Lynhard?« Ihre Stimme versagte. Endlich eine Spur, selbst wenn sie nur vage war.

»Ich denke nicht. Es ist aber nur so ein Gefühl.«

Ja, sie verstand. Die Gewissheit, das Kind nicht bei dem Unhold zu wissen, schickte Wellen der Erleichterung durch ihren Körper. Sie sah ihren Bruder an, lächelte unter Tränen und küsste ihn stürmisch auf die Wange. »Gott schütze dich, du Spökenkieker! Wir werden sie finden, hörst du? Wir müssen sie finden.«

Die folgende Nacht verbrachte Cristin schlaflos. Die Erregung darüber, Elisabeth vielleicht bald wieder in die Arme schließen zu können, hielt sie wach.

An einem der nächsten Abende lud Piet Cristin zu einem Spaziergang in den von Feuerbecken erhellten königlichen Garten ein. Im Schein des Feuers konnte sie die ersten frischen Triebe von Frühlingsblumen ausmachen, die ihre noch zarten Hälse in die Abendluft reckten. Wie wunderschön musste dieser Garten in einigen Wochen sein, wenn sie alle erblühten! Doch dann werden wir nicht mehr auf dem Wawel weilen, um sie bewundern zu können, dachte Cristin mit einem Hauch von Bedauern. Piet steuerte auf sie zu und begrüßte sie mit einem Lächeln, aber sie kannte ihn inzwischen gut genug, um zu merken, wenn etwas nicht stimmte. Sein Gesicht war umwölkt, und das Haar stand ihm zu Berge, als hätte er es zerwühlt.

»So sprich«, forderte sie ihn mit einem liebevollen Schubs auf. »Mach mir nichts vor, dich bedrückt doch etwas. Was ist los?«

Piet blieb stehen.

»Ich habe lange nachgedacht.« Er seufzte. »Ach, es ist so furchtbar schwer. Ich weiß nicht, wie…« Er brach ab, blieb stehen und sah zu Boden.

Was quälte ihn nur? Cristin tastete nach seiner Hand.

»Wenn ich… wenn ich euch wohlbehalten nach Lübeck zurückbegleitet habe, möchte ich…« Piet stockte. Alles in seinem Gesicht schien zu arbeiten.

»Was möchtest du?« Cristin berührte seine Wange.

Er drückte ihre Hand. »Ich möchte hierher zurückkehren, Cristin. Zu Marianka.«

Wie Dolchstöße fuhren die Worte in ihr Herz. Einige tiefe Atemzüge, dann hatte sie sich wieder in der Gewalt. Mit den Händen umschloss sie sein Gesicht, und seine Augen waren so feucht wie ihre. »So sehr liebst du sie?«

»Ja, Schwesterchen, das tue ich. Nie hätte ich geglaubt, ein

Weib könnte mir mal so viel bedeuten. Ich weiß nicht, ob sie es mit mir aushält, ob ich überhaupt als Ehemann tauge …« Piet wiegte den Kopf. »Und ob ich alter Herumtreiber es schaffe, sesshaft zu werden?« Sein Grinsen war schief. »Aber ich kann nicht von ihr gehen, verstehst du?«

Cristin verstand und betrachtete den Schimmer auf seinem Gesicht, während er von seiner Liebsten sprach. Für eine Antwort fehlte ihr jedoch die Kraft.

»Sobald wir Elisabeth gefunden haben, sobald sie vor diesem … diesem Verbrecher in Sicherheit ist und du wieder frei bist, breche ich auf«, fuhr er fort, »zurück zu Marianka. Ich möchte sie heiraten, weißt du?« Energisch wischte er sich über die Wangen. »Konstanty sagt, wir können bei ihm in der Gasse ein Haus bauen. Ein kleines nur, aber es wird unser sein.«

Sie schwiegen. Das Rauschen der Bäume im Wind, die Vögel in ihren Zweigen, alle Geräusche schienen für Cristin auf einmal einen Missklang mit sich zu führen. Noch jemand, den ich verlieren werde, schoss es ihr durch den Kopf.

»Ich … ich weiß, was du fühlst«, murmelte sie tränenerstickt an seinem Ohr. »Aber … du musst nicht meinetwegen …«

»Oh doch, Liebes! Ich kann nicht ruhig sein, solange ich nicht fühle, dass es dir gutgeht.« Er wandte sich ab, seine Schultern bebten.

Cristin starrte auf seinen Rücken, schwieg.

»Du brauchst Zeugen, begreifst du das denn nicht? Ich kann aussagen, was Bozyda und dein sauberer Schwager hier treiben.« Er drehte sich um und umfasste ihre Taille. Widerstreitende Gefühle spiegelten sich in Piets Augen wider.

»Vielleicht … vielleicht gibt es eine andere Möglichkeit«, flüsterte Cristin. Sie senkte ihre Stimme. »Bruder, ich bin des Lesens und des Schreibens mächtig. Wenn wir nun ein Schriftstück aufsetzen, in dem du bezeugst, Bozyda, Lynhard und den anderen belauscht zu haben? Wenn wir Glück haben, kann ich diesen Beweis später vor Gericht verwenden. Was meinst du? Dann könntest du hierbleiben – bei Marianka.«

Sein Gesicht erhellte sich. »Das könnte gehen«, räumte er ein, und der Glanz in seinen Augen kehrte zurück. Er küsste sie zart auf die Stirn.

»Ich werde dich schrecklich vermissen, du Narr.«

»Ich dich auch. Doch ich werde dich hören, wenn du mich rufst, Schwester. Glaub mir, ich bin dann schneller bei dir, als dir vielleicht lieb ist.«

»Ja«, lächelte sie und schniefte. »Da bin ich sicher. Ich werde euch besuchen, so oft ich kann, und eure Kinder nach Strich und Faden verziehen, mein Lieber. Wehe, du bist nicht gut zu Marianka! Dann bekommst du es mit mir zu tun, verstanden?«

In der Morgendämmerung brachen sie auf. Jadwiga hatte jedem zum Abschied ein fest verschnürtes Päckchen mit auf den Weg gegeben, ihnen eine gute Reise und den Segen des Allmächtigen gewünscht und versichert, sie seien jederzeit bei Hofe willkommen. Jaromir und Janek saßen schon in der Kutsche und warteten. Der Hufschmied und der Junge wollten es sich nicht nehmen lassen, Cristin und Baldo zur Ostseeküste zu begleiten, wo diese an Bord eines Schiffes gehen wollten. Selbst die Aussicht auf eine mehrtägige Reise schien sie nicht zu schrecken. Von Piet und Marianka hatten sie sich bereits am vergangenen Abend verabschiedet. Nur eine innige Umarmung, dann war ihr Bruder wortlos gegangen. Gewiss war es besser so, trotzdem war es Cristin, als würde ein Teil von ihr mit ihm gehen. Hätte Baldo sie nicht fest umarmt, wäre sie ihm vielleicht nachgelaufen, um ihn zu bitten, es sich anders zu überlegen. Doch Piet hatte sich entschieden, und sie sollte sich mit ihm freuen. »Wir sehen uns wieder«, hatte sie geflüstert und den Kopf in Baldos Nacken vergraben, um die Tränen zu verbergen.

Gemächlich war die Fahrt durch den Frühnebel, bei der sich Janek dicht an sie gedrängt hatte und beharrlich schwieg. Cristin wurde innerlich ganz ruhig, denn sie fing die Blicke auf, die der Hufschmied dem Jungen zuwarf. An keinem Ort der Welt wird er glücklicher sein als hier, durchfuhr es sie, während sie Baldo lauschten, der in ungewohnter Redseligkeit von der Kupferschmiedekunst erzählte. Zärtlich beäugte sie ihn von der Seite. Das viele Reden musste ihn wirklich Überwindung kosten. Janek zwinkerte ihr mit einem tapferen Lächeln zu.

So rollte die Kutsche in Richtung Norden durch das Land, vorbei an den Gehöften armer Bauern, durch kleine Städte und Dörfer mit meist fensterlosen Hütten. Kinder, die in zerlumpter Kleidung Gänse hüteten, blickten mit großen Augen dem Gefährt mit den beiden Männern und der Frau mit dem Jungen hinterher. Besonders Lump, der seinen massigen Kopf über den Kutschenrand hielt und alles aufmerksam beobachtete, erregte Aufsehen bei der Bevölkerung. Dann wieder ging es stundenlang durch schier endlos scheinende Tannenwälder, die schließlich – je weiter sie in den Norden kamen – von Birken- und Ulmenwäldern abgelöst wurden. Außerhalb der Ortschaften blieb ihnen nichts anderes übrig, als im Freien zu übernachten, doch die Königin hatte sie großzügig mit Proviant und warmen Decken versorgt.

Das leise Seufzen der Wälder und das Knacken morscher Äste in den ansonsten so stillen Nächten machten Cristin das Einschlafen schwer. Dem Jungen schien es nicht anders zu ergehen, denn oft wurde sie wach, wenn Janek heimlich unter ihre Decke schlüpfte und sich dicht an sie drängte, obwohl der Hufschmied ihn streng angewiesen hatte, bei ihm zu bleiben. Jaromir schlug stets taktvoll einige Klafter von ihnen entfernt sein Nachtlager auf, und in besonders kalten Nächten schlief er in der Kutsche, um sich vor dem zuweilen noch nach Frost riechenden Wind zu schützen. Cristin hatte dankbar beobachtet, wie er selbst im Schlaf einen Dolch mit einer Hand umklammert hielt. Gelegenheiten für Zweisamkeit blieben Baldo und Cristin nicht, und sich heimlich für kurze Zeit davonzustehlen war ebenso gefährlich wie leichtsinnig. Nur manchmal, wenn Janek und Jaromir in tiefem Schlaf lagen, liebten sie sich hastig, lautlos, ja beinahe verzweifelt, wenn die Sehnsucht nacheinander schier unerträglich wurde. Baldos warmen, drahtigen Körper nahe ihrem zu spüren, beruhigte Cristins angespannte Sinne, und sie lösten sich nur mit Bedauern voneinander.

Während der Reise nutzte Janek jeden Augenblick, den er mit Cristin verbringen konnte. Seine Sprache war nach wie vor stockend, und manchmal grübelte er nach den rechten Worten, aber er gab sich sichtlich Mühe. Er erzählte von der Pflege des neuen Fohlens und – mit vor Eifer leuchtenden Wangen – von allem, was Jaromir ihm inzwischen beigebracht hatte. Fünf Tage nach ihrer Abreise fuhren sie immer öfter an ausgedehnten Seen vorbei, ebenso wie an Flüssen, von denen sie einige an niedrigen Stellen durchqueren mussten. Das Glitzern des Wassers in der Morgensonne, die fröhlichen Vogelstimmen und die zarten Knospen an den Ufern verhießen Erneuerung und Fruchtbarkeit.

Als Cristins Wunsch, sich und ihre Kleidung gründlich waschen zu können, zu stark wurde, watete sie mit zusammengebissenen Zähnen in einen der Seen. Er war furchtbar kalt, und Cristin unterdrückte einen Schrei, als sie bis zum Hals in das klare Wasser eintauchte, um sich den Staub und Schmutz vom Körper zu reiben. Die Kälte stach in der Haut, trotzdem seufzte sie wohlig und genoss die kurze Wäsche. Baldo und Janek neckten sie wegen ihres übertriebenen Reinheitsbedürfnisses, und sie ließ es lächelnd über sich ergehen.

Zwei Tage später wurde die Landschaft immer flacher, und schon bald roch die Luft nach Salz und kündete von der nahen Küste. Sie erreichten ein Dorf, in denen sie sich einfaches, aber schmackhaftes Essen gönnten. Dort mieteten sie sich in einer Herberge ein und schliefen das erste Mal seit vielen Tagen wieder auf einem Strohlager. Nicht mehr lange, dann würden sie an Bord eines Handelsschiffes gehen, das gegen Bezahlung Reisende mit über das Meer nahm.

20

Cristin stand am Bug der *Sturmvogel* und betrachtete den Horizont. Was hatten Baldo und sie nicht alles erlebt in den letzten Monaten: Sie waren Zeugen unendlichen Leides geworden, hatten Tod und Zerstörung kennengelernt, aber auch die Freundschaft zu Königin Jadwiga und einigen anderen Menschen an ihrem Hof. Vor allem aber eine Liebe, wie Cristin sie nach dem schmerzhaften Verlust ihres Mannes kaum noch für möglich gehalten hatte. Und das mit jemandem, der so ganz anders war als Lukas. Der sie liebte, gleich, ob sie Mala, die Zigeunerin, die Heilerin Agnes oder Cristin war, die gesuchte und gejagte Mörderin. Sie musste an Piet und Janek denken. Der Abschied von den beiden hatte sie beinahe zerrissen. Janek, sonst wahrlich sparsam mit Liebkosungen, hatte ihre Wangen mit Küssen bedeckt, bemüht, die aufkommenden Tränen hinunterzuschlucken. Sie würden sich so bald wie möglich besuchen.

Eine kalte Brise wehte über das Deck und ließ Cristin frösteln. Sie zog den Umhang fester um die Schultern, lehnte sich gegen die Reling und blickte über das graue Wasser. Der Wind hatte an Kraft gewonnen, und die mit Schaumkronen besetzten Wellen schlugen höher. Ihr Magen revoltierte, als sich die Kogge zur einen Seite senkte, um gleich darauf zur anderen zu schwenken. Während der vergangenen Nacht hatte Übelkeit sie gemartert und wachgehalten. Sie presste eine Hand auf ihren Leib. Als sich starke Arme um ihren Körper legten, wandte sie den Kopf.

»Du bist schon wach?« Baldo stand hinter ihr, wie immer begleitet von seinem treuen Hund. Er drehte sie um und küsste sie auf die Stirn.

Sie nickte. »Ich konnte nicht mehr schlafen. Wie es aussieht, bin ich nicht sonderlich seefest, außerdem musste ich an Elisabeth denken. Wie es ihr wohl geht, dort in dem Haus mit den hohen Mauern?«

Er zog sie an seine Brust. »Ich bin sicher, du wirst sie bald wiedersehen.«

»Das gebe Gott.«

An Deck waren die ersten Schritte zu hören, und der Kapitän brüllte einen Befehl. Cristin schmiegte sich in Baldos Arme, während der Boden unter ihnen verdächtig schaukelte. Sie nahm einen tiefen Atemzug der salzigen Meeresluft.

»Wie lange werden wir wohl noch unterwegs sein?«

»Übermorgen laufen wir in Lübeck ein.« Er zögerte einen winzigen Augenblick. »Wenn alles gut geht.«

»Was meinst du damit?«

»Ich habe den Kapitän mit seinem Steuermann gestern Abend darüber reden hören, dass zwei andere Schiffe in der Nähe seien.«

Sie hob fragend die Brauen.

»Er meinte, es seien keine Hansekoggen.«

»Was bedeutet das?«

»Es könnten Schiffe sein, die den Vitalienbrüdern gehören.«

Cristin schlug die Hand vor den Mund. Über die Seeräuber um Klaus Störtebeker und Godeke Michels sprach man seit Jahren auch in Lübeck, stellten sie doch für die Hanse die größte Bedrohung seit deren Gründung vor zweihundert Jahren dar. Viele dieser Kerle waren verarmte Adelige aus Mecklenburg, die von ihrem letzten Geld eine Kogge gekauft und sich den Seeräubern angeschlossen hatten. Zuerst hatten sie nur dänische Schiffe überfallen, aber seit sie die schwedische Insel Gotland besetzt und dort ihr Hauptquartier aufgeschlagen hatten, machten die Seeräuber vor nichts mehr halt, nicht einmal vor den Handelsschiffen in Nord- und Ostsee. Selbst an Land waren sie kaltblütig genug, um die Bewohner kleinerer Küstenstädte auszuplündern. Wer sich ihnen widersetzte, wurde umgebracht, hatte Lukas ihr einmal erzählt. Cristin erschauerte.

Sprühregen hatte eingesetzt, und der Wellengang war stärker geworden. Die *Sturmvogel* schlingerte jetzt so sehr, dass sie sich an der Reling festhalten mussten, um nicht hin und her geworfen zu werden. Lump hatte den Schwanz zwischen die Hinterbeine geklemmt und winselte.

»Wir sollten wieder unter Deck gehen!«, rief Baldo gegen den Wind an, während er Cristin am Arm fasste und mit sich zog.

Sie warf einen letzten Blick zurück, doch nun schienen sich sämtliche Schleusen des Himmels geöffnet zu haben, und der Regen prasselte beinahe schmerzhaft auf sie nieder. Der Wind heulte, und der Hund tat es ihm gleich. Vor sich konnte sie noch schwach eine graue Wolkenwand ausmachen, dann würgte sie. Im Nu war sie bis auf die Haut durchnässt, bevor sie hinter Baldo und Lump die Treppe hinunterklettern und sich in einen der Laderäume retten konnte. Oben schlug jemand den Lukendeckel zu. Zwischen zusammengeschnürten Tuchballen und Pelzbündeln kauerten sie dicht beieinander und horchten auf das Geräusch der gegen die Schiffswand schlagenden Wellen. Der Hund fiepte und zitterte. Mehrmals mussten sie Kisten und Tuchballen ausweichen, die auf den nassen Planken hin und her rutschten, um dann mit einem dumpfen Krachen gegen die Schiffswände geschleudert zu werden.

Cristin stöhnte. Ihr Magen hob sich, ein Schwall Erbrochenes schoss aus ihrem Mund und klatschte auf die Planken. Über sich hörte sie das Geschrei der Seeleute, vermischt mit dem Brausen des Windes, der das Schiff schwanken ließ wie einen betrunkenen Zecher. Das Unwetter schien kein Ende nehmen zu wollen. Nach einer Weile ließen Wind und Regen endlich nach. Das Schiff hörte auf zu schlingern, an Deck wurde es ruhiger. Sie erhob sich, noch immer mit weichen Knien, und trat an die schmale Treppe, die auf das Vorderdeck hinaufführte. Jemand hatte die Luke geöffnet, und Cristin sah, wie sich die Sonne durch die Wolkendecke einen Platz zurückeroberte.

Kapitän Gottfried, ein kleiner, aber kräftig gebauter Mann mit roten Haaren, die sich am Hinterkopf bereits lichteten, schaute zu ihnen herab.

»Das Schlimmste scheint vorüber. Wenn ihr wollt, könnt ihr wieder raufkommen. Der Schiffskoch hat angeboten, ein Fässchen Wein und ein paar Laibe Brot an Deck zu schaffen, damit meine Mannschaft und ich uns stärken können. Setzt euch zu uns, ihr habt sicher Hunger.«

Allein der Gedanke, etwas essen zu müssen, löste Krämpfe in ihrem Bauch aus. Trotzdem war Cristin dankbar für Gottfrieds Angebot, waren ihre eigenen Vorräte nach der fast zweiwöchigen Reise doch so gut wie aufgebraucht. Baldo und sie kletterten die Treppe empor und gesellten sich zu einigen Männern, die auf dem Achterkastell saßen, Stücke von einem dunklen Brotlaib abrissen und hungrig verschlangen. Ein groß gewachsener, kahlköpfiger Mann füllte Becher aus einem kleinen Fass ab und reichte diese an die Seeleute weiter. Als Cristin an der Reihe war und den Wein kostete, verzog sie das Gesicht, denn das Zeug schmeckte nicht. Sie reichte den Becher an Baldo weiter, der neben ihr auf einem der Aufbauten saß. Er leerte ihn mit einem Zug. Während der Schiffskoch mit dem Fässchen unter dem Arm an ihr vorbei zum Vorderdeck ging, wo der Rest der Mannschaft wartete, fing Cristin einen düsteren Blick von ihm auf. Sie erhob sich, ging zur Reling und trat neben Gottfried, der mit dem Becher in der Hand auf die nun nur noch leicht gekräuselte Wasseroberfläche hinausschaute.

»Ich möchte Euch noch einmal danken, dass Ihr uns an Bord Eures Schiffes genommen habt.«

Der Kapitän wandte den Kopf und nickte. Er trank den Becher leer.

»Wir Lübecker müssen doch zusammenhalten.«

»Ihr seid auch aus Lübeck? Das wusste ich gar nicht.«

»Ja, geboren und… aufgewachsen. Mein Haus steht in der Becker…« Geistesabwesend schaute er sie an.

»Die Beckergrove meint Ihr?«

»Ja.« Gottfried blinzelte.

»Kapitän?« Sie fasste nach seiner Schulter.«Ist Euch nicht wohl?«

»Nein. Ähm … keine Sorge. Ich glaube, ich muss mich hinsetz…« Gottfried schwankte und hielt sich an der Reling fest. Im nächsten Moment fiel ihm der Becher aus der Hand und landete klirrend auf dem Boden.

Hilfe suchend sah Cristin sich um. Und erstarrte. Weder auf dem Achter- noch auf dem Vorderdeck der Kogge war die übliche Betriebsamkeit zu hören. Schnell lief sie nach hinten und fand die Männer zu ihrer Verblüffung regungslos auf dem Boden. Cristin beugte sich über die zusammengesunkenen Körper. Überall nur schlummernde Seeleute, dazwischen Baldo mit einem seligen Lächeln auf den Lippen. Sie packte ihn am Mantelkragen und versuchte ihn hochzuziehen, aber er stierte sie nur aus trüben Augen an. Das konnte doch nicht wahr sein. Sie hatten schließlich nur einen Becher Wein getrunken und kein Gelage gefeiert!

»Ist das nicht ein schönes Bild?«

Sie fuhr herum. Vor ihr stand der Schiffskoch, die Mundwinkel zu einem hämischen Grinsen verzogen.

»Was habt Ihr mit der Mannschaft gemacht?«

Der Mann spuckte auf die regennassen Planken.

»Sie wollten Wein, also habe ich ihnen Wein gegeben. So einfach ist das.« Er trat einen Schritt vor und streckte die Hand nach ihr aus.

Cristin wich zurück. »Ihr habt etwas hineingetan, nicht wahr?«

Der Mann schürzte die Lippen, seine Augen wurden schmal. »Natürlich. Du bist nicht nur schön, sondern auch eine kluge Frau.«

Sie schüttelte den Kopf. »Warum?«

Ein weiterer Schritt, und er hatte Cristin erreicht und packte ihren Oberarm. »Dreh dich um, dann siehst du es!«

Widerstrebend gehorchte sie, und in weniger als einer Meile Entfernung erspähte sie zwei Schiffe, die sich unter vollen Segeln rasch näherten. Sie kniff die Augen zusammen und konnte auf dem Vorderkastell des größeren die Silhouetten mehrerer Männer erkennen. Das metallene Glitzern ihrer

Waffen in der tief stehenden Sonne ließ keine Zweifel an ihren Absichten. Das Heck der fremden Koggen zierte keine der bekannten rot-weißen Flaggen wie sie die Schiffe der Hanse kennzeichneten. Die schreckliche Wahrheit drang wie ein Donnerhall in ihren Geist. Die Seeräuber wollten die *Sturmvogel* entern! Kapitän Gottfried und seine Mannschaft, die wie tote Fliegen an Deck lagen, würden bei diesem Überraschungsangriff kaum Widerstand leisten können.

Mittlerweile hatte sich das erste Schiff quer zur Hansekogge gelegt. Bestürzt beobachtete sie, wie eine schmiedeeiserne Kanone in Position gerollt und auf das Handelsschiff gerichtet wurde. Die Schiffe der Seeräuber waren jetzt nur noch zwei, drei Steinwürfe entfernt, Cristin starrte in die Gesichter von mindestens zwei Dutzend Männern. Wild entschlossen, in den Händen Schwerter und Armbrüste, standen sie breitbeinig an der Reling ihres Schiffes. Sie schlug ein Kreuz über ihrer Brust, dann endlich konnte sie sich von dem schrecklichen Anblick losreißen. Mit einer ruckartigen Bewegung befreite sie sich aus dem Griff des Schiffskochs und kletterte die kurze Leiter zum Achterkastell hinauf. Cristin wusste nicht, wie viel Zeit vergangen war, doch die Mannschaft lag schon viel zu lange ohne Regung auf dem Schiffsboden.

»Wacht auf!«, schrie sie. »Wir werden überfallen!« Sie versetzte einem der Männer einen kräftigen Tritt in den Hintern. Als er nicht reagierte, beugte sich Cristin zu ihm herunter und schüttelte ihn. Dreimal, viermal.

»He, was soll das?« Der Seemann versuchte sich aufzurichten, fiel aber sogleich wieder zurück. Ein weiterer Tritt ließ ihn die Augen öffnen. Er setzte sich entrüstet auf und versuchte, nach ihr zu greifen, doch mit seinen unkontrollierten Bewegungen griff er ins Leere. Schon war Cristin beim nächsten angelangt, bückte sich und versetzte ihm eine schallende Ohrfeige.

Der Mann riss die Augen auf und rülpste. »Bist du verrückt geworden, Weib?«

Cristin griff in sein Wams und zog ihn in die Höhe. Die

Angst verlieh ihr ungeahnte Kräfte. Ihre Nasenspitze berührte fast die des Seemannes, dessen Atem faulig roch.

»Die Vitalienbrüder sind da! Holt eure Waffen, sonst bringen sie uns alle um!« Sie ließ ihn los, der Mann fiel nach hinten und schlug mit dem Kopf auf die Planken.

Er stöhnte auf. »Was sagst du da? Vitalienbrüder?«

Immer mehr Seeleute erhoben sich und stolperten die Treppe zu den Mannschaftsräumen hinab, um kurz darauf mit Schwertern und Äxten zu erscheinen.

Cristin kniete neben Baldo nieder, der sich stöhnend an den Kopf fasste, den Blick noch immer umnebelt.

»Werde endlich wach, Liebling!«, schrie sie gegen den Wind an. »Was hat der verfluchte Mann euch nur gegeben?«

Baldo antwortete nicht, und selbst als sie ihn wild zu schütteln begann, reagierte er nur träge mit einem Blinzeln und nuschelte Unverständliches. »Hoch jetzt mit dir, verflucht!« Endlich erhob er sich, wenn auch schwankend. »Du hattest recht, die Seeräuber wollen das Schiff überfallen«, stieß Cristin hastig hervor. »Der Schiffskoch steckt mit ihnen unter einer Decke.«

»Die Ratte mache ich einen Kopf kürzer«, knurrte Baldo, nun erheblich wacher, und sah sich mit gebleckten Zähnen um, aber der Verräter war nirgends zu sehen.

Kapitän Gottfried trat zu ihnen. »Wahrscheinlich hat der Schweinehund sich irgendwo versteckt und wartet auf seine Kameraden!« Seine Stimme bebte vor Wut. »Feuer eröffnen!«, erscholl sein Befehl über das Deck.

Cristin lugte zu einer der beiden Kanonen hinüber, die Gottfrieds Männer auf die feindlichen Schiffe gerichtet hatten. Einer von ihnen entzündete gerade die Lunte und trat in Erwartung des kräftigen Rückstoßes zurück. Die kurze Zündschnur brannte ab, doch nichts geschah.

»Feuer!«, schrie der Kapitän abermals. Die zweite Kanone versagte ebenso. »Beim Klabautermann, was geht hier vor sich?« Gottfrieds Züge nahmen einen verzweifelten Ausdruck an, seine Stimme klang hohl.

»Der Koch – er muss das Pulver unbrauchbar gemacht haben«, stieß Baldo hervor. »Hinunter!« Unsanft zog er Cristin mit sich hinter die schützende Schiffswand.

Nur wenige Augenblicke später ging ein Regen von fingerdicken Armbrustpfeilen aufs Deck nieder. Gellende Schmerzensschreie ertönten, gefolgt vom Geräusch der auf den Boden fallenden Körper. Das Stöhnen und Jammern der Sterbenden drang Cristin durch Mark und Bein. Während Baldo versuchte, sie mit seinem Körper zu schützen, schloss sie die Augen und erwartete das Unausweichliche. Ein ohrenbetäubendes Bersten erfüllte die Luft, dann wurde es still. Das Blut gefror ihr in den Adern. Mein Gott! Cristin vergrub die Finger in Baldos Wams und klammerte sich an ihn. Wildes Triumphgeschrei brach aus, und sie hielt sich die Ohren zu. Die Zeit schien stillzustehen. Es ist vorbei, durchfuhr es sie. Die Ostsee wird unser kaltes Grab sein, die Kogge unser Sarg. Cristin biss sich auf die Unterlippe, schmeckte Blut. Baldo presste sie an sich.

Eine Fratze schob sich über die Reling, seltsam entstellt, und Cristin stieß einen gellenden Schrei aus. Der Mann starrte sie aus einem Auge an.

»Was haben wir denn da?«

Mit einer Hand griff er in ihr Haar und zog sie unerbittlich in die Höhe, wobei ihr Tränen in die Augen schossen. »Eine hübsche Metze an Bord eines Handelsschiffes – wer hätte das gedacht? Solch Beute macht man nicht jeden Tag!«, grinste der Mann und zog sie an sich.

Baldo fuhr hoch und wollte ihr zu Hilfe eilen, als sie hinter ihm einen zweiten Piraten auftauchen sah. Als er Baldos gewahr wurde, hob er eine Streitaxt, die er in der rechten Hand hielt.

Cristin riss die Augen auf. »Pass auf!«, schrie sie.

Er wandte den Kopf, doch es war bereits zu spät, und der Seeräuber schlug ihm die Waffe mit voller Wucht über den Schädel. Baldos Blick wurde glasig, sein Gesicht erschlaffte, dann ging er in die Knie und sank auf die Planken.

21

»Vorwärts!« Eine Hand packte Cristin am Arm und zerrte sie zwischen den Aufbauten und durch einen Wust von Tauwerk über das Deck des fremden Schiffes. Prompt stieß sie sich den Fuß an einer Kiste und schrie auf, doch der Mann schob sie weiter bis zu einer breiten Luke, die sich dunkel wie der Schlund eines Ungeheuers vor ihr auftat. »Runter mit dir! Und der räudige Köter gleich mit.«

Baldo, schoss es ihr durch den Kopf. Was war mit ihm? Tränen verschleierten ihr die Sicht, während ihre Füße nach den Stufen der Leiter suchten und ins Leere traten. Cristin verlor den Halt, stürzte hinab und landete auf den feuchten Planken, als sich über ihr der Lukeneingang verdunkelte.

»Runter mit der Töle«, hörte sie jemanden rufen, gefolgt von lautem Aufjaulen. Sie konnte das schwere Tier gerade noch auffangen, und Lump drängte sich ängstlich an sie.

»Wo ist dein Herrchen?« Ihre Stimme klang rau. »Wo ist Baldo?«

Der Hund hob den Kopf und sah sie aufmerksam an, als verstünde er jedes Wort. Sie hockte sich auf den glitschigen Boden und vergrub das Gesicht in den Händen. Da, ein Stöhnen. Sie wandte den Kopf und versuchte im Schummerlicht etwas zu erkennen. »Baldo?«

Ein Ächzen war die Antwort.

»Hier hinten … bei den Strohballen.«

Auf Händen und Knien rutschte sie in Richtung der Stimme, bis sie im Halbdunkel eine am Boden sitzende Gestalt ausmachte. Lump bellte, diesmal vor Entzücken, und leckte seinem Herrn über die Hand.

»Guter Junge, mach Platz.« Baldos Stimme klang weich.

»Ich bin so froh, dass du lebst. Ich dachte, er hätte dich …«

»Umgebracht? Viel hat wohl nicht gefehlt. Eins dieser

Schweine hat mir irgendwas über den Schädel gezogen.« Im Zwielicht sah sie, wie sich eine Hand nach ihr ausstreckte. »Komm her.«

Sie kroch zu ihm hinüber und schmiegte sich in seine Arme. »Was mögen die Räuber mit uns vorhaben?«

»Was weiß ich«, überlegte Baldo laut. »Was sollen die Vitalienbrüder schon mit uns anfangen? Nach allem, was man so hört, haben die Kerle es auf die in den Koggen geladenen Waren abgesehen, nicht auf die Mannschaften.«

Cristin dachte an Gottfried und seine Männer. Einige von ihnen hatte sie von Pfeilen getroffen zusammenbrechen sehen, und gewiss waren etliche von ihnen tot. Ob es weitere Überlebende gab, die von den Piraten gefangen genommen und auf ihr Schiff gebracht worden waren? Sie blickte sich im Laderaum um, und nachdem sich ihre Augen langsam an die Dunkelheit gewöhnt hatten, erfasste sie die Lage.

»Hier liegen noch ein paar Männer. Ob sie verletzt sind?«, flüsterte sie, während sie dichter an Baldo heranrückte.

Die Luke öffnete sich, Licht flutete herein.

»Zur Seite da unten!«, brüllte jemand. Im nächsten Moment flog ein Tuchballen, gefolgt von einem großen Bündel zusammengeschnürter Pelze – von dem gekaperten Schiff erbeutete Waren –, herab und landete auf dem Boden. Dies wiederholte sich noch ein knappes Dutzend Mal, bis die Luke zugeschlagen wurde. Wieder saßen Baldo und Cristin im Halbdunkel, während über ihnen laute Kommandos erschollen. Auch schien sich das Schiff zu bewegen. Cristin wurde bleich, als sie das Wort »Versenken!« vernahm. Zwei Herzschläge später ließ ein markerschütterndes Krachen sie zusammenfahren. Lump jaulte auf. Ein zweites Krachen folgte unmittelbar, kurz darauf begann das Schiff zu schaukeln.

»Was war das, Baldo?«

»Die Schweine versenken Gottfrieds Kogge. Sie haben ihre Kanonen abgefeuert.«

Über ihnen öffnete sich die Lukenklappe, und Licht fiel in

den Laderaum, dann wurden zwei nackte, behaarte Beine sichtbar, und eine raue Stimme erscholl.

»Rauf mit euch! Ihr sollt sehen, was mit eurem stolzen Hanseschiff geschieht!«

Cristin blinzelte ins Licht, erhob sich schwankend und trat an die Leiter. Ein narbengesichtiger Seeräuber mit einer Wollmütze auf dem kantigen Schädel starrte auf sie herunter. Widerwillig ergriff sie die schwielige Hand, die sich ihr entgegenstreckte und sie hochzog. Jetzt sah sie, dass fünf Seemänner überlebt hatten, darunter Kapitän Gottfried. Baldo und die anderen folgten ihr mit finsteren, verkniffenen Mienen und betraten nacheinander das Oberdeck, wo zwei Dutzend Vitalienbrüder sie erwarteten. Backbord, nicht weit von ihnen entfernt, dümpelte das zweite, etwas kleinere Piratenschiff auf dem Wasser. An der Reling standen weitere bewaffnete Männer und starrten zu ihr herüber.

Ein kräftiger Mann mit einem hellroten, sorgfältig gestutzten Bart und einem Filzhut auf dem Kopf schien der Anführer der Seeräuber zu sein.

»Willkommen an Bord meines Schiffes«, begrüßte er die Gefangenen spöttisch, während sein Blick auf Cristin ruhte. Dann wies er über das Wasser auf die *Sturmvogel*, die bereits zu zwei Dritteln in den Fluten versunken war. Rings um ihren Rumpf brodelte das Wasser, als würde es kochen, und das gurgelnde Geräusch vermischte sich mit dem Johlen der Piraten.

Cristin schluckte, während sie wie gebannt zu der sinkenden Kogge starrte. Nur ein Teil des Achterdecks und die Spitze des Mastes mit dem erschlafften Segel ragten noch aus dem Wasser. Es war ein Bild des Jammers, und sie drehte sich auf dem Absatz um. Aus den Augenwinkeln nahm sie Kapitän Gottfried wahr, der mit den Händen die Reling umklammerte. Seine Gesichtszüge wirkten wie versteinert.

»Verzeiht, dass ich mich Euch noch nicht vorgestellt habe«, vernahm Cristin hinter sich die Stimme des rotbärtigen Mannes und wandte sich um. Er deutete eine Verbeugung an und musterte sie unverhohlen von oben bis unten. »Mein Name ist Arnd von Krämer aus Wismar. Ich bin der Kapitän dieses Schiffes und hoffe, meine Männer haben Euch nicht zu hart angefasst, als sie Euch an Bord gebracht haben.«

Baldo knurrte, sein Hund ebenfalls, und Cristin warf ihm einen warnenden Blick zu. Er hatte die Fäuste geballt und presste die Kiefer zusammen, schwieg aber.

»Wollt Ihr mir nicht sagen, mit welch schöner Frau ich das Vergnügen habe?«

»Agnes Bremer«, antwortete Cristin und konnte nur mühsam ihre Wut unterdrücken.

»Und Ihr?« Er deutete auf Baldo.

»Mein Bruder«, sagte sie knapp. »Adam.«

Der Mann strich sich mit der Hand über den kurz geschnittenen Bart.

»So, Agnes und Adam Bremer – und was macht Ihr auf einem Handelsschiff?«

»Kapitän Gottfried war so freundlich, uns nach Lübeck mitzunehmen ...«

»Daraus wird nichts werden«, unterbrach Krämer.

Cristin erschrak. »Was habt Ihr mit uns vor?«

»Keine Angst, Frau Bremer.« Seine Stimme klang amüsiert. »Wir laufen morgen in aller Frühe eine versteckte Bucht an der mecklenburgischen Küste an, dort lassen wir Euch von Bord. Wir sind schließlich keine Unmenschen, auch wenn wir von der Hanse gern so dargestellt werden und uns die Kaufleute in Hamburg, Lübeck und Sleswig die Pest an den Hals wünschen.« Er bleckte die Zähne. »Was wir wollten, haben wir bekommen – kostbare Tuche, Pelze und eine Kiste mit Bernstein.« Er lachte leise. »Frauen an Bord bringen nur Unglück, sagt man. Das Sprichwort scheint zu stimmen, nicht wahr, Kapitän?« Er warf Gottfried einen spöttischen Blick zu, dann sah er Cristin ins Gesicht. »Deshalb lassen wir Euch und Euren Bruder frei. Wir haben keine Verwendung für Euch. Wie Ihr allerdings nach Lübeck kommt, müsst Ihr selber sehen.«

»Das lasst nur unsere Sorge sein«, ließ sich Baldo vernehmen, und seine Stimme klang grimmig.

Cristin schüttelte unmerklich den Kopf.

Kapitän Gottfried löste sich von der Reling und machte ein paar Schritte auf den Anführer der Vitalienbrüder zu. »Was passiert mit meinen Männern und mir?«

Erst jetzt bemerkte Cristin eine blutende Wunde an seinem Oberarm, um die er notdürftig einen Verband geschlungen hatte.

Arnd von Krämer verschränkte die kräftigen Arme vor der Brust. »Mit Euch, Kapitän? Nun, ich will doch sehr hoffen, die Kaufleute Lübecks sind bereit, ein nettes Sümmchen Lösegeld für Euch zu bezahlen! Das wird ihnen ein tüchtiger Koggenkapitän wohl wert sein. Solange seid Ihr selbstverständlich meine Gäste.« Seine Lippen verzogen sich zu einem unverschämten Grinsen. »Schließlich habt Ihr nun kein Schiff mehr!«

Cristin sah, dass Gottfried sich nur mit Müh und Not beherrschen konnte, um Krämer nicht an die Kehle zu gehen. Dazu trug sicher auch ein halbes Dutzend mit Dolchen und Armbrüsten bewaffneter Männer bei, die um Gottfried und ihren Anführer herumstanden, bereit, den vor Wut rot angelaufenen Kapitän des geenterten Handelsschiffes zu ergreifen, sollte sich dieser auf Arnd von Krämer stürzen wollen.

»Kapitän!« Hinter ihnen in der Luke zum Laderaum tauchte plötzlich ein dicklicher Kerl mit flachsblondem Haar und geröteten Wangen auf. »Kommt schnell! Das ... das müsst Ihr Euch ansehen!«, stieß er hervor und wies mit dem Daumen ins Innere.

»Was soll da sein, Hinnerk? Ist dir da unten eine Jungfrau begegnet, oder was?«, fragte der Kapitän. Seine Männer lachten und schlugen einander auf die Schultern.

»Nein, das nicht, Kapitän.« Der Mann kratzte sich am Kopf. »Aber Weiber – zwei Stück!« Er verzog die Lippen zu einem dümmlichen Grinsen.

Krämer ging einen Schritt auf ihn zu und zerrte den Erregten am Hemdkragen an Deck.

»Was redest du da für einen Unfug! Frauen an Bord? Bist du verrückt? Wie sollten die hierher gekommen sein?«

»Vielleicht wie die da?« Er wies mit ausgestrecktem Arm auf Cristin.

Die schüttelte den Kopf. »Nein, ich war die einzige Frau auf Kapitän Gottfrieds Schiff.«

»Ist das wahr?«, wollte von Krämer wissen.

Gottfried nickte düster.

»Verdammt, dann will ich wissen, wer die beiden Weiber an Bord gebracht hat!« Seine Männer traten vor, doch ihr Anführer schob sie grob beiseite und trat an die Luke, um in den Laderaum hinunterzuklettern.

»Wir haben da unten keine Frauen gesehen, Liebes«, flüsterte Baldo ihr zu.

Kurze Zeit später erschien Arnd von Krämer wieder an Deck, gefolgt von zwei an den Händen gefesselten jungen Frauen, die ins Sonnenlicht blinzelten und sich mit gesenkten Lidern dicht aneinanderdrückten.

Der Anführer der Piraten trat an seine Mannschaft heran, die sofort zurückwich, und seine Stimme wurde kalt wie Eis, als er einen nach dem anderen ansah. »Wer hat die beiden Weiber aufs Schiff gebracht?«

Niemand rührte sich.

Krämers Augen wurden schmal, und er wandte sich den beiden immer noch verschüchtert dastehenden Frauen zu. »Zeigt mir den Mann oder die Männer, die euch auf das Schiff gebracht haben!«

Eine der beiden, eine hellblonde Frau in Cristins Alter, hob die Lider, ließ langsam und prüfend ihren Blick über die Mannschaft schweifen und verharrte an einer Person. Mit einem leichten Nicken deutete sie auf einen der Männer, der sich im Hintergrund gehalten hatte.

Arnd von Krämer packte den Verdächtigen bei seiner Jacke und riss ihn zu sich heran, einen Kerl mit kleinen, dunklen Augen und einer spitzen Nase. »Hans Willberg! Was soll das bedeuten? Was sollen die Weiber auf unserem Schiff?«

Dem Angesprochenen wich jeder Blutstropfen aus dem Gesicht, seine Lippen bebten.

»Ich wollte … die Weiber …«

Es wurde so still, dass Cristin die hastigen Atemzüge des Verdächtigen hören konnte.

»Was hattest du mit ihnen vor? Ein kleines Geschäft machen, hinter dem Rücken deines Kapitäns, wie?« Krämer hob die Hand und versetzte dem Mann zwei kräftige Ohrfeigen.

Willberg stöhnte auf. Ehe er es sich versah, legte sich Krämers Hand um seinen narbigen Hals und drückte zu. »Kapitän, bitte …« Seine Stimme war kaum mehr als ein heiseres Röcheln. »Du wirst mir jetzt sagen, für wen die beiden Weiber bestimmt waren, sonst lasse ich dich augenblicklich ins Wasser werfen, du verdammtes Schwein!«

Der Mann zappelte wie ein Fisch am Haken.

Cristin beugte sich vor, um ihn besser verstehen zu können.

»Die Männer leben in Lübeck«, keuchte der Mann. »Sie heißen Bremer und Lüttke.«

Lüttke. Bremer. Cristin erstarrte zur Salzsäule. Ihre Finger suchten Halt, krallten sich in Baldos Mantel, während die Erkenntnis Schmerzwellen durch ihren Körper jagte. Es stimmte also – der Salzhändler und ihr Schwager machten gemeinsame Sache, betrieben Mädchenhandel. Sie hatte es nie glauben wollen, hatte sich stets dagegen gesträubt, Gedanken in dieser Richtung zuzulassen. Er ist ein Verbrecher, ein jämmerlicher, durchtriebener Verbrecher. Ein Mann, der unschuldige Frauen verschleppt und sie einem ungewissen Schicksal überlässt. Cristin hielt die Nase in den Wind, während sie Baldos und Lumps Augen auf sich gerichtet fühlte. Die Seekrankheit machte ihr schwer zu schaffen, und das Entsetzen über Lynhards Machenschaften verstärkte noch die Übelkeit. Baldo legte den Arm um sie. Wie oft hatte sie sich gefragt, ob Lynhard und Hilmar Lüttke wirklich miteinander zu tun hatten. Nun wurde ihr Verdacht bestätigt.

»Was sollte mit den Frauen geschehen? Sprich!«, wollte

Krämer betont ruhig wissen. Er ließ Willberg los, dessen Gesichtsfarbe nach und nach zurückkehrte.

Cristin wandte sich angewidert von dem Rattengesicht ab.

»Die Weiber landen in irgendwelchen Hurenhäusern in Lübeck, Hamburg oder Wismar, soweit ich gehört habe. Viel mehr weiß ich auch nicht.«

»Lass dir nicht jedes Wort aus der Nase ziehen. Sonst werfe ich dich den Fischen zum Fraß vor! Wo sollte die Übergabe stattfinden?« Arnd von Krämers Stimme war schneidend. Willberg sah zu Boden. »Kapitän, bitte …«

Krämer versetzte ihm die nächste Ohrfeige, packte den Mann an den Haaren und zerrte ihn zum Bug des Schiffes. »Wird's bald, Willberg?«

»Ich … ich sag … sag ja schon alles.« Cristin beobachtete, wie der Kapitän den Kerl in den Schwitzkasten nahm. »Ich … ich wusste, dass wir wie geplant die Insel Uznjom bei Nacht passieren würden. Zwei weitere Kerle sollten sich im Schutz der Dunkelheit in einem Boot nähern und die Fracht an Land bringen, zu einer Herberge in Neukrug, von wo aus sie von denen auf dem Landweg weitertransportiert werden sollten. Mehr weiß ich nicht, ich schwöre!«

Krämer hielt Willberg weiterhin fest umklammert. »Nun, der Plan scheint nicht aufzugehen, nicht wahr?«, erwiderte der Kapitän und blickte sich um. Sein Blick traf Cristin. »Bremer – Ihr sagtet, das sei auch Euer Name.«

Sie nickte, noch immer erschüttert. Krämer brauchte nicht zu wissen, dass sie Lynhard kannte. »Ja. Der Name ist weit verbreitet in unserer Gegend.« Sie konnte ihren eigenen rasenden Puls an den Schläfen fühlen und hoffte, ihm war das Zittern ihrer Stimme entgangen.

»Nun gut.« Der Kapitän musterte seine Mannschaft, die mit hinter den Rücken verschränkten Armen auf seinen Befehl wartete. »Preen, Broders und Stük – greift euch den Kerl und lasst ihn die Knute spüren!«

Die Angesprochenen lösten sich aus der Schar der Umstehenden und packten den Verräter, um ihm blitzschnell die

Jacke und das Hemd herunterzureißen. Zwei der Piraten drückten den sich heftig wehrenden Kerl gegen die Reling und hielten ihn fest, der andere flüsterte einem weiteren Mann aus der Mannschaft etwas ins Ohr. Dieser lief los und kam wenig später zurück, wobei er etwas in die Höhe hielt. Cristins Augen weiteten sich. Es war eine neunschwänzige Katze, die der Mann durch die Luft sausen ließ. Schon klatschten die Riemen aus geflochtenem Tau mit einem schrecklichen Geräusch auf Willbergs Haut. Er schrie auf, als erste Striemen sich auf seinem Rücken zeigten. Zwei weitere, noch kräftigere Schläge, und seine Haut platzte auf. Als dem Mann das Blut in schmalen Rinnsalen über den Rücken lief, wandte Cristin sich ab.

Dem Anblick des blutenden Mannes konnte sie sich entziehen, seinen gellenden Schmerzensschreien und den Rufen der Männer, die den Mann mit der Knute anfeuerten, jedoch nicht.

»Ihr müsst Euch das nicht ansehen, Frau Bremer.« Von Krämer fasste nach ihrem Arm. »Steigt mit den anderen Frauen wieder hinunter in den Laderaum.«

Cristin sah zu den beiden hinüber. Zusammen mit Kapitän Gottfried und den anderen Gefangenen beobachteten die jungen Frauen aufmerksam, was mit dem Mann geschah, der sie gegen ihren Willen auf das Schiff verschleppt hatte. Die Mädchen wirkten nicht besonders helle, aber sie waren hübsch und jung – genau die Art von Mädchen, die sich leicht durch Geschenke und schmeichelnde Worte beeindrucken ließen. Cristin hoffte, dass die beiden ihre Sprache verstanden, damit sie mehr über das erfahren konnte, was ihnen widerfahren war.

»Was geschieht nun mit ihnen?«

»Was glaubt Ihr?« Die Lippen des Kapitäns verzogen sich zu einem Lächeln. »Natürlich werde ich sie morgen freilassen, Euch alle.«

»Ihr lasst uns tatsächlich frei?«

Von Krämer lächelte. »Überrascht Euch das? Glaubt Ihr, ich

hätte die gute Erziehung vergessen, die mir auf dem Rittergut meines Vaters zuteilwurde?«

Die Schmerzensschreie des Ausgepeitschten waren verstummt. Cristin und die beiden Frauen hatten sich in eine Ecke des Laderaums zwischen ein paar Tuchballen zurückgezogen. Glücklicherweise waren sie der deutschen Sprache mächtig, und so erfuhr Cristin, dass die Frauen Freundinnen waren, Paulina und Karolina hießen und aus dem Norden Polens stammten. Auf einem Marktplatz, auf dem die beiden Bauerntöchter Pastinaken und anderes Gemüse feilboten, hatte ein älterer, hinkender Mann sie gebeten, die großen Körbe mit den von ihm erworbenen Waren zu seinem Wagen zu bringen. Es solle ihr Schaden nicht sein, hatte der Mann ihnen in polnischer Sprache versichert. In Erwartung eines Trinkgelds gingen die beiden Frauen auf das Angebot ein und trugen die Körbe zu einem Planwagen, der in einer Gasse wartete. Ein zweiter, freundlich winkender Mann saß auf dem Kutschbock und sprang herunter, als sie an den Wagen traten und die Körbe abstellten. In diesem Moment geschah es.

»Wir wurden gepackt von hinten«, berichtete die blonde Paulina stockend, noch immer etwas blass um die Nase. »Wir konnten nichts dagegen tun. Mann vom Kutschbock band uns Tücher um den Mund, anderer fesselte uns hier.« Das Mädchen zeigte auf ihre Hand- und Fußgelenke, die deutliche Fesselspuren trugen.

»Paulina und ich waren immer vorsichtig, Ernte war dieses Jahr schlecht«, beeilte sich Karolina zu ergänzen. »Unsere Familien sind arm. Versteht Ihr?« Die Lippen des Mädchens bebten, während es erzählte.

Cristin drückte ihre Hand, denn die junge Frau tat ihr leid. Sie hatte schon bei Hofe von der mageren Ernte der Gemüsebauern gehört. Im letzten Winter haben gewiss viele Menschen gehungert, dachte sie und gab sich Mühe, ihrer Stimme Zuversicht zu verleihen. »Schon gut. Erzählt mir alles, was passiert ist.«

»Die Männer haben uns … über die Schulter geworfen.

So!«, Karolina beschrieb es mit den Händen. »Wie einen Sack, ehrlich.«

Paulina biss sich auf die Zunge, und in ihrem Gesicht spiegelte sich das Grauen des Erlebnisses wider. »Sie uns auf Wagen gehoben. Wir nicht konnten schreien.« Ihre Augen füllten sich mit Tränen.

»Es waren viele Menschen in der Nähe des Marktes, aber niemand etwas bemerkt.« Karolinas Blick schweifte ab. »Unsere Familien machen sich bestimmt schon Sorgen.«

Cristin hörte aufmerksam zu. Der Wagen hatte sich rumpelnd über das Kopfsteinpflaster in Bewegung gesetzt, und der Mann auf dem Kutschbock, es war Hans Willberg, brachte sie an Bord eines Schiffes, das sich schon kurze Zeit später auf dem offenen Meer befand.

»Der Mann, der euch auf dem Marktplatz angesprochen hat, wie sah der aus?«, wollte Cristin wissen. Vor ihrem geistigen Auge tauchte das Bild eines Mannes auf. Wenn ihr Verdacht sich bestätigte, hätten sie endlich einen Anhaltspunkt und kämen der Wahrheit, die Baldo, Piet und sie so verzweifelt suchten, einen Schritt näher. »Hatte er vielleicht ein großes Blutmal hier oben?« Sie tippte sich mit dem Zeigefinger an die Stirn.

Paulina nickte eifrig.

Also war es Lüttke gewesen. Ein Zittern überlief Cristins Körper, als ihr bewusst wurde, wie wichtig diese Erkenntnis für Baldos und ihre Zukunft werden konnte. Mein Gott. Sie hatten erst von Piraten überfallen werden müssen, um zwei Menschen zu treffen, die ihnen helfen konnten, Lüttke und die anderen Männer ihrer Strafe zuzuführen! Das konnte kein Zufall, sondern musste göttliche Fügung sein! Außerdem konnte sie möglicherweise der armen Kairas, die in der Lübecker Schänke eingesperrt gewesen war, eine Aussage vor Gericht ersparen …

Sie verschränkte die Hände ineinander, damit die Mädchen ihre Erregung nicht bemerkten. »Ihr müsst mir jetzt genau zuhören, ja?«

Die Mädchen sahen einander an. »Wir hören zu. Sprecht«, erwiderte Paulina.

Cristin dachte fieberhaft nach. Irgendwie musste es ihr gelingen, die Mädchen von ihrem Vorhaben zu überzeugen. »Ihr wollt doch gewiss, dass die Männer ihre gerechte Strafe für das Verbrechen an euch erhalten, nicht wahr?«

Paulina schluchzte leise auf. »Wir sind nicht klug. Was können wir schon tun?«

Karolina hatte sich abgewandt und spielte mit einer ihrer Haarsträhnen.

»Habt ihr Mut?«

Die Mädchen erstarrten in der Bewegung.

»Wenn ihr mutig seid, könntet ihr mir helfen. Ich brauche euch, damit diese Männer hinter Schloss und Riegel kommen.« Cristin machte eine bedeutungsvolle Pause und beobachtete, wie es in den Mienen der beiden arbeitete. »Andere Mädchen nach euch könnte dasselbe Schicksal ereilen. Das wollt ihr bestimmt nicht, oder?«

Nachdem die Polinnen nicht antworteten, begann Cristin erneut: »Angenommen, ihr würdet die Männer sehen und erkennen. Würdet ihr bezeugen, was sie mit euch getan haben?«

»Niemand uns wird glauben«, presste Karolina hervor.

Cristin senkte ihre Stimme. »Doch! Wenn ihr sie im Gericht sehen würdet und ihr alles erzählt, so wie mir, dann werden sie euch glauben.«

Paulina schniefte geräuschvoll und wischte sich über die Wange. »Wir kennen doch nur den Mann, den mit Fleck auf der Stirn. Und den vom Schiff.«

Nur mit Mühe konnte Cristin einen Fluch unterdrücken. Paulina hatte recht. »Ja, ich weiß.« Die Momente kamen ihr wie eine Ewigkeit vor, aber sie wollte Karolina und Paulina nicht bedrängen.

»Gut«, riss Paulina sie aus ihren Überlegungen. »Wenn wir den Mann sehen, wir erzählen die ganze Wahrheit.«

»Gott segne euch«, entfuhr es Cristin, und sie nahm die Mädchen in die Arme.

Die beiden konnten ja nicht ahnen, was das für ihr Leben bedeutete. Die Anspannung fiel von ihr ab. Wie sie darauf brannte, Piet diese Neuigkeiten zu erzählen! Doch ihr Bruder war weit weg und baute sich mit seiner jungen Braut ein neues Leben auf. Er würde auf dem Wawel die königliche Gesellschaft mit seinen Künsten erheitern, und Cristin wusste, die beiden würden keine Not leiden. Trotzdem versetzte es ihr einen Stich, den lieb gewonnenen Bruder in Polen zu wissen, während sie mit ihrem Liebsten auf dem Weg in die Heimat war. Aber auf diese Weise hatte Janek, der nun bei dem königlichen Hufschmied und dessen Frau lebte, einen Vertrauten in der Nähe.

Ihre Gedanken kehrten zu Lüttke und Lynhard zurück. In diesem Fall hatte Lüttke mit einem der Piraten zusammengearbeitet, der die Frauen ohne Wissen seines Anführers, aber dafür vermutlich mit einem klingelnden Geldbeutel, auf das Schiff gebracht hatte. Hans Willberg hatte für seinen Verrat an den Piraten seine Strafe erhalten, doch wie lange würde Lüttke, der Lübecker Salzhändler, seine schmutzigen Geschäfte noch treiben können, bis ihm jemand das Handwerk legte? Er und Lynhard, der sich mit Lüttke eingelassen hatte, warum auch immer. Vielleicht waren es Schulden, die ihn dazu trieben?, sinnierte Cristin. Je genauer sie darüber nachdachte, desto mehr verstärkte sich ihre Vermutung, Lynhard könnte tatsächlich an Lukas' Tod beteiligt sein. Sie wusste, er führte die Werkstatt weiter und spielte den trauernden Verwandten. Ihr wurde heiß und kalt, und der Gedanke, der sie durchzuckte, ließ ihr Blut schneller durch die Adern fließen. Angenommen, Lynhard wäre an Lukas' Tod mitschuldig, dann … Nein. Den Gedanken zu Ende zu denken war entsetzlich!

Die Mädchen waren in ein Gespräch vertieft und achteten nicht auf sie. Mit weichen Knien erhob sich Cristin, trat an die offen stehende Luke und blickte in den mit zarten Wolken bedeckten Himmel hinauf. Warum war sie nicht eher darauf gekommen? Wenn er Lukas umgebracht hat, dann muss er auch mein Verschwinden geplant haben, grübelte sie, denn ich hätte Lukas' Erbe angetreten. Ihre Gedanken wirbelten durcheinander. Ich muss ihm bei seinen Plänen im Weg gestanden haben. Mein Gott. Ich musste fort. Ob tot oder lebendig. Mechthild. Sie hat mich verraten. Die Frau, die ihm treu ergeben war. Cristin schlug die Hände vors Gesicht. Auf einmal ergab alles einen Sinn. Wie ärgerlich für ihn, wenn er erst feststellt, dass ich noch am Leben bin, dachte sie voller Abscheu. Der eigene Schwager und seine Geliebte. Wie oft hatte sie jene Bilder in ihren Träumen gesehen? Sie musste sich setzen.

Die Mädchen nickten ihr unsicher zu, doch Cristin reagierte nicht. Das Entsetzen hielt sie gefangen. Die Gier nach Geld und Reichtum verdarb bei vielen Menschen den Charakter, warum sollte es bei Lynhard, Mirke und Lüttke anders sein? Aber dies galt es erst zu beweisen, und zumindest Lynhard war klug genug gewesen, alle Spuren zu beseitigen.

22

Den Rest des Tages verbrachte sie in Baldos Nähe und hielt sich von den beiden Polinnen fern. Seit Paulina und Karolina Zutrauen gefasst hatten, redeten sie pausenlos auf sie ein. Cristin ertrug das Geplapper nicht länger, zu sehr war sie im Geiste mit den ungeheuerlichen Gedanken an Mord und Verrat beschäftigt. So hatte sie schließlich eine halbherzige Entschuldigung gemurmelt, sich von den Frauen abgewandt und war zu Baldo hinübergegangen.

Ihre Gedanken kreisten um Lynhard, der möglicherweise polnische Mädchen verschleppt hatte. Aber war er auch fähig, seinen eigenen Bruder zu vergiften? Denn dass Mirke es nicht allein getan hatte, sagte ihr der Verstand. Immer, wenn sie an diesem Punkt angelangt war, fühlte sie Scham in sich aufsteigen. So schlecht von ihrem Schwager zu denken, ihn für derart skrupellos zu halten, widerstrebte ihr. Dennoch: Er musste es getan haben. So gut, wie sie früher angenommen hatte, war das Verhältnis der beiden Brüder nicht gewesen. Gerade in den letzten Monaten vor Lukas' Tod war Lynhard mindestens einmal in der Woche in Lukas' Dornse aufgetaucht, und die beiden hatten oft heftig miteinander gestritten. Immer war es dabei um Geld gegangen, um das Lynhard seinen Bruder bat. Wobei seine Bitte eher einer frechen Forderung geglichen hatte. Drei Tage, bevor sie das Fest gegeben hatten, war Lynhard wieder einmal in der Goldspinnerei aufgetaucht. Cristin erinnerte sich deutlich an die saure Weinfahne, die ihr entgegengeschlagen war, als ihr Schwager mit leicht unsicherem Gang an ihr vorbeigegangen war. Nach einem kurzen Wortwechsel hatte Lukas seinem Bruder mit den Worten »Schlaf erst mal deinen Rausch aus!« die Tür gewiesen.

»Irgendwann wird dir das noch leidtun!« Deutlich erinnerte sich Cristin an Lynhards Worte, als er mit zornrotem Gesicht das Haus verlassen hatte. Einige Tage später waren die Wogen wieder geglättet. Lukas hatte seinen Bruder und Mechthild zu ihrem Fest eingeladen, und der hässliche Auftritt Lynhards schien vergessen. Cristin massierte ihre schmerzenden Schläfen. Ob Mechthild etwas mit Lukas' Tod zu tun hatte? Das wollte sie nicht glauben. Ihre Schwägerin mochte charakterschwach und ihrem Gatten hörig sein, aber sie war eine liebevolle Mutter. Jeder Verdacht ihr gegenüber wäre schäbig. Dieser hinterhältige, durchtriebene … Cristin rief sich zur Ordnung. Lynhard war nichts nachzuweisen. Eins der Mädchen müsste ihn erkennen, denn allein die Aussage eines Seemannes, noch dazu die eines Piraten, würde ihn nicht überführen.

Als endlich die Nacht anbrach und es im Inneren des Schiffsbauches vollkommen dunkel war, schmiegte sich Cristin in Baldos Arme und lauschte auf das Geräusch der gegen den Schiffsrumpf schlagenden Wellen. Nur noch ab und zu drangen aus den Mannschaftsräumen Stimmen zu ihnen herab. Bald verstummten auch die leisen Gespräche der Gefangenen, und erste Schnarchgeräusche waren zu hören. Baldos gleichmäßiger Atem verriet, auch er war eingeschlafen. Cristin kuschelte sich enger in seinen Arm, schloss die Augen und dankte Gott dafür, nicht allein zu sein. Was auch immer geschehen mochte, wenn sie wieder in Lübeck waren, gemeinsam würden sie es überstehen. Baldo hatte während ihrer Reise kein Wort von dem erwähnt, was in ihm vor sich ging. Quälten ihn nicht Ängste, wenn herauskam, wer er war? Der Sohn des Henkers, der mit einer verurteilten Mörderin geflüchtet war und nun in die Heimat zurückkehrte, um ihre Unschuld zu beweisen. Wie würde der Scharfrichter reagieren, wenn er seinem Sohn gegenüberstand? Würden ihre Beweise ausreichen, um dem Vogt entgegentreten zu können?

Durch das Holzgitter der Luke waren ein paar funkelnde Sterne am wolkenlosen Himmel auszumachen. Ach, Lukas, wenn du mich jetzt sehen könntest, dachte sie. Ob du mir deinen Segen geben würdest? Dieser Mann hier ist ganz anders als du, aber er ist ein guter Mann. Ein ehrlicher Mann. Und er liebt mich von Herzen. Wenn du ihn näher kennen würdest, ich glaube, er würde dir gefallen.

Cristin erwachte, lauschte auf das Knarren des Holzes und die Stimmen der Männer, die in den Laderaum hinunterdrangen.

»Land in Sicht«, rief jemand von ferne. Das musste der Jungspund hoch oben im Ausguck sein, den Cristin gestern eine schmale Strickleiter zu der Plattform an der Spitze des Mastes hatte hinaufklettern sehen. Er zählte höchstens sechzehn Lenze, ein Junge mit einem offenen, freundlichen Gesicht. Was mochte ihn dazu bewegt haben, sich den Piraten anzuschließen, um ein Leben in ständiger Gefahr zu führen? Cristin streckte sich, um die steifen Glieder zu lockern. Trotz des Schlafes fühlte sie sich müde und zerschlagen. Neben ihr regte sich Baldo. Seine Hand suchte nach der ihren, fand sie und hielt sie einen Moment fest. Cristin beugte sich zu ihm hinunter, bis ihr Mund im Halbdunkel seine rauen, vom Schlaf warmen Lippen fand, und hauchte einen zärtlichen Kuss darauf.

»Wir sind bald frei, mein Lieber!« Mit einem wohligen Seufzen legte sie ihren Kopf an seine Brust. »Die Küste ist bereits zu sehen. Sobald Arnd von Krämers Leute uns an Land gebracht haben, kehren wir nach Lübeck zurück. Sei dir sicher, diesmal werde ich Elisabeth finden, das schwöre ich bei allen Heiligen. Sie lebt hinter hohen Mauern. Piet hat es gesehen.«

»Gesehen ... Was willst du damit sagen, Cristin?« Baldo fuhr sich über die gekräuselte Stirn. »Du meinst ...«

»Ja. Er hat die Gabe, Dinge zu ... Er hat Elisabeth gesehen. Wir müssen sie finden.«

Baldo winkte ab, stand auf und schüttelte den Staub aus seiner Kleidung.

»Wer soll je verstehen, was ihr Spökenkieker so treibt? Aber wenn du meinst, dann wollen wir es versuchen.«

In diesem Moment wurde die Luke geöffnet, und einer der Piraten steckte den Kopf hinein. »Ihr könnt alle an Deck kommen, frühstücken.«

23

Cristin warf einen letzten Blick zurück auf das Ruderboot, mit dem sie, Baldo und die beiden Polinnen von zwei Piraten an Land gebracht worden waren und das sich jetzt wieder der Kogge der Vitalienbrüder näherte. Sie dachte an Kapitän Gottfried und die anderen Gefangenen an Bord des Piratenschiffes. Hoffentlich wurden sie gut behandelt, und die Lübecker bezahlten das verlangte Lösegeld. Dann straffte sie die Schultern und drehte sich zu Baldo um, der sich gerade mit den beiden Polinnen unterhielt.

»Lass uns aufbrechen«, sagte sie mit fester Stimme. »Wir haben keine Zeit zu verlieren.«

Baldo nickte grimmig. »Ich weiß. Schau! Ich glaube, dahinten liegt eine Ortschaft. Dort können wir fragen, wo wir uns befinden und in welche Richtung wir gehen müssen.«

Gefolgt von Lump schritten die vier auf das Dorf zu. Vor einer kleinen Kirche trafen sie auf den Priester, der gerade die Tür abschloss. Er erzählte ihnen, sie seien in Niendorf.

»Nach Lübeck wollt ihr? Das ist eine gute Tagesreise«, erklärte er und zeigte in die Ferne. »Dort verläuft die Hansische Ostseestraße. Aber seid vorsichtig. Ich habe gerade erst von Wegelagerern gehört, die sich in der Nähe aufhalten sollen.« Seine Stimme nahm einen verschwörerischen Ton an. »Ich habe kürzlich von einem Schweden einen Beutel mit Haaren vom Schweif des Pferdes erworben, das der heilige Ansgar auf seinen Reisen benutzte, und ein paar davon könnte ich euch verkaufen. Sie schützen euch während eurer Weiterreise. Seid ihr mit sieben Witten einverstanden?«

Baldo setzte zu einer scharfen Antwort an. Cristin kam ihm zuvor. »Wir danken Euch für das Angebot, aber wir sind bisher auch ohne die Hilfe der Heiligen ausgekommen«, erklärte sie.

Der Priester zuckte die Achseln. »Wenn Ihr meint.«

»Hat der Kerl wirklich geglaubt, dass wir ihm auf den Leim gehen?«, fragte Baldo, als sie außer Hörweite waren.

Cristin hob die Schultern. »Sicher ist er selbst um ein hübsches Sümmchen betrogen worden.«

Nachdem sie eine Zeit lang unterwegs gewesen waren, hörte Cristin hinter sich das Klappern von Pferdehufen. Erfreut schaute sie sich um und sah einen Wagen auf dem holprigen Pflaster heranrumpeln. Als er näher kam, erkannte sie auf dem Kutschbock einen jungen Mann und eine Frau in einfacher Kleidung. Dann war der Wagen neben ihnen. Auf der Ladefläche standen jede Menge Körbe und Käfige, aus denen munteres Hühnergegacker zu ihnen herüberdrang.

Cristin trat rasch vor. »Könnt ihr uns mitnehmen?«, rief sie, um sich trotz des Lärms Gehör zu verschaffen. »Wir wollen nach Lübeck.«

Der junge Mann zügelte die Pferde und brachte den Wagen

zum Stehen. Ein Blick aus freundlichen Augen traf Cristin und schweifte dann zu den beiden anderen Frauen. Schließlich ruhten seine Augen auf Baldo, der Lump festhielt und beruhigend auf ihn einredete. Ganz offensichtlich machten die beiden Pferde dem Hund Angst.

Der Bauer nickte.

»Wenn ihr da hinten noch Platz findet, springt auf. Ich fahre allerdings nur bis Dassow, aber von da aus ist es ja nicht mehr weit. Wenn ihr nicht trödelt, seid ihr am Nachmittag in Lübeck.«

Sie bedankte sich, während die Polinnen bereits den Wagen erklommen. Baldo folgte ihnen und setzte seinen Hund auf der Ladefläche ab, dann beugte er sich herunter und reichte Cristin die Hand, um ihr aufzuhelfen. Der Bauer schnalzte mit der Zunge und lockerte die Zügel. Während die Pferde in einen gemütlichen Trab fielen, ließen sich die vier zwischen den Körben und einem Käfig nieder, aus dem ein Hahn seinen Kopf hinausstreckte.

Gegen Mittag erreichten sie Dassow. Die Stadt war längst nicht so groß wie Lübeck, doch auf dem gepflasterten Marktplatz im Schatten einer roten Backsteinkirche herrschte reger Betrieb. Der Bauer lenkte den Pferdewagen an den Rand des Platzes.

»Da sind wir, nun müsst ihr zu Fuß weiter.«

Baldo und Cristin bedankten sich nochmals und machten sich auf den Weg, aber je näher sie der stolzen Hansestadt kamen, desto zögernder wurden Cristins Schritte. Was erwartete sie in der Stadt, in der sie einmal glücklich gewesen war, bis ihr Leben zum Albtraum wurde? Die Leute würden mit dem Finger auf sie zeigen, sobald man sie erkannte. Schaut her, da kommt die Gattenmörderin! Cristin schlang den Umhang enger um ihren Körper. Könnte sie doch umkehren und alles hinter sich lassen! Baldo und sie brauchten nicht viel, um in Frieden zu leben. Aber da war immer noch Elisabeth, die auf ihre Rückkehr wartete. Sie blieb stehen. Ob sie das

Haus mit den hohen Mauern finden würden, das ihr Bruder in seiner Vision gesehen hatte? Oder war er damals in der Kathedrale nur einem Wunschtraum erlegen? Hinter sich hörte sie eins der Mädchen weinen. Sie hätte die beiden gern getröstet, ihnen gesagt, dass alles gut werden würde, aber das konnte sie nicht. Cristin tastete nach Baldos Hand.

Er zwinkerte ihr zu. »Siehst du die Türme da in der Ferne? Wir sind bald da.« Wie immer verstand es Baldo, seine Gefühle vor ihr zu verbergen.

»Fürchtest du dich denn gar nicht, Lieber?«, fragte sie.

Um seinen Mund breitete sich ein bitterer Zug aus. »Doch, auch ich habe Angst. Trotzdem gibt es keine andere Möglichkeit. Wir müssen die Wahrheit herausfinden, außerdem können wir nicht ewig auf der Flucht sein.« Sie wollte ihn unterbrechen, aber er blickte ihr ernst in die Augen. »Ich möchte ein Zuhause, Liebes. Ein Heim, in dem wir sicher leben können. Ich möchte morgens an deiner Seite aufwachen. Elisabeth soll einen Vater haben, verstehst du?«

Cristin nickte gerührt. Wenn dieser Tag nur schon angebrochen wäre, dachte sie.

24

In der Beckergrove blieb Cristin vor dem mit Schnitzereien verzierten Eingang eines roten Backsteinhauses stehen.

»Hier ist es«, erklärte sie, und als Baldo fragend die Brauen hob, fügte sie hinzu: »Ich war einmal mit unserem Gesellen hier, etwas abholen.«

Der warme Schein zweier Wachskerzen, der durch ein Fenster im Erdgeschoss fiel, verriet Wohlstand. Der Salzhändler schien daheim zu sein. Einige Herzschläge lang sagte niemand ein Wort, nur das leise Gurren von Ringeltauben, die über ihnen zwischen den gestaffelten Giebeln hockten, war zu hören.

Baldo straffte die Schultern, band Lump an einem Pfosten an und wandte sich den beiden Polinnen zu. »Seid ihr bereit?«

Paulina und Karolina waren bleich um die Nase, das erkannte Cristin trotz der Dämmerung. In ihren dünnen, etwas fadenscheinigen Umhängen froren sie gewiss erbärmlich.

Aufmunternd lächelte sie ihnen zu. »Es muss sein. Ihr wollt doch auch, dass der Mann seine gerechte Strafe bekommt.«

Baldo griff nach dem eisernen Türklopfer und schlug zweimal gegen das Holz.

Kurz darauf wurde die Tür einen Spalt breit geöffnet, und ein rundes, von einem Gebände umrahmtes Frauengesicht lugte hervor. Das zu einem dicken Zopf geflochtene Haar war von einem Netz bedeckt.

»Gott zum Gruße.« Baldo trat einen Schritt vor. »Ist Hilmar Lüttke zu Hause?«

»Was wollt Ihr?« Die Frau kniff die Augen zusammen und betrachtete einen nach dem anderen.

»Das sagen wir ihm schon selbst.«

Sie wollte die Tür ins Schloss ziehen, doch Baldo schob blitzschnell den Fuß dazwischen. »Nun lasst uns schon herein. Es ist wichtig«, knurrte er. »Seid Ihr sein Weib?«

Die Frau zuckte unter Baldos unfreundlichem Tonfall zusammen, nickte aber.

»Ja, das bin ich. Er ist allerdings nicht zu Hause. Er sucht das Zwiegespräch mit dem Allmächtigen und betet.«

Cristin warf Baldo einen vielsagenden Blick zu. »Wo?«

»St. Jakobi. Er wird sicher bald heimkehren. Wollt Ihr hier warten?«

Baldo winkte ab. »Danke, nein. Wir werden ihn schon finden.«

»Wie Ihr meint.« Ein weiterer misstrauischer Blick, dann schloss sich die Tür hinter ihnen.

»Was nun?«, flüsterte Cristin.

»Ich werde dem ehrenwerten Herrn einen Besuch abstatten.« Baldos Züge wurden ernst. »Und ihr drei … ihr werdet euch verstecken. Und nehmt Lump mit. Ihr müsst aber darauf achten, dass er nicht anschlägt und uns verrät.«

»Oh nein, das kommt nicht in Frage! Zu lange habe ich auf den Zeitpunkt …«

Er schnitt ihr mit einer ungeduldigen Handbewegung das Wort ab. »Nein!« Sanft strich er Cristin über die Wange und senkte die Stimme. »Verstehst du denn nicht? Dies hier ist gefährlich. Ich … ich möchte nichts riskieren, hörst du?«

»Aber«, meldete sich Karolina zu Wort, die neben ihm stand und stumm gelauscht hatte. »Wie … wie wir sollen wissen, ob er ist der Mann …«

»Ich werde euch ein Zeichen geben, solange haltet ihr euch versteckt.« Sein Tonfall ließ keinen Zweifel daran, dass niemand ihn würde umstimmen können.

Cristin seufzte und schaute sich um. Lichter standen in den Fenstern und beleuchteten schwach die im Dämmerlicht liegende Straße. Ein Pferdefuhrwerk rollte mit ratternden Rädern an ihnen vorüber und bog in die Böttcherstrate ein. Dann kehrte Stille ein. Wortlos schlugen sie den Weg zu der unweit gelegenen Jakobikirche ein, die den Seefahrern und Fischern geweiht war. Kaum hatten sie die großzügig angelegte Verkehrsstraße verlassen, hüllte sie die Dunkelheit ein. Cristin tastete nach Baldos Hand, und auch Paulina und Karolina drängten sich dichter an sie heran. Sie folgten dem Läuten der Kirchenglocken, die das Ende des Abendgebets ankündigten, während die Anspannung zwischen ihnen ebenso schwer auf ihnen lastete wie die feuchte, nach dem letzten Frost riechende Luft. Das Portal öffnete sich, und ein halbes Dutzend gut gekleideter Männer trat hinaus, nicht ohne einige Münzen klimpernd in einen ledernen Topf zu werfen.

»Da ist er. Er ist es wirklich«, stammelte Karolina an Cristins Ohr.

»Der Mann mit Mal auf Stirn«, bestätigte Paulina gepresst.

Hilmar Lüttke, offensichtlich bester Stimmung, schien in ein angeregtes Gespräch verwickelt zu sein. Er sagte etwas zu einem der anderen Männer, zog den Kragen seines Mantels hoch und lachte. Sein Feuermal war selbst aus der Entfernung gut zu erkennen. Cristin hielt den Atem an und beobachtete, wie der Salzhändler sich mit einem Schulterklopfen von jedem seiner Begleiter verabschiedete und auf die Straße trat. Schnell huschten die vier hinter eine Reihe Eichen, die den Weg zu der Kirche säumte.

Baldo legte den Zeigefinger an die Lippen, löste sich von der Gruppe und schritt auf den Mann zu. »Gott zum Gruße, Herr Lüttke.« Den Rücken kerzengerade und mit unbewegtem Gesichtsausdruck machte Baldo einen gelassenen Eindruck, doch Cristin wusste, der Schein trog.

»Gott zum Gruße. Kennen wir uns?«, erwiderte der Salzhändler, ohne jedoch innezuhalten.

Die drei Frauen schlichen näher heran, um das Gespräch verfolgen zu können.

Lump, der Fremden gegenüber stets misstrauisch war, ließ ein tiefes Grollen hören. Cristin hielt ihm die Schnauze zu.

»Wir haben ... sagen wir, gemeinsame Bekannte«, fuhr Baldo nun unbeirrt fort. »Ihr solltet mir besser etwas von Eurer kostbaren Zeit widmen.«

»Sollte ich das?« Lüttke zog die Brauen zusammen und wartete, bis sich die zwei Seeleute, die hinter ihnen gingen, entfernt hatten. »Ich wüsste nicht, warum. Ich werde zu Hause erwartet. Also, wenn Ihr mich nun entschuldigen würdet.« Er nickte und wendete sich um.

Baldo hielt ihn am Ärmel fest. »Wenn Ihr keine Aufmerksamkeit auf Euch ziehen wollt, rate ich Euch, mich anzuhören, *Hans Klingbeil*.«

Mit einem Ruck machte der Salzhändler sich los, doch diesmal stellte Baldo sich ihm in den Weg. Paulina gab einen unterdrückten Laut von sich, woraufhin ihr Cristin, die sich hinter einer Häuserecke versteckt hielt und dem Hund ins Fell gegriffen hatte, damit er still blieb, einen warnenden Blick zuwarf.

»Mein Name ist Lüttke. Hilmar Lüttke, und nun lasst mich

vorbei!«, drang des Salzhändlers ungehaltene Stimme zu ihnen herüber.

Cristin gab Karolina ein Zeichen, sich um Lump zu kümmern, trat aus dem Schutz der Finsternis ins schwache Licht, das der abnehmende Mond auf den Kirchplatz warf, und machte ein paar Schritte auf Lüttke zu.

»Ja, so nennt Ihr Euch, wenn Ihr nicht gerade in Polen unterwegs seid und jungen Frauen die Ehe versprecht!« Obwohl die Knie weich waren, blieb ihre Stimme fest.

Lüttkes Stirn verfinsterte sich. »Was hat dieses Weib hier zu suchen?« Er schaute von einem zum anderen. »Ihr redet irre! Lasst mich gehen, oder ich rufe die Büttel!«

Baldo verzog das Gesicht und lachte auf. »Die Büttel? Das wäre vielleicht nicht der schlechteste Einfall, Lüttke.« Er gab Karolina und Paulina einen Wink vorzutreten.

Bleich, doch hoch erhobenen Hauptes näherten sich die beiden.

»Ihr solltet Euch zumindest an diese beiden Frauen erinnern.« Er trat zur Seite und gab den Blick auf die Polinnen frei, die nur einen Steinwurf von dem Salzhändler entfernt stehen geblieben waren.

»Sollte ich das?« Der Salzhändler musterte die beiden kurz. »Nie gesehen. Was soll die Frage? Wagt Ihr es, deshalb meinen Feierabend zu stören?«

Cristin musterte ihn abschätzig. »Oh ja, wir wagen es! Ich rate Euch, gründlich in Euren Erinnerungen zu forschen. Kennt Ihr diese Mädchen wirklich nicht … Hans Klingbeil?« Sie spie die Worte förmlich aus.

Sie ließ die Polinnen einen weiteren Blick auf den groß gewachsenen Mann mit dem schütteren Haar und dem kurz geschnittenen Bart werfen und wies mit dem Kopf auf ihn. »War das der Mann, der euch auf dem Marktplatz entführt und zum Hafen gebracht hat?«

Paulina nickte nach kurzem Zögern. »Ja. Er und dieser andere, Willberg. Hat gewartet auf Wagen«, erklärte sie laut und deutlich.

Lüttke starrte sie an, in seinen verengten Augen glomm ein Feuer.

»Was redest du denn da, verdammtes Weibsstück?« Er stürzte auf Paulina zu, wollte ihr ins Haar greifen.

In dem Moment traf ihn ein Fausthieb Baldos mitten ins Gesicht, und das hässliche Knacken eines Knochens ließ Cristin schaudern.

Der Salzhändler taumelte, konnte sich aber fangen und machte einen Satz auf Baldo zu.

»Vorsicht!«, schrie Cristin.

Es war zu spät. Mit einer Behändigkeit, die sie nicht von Lüttke erwartet hätte, holte er aus und rammte seine Faust in Baldos Magengrube. Der Getroffene stöhnte auf, krümmte sich zusammen und sackte in die Knie. Cristin schlug entsetzt die Hand vor den Mund, als Baldo auf dem Pflaster liegen blieb. Karolina konnte den Hund nicht mehr halten, der mit lautem Gebell auf seinen Herrn zustürzen wollte. Cristins Herz machte einen schmerzhaften Satz, und sie zog Lump energisch am Nacken. »Bleib sitzen! Keinen Mucks!«

Schon war der Salzhändler bei Baldo und presste ihn zu Boden. Blut lief in einem feinen Rinnsal aus Lüttkes Nase bis über sein Kinn, aber er schien es nicht zu bemerken. Baldo versuchte sich zu befreien und trat mit gebleckten Zähnen nach dem Widersacher, der ihn jedoch mühelos niederdrückte.

»Hört auf! Hört sofort auf!« Cristin wollte auf die Männer zustürmen.

Paulina hielt sie am Ärmel fest. »Bitte nicht«, wisperte sie.

Mit einem Ruck machte Cristin sich los und sah sich Hilfe suchend um, doch der Platz war menschenleer.

»Falls ihr um Hilfe rufen wollt, nur zu. Gewiss wird euch Gesindel niemand glauben«, höhnte Lüttke. »Ich schlage also vor, ihr verschwindet auf der Stelle, wenn euch euer Leben lieb ist…«

»Ihr… Ihr droht uns?«, schnappte Cristin empört. »Ihr seid es, der sich zu fürchten hat!«

Seine sehnige Hand legte sich demonstrativ um Baldos Hals. »Meinst du?«

Cristin sah nur noch, wie Baldo nach Luft japste. Außer ihrem hastigen Atem war alles still. Keine Passanten. Keine Hilfe. Dann, aus einem Hinterhof in der Ferne, das Gackern aufgescheuchter Hühner. Schweißperlen liefen ihr über die Schläfen.

»Ich schlage also vor«, wiederholte der Salzhändler betont langsam, ohne die Augen von den Frauen abzuwenden, »ihr macht euch fort, und ich vergesse, euch je getroffen zu haben. Ihr… habt mich ebenfalls nie gesehen. Ansonsten…« Diese Überheblichkeit, dieses siegessichere Grinsen.

Nur einen Herzschlag später war sie bei ihm, krallte ihre Fingernägel in seinen Nacken.

»Lass ihn los, du elendes Schwein!«

Er brüllte auf, lockerte den Griff um Baldos Hals und wandte den Kopf.

Lüttkes Miene war es, die Cristin das Blut in den Adern stocken ließ, als sich seine Augen in ihre senkten. Plötzlich packte er sie grob, um ihr im nächsten Moment etwas Kaltes an die Kehle zu drücken. Cristin schrie auf und fühlte, wie eine scharfe Klinge genau dort auf ihre Haut gepresst wurde, wo sie ihre Halsschlagader spürte. Hart schlug ihr Puls dagegen, ein Beben überlief ihren Leib. Schon ritzte die Klinge ihre zarte Haut. Ein Blutstropfen quoll hervor, rann über ihr Schlüsselbein.

»Verfluchtes Weibsbild!«, hörte sie seine Stimme dicht an ihrem Ohr. Und an Baldo, der soeben auf die Füße sprang, gewandt: »Zurück! Sonst stirbt die Metze!«

Cristin sah Baldo erstarren, vernahm das Knirschen seiner Zähne.

»Haltet ein, Lüttke. Lasst sie in Frieden. Ihr macht alles nur noch schlimmer«, stieß er hervor, während der Salzhändler sie weiterhin fest umfangen hielt und ihr den Dolch an die ohnehin wie zugeschnürte Kehle drückte.

Ihre Furcht drohte sie zu überwältigen. Dieser Mann war offensichtlich zu allem fähig.

»*Einhalten*? Dazu rate ich *dir*, Bursche!«

Einige Speicheltropfen trafen ihre Wange.

»Das liegt an dir! Derweil bleibt das Weib mein Faustpfand.« Er musterte Baldo von oben bis unten. »Wir wollen doch alle, dass die Angelegenheit hier glimpflich ausgeht, oder nicht?«

Der Druck des Dolches an ihrer Kehle ließ etwas nach, und Cristin atmete auf. Lüttke setzte sich mit ihr in Bewegung, zog sie wie einen Sack Getreide hinter sich her. Flehend sah sie in Baldos Richtung, dessen Gesicht weiß wie Kalk war, während seine Kiefermuskeln mahlten. Aus den Augenwinkeln bemerkte sie, wie er an seinem Gürtel nestelte, und im nächsten Moment sprang er auf Lüttke zu. In seiner Rechten leuchtete etwas auf – ein Dolch. Auf einmal kurze, hastige Schritte. Ein tiefes Knurren. Ein dumpfer Schlag. Das Geräusch einer zu Boden fallenden Klinge erreichte ihr Bewusstsein. Hände, die sie fortzogen, in die Arme schlossen. Karolina stand, einen faustgroßen Stein in der Hand, vor dem regungslosen Körper des Salzhändlers, während Paulina sich ihres dünnen Umhanges entledigte, ihn in zwei Teile riss und mit der Hilfe ihrer Freundin den Bewusstlosen fesselte. Die schüchterne Karolina hatte Lüttke von hinten niedergeschlagen! Und Lump hielt still neben dem Regungslosen Wache.

»Geht es, Liebes?« Baldo zog Cristin kurz an sich.

Sie nickte, konnte sich jedoch nicht vom Anblick des gefesselten Mannes lösen.

Nach einem flüchtigen Kuss machte Baldo sich von ihr los, legte Karolina seinen Umhang um die Schultern und wendete sich Lüttke zu, der soeben stöhnend die Augen aufschlug.

»So schnell kann sich das Blatt wenden, du Hundsfott!«, presste Baldo mit verschränkten Armen hervor.

»Was habt ihr … mit mir vor?«, stammelte der Salzhändler, noch immer benommen.

»Wir gehen jetzt zu deinem Haus, und du wirst uns einiges erzählen.«

Gemeinsam hatten sie Lüttke, die gefesselten Hände in seinem Mantel verborgen, in dessen Haus in der Beckergrove geschleppt. Seine Frau war beim Anblick ihres Gemahls entsetzt und verwirrt gewesen, hatte sich aber beeilt, saubere Tücher zum Versorgen der Wunden zu holen. Auf ihre aufgebrachten Fragen, was sie mit ihm angestellt hätten, antwortete Baldo, Lüttke sei in eine Schlägerei verwickelt worden. Sie hätten ihn gefunden und nach Hause gebracht. Zweifel waren nach seinen Worten in Frau Lüttkes Miene auszumachen.

»Bettler«, meinte der Salzhändler, da sie ihn fragend ansah. »Sie wollten mir die Geldkatze abschneiden. Sieht schlimmer aus, als es ist.«

Gislind Lüttke nickte, doch ihr Blick blieb sorgenvoll. Cristin versicherte ihr, sie benötigten keinen Arzt, worauf die Frau die Dornse verließ. Warum die ahnungslose Frau in des Salzhändlers düstere Machenschaften verstricken, wenn es nicht unbedingt nötig war?

Als im Haus wieder Stille eingekehrt war, trat Baldo auf den Salzhändler zu, der sich in einen Lehnstuhl hatte fallen lassen. »Schlau, Lüttke. Wirklich schlau!«

Der antwortete nicht, wandte den Kopf zur Seite.

»Redet, Lüttke! Ich will Namen und die ganze Wahrheit!« Baldo hob drohend die zur Faust geballte Hand.

Der Salzhändler schwieg.

»Wart Ihr an der Verschleppung junger Mädchen beteiligt? Sprecht endlich, oder ich hole die Büttel!« Er senkte die Stimme zu einem gefährlichen Flüstern. »Wir haben genügend Zeugen dafür, dass Ihr mich und diese Frau dort mit einem Messer bedrohtet!«

Lüttke schnaubte. »Diesen Weibern da soll das Gericht glauben?«

Cristin, die neben ihm stand, betrachtete mit hochgezogenen Brauen die Kampfspuren, die Baldo, Karolina und sie selbst an dem Mann hinterlassen hatten. Seine Nase wirkte schief und schwoll zusehends an.

»Das käme auf einen Versuch an.«

Im lädierten Gesicht des Verletzten arbeitete es.

Baldo sah ihm an, wie er abwog, plante und all seine Gedanken an eine Flucht wieder verwarf. »Ihr seid am Ende, Lüttke. Gebt endlich auf!«

Nur langsam verstrich die Zeit, und die Spannung hing wie ein nahendes Gewitter im Raum. Dann endlich – es erschien Cristin wie eine Ewigkeit – öffnete Lüttke den Mund.

»Ja, verdammt noch mal. Ich habe Mädchen aus Polen hierher geholt. Warum auch nicht?« Er wies mit dem Kopf auf Karolina. »Wer schert sich schon um diese Weiber? Die werden doch nicht vermisst! Sie sind dumm und zu nichts nutze, aber hübsch anzusehen. Gute, willige Ware wird in unserer schönen Stadt immer gesucht.«

Die Polinnen wechselten die Gesichtsfarbe, und Paulina wollte auf ihn zustürzen. Cristin hielt sie am Ärmel fest. »Er ist es nicht wert. Das Schwein wird seine Strafe vor Gericht bekommen.«

Cristin ballte die Hände zu Fäusten. Baldo erkannte, wie sie ihren aufkommenden Zorn niederzwang und die Beherrschung wiederfand. Sie beugte sich vor und stellte die Frage, die sie schon seit Langem beschäftigte. »Was ist mit Lynhard Bremer? War er auch dabei?« Ihre Stimme klang gepresst.

Lüttke sah sie an. Vertiefte den Blick, stutzte. Plötzlich huschte ein Schimmer des Erkennens über sein Gesicht. »Du… Jetzt weiß ich, warum Ihr mir so bekannt… Ihr seid Lukas' Bremers Witwe. Man hat Euch damals verurteilt und…«

Cristin nickte. »Ja, die bin ich. Aber ich bin unschuldig am Tod meines Mannes.«

»Beantworte die Frage, Lüttke«, befahl Baldo. »Gehörte er dazu?«

Am Hinterkopf des Salzhändlers hatte sich eine hühnereigroße Schwellung gebildet. Er verzog das Gesicht. Ein vernichtender Blick traf Karolina, die neben Paulina an die Wand gelehnt dastand und das Ganze schweigend verfolgte. Die Polin hielt ihm stand. »Ja. Lynhard gehörte dazu«, erklärte

Lüttke widerstrebend. »Und Küppers.«

»Küppers hat den Löffel abgegeben«, stellte Baldo fest. »Er kann sich nicht mehr verteidigen, ebenso wenig wie Lukas Bremer die Wahrheit offenlegen kann.«

Lüttkes Hände zitterten. »Aber es ist wahr. Er … er wusste zu viel.«

Cristin erstarrte. »Was soll das heißen, Lüttke? Was wusste der Medicus?«

Die Stirn des Salzhändlers war schweißnass, und das Feuermal darauf schien noch stärker zu leuchten als ohnehin.

»Los jetzt, rück endlich raus mit der Sprache!« Baldo hob drohend die Hand.

»Küppers wusste von dem Plan, ja, er war daran beteiligt. Mehr sage ich nicht. Nun … nun hat er sein Geheimnis mit ins Grab genommen.«

Cristin erschauerte. Lynhard und Küppers. Hatte Lynhard Lukas auf dem Gewissen? Lüttke sagte sicher die Wahrheit, allein um seine Haut zu retten. Plötzlich fiel ihr das Gespräch mit Baldo im Schankraum der *Kogge* wieder ein, bevor sie Lübeck verlassen hatten. Alles passte zusammen. Der Medicus, der Salzhändler, Lynhard und wer auch immer sonst noch an diesem schmutzigen Geschäft beteiligt war – sie steckten alle unter einer Decke. Lukas war ihnen dabei im Wege gewesen. Aber warum? Sie fühlte einen quälenden Druck auf der Brust, stöhnte auf. Die Beine drohten unter ihr nachzugeben.

»Du erhebst schwere Anschuldigungen«, sagte Baldo. »Kannst du auch beweisen, was du behauptest?«

Lüttke schien zu überlegen, dann sah er Cristin an. »Nun, ich war nicht dabei, wollte nichts damit zu tun haben. Aber Lynhard war verschuldet, und sein Bruder wollte ihm kein Geld mehr leihen. Vielleicht wollte er ihn aus dem Weg schaffen.« Seine Miene blieb ohne jede Regung. »Beweisen kann ich es allerdings nicht. Küppers ist tot, und Euer Schwager wird alles leugnen.«

Baldo horchte auf. *Aus dem Weg schaffen.* Wo und wann hatte er diese Worte schon einmal gehört? Er schloss die Augen, als ein jäher Schmerz seine Schulter durchzuckte. Auch sein Körper hatte Spuren der Schlägerei davongetragen. Mit aufeinandergepressten Lippen versuchte er die schwache Erinnerung, die diese Worte in ihm auslösten, heraufzubeschwören. Aus dem Weg schaffen. Aus dem Weg ... Das Bild eines Hauses in der Nähe des Pferdemarktes tauchte vor ihm auf. Ja, natürlich. Er hatte dieses Gespräch selbst mit angehört, als sein Vater ihn zum Medicus geschickt hatte, um Lump abzuholen. *Wenn diese Sache rauskommt, landen wir alle am Galgen.* Jetzt erinnerte er sich wieder so deutlich, als wäre es erst am vorigen Tag geschehen. Damals hatte er seinen Ohren nicht getraut und geglaubt, sich verhört zu haben. Verdammt! Hätte er doch nur etwas unternommen. Wäre er zu Cristins Mann gegangen, um ihn zu warnen, Lukas Bremer würde vielleicht noch leben, und alles wäre ganz anders gekommen. Er schüttelte den Gedanken ab, niemand konnte Lukas Bremer wieder lebendig machen. Jetzt galt es, den Mörder seiner gerechten Strafe zuzuführen.

»Wie ... wie hat Küppers es getan?«, fragte er heiser.

»Was weiß denn ich? Küppers war ein anerkannter Medicus. Er kannte sich aus.«

»Bist du bereit, deine Aussage vor Vogt Büttenwart zu wiederholen?«

Lüttke schwieg.

»Es könnte sich günstig für dich auswirken. Tust du es nicht, landest du zusammen mit Bremer am Galgen oder unterm Rad!«

In den Augen des Salzhändlers flackerte Angst auf. »Also gut, ich werde aussagen.«

Baldo sah zu Cristin hinüber, die das Gespräch mit bleicher Miene verfolgt hatte. Er beugte sich zu ihr hinunter, strich ihr über die Wange und flüsterte ihr etwas ins Ohr.

»Aber ...«, protestierte Cristin schwach, und ihr Gesicht glich einer wächsernen Maske.

»Darauf müssen wir es ankommen lassen. Bist du bereit?«

25

Thaddäus Büttenwart ging es nicht gut, denn schon seit dem frühen Morgen plagten ihn heftige Bauchkrämpfe. Bis in den Rücken strahlten die Schmerzen aus und ließen ihm den Schweiß auf die breite Stirn treten. Seine Frau hatte einen Arzt rufen wollen, doch das hatte er entschieden abgelehnt. Der Quacksalber würde auch nur seine Schröpfköpfe ansetzen oder ihn zur Ader lassen. Mühsam setzte er sich im Bett auf und drehte sich zur Seite, dann griff er nach der bauchigen Tonflasche auf dem Tischchen neben seinem Bett. Büttenwart klemmte sie zwischen Armstumpf und Brust und zog den Korken heraus. Vielleicht half das hier. Er goss sich ein Gläschen von dem dänischen, mit Kümmel versetzten Getreideschnaps ein, den es neuerdings in Lübeck zu kaufen gab. Wohlige Wärme erfüllte sein Inneres, und mit einem Stöhnen ließ er sich in die Kissen zurückfallen. Der Schmerz in seinen Gedärmen verebbte allmählich, und Büttenwart atmete prustend aus. Der Schnaps im Haus erspart den Bader, dachte er.

Gut, dass wieder Frieden herrschte. Der Hansehandel mit Königin Margaretes im letzten Jahr gegründetem Großreich im Norden blühte, als hätte es nie einen langen, zermürbenden Krieg gegeben, in dem er – ein Jungspund von gerade mal zwanzig Lenzen – für die Hanse gekämpft und noch kurz vor Kriegsende seinen linken Unterarm verloren hatte. Er griff erneut nach dem Schnaps und trank diesmal direkt aus der Flasche. Wenn es nur die verdammten Vitalienbrüder nicht gäbe, die den Ostseehandel behinderten.

Das Knarzen der Kammertür ließ ihn aufsehen. Jette, seine Frau, stand im Türstock, und ihre Augen hafteten missbilligend auf der Flasche in seiner Hand.

»Es will dich jemand sprechen, Thaddäus.«

Sein Blick wanderte zu dem Stundenglas auf dem Schränkchen gegenüber, durch das feiner Sand rieselte. »Um diese Zeit? Wer ist es denn?«

»Drei Frauen. Ich habe ihnen gesagt, dass dir nicht wohl ist, aber sie meinten, es sei dringend.«

»So, dringend.« Büttenwart fuhr sich mit der Hand über die feuchte Stirn. »Sag ihnen, sie sollen morgen wiederkommen. Für heute will ich meine Ruhe.«

»Bitte, Herr Richteherr!« Eine schlanke Gestalt mit einer Kapuze auf dem Kopf schob seine Frau zur Seite und drängte sich in den Raum. »Ich bitte Euch, hört mich an! Mich und diese beiden Frauen hier.«

»Was auch immer Ihr von mir wollt, hat das nicht Zeit bis morgen? Ihr seht doch, ich bin krank.« Er musterte die Frau, die sich ihm mit gerecktem Kinn näherte. »Kennen wir uns nicht? Sagt mir Euren Namen.«

Sie schwieg einen Moment und starrte auf seinen Armstumpf, der auf der Bettdecke lag. »Ja, wir kennen uns, Richteherr.« Schatten lagen über dem Frauengesicht, aber ihre Augen glänzten beinahe unnatürlich. »Ich bin Cristin Bremer.«

Büttenwart beugte sich vor und kniff die Augen zusammen, um sie im Licht der Talglampe zu betrachten.

»Cristin Bremer? Ihr seid es? Die Mörderin, die ich zum Tode verurteilt habe und die geflohen ist?«

»Ja.«

Cristin Bremer, die Gattin des allseits geachteten Kaufmannes Lukas Bremer. Die beste Goldspinnerin weit und breit war sie gewesen. Sie, die Frau mit dem Antlitz eines Engels und dem Herz einer Mörderin.

»Nun kommt Ihr also zurück nach Lübeck. Ihr wollt Euch endlich stellen, nehme ich an. Plagt Euch die Schuld nach all der langen Zeit? Dann werde ich meinen Sohn nach den Bütteln schicken lassen.«

Sie hob abwehrend die Hände. »Ich bitte Euch, wartet und hört erst mich und diese beiden Frauen an, die ich mitgebracht habe.«

Hinter ihr erblickte er nun zwei junge Frauen, die sich an

den Händen hielten und einen verschüchterten Eindruck machten. »Wer ist das?«

»Zwei Polinnen, die Euch etwas zu erzählen haben.«

»Also gut – ich werde mir anhören, was Ihr mir zu sagen habt.« Er wies auf einen Stuhl neben dem großen Bett und verzog das Gesicht.

Cristin trat näher. »Was ist mit Euch, Richteherr?«

»Koliken, Blähungen, was weiß ich«, brummte er. »Warum kommt Ihr, eine Mörderin, in mein Haus?«

»Was glaubt Ihr, warum ich zu Euch komme, Richteherr?« Sie beugte sich vor. »Ich bin unschuldig, und es gibt jemanden, der das beweisen kann.«

Büttenwart unterdrückte einen rüden Kommentar, denn die Dreistigkeit der Frau war wirklich kaum zu überbieten. Kam einfach so in sein Heim gestürmt und erklärte, sie sei unschuldig und er solle sie anhören. Nur der Schmerz stimmte ihn milde. Er schob die Hand unter die Bettdecke und drückte sie auf den Leib. »Wenn Ihr Euren Mann nicht getötet habt, warum habt Ihr dann das Gottesurteil nicht bestanden? Erinnert Euch, aus dem Mund Eures toten Gemahls floss Blut! Der Geist Eures Mannes hat Euch angeklagt, seine Mörderin zu sein! Das könnt Ihr nicht leugnen.«

Verloren wirkte sie, wie sie so vor seinem Bett stand, das junge Antlitz von Kummer gezeichnet. »Ich weiß nicht, wie das geschehen ist, aber ich schwöre Euch, ich habe meinen Mann nicht getötet.«

»Das sagt Ihr.« Büttenwart griff nach der Schnapsflasche und schenkte sich ein weiteres Glas ein. »Das Einzige, was hilft, wenn auch nur kurz.«

»Ihr solltet einen Bader oder Medicus rufen.«

»Unsinn, ich brauche keinen Arzt. Zurück zu Eurer Geschichte. Wenn Ihr beweisen könnt, dass Ihr Euren Mann nicht umgebracht habt, warum seid Ihr dann geflohen und kommt erst jetzt zurück nach Lübeck?«

Eindringlich sah sie ihn an. »Ich wusste, ich kann erst wieder die Stadt betreten, wenn ich genug Beweise habe. Selbst durch ferne Lande sind wir gereist, um den Spuren zu folgen. Außerdem, hättet Ihr mir denn geglaubt, Richteherr? Einer Frau, die als Hexe bezeichnet wurde, gegen die die eigene Schwägerin aussagte, ja, die nicht einmal die Bahrprobe bestand?« Sie hob in einer Geste der Hilflosigkeit die Hände. »Alles sprach gegen mich.«

Der Richteherr wiegte den Kopf. Langsam machte sich der Alkohol bemerkbar. Mit dieser Dame hatte er einst gespeist und gelacht, mit ihrem Gatten war er in langjährigen Geschäftsbeziehungen verbunden gewesen. Geboten es nicht der Anstand und seine Position in der Stadt, sie wenigstens anzuhören, bevor er die Büttel rief? »Da habt Ihr wohl recht. Nun gut, schildert von Anfang an, was Eurer Meinung nach passiert ist. Wer hat Euch überhaupt aus dem Grab befreit? War es tatsächlich der Sohn von Emmerik Schimpf, wie behauptet wird?«

»Ja. Er hat mir geglaubt, und wir sind gemeinsam bis nach Polen geflohen.«

»Wo diese beiden Frauen herkommen?«, unterbrach Büttenwart sie mit einem Blick auf die Mädchen neben ihr.

»Richtig. Wir haben uns auf einem Schiff der Vitalienbrüder kennengelernt, aber das ist eine andere Geschichte. Jedenfalls haben sie die unerfreuliche Bekanntschaft mit dem Lübecker Salzhändler Hilmar Lüttke gemacht.«

»Lüttke? Was hat der mit der ganzen Sache zu tun?« Cristin rutschte auf ihrem Stuhl nach vorne und beugte sich vor.

»Der feine Herr gehört zu einer Gruppe von Frauenhändlern.« Sie zögerte einen Moment. »Genau wie mein Schwager Lynhard und Konrad Küppers, der Arzt, der bei der Bahrprobe anwesend war, der Ihr mich unterzogt.«

»Küppers ist längst tot.«

»Ich weiß. Lüttke hat heute Abend gestanden, dass der Medicus sterben musste, weil er ein Mitwisser und Komplize meines Schwagers war. Lynhard war verschuldet, das hat mir Hilmar Lüttke berichtet. Nach Lukas' Tod und meiner Verurteilung würde mein Schwager die Goldspinnerei erben und wäre mit einem Schlage alle Sorgen los. Ich bin sicher, er hat meinen Mann umbringen lassen.«

Büttenwart konnte seinen Ohren nicht trauen. Lynhard Bremer sollte seinen Bruder getötet haben? Hilmar Lüttke hatte bereits ein Geständnis abgelegt? Und doch, seine alte Bekannte sprach im Brustton der Überzeugung. Kein Zittern der Hände, keine unruhig umherschweifenden Augen. Im Laufe seines Lebens hatte er viele Lügner kennengelernt, aber Frau Bremer schien die Wahrheit zu sagen. »Sprecht weiter«, forderte er sie auf.

Cristin Bremer erhob sich. »Lüttke sitzt in seiner Dornse und ist bereit, gegen meinen Schwager auszusagen. Baldo Schimpf, der Sohn des Lübecker Henkers, ist bei ihm. Ich bin gekommen, um Euch zu bitten, mich zu begleiten, um Lüttkes Geständnis aufzunehmen.«

»So? Seid Ihr das?« Er maß sie von oben bis unten. »Ihr wisst aber, was Euch blüht, wenn Ihr die Unwahrheit sagen solltet?«

Sie straffte den Rücken. »Gewiss, Richteherr. Bitte gewährt mir Eure kostbare Zeit und begleitet mich, bitte.«

Büttenwart zögerte, während drei Augenpaare abwartend auf ihm ruhten.

»Bitte. Für meine Tochter, für Elisabeth.« Cristins Stimme war nur noch ein Hauch.

26

Als Cristin, Karolina und Paulina wenig später in Begleitung Büttenwarts, dem ein weiteres Glas Schwedenschnaps die Schmerzen genommen hatte, vor dem Haus des Salzhändlers eintrafen, war die Nacht hereingebrochen. Während sie durch die menschenleeren Gassen Richtung Hafen gelaufen waren, wo das Haus des Salzhändlers stand, hatten die Polinnen dem Richteherrn ihre Geschichte erzählt. Büttenwart hatte ihnen schweigend zugehört, und ab und zu zum Zeichen, dass er verstand, genickt. Seiner Miene war nichts abzulesen, aber Cristin kannte den Vogt. Er schien zumindest die Möglichkeit, die beiden könnten die Wahrheit sagen, in Erwägung zu ziehen. Nun standen sie vor Lüttkes Haustür. Der Richteherr fasste nach dem Türöffner und klopfte gegen das Holz.

Wieder öffnete Gislind Lüttke, die sie bereits erwartet zu haben schien. Sie trat zur Seite und wies auf eine Tür am Ende des kleinen Flurs. »Mein Mann und dieser«, sie stockte, »Kerl sind dort drin.«

Cristin und Büttenwart betraten die merklich abgekühlte Dornse, das Feuer in dem kleinen Kachelofen war nahezu heruntergebrannt.

Baldo erhob sich, griff sich mit gequältem Gesicht an die Schulter und musterte den Richteherrn, der zum Gruß den Kopf neigte und sich dann dem Salzhändler zuwandte.

»Was habt Ihr mir zu sagen, Lüttke?«, kam Büttenwart ohne Umschweife zur Sache.

Cristin hielt die Luft an. Eines der Mädchen tastete nach ihrer Hand, das andere drängte sich dicht an sie heran. Der Salzhändler saß mit zusammengebundenen Beinen in seinem Polsterstuhl, und sein Gesicht wirkte unnatürlich rot. Er ließ den Blick von Büttenwart zu Baldo und zurück zum obersten Richteherrn Lübecks wandern. Plötzlich trübte er sich.

Büttenwart beugte sich vor. »Was habt Ihr?«

Der Salzhändler zwinkerte und warf den Kopf von einer Seite auf die andere. »Schmerzen …« Sein Gesicht verzog sich. »Furchtbare …« Er brach ab und starrte auf seinen rechten Arm, der kraftlos neben ihm herabhing. Sein Mund wirkte plötzlich merkwürdig schief.

»Was ist mit Euch?« Cristin fasste nach Lüttkes Arm.

Dieser kniff die Augen zusammen. »Isch … seh eusch …«, murmelte er mit verwaschener Stimme, »zweimal.« Dann fiel sein Kopf zur Seite.

Sie erschrak.

Baldo stieß einen Fluch aus.

»Was ist mit dem Kerl? Ist er tot?«

Büttenwart trat auf den regungslosen Salzhändler zu und ergriff sein Handgelenk.

»Nein, er lebt«, erklärte er. »Ich glaube, der Schlag hat ihn getroffen. Ein Bruder meiner Frau hat dasselbe erlitten. Lange Zeit war er gelähmt und konnte nicht mehr sprechen und essen, bis er schließlich das Zeitliche gesegnet hat.«

»Verdammt!« Baldo trat näher und versetzte dem Ohnmächtigen eine leichte Ohrfeige. »Könnt Ihr mich hören?«

Lüttkes Lider flatterten.

Cristin hockte sich neben ihn. »Ich bitte Euch, sprecht!« Ihre Stimme überschlug sich. »Wiederholt, was Ihr uns vorhin gestanden habt! Wer hat meinen Mann auf dem Gewissen?« Sie rüttelte ihn an den Schultern. »Erleichtert Euer Gewissen, bevor es zu spät ist.«

Lüttke öffnete die Augen, doch er schien durch sie hindurchzusehen. Von seinen Lippen kam nur ein leises Röcheln, in die schiefen Mundwinkel traten kleine Speichelblasen.

Der Richteherr schüttelte den Kopf, ging zur Tür und rief nach Lüttkes Frau.

»Ruft einen Medicus, vielleicht kann er Eurem Mann helfen«, bat er, und zu Cristin gewandt, sagte er: »Ihr habt es selbst gesehen und gehört. Der Mann kann nicht mehr sprechen.«

»Und nun?«, fragte Cristin entsetzt.

»Ich werde Euren Schwager morgen vorladen. Allerdings steht Eure Aussage gegen die seine.«

27

»Wer erdreistet sich, uns schon beim Morgenmahl zu stören?« Lynhard Bremer trat neben seinen Sohn Dietrich, der auf sein Geheiß hin die Haustür geöffnet hatte.

Auf der steinernen Türschwelle standen zwei Männer in einfachen Wämsern, an ihren Gürteln baumelten kurze, spitze Dolche.

»Seid Ihr Lynhard Bremer?«

Bremer verschränkte die Arme vor der Brust und maß die Männer stirnrunzelnd.

»Der bin ich. Was gibt es? Ihr kommt ungelegen.«

Einer von ihnen starrte ihn aus kleinen, trüben Augen an, während der andere die Hand auf den Griff seines Dolchs legte. »Richteherr Büttenwart schickt uns. Wir sollen Euch zu einer Vernehmung abholen.«

»Vernehmung?«, wiederholte Lynhard gedehnt. »Jetzt, am frühen Morgen? Das wird sich wohl nicht machen lassen. Kommt später wieder.«

Der Büttel schüttelte den Kopf. »Wir haben Befehl, Euch unverzüglich vor den Richteherrn zu führen.« Er zog ein Pergament aus der Tasche und überreichte es Lynhard.

Der Pelzhändler warf einen Blick auf die Zeilen und setzte eine betont gleichgültige Miene auf.

»Ich kann mir wirklich nicht vorstellen, was der Richteherr von mir will. Das Ganze muss ein Missverständnis sein.«

»Lynhard?« Mechthild war hinter ihn getreten. »Was wollen diese Männer von dir?«

Bremer drehte sich zu ihr um, strich ihr eine helle Haarsträhne aus dem Gesicht und gab seiner Stimme einen sorglosen Klang. »Ich weiß es nicht. Angeblich will man mich vernehmen.« Er griff nach seinem Mantel, der an einem Haken in dem kleinen Flur hing, setzte eine Pelzmütze auf und lächelte. »Es wird das Beste sein, wenn ich der Einladung dieser Herren erst einmal Folge leiste. Schließlich haben sie auch nur ihre Befehle.« Er küsste Mechthild auf die Stirn. »Mach dir keine Sorgen, es wird sich alles aufklären. Ich bin sicherlich bald wieder zurück.«

Lynhard schluckte seinen Ärger über die Gruppe schwarz gekleideter, mit Gold behängter Ratsherren herunter, die ihre Unterhaltung unterbrachen, als er zwischen den Bütteln durch das Hauptportal in das Vestibül des Rathauses trat. Aus dem Augenwinkel bemerkte er die Blicke der Männer, während ihn die Büttel die Treppe hinauf ins erste Stockwerk führten. Hier ging es einen langen Gang entlang, vorbei an Wandtafeln mit den Konterfeis bedeutender Ratsherren und Bürgermeister wie Bertram Vorrade, Tiedemann von Güstrow und Thomas Morkerke, bis die Männer vor der Tür einer Amtsstube stehen blieben und einer von ihnen gegen das Holz klopfte.

»Ja?«

Der Büttel öffnete die Tür.

»Tretet näher«, ertönte Büttenwarts kräftige Stimme. Der Richteherr saß an einem langen Eichenholztisch, vor sich einen Stapel Dokumente.

»Gott zum Gruß und einen guten Tag, Herr Büttenwart«, gab sich Bremer betont lässig.

»Ob es ein guter Tag für Euch wird, wird sich noch zeigen.« Der Vogt erhob sich aus seinem Lehnstuhl und öffnete eine hohe Eichentür zu einem weiteren Zimmer. »Folgt mir.«

An einem Tisch saßen zwei jüngere Frauen in einfachen Kleidern, die eine hellblond, die andere dunkelhaarig, und ein Mann, zu dessen Füßen sich ein Hund zusammengerollt hatte. Eine dritte Frau kehrte ihm den Rücken zu, stand regungslos vor einem der hohen bleiverglasten Fenster, die zum Marktplatz hinausgingen. Ihr Mantel war aus feinstem Linnen, und am Saum sowie an den Ärmeln kostbar bestickt, eine Kapuze bedeckte ihr Haupt.

Die Hände in den Manteltaschen vergraben, wandte sich

Lynhard mit einem höflichen Lächeln Büttenwart zu. »Also, Richteherr – warum habt Ihr mich holen lassen?«

»Es werden Anschuldigungen gegen Euch erhoben«, lautete die Antwort. »Äußerst ernste Anschuldigungen. Es geht um den Tod Eures Bruders.«

Sein Lächeln gefror. »Was wollt Ihr mir damit sagen, Richteherr?«

»Das werdet Ihr gleich erfahren, Bremer.« Der Vogt wies auf einen Stuhl. »Nehmt Platz.«

»Glaubt Ihr etwa, ich hätte etwas mit dem Mord an meinem Bruder zu tun? Das ist ja wohl lächerlich! Wenn sich jemand einen Scherz mit mir ...«

Büttenwarts Miene blieb streng.

Der Pelzhändler setzte sich und biss fröstelnd die Zähne zusammen. »Wer ... wer wagt es, so etwas zu behaupten?«

»Ich, Lynhard.« Die Frau am Fenster drehte sich um und schob die Kapuze zurück. Halb langes rotblondes Haar kam zum Vorschein, und ihr Blick war so frostig wie ein Wintermorgen. »Ich wage es.«

Diese Stimme. Wie vom Donner gerührt starrte er die Frau an. Das war doch ... »Cristin?«, entfuhr es ihm.

»Ja, Schwager, du siehst richtig.«

Verdammt, was hatte das zu bedeuten? Mit eigenen Augen hatte er gesehen, wie diese Frau in die Grube gelassen worden war, um lebendig begraben zu werden. Bremer schluckte, aber der Kloß in seinem Hals wollte nicht weichen.

»Es ist lange her«, krächzte er. Trieb der Teufel ein Spiel mit ihm? Er erinnerte sich jäh an das Gerücht, das ihm damals zu Ohren gekommen war. Es stimmte also tatsächlich.

Sie trat einen Schritt näher.

»Sehr lange, Lynhard. Zu lange.«

Sie war es, ohne Zweifel. Er stand auf, wich vor ihr zurück. »Was willst du von mir, Cristin? Was wollen diese Leute hier?« Die restlichen Anwesenden, auf die er wies, saßen ungerührt auf ihren Plätzen und beobachteten jede seiner Bewegungen. »Warum sind sie hier, Richteherr?«

Büttenwart verschränkte die Arme vor der Brust. »Frau Bremer beschuldigt Euch, der Mörder ihres Mannes zu sein. Allerdings nicht nur sie – es gibt einen weiteren Zeugen, der das behauptet. Ihr kennt ihn ebenfalls.«

»Wer soll das sein?«

»Hilmar Lüttke, der Salzhändler. Leugnet Ihr, den Mann zu kennen?«

Der Pelzhändler öffnete die Schnürbänder seines Hemdes. »Nein, natürlich ist er mir bekannt. Trotzdem, das Ganze muss ein Irrtum sein. Ich kann mir überhaupt nicht vorstellen, warum der Mann aussagen sollte, ich hätte meinen eigenen Bruder auf dem Gewissen. Wo ist Lüttke denn?«

»So Gott will, werdet Ihr ihn bei der Gerichtsverhandlung sehen.« Der Richteherr ging zur Tür und rief die beiden Männer zu sich, die draußen auf weitere Anordnungen gewartet hatten. »Bringt Bremer in die Fronerei.«

Die Fronerei! Der Pelzhändler zuckte wie unter einem Schlag zusammen, Hitze stieg in seinen Kopf. »Mechthild hatte recht!«, zischte er an Cristin gewandt. »Du bist tatsächlich mit dem Leibhaftigen im Bunde! Der Teufel soll dich holen!«

Cristin trat näher, so nahe, dass sie seinen schwach nach Wein riechenden Atem wahrnehmen konnte.

»Wohl kaum, du hinterhältiges Scheusal!«, entgegnete sie, und ihre Augen funkelten. »Aber *du* wirst in der Hölle schmoren für das, was du meinem Lukas, Elisabeth und mir angetan hast!«

»Das wirst du erst beweisen müssen, Hexe!« Er wollte ihren Arm ergreifen, doch der junge Mann am Tisch, der genau wie die beiden Frauen bisher stumm geblieben war, sprang so heftig auf, dass sein Stuhl zu Boden fiel, und der Hund knurrte.

Mit einem Satz war er bei Bremer und hob drohend die rechte Hand.

»Fass sie nicht an, sonst kriegst du's mit mir zu tun!«

Der Pelzhändler wich zurück und prallte gegen die Büttel, die ihn sofort ergriffen und festhielten. Ein Fluch stieg in seiner Kehle auf. »Lasst mich los, ihr verdammten Mistkerle«, stieß er hervor. »Ich bin ein angesehener, rechtschaffener Bürger! Ihr habt nichts gegen mich in der Hand, nichts außer den Lügen dieses Weibes, das Euch alle verhext hat – selbst Euch, Büttenwart! Das wird Euch noch leidtun!«

»Nehmt ihn in die Acht!«, hörte er den Richteherrn rufen. »Der Mann ist gefährlich.«

Bremer wollte protestieren, doch schon legten sich eiserne, mit einer Kette verbundene Ringe um seine Handgelenke und quetschten schmerzhaft seine Haut. Das Letzte, was er sah, bevor sie ihn aus dem Raum führten, war Cristins Blick, aus dem pure Verachtung sprach.

28

Cristin umfasste den Griff des eisernen Türklopfers und zögerte. Ihre Hände wurden feucht. Wie würde Mechthild auf ihr plötzliches Erscheinen reagieren? Bei der Verhandlung vor ungefähr einem Jahr hatte ihre Schwägerin sie als Hexe bezeichnet, als Frau, die mit dem Leibhaftigen im Bunde war, als Mörderin. Am Morgen hatte man Lynhard abgeholt, und nun wartete er in einer Zelle der Fronerei auf den Beginn seines Prozesses. Sicher wusste Mechthild inzwischen, dass sie für seine Verhaftung verantwortlich war, aber Cristin konnte das Warten nicht länger ertragen, musste endlich wissen, wo sich Elisabeth aufhielt. Sie atmete tief durch und pochte kräftig gegen das Holz der schweren Eichentür.

Einen Moment später wurde diese geöffnet, und ein sommersprossiger Junge mit schulterlangen, blonden Haaren schaute sie fragend an. Das musste Dietrich sein, Lynhards Ältester.

»Gott zum Gruße. Ist deine Mutter zu Hause?«

Der Junge drehte sich um. »Mutter, eine Frau will dich sprechen!« Er schien sie nicht sofort erkannt zu haben.

Schritte näherten sich, dann stand Mechthild in der Tür. Ihre Augen weiteten sich. »Du?« Sie wich einen Schritt zurück.

»Darf ich hereinkommen, Mechthild?«

Die beiden Frauen saßen sich an dem aus Buchenholz gefertigten Küchentisch gegenüber, während über der großzügig geschnittenen Feuerstelle das Abendessen kochte. Wie lange war Cristin nicht mehr in Lynhards Haus gewesen? Unendlich lang schien es her zu sein. Erneut stellte sie mit einem Kloß im Hals fest, wie komfortabel die Familie lebte, und fragte sich im selben Atemzug, mit welchen Geschäften Lynhard diesen Luxus wohl bezahlt hatte. Mit Blut, Furcht und Tränen unschuldiger Mädchen vermutlich …

»Du musst nicht denken …«, begann Mechthild zögernd.

»Was ich denke, tut nichts zur Sache, Schwägerin«, schnitt Cristin ihr das Wort ab. »Wir beide haben uns nichts mehr zu sagen. Ich bin nur aus dem einen Grunde hier.« Ihre Augen senkten sich in Mechthilds. »Sag mir, wo mein Kind ist. Dann gehe ich, und unsere Wege werden sich nie mehr kreuzen.«

Mechthild wechselte die Gesichtsfarbe und schlug die Augen nieder. Ihre Finger spielten mit der Kordel ihres einfachen Gewandes. »Bitte, Cristin. Du musst mir glauben …«

»Wo ist Elisabeth?«, wiederholte Cristin scharf. Während all der Zeit, die seit jenem unglückseligen Tag ihrer Verurteilung ins Land gezogen war, hatte sie diesen einen Moment ebenso gefürchtet wie ersehnt. Sie faltete die Hände im Schoß, lauschte, betete.

Mechthild zog ein Tuch aus dem Beutel an ihrem Gürtel und schnäuzte sich kräftig. »Lynhard wollte deine Tochter von Anfang an nicht im Haus haben. Elisabeths Schreien war ihm lästig, und die Kleine hat viel geschrien die ersten Monate«, fügte sie betrübt hinzu.

Cristin schluckte. Ihr war es, als würde sich ihr Innerstes zusammenziehen.

»Schließlich habe ich Elisabeth ins St.-Johannis-Kloster gebracht, um sie von den Schwestern aufziehen zu lassen«, fuhr Mechthild stockend fort. »Ich hatte Angst, Lynhard könne auch sie schlagen. Sie war doch noch so klein.«

»Schlagen?« Cristin sprang auf. »Lynhard hat euch geschlagen?«

Die Schwägerin erhob sich, trat ans Fenster und sah auf die Gasse hinaus. Als sie sich umdrehte, waren in ihren Augen Trauer und die Spuren so manch durchweinter Nacht zu erkennen. »Ja, manchmal. Aber nur, wenn er dem Würzbier zugesprochen hatte. Das letzte Jahr mit Lynhard war die Hölle!«

»Sprich weiter.«

Die Lippen der schmächtigen Frau verengten sich zu einer Linie. »Er hat sich verändert, hat das Geld mit vollen Händen ausgegeben. Wenn ich ihn zur Rede stellen wollte, gab es Streit. So manche Nacht ist er nicht nach Hause gekommen.« Sie lachte, doch es klang unecht. »Weiber, die jünger und hübscher sind als ich. Ich glaube mittlerweile, Lynhard hat mich nur geheiratet, weil ich eine hohe Mitgift mit in die Ehe brachte.«

Cristin hob die Hände.

»Das wundert mich nicht, Mechthild. Aber dies ist eure Angelegenheit und geht mich nichts an. Wo ist mein Kind jetzt?«

»Ich nehme an, Elisabeth ist immer noch im Kloster. Wenn sie nicht von einem unfruchtbaren Paar an Kindes statt angenommen worden ist.«

Cristin erstarrte. An Kindes statt. Sie holte tief Luft. »Ich bitte dich ungern, aber du musst mit mir zu dem Kloster gehen und bestätigen, dass ich Elisabeths Mutter bin.« Aus einer Nebenkammer drangen die Stimmen zweier Kinder zu ihr herüber.

»Natürlich. Dietrich kann solange auf die Kleinen aufpassen.« Mechthild machte einen Schritt auf sie zu und strich ihr über den Arm. »Glaubst du, du kannst mir eines Tages verzeihen?«

Cristin entzog sich ihr. »Wie kannst du es auch nur wagen …« Sie brach ab, nach Worten suchend. »Du hast mit deinem Verrat Elisabeths und mein Leben zerstört! Und dann meinst du, mit einer Entschuldigung wäre der Gerechtigkeit Genüge getan? Nein, Mechthild.« Ihre Schwägerin ließ die Arme sinken.

»Ich verstehe. Möge der Tag kommen, an dem ich das Unrecht an euch wiedergutmachen kann.«

Cristin schwieg und wandte sich zur Tür, doch dann drehte sie sich noch einmal herum. »Warum? Warum hast du mich der Hexerei bezichtigt?«

Mechthild schloss die Lider und vergrub das Gesicht in ihren Händen. Als sie aufschaute, war es tränennass. »Lynhard … er hat mir erzählt, du hättest den Medicus fortgeschickt.« Ihr Blick schweifte an Cristin vorbei. »Er hat dich gesehen, weißt du? Er hat gesehen, wie du …«

Cristin beugte sich über sie und packte sie an den Schultern. »Wie ich was?«

»Wie du die Hände über Lukas gehalten hast. Als er dann starb, dachte ich …«

»Dass ich ihn getötet habe?« Cristins Stimme überschlug sich.

Mechthild zuckte zusammen. »Nein, das nicht. Nicht gleich. Aber ich dachte, deine Hände seien … Teufelswerk.«

Cristin ließ sie ruckartig los. »Der gute Lynhard hatte es gewiss eilig, dich in deinem Glauben zu bestärken, nicht wahr?«

Betretenes Schweigen setzte ein. Der Wind versetzte die Bäume vor dem Fenster in einen Tanz. »Die Liebe zu Lynhard muss mich blind gemacht haben. Bitte, Cristin«, flüsterte Mechthild schließlich und streckte ihr die Hände entgegen, »es tut mir so leid.« Ihre Finger waren ebenso kalt wie Cristins.

»Kannst du dir vorstellen, dass der Mann … der Mann, der seinen Kindern jeden Wunsch von den Augen abgelesen hat, unseren Ältesten auf die Lateinschule beim Jakobikirchhof geschickt und stets gut für uns gesorgt hat, plötzlich zum Verbrecher, ja vielleicht sogar zum Mörder wird?« Mechthilds Gesicht zuckte.

Cristin erinnerte sich an Lynhards Fürsorge zum Ende ihrer Schwangerschaft, an die Art, wie er seine Kinder im Arm gehalten und seine Frau dabei angesehen hatte. Aber auch seine anzüglichen Blicke und die ihm eigene Eitelkeit würde sie nicht vergessen. »Nein. Noch vor einem Jahr hätte ich ihm so etwas nicht zugetraut. Heute dagegen …«

»Sollte er wirklich Lukas' Mörder und ein Frauenhändler sein, wünsche ich mir, dass er seine gerechte Strafe erhält«, stieß Mechthild hervor und wischte sich über die Wangen. »Lass uns gehen.«

»Elisabeth ist Euer Kind?« Die alte Ordensschwester kniff die Augen zusammen und musterte Cristin argwöhnisch.

»Ja, Schwester Maria. Sie ist meine Tochter.«

Der Blick der Äbtissin richtete sich auf Mechthild.

»Habt Ihr damals, als Ihr das Mädchen brachtet, nicht gesagt, die Mutter der Kleinen sei tot?«

Cristins Schwägerin nickte. »Für meinen Mann und mich war es so. Elisabeths Mutter war zum Tode verurteilt worden – unschuldig. Zum Glück konnte sie fliehen und hat die Stadt verlassen.«

Die Äbtissin beugte sich in ihrem Lehnstuhl vor und sah Cristin an.

»Jetzt wollt Ihr also die Kleine zurück. Nun gut, wenn Eure Schwägerin bezeugt, dass Ihr die Kindsmutter seid, spricht nichts dagegen.« Die alte Frau erhob sich und ging zur Tür, wo sie an einem dünnen Seil zog. Das helle Bimmeln einer Glocke erklang. Kurz darauf wurde die Tür geöffnet, und eine junge Frau im schwarz-weißen Habit der Zisterzienserinnen steckte den Kopf herein. »Mutter Oberin, Ihr habt geläutet?«

»Ja. Geh ins Waisenhaus hinüber und hole die kleine Elisabeth Bremer«, befahl die Äbtissin.

Die Tür schloss sich, und augenblicklich trat Stille ein.

Cristin war heiß, und sie bekam keine Luft. Wie lange hatte sie auf diesen Moment gewartet? Es schien ein halbes Leben her zu sein.

»Setzt Euch, Frau Bremer«, hörte sie wie aus weiter Ferne eine Stimme. »Ihr seid bleich.«

Jemand strich mitfühlend über ihre Wange und drückte sie auf ein Polster, ein Becher wurde ihr gereicht, doch sie war nicht fähig, ihn zu halten. Seit Langem schon hatte sie in Gedanken vorbereitet, was sie der Kleinen sagen wollte, aber nun war alles fort, jede Erinnerung an die Worte ausgelöscht. Haben die Nonnen gut für Elisabeth gesorgt? Was mache ich, wenn sie vor mir davonläuft? Wenn sie Angst vor mir hat, weil ich eine Fremde für sie bin? Ihr war es, als wären Hunderte Stimmen in ihrem Kopf. Cristin bedeckte ihr Gesicht mit den Händen. Dann, endlich. Schritte näherten sich. Die Tür wurde aufgestoßen. Blonde Haare, die sich über den Ohren kringelten und die im matten Kerzenschein kupfern schimmerten. Eine kleine Hand, die sich an eine andere klammerte, ein Grübchen am Kinn. Wie gebannt blickte Cristin auf das kleine Mädchen.

»Begrüße deine Mutter, Elisabeth. Eine weite Reise hat sie hinter sich, nun möchte sie dich sehen.«

Die blauen Augen senkten sich, der Mund war kläglich verzogen. Im nächsten Moment verschwand das Mädchen hinter dem langen Rock der Ordensschwester.

»Elisabeth, mein Schatz«, stammelte Cristin und versuchte, die aufsteigenden Tränen zu unterdrücken, doch die folgten ihrem eigenen Gesetz und rannen ihre Wangen hinab.

Energisch wischte sie die Tränen fort. Der Blondschopf lugte hinter dem Gewand hervor, einen Wimpernschlag lang nur, aber lange genug, damit sie das plötzliche Aufhorchen in dem kleinen Gesicht erkennen konnte. Weich wie Wachs waren Cristins Beine, während sie auf Elisabeth zuging, langsam, um sie nicht zu erschrecken. Als die Mutter Oberin ihr aufmunternd zunickte, kniete sie vor der Tochter nieder, die den Daumen in den Mund gesteckt hatte und sie reglos musterte. Auf einmal war da wieder dieses Wiegenlied, das sie der Kleinen stets vorgesungen hatte, wenn sie nicht einschlafen konnte. Wie von selbst formten sich ihre Lippen und summten die einfache Melodie.

Elisabeths Blick kehrte sich nach innen, das Mädchen lauschte.

Cristin streckte die Arme nach der Kleinen aus.

Der Daumen rutschte aus dem Mund.

Nur noch einen Schritt.

»Da!« Das Mädchen hob eine Hand und legte sie an die feuchte Wange der Mutter.

Als Cristin den kleinen Körper umfasste, sank das Köpfchen gegen ihre Brust. Aufatmend sah sie zu Mechthild auf. Dankbarkeit wallte in ihr auf und die Hoffnung, dass sich nun alles zum Guten wenden würde.

»Darf ich dich morgen wieder besuchen, Liebling?«, fragte Cristin, einer inneren Eingebung folgend.

Elisabeth nickte an ihrer Schulter.

»Gut, dann machen wir das so.« Sie wandte sich der Mutter Oberin zu, die Stimme zu einem Flüstern gesenkt. »Ich hoffe, dies ist Euch recht? Ich halte es nicht für ratsam, mein Kind sofort mitzunehmen.«

»Selbstverständlich, Frau Bremer. Kommt, wann immer es Euch beliebt.« Schwester Maria blickte von der Mutter zur Tochter. »Elisabeth sieht Euch ähnlich. Sagt, wo werdet Ihr wohnen? Habt Ihr schon ein geeignetes Heim gefunden?«

Mechthild mischte sich ins Gespräch ein. »Die beiden werden bis auf Weiteres bei mir leben.« Und an Cristin gewandt sagte sie: »Das heißt, wenn du es willst.«

Cristin blickte auf. Sollte sie dieses Angebot annehmen? Anderseits, wo sollten Baldo und sie sonst wohnen? Wenn es nach ihrem Geldbeutel ging, blieb nur das Armenhaus, doch sie verspürte wenig Lust, wieder dorthin zurückzukehren, auch wenn sie gern gewusst hätte, was aus den Frauen geworden war, die sie dort kennengelernt hatte. Sie machte sich von Elisabeth frei, die sie noch immer umfasst hielt, und strich dem Kind über die Locken. »Sei ein braves Mädchen und geh mit der Schwester. Bis morgen.«

Elisabeth blickte ihr nach, während sie hinausging.

Wie schwer es Cristin fiel, sie wieder in die Obhut der Nonnen zu geben, wusste nur sie allein. Bloß für kurz, tröstete sie sich. Wenn die Verhandlung beendet ist, werden wir wieder vereint sein.

29

Cristin krallte die Finger um die Lehnen des Stuhles, als der Angeklagte hoch erhobenen Hauptes in Begleitung eines Büttels den Gerichtssaal betrat. Lynhard. Im Gegensatz zum Tag seiner Verhaftung vor zwei Wochen schien er sich wieder gefangen zu haben, auch wenn die eingefallen wirkenden Wangen und das kantige Kinn dringend eines Besuchs beim Bader bedurften. Du siehst schlecht aus, Schwager, dachte Cristin mit einer gewissen Befriedigung. Macht die wässrige Suppe mit dem winzigen Stück Fleisch darin dich etwa nicht satt?

Am vergangenen Abend hatte Mechthild den Wunsch geäußert, bei der Verhandlung anwesend zu sein.

»Erspar dir die Schmach«, war Cristins knappe Antwort gewesen.

Nach ihrem Besuch im Nonnenkloster hatte sie das Angebot ihrer Schwägerin angenommen und war bei ihr eingezogen, dennoch herrschte immer noch eine gewisse Anspannung zwischen ihnen.

Während Lynhard an Cristin vorüberging, traf sie sein Blick. Sie spürte das Blut in ihrem Hals pulsieren und senkte die Lider. Selbst jetzt, im Gewahrsam des Gerichts, strahlte dieser Mann Gefahr aus und ließ sie frösteln. Sie wandte sich ab und sah zu einem der hohen Fenster empor, wo dicke Tropfen an der trüben Scheibe hinabliefen. Weil es seit diesem Morgen fast ununterbrochen regnete, hatte der Vogt den Prozess kurzerhand ins Rathaus verlegt. Cristin spürte die fragenden Augenpaare der Zuschauer im Rücken und hörte das leise Getuschel in den Bänken hinter sich. *Seht nur, da ist sie – Lukas Bremers Frau. Wie mutig von ihr zurückzukommen. Sie wagt es, den eigenen Schwager zu verklagen. Wie diese Sache wohl enden mag?*

Sie straffte den Rücken und schaute sich im Saal um. An der einen Seite befand sich ein Pult, hinter dem der Gerichtsschreiber stand, in der Hand eine Stegbrille, durch die der schmalbrüstige Mann ein Schriftstück studierte. Ihm gegenüber saßen die Schöffen, Kaufleute und Ratsmitglieder, wohlhabende und angesehene Bürger allesamt, die ihre feuchten Filzhüte in den Händen hielten und sich in den regennassen Mänteln sichtlich unwohl fühlten. Viele der Männer waren auch dabei gewesen, als man ihr den Prozess gemacht hatte. Die unverhohlen neugierigen Blicke der Männer wechselten zwischen Cristin und Lynhard, der mit dem Rücken zu ihr, Baldo und den beiden Polinnen auf der Anklagebank Platz genommen hatte. Der Büttel nahm hinter ihm Aufstellung. Nun öffnete sich die Tür, und Vogt Büttenwart und der etwa halb so alte Ankläger, das bereits dünne Haar seitlich über den Schädel gekämmt, betraten den Saal. Nur zu gut erinnerte sich Cristin daran, wie Kunolf Mangel sie damals vernommen hatte. Zuschauer, Schöffen, Büttel und der Angeklagte erhoben sich, Richteherr und Fiskal ließen sich hinter einem breiten Tisch in der Mitte des Saales nieder. Nachdem sich die Anwesenden wieder gesetzt hatten, verlas der Gerichtsschreiber die Namen der zwölf Schöffen.

Nach dem kurzen Gebet eines Priesters stand der Fiskal auf und wandte sich an den Angeklagten. »Lynhard Bremer, Ihr steht heute vor Richteherr Büttenwart, weil im Namen des Rates der Stadt Lübeck Blutgericht gegen Euch gehalten wird. Man klagt Euch des abscheulichen Verbrechens an, Euren eigenen Bruder umgebracht zu haben. Ihr habt die letzten zwei Wochen in der Fronerei zugebracht und hattet somit genug Gelegenheit, darüber nachzudenken, ob Ihr ein Geständnis ablegen und Euer Gewissen erleichtern wollt. Seid Ihr bereit, das zu tun?«

Während nichts außer dem Kratzen des Federkiels auf dem Pergament zu hören war, auf dem der Gerichtsschreiber das Gesagte mitschrieb, beugte sich Cristin vor. Baldo tat es ihr gleich.

»Herr Fiskal, ich sehe keinen Grund, mein Gewissen zu erleichtern. Ich habe meinen Bruder geliebt. Warum also hätte ich ihm etwas zuleide tun sollen? Ich verstehe nicht, wie Ihr überhaupt dazu kommt, gerade mich dieser Untat zu beschuldigen. Es muss sich um ein Missverständnis handeln.«

»Es gibt die Aussage eines Lübecker Bürgers und Kaufmannes, der Euch belastet hat...«

»Ich weiß, der Salzhändler«, unterbrach ihn Lynhard. »Wie ich inzwischen gehört habe, war der Mann schon nicht mehr ganz bei sich, als er mich beschuldigte.«

Büttenwarts Miene verdüsterte sich. »Der Schlag hatte ihn getroffen, aber das bedeutet nicht, dass der Mann nicht mehr Herr seiner Sinne gewesen war. Außerdem war Eure Schwägerin zugegen, als Lüttke Euren Namen nannte, genau wie diese beiden Frauen dort.« Er zeigte auf Karolina und Paulina.

Lynhard drehte den Kopf, und seine Augen wurden so schmal wie seine Lippen. »Wer weiß, womit diese Hexe ihn dazu gebracht hat! Schließlich habt Ihr sie bereits für den Mord an meinem Bruder zum Tode verurteilt. Ich verstehe wahrlich nicht, warum diesem Weib jetzt mehr geglaubt wird als mir, einem rechtschaffenen Lübecker Bürger...«

»Oh ja, und wie rechtschaffen du bist!« Cristin zuckte zusammen, als Baldo plötzlich neben ihr aufsprang. »Junge Frauen, halbe Kinder noch, aus fremden Ländern zu entführen und in Frauenhäusern und üblen Spelunken als Hübschlerinnen arbeiten zu lassen – wenn das rechtschaffen ist, dann bin ich es erst recht!« Baldos Miene spiegelte deutlich die Abscheu wider, die er Lynhard gegenüber empfand. »Auch wenn man vor meinesgleichen die Augen niederschlägt, weil man uns verachtet und glaubt, wir würden Unglück …«

»Setz dich sofort hin und schweig! Ich dulde nicht, dass hier derartige Reden geschwungen werden und die Würde des Gerichts missachtet wird.«

Baldo tat, wie ihm geheißen. »Das liegt mir fern, Richteherr. Es fällt mir nur schwer, mit anzuhören, wie der Kerl da vorn die Ehre dieser Frau beschmutzt! Außerdem habe ich hier …« Baldo griff in seinen Beutel.

Da fuhr der Richteherr ihn an: »Du sollst schweigen, sonst lasse ich dich aus dem Saal führen.«

Cristin versetzte Baldo einen Stoß in die Seite und bedeutete ihm, still zu sein.

Der Fiskal, dessen Aufmerksamkeit bislang dem Angeklagten gegolten hatte, richtete sich nun an Baldo. »Du bist der Sohn des Henkers Emmerik Schimpf, nicht wahr?«

Ein Raunen ging durch die Menge.

»Ja, der bin ich.«

»Dann hast du dich der Beihilfe zur Flucht einer Verbrecherin schuldig gemacht und müsstest dich dafür verantworten.«

Baldo öffnete den Mund, um zu widersprechen, doch Mangel brachte ihn mit einer Handbewegung zum Schweigen.

Der Fiskal machte einige Schritte auf Lynhard zu. »Nun zu Euch, Bremer. Trotz der Anschuldigungen des Salzhändlers Hilmar Lüttke leugnet Ihr nach wie vor, Euren Bruder umgebracht zu haben?«

»Ich würde es gern aus seinem Munde hören!«

»Das ist leider nicht mehr möglich. Lüttke hat vor drei Tagen das Zeitliche gesegnet. Vermutlich habt Ihr auch das inzwischen gehört.«

Wieder ging ein Raunen durch die Menge. Einige drehten sich zu der Frau des Salzhändlers um, die in einer der vorderen Reihen saß und der Verhandlung mit bleichem Gesicht folgte. Ihr Leben muss einem Scherbenhaufen gleichen, dachte Cristin, während Mangel zu seinem Platz hinter dem Richtertisch zurückkehrte.

Vogt Büttenwart beugte sich vor. »Frau Lüttke, könnt Ihr etwas zur Wahrheitsfindung beitragen?«, wollte er wissen. »Habt Ihr zu irgendeinem Zeitpunkt etwas davon mitbekommen, was Euer Mann treibt?«

Die Angesprochene schüttelte den Kopf. »Mein Mann hat mit mir nicht über seine ... Geschäfte gesprochen.«

»Dann gibt es also niemanden, der mich beschuldigen kann?« Lynhards Stimme nahm einen lauernden Unterton an. »Das Wort einer verurteilten Mörderin, die sich ihrer Strafe mit Hilfe dieses«, er wies mit einer Kopfbewegung auf Baldo, »Kerls dort entzogen hat, steht also wirklich gegen das eines ehrbaren Bürgers?«

Entsetzt sah Cristin mit an, wie Vogt Büttenwart in einer hilflosen Geste die Achseln zuckte, den unversehrten Arm hob und die Büttel heranwinkte. »Ich vertage diese Verhandlung. Bringt den Angeklagten zurück in seine Zelle.«

»Wartet!« Mit drei Schritten war sie am Richtertisch. »Richteherr, darf ich eine weitere Aussage machen?«

»Selbstverständlich, sprecht!«

»Mein Schwager hat eine Liebschaft mit Mirke Pöhlmann, vielleicht kann sie etwas zur Wahrheitsfindung beitragen.«

Büttenwarts Blick heftete sich auf Lynhard. »Ist das wahr, Angeklagter?«

Im Saal entstand Unruhe.

Lynhard schoss von seinem Stuhl in die Höhe. »Bringt mich zurück in die Fronerei, ich höre mir diesen Unsinn nicht länger an!«

»Was Ihr Euch anhört, bestimmt immer noch dieses Gericht, Bremer!« Büttenwart wandte sich zu einem der zwei Büttel, die rechts und links von der Saaltür postiert waren. »Holt die Pöhlmann, aber hurtig!«

30

Die große Flügeltür öffnete sich, und Mirke betrat an der Seite des Büttels den Saal. Scheu sah sich das junge Mädchen um, während der Gerichtsdiener es an den Schöffen und Zuschauern vorbei vor den Richtertisch führte. Mirkes Augen waren gerötet, als hätte sie geweint. Als sie Lynhard erblickte, ging ein Beben durch ihren Körper.

Vogt Büttenwart nickte ihr zu und drehte sich zu Mangel. »Befragt sie, Fiskal.«

Der musterte die ehemalige Lohnarbeiterin der Bremers ernst.

»Mirke Pöhlmann«, begann er. »Hast du mit Lynhard Bremer gebuhlt?«

Cristin horchte auf. Nein, sie wollte wahrlich nicht in Mirkes Haut stecken. Baldo umschloss ihre Hand mit seiner.

»Wenn du schweigst, dann muss ich das als ein Ja deuten«, gab der Ankläger zu bedenken und wies auf Lynhard. »Ich frage dich nochmals: Hat dieser Mann dort Ehebruch mit dir getrieben? Antworte!«

Mirke nickte zaghaft.

»Nun, dafür wirst du mit Ruten gezüchtigt werden und am Pranger stehen.«

Das Mädchen schluchzte laut auf und wandte sich an den Richteherrn. »Er hat mir nachgestellt und mich verführt, Herr! Ich bitte Euch um Gnade …«

»Darüber wird an einem anderen Tag entschieden werden«, unterbrach Vogt Büttenwart. »Glaube mir, Mädchen, du wirst noch dankbar sein, mit zwanzig oder dreißig Rutenstreichen davonzukommen. Heute geht es um etwas viel Schlimmeres – den Mord an Lukas Bremer, bei dem du dich als Lohnarbeiterin verdingt hast. Hast du uns etwas dazu zu sagen?«

Mirkes schlanker Körper schien förmlich zusammenzusinken. Wieder war es so still im Saal, dass nur die Atemzüge der

Anwesenden zu hören waren. Das Mädchen schwieg einige Augenblicke lang.

Büttenwart nickte ihr aufmunternd zu.

»Es war an dem Abend, als der Herr ein Fest gegeben hatte«, begann Mirke zögernd. »Alle Gäste waren bereits gegangen, da kehrte Lynhard noch einmal zurück.« Klanglos war ihre Stimme. »Er hatte einen kleinen Krug Wein dabei. Es sei ein besonders guter Tropfen, sagte er, und ich solle ihn meinem Herrn bringen – als Dank für das gelungene Fest.« Sie verstummte.

Der Richteherr beugte sich vor. »Was geschah dann?«

»Ich fragte: ›Wollt Ihr nicht hereinkommen?‹, aber er antwortete, er hätte keine Zeit. Ich sollte seinem Bruder nur gleich einen Becher eingießen und bringen.« Sie straffte den Rücken und trat dicht an den Richtertisch. »Ich schwöre bei der Heiligen Jungfrau und allen Heiligen – ich weiß nicht, was geschehen ist. Aber am Morgen nach dem Fest wurde mein Herr krank und starb wenige Tage später. Das müsst Ihr mir glauben!«

»Gift möglicherweise?« Büttenwarts buschige Augenbrauen schossen in die Höhe. »Willst du damit andeuten, dass der Angeklagte seinen Bruder vergiftet haben könnte? Mit deiner Hilfe?«

Mirke heulte jetzt wie ein Schlosshund. »Nein, um Himmels willen! Ich weiß es doch nicht, Ihr hohen Herren! Ich habe ihm nur den Wein gebracht, wie mir aufgetragen wurde, nichts weiter!«

Im Saal wurde es laut. »Gebt Ruhe!«, rief Büttenwart und sah zur Anklagebank. »Was sagt Ihr dazu, Bremer?«

»Das dumme Weibsstück lügt«, stieß dieser hervor. »Nennt mir außerdem nur einen Grund, warum ich meinen Bruder hätte umbringen sollen!«

Der Richteherr schwieg, und einige Herzschläge lang sprach niemand ein Wort. Cristin senkte den Kopf und starrte auf ihre Schuhe.

Da unterbrach Mirkes Stimme die Stille. »Du … du standest doch bei allen möglichen Leuten in der Kreide.«

Cristin sah auf.

Mirke hatte sich zu Lynhard gedreht. »Über hundert Gulden wollten sie von dir haben, hast du mir erzählt. Und dein Bruder hat dir nichts gegeben, weil du sowieso immer alles verspielt hast!«

»Ist das wahr, Frau Bremer? Hat Euer Mann seinem Bruder kein Geld gegeben?«

»Ich vermute es«, antwortete Cristin. »Lukas hat nie mit mir darüber gesprochen. Er wollte mich aus dem Geschäftlichen heraushalten, aber ich hörte des Öfteren, wie Lynhard und Lukas sich wegen des Geldes stritten.«

»Geldgier ist die Wurzel allen Übels«, zitierte der Fiskal die Heilige Schrift, »und wäre nicht zum ersten Mal der Grund, einen anderen zu entleiben.« Er trat an die Anklagebank und legte beide Hände auf die Brüstung. »Nach dem Tod Eures Bruders und der Verurteilung seiner Frau gehörte Euch die Goldspinnerei. Musste Lukas Bremer deshalb sterben?«

»Die vermaledeiten Weiber haben sich alle gegen mich verschworen!« Lynhard sprang auf, aber der Büttel an seiner Seite packte ihn am Arm und drückte ihn mit Gewalt auf seinen Stuhl zurück.

»Ja, ja, Bremer! Das hier ist ein einziger großer Irrtum, und alle lügen – alle außer Euch!«, rief Vogt Büttenwart. Seine Augen wurden schmal. »Ich glaube, wir sind nicht mehr weit von der Wahrheit entfernt. Ihr solltet darüber nachdenken, ob Ihr nicht Euren Frieden mit dem Allmächtigen machen und Ihm Eure Sünden bekennen wollt.« Er beugte sich vor und musterte Mirke mit nachdenklicher Miene. »Wahrscheinlich werden wir nicht mehr klären können, ob du von dem geplanten Mord wusstest«, erklärte er mit ruhiger Stimme. »Für deine Buhlschaft mit dem Angeklagten gezüchtigt zu werden ist Strafe genug, möchte ich meinen. Für heute kannst du gehen, aber man wird dich in den nächsten Tagen holen und bestrafen. Lass dir ja nicht einfallen, die Stadt zu verlassen!«

Eilig und mit tränennassem Gesicht verließ Mirke unter den entrüsteten Rufen der Zuschauer den Gerichtssaal, sichtlich darum bemüht, Lynhard nicht ansehen zu müssen, der ihr einen wütenden Blick zuwarf.

Cristin war wie gelähmt angesichts der Unverfrorenheit, mit der sich Lynhard dem Gericht und seiner Geliebten gegenüber präsentierte. Mirke dagegen tat ihr leid. So wie es sich inzwischen darstellte, hatte Lynhard die junge Frau die ganze Zeit über für seine Zwecke benutzt – zunächst, um seine Ehe mit Mechthild zu brechen und sich mit der wesentlich jüngeren Mirke zu vergnügen, und dann als ahnungsloses Werkzeug, um seinen Bruder umzubringen. Cristin war geneigt, ihrer ehemaligen Lohnarbeiterin zu glauben. Die Stimme des Fiskals riss sie aus ihren Gedanken.

»Bremer, wie steht es? Habt Ihr Euch besonnen, ein Geständnis abzulegen? Oder leugnet Ihr immer noch?«

»Ihr könnt mir nichts beweisen, niemand hier, erst recht nicht diese Weiber.« Schon waren auf einen Wink des Vogts hin die Büttel bei Lynhard und drückten ihm einen Stock in die Rippen, um ihn auf seinem Stuhl zu halten. »Nehmt eure dreckigen Finger von mir«, zischte er.

Büttenwart nickte den Bütteln zu, woraufhin sie von dem Angeklagten abließen.

Lynhard sprang auf und wandte sich an die zwölf Männer auf der Schöffenbank. »Ihr kennt mich als angesehenen Bürger dieser Stadt. Gedenkt dessen, wenn Ihr über mein Schicksal entscheidet!«

»Setzt Euch augenblicklich hin, Bremer!«, ertönte Büttenwarts Stimme. »Sonst verurteile ich Euch wegen Missachtung des Gerichts zu zwanzig Rutenhieben.« Er nickte den Männern zu. »Die Schöffen sollen sich nun im Nebenraum beraten, um zu einem Urteil zu finden.«

Einige Zeit später kehrten die zwölf Männer in den Gerichtssaal zurück. Ihr Sprecher, ein vornehm wirkender Mann in einer eng sitzenden Schecke und ebensolchen Hosen, verkündete das Ergebnis. »Wir konnten uns auf kein Urteil einigen, Richteherr, weil wir der Meinung sind, dass die Beweise nicht ausreichen, um Lynhard Bremer zum Tode zu verurteilen. Deshalb muss er wohl freigesprochen werden.«

Vogt Büttenart nickte, sichtlich unzufrieden. »Ich habe damit gerechnet«, erklärte er. »So schließe ich mich Eurer Entscheidung an – allerdings nur ungern, wie ich betonen muss. Der Angeklagte möge freigelassen werden.«

Unter den Zuschauern machte sich deutlich Unmut breit, und Cristin saß da wie vom Donner gerührt. Lynhard kam frei? Der Mörder ihres Mannes durfte als freier Mann den Saal verlassen, als sei nichts geschehen? Als hätte Lynhard ihre Gedanken gelesen, drehte er den Kopf in ihre Richtung. Die hochgezogenen Brauen und das Blitzen in seinen Augen ließen ihr das Blut in die Wangen steigen.

Baldo erhob sich. »Richteherr, erlaubt mir, noch etwas vorzubringen, bevor der Angeklagte den Saal verlässt.«

»Sprich, Schimpf. Was hast du zu sagen?«

»Lynhard Bremer kann vielleicht nicht des Mordes an seinem Bruder überführt werden, aber was ist mit der Verschleppung der Frauen, in die er und einige andere ebenso ehrenwerte Bürger Lübecks verwickelt waren?«

»Auch das wird sich schwerlich beweisen lassen. Konrad Küppers und Hilmar Lüttke sind beide nicht mehr am Leben!«

Cristin wies auf Karolina und Paulina. »Diese beiden Frauen waren dabei, als Lüttke den Namen meines Schwagers nannte, bevor wir Euch aufsuchten und baten, mit uns zum Haus des Salzhändlers zu kommen.«

»Wenn das wahr ist, mögen sie vortreten und dies vor dem hohen Gericht bezeugen.« Büttenwart massierte sich die Nasenwurzel.

Paulina und Karolina näherten sich und blieben vor dem Vogt stehen. Nachdem dieser ihnen einen Wink gegeben hatte, begannen sie abwechselnd und mit stockender Stimme ihre Geschichte zu erzählen. Wie sie auf dem Marktplatz in Polen von Klingbeil, dem Mann mit dem Feuermal auf der Stirn, angesprochen und fortgelockt wurden. Wie sie gewaltsam auf einen Karren gehievt und mithilfe eines Mannes namens Willberg verschleppt und gefesselt worden waren und von ihrer Angst, die Heimat nie wiederzusehen. Nach kurzem Zögern berichtete Karolina mit niedergeschlagenen Augen von ihrer Begegnung mit Cristin und Baldo auf dem Schiff und wie sich schließlich herausgestellt hatte, dass Klingbeil und Lüttke ein und dieselbe Person war. Und von Lynhard Bremer, dessen Name in Verbindung mit den Frauenhändlern gefallen war und der ebenfalls an diesen Geschäften beteiligt gewesen sein sollte.

Lynhard beugte sich vor. »Glaubt Ihr diesen Weibern etwa mehr als mir?«

»Schweigt!«

»Ihr werdet doch nichts auf das Geschwätz dieser dahergelaufenen …«

»Büttel, sobald diese Verhandlung beendet ist, und ganz gleich, wie sie ausgeht, verabreicht Ihr dem Angeklagten zwanzig Rutenstreiche!«, donnerte Büttenwart.

Baldo erhob sich. »Darf *ich* etwas sagen, Richteherr?«

Büttenwart nickte. »Tritt vor, Schimpf.«

»Cristin Bremers Bruder und ich haben in einer Kirche in Krakow ein Gespräch zwischen dem Angeklagten und einem Priester mit angehört, in dem es um eine Lieferung jüdischer Mädchen nach Lübeck ging!«

»Was sagst du da? Bist du sicher, dass es Bremer war, den du dort gesehen hast?«

»Ja, Richteherr, ganz sicher.«

»Was sagt Ihr dazu, Bremer?«

»Unsinn, ich war mein Lebtag nicht in Polen«, schnaubte Lynhard. »Der Kerl muss sich irren. Das Ganze muss eine …«

»… eine Verwechslung sein, natürlich. Ihr langweilt mich!« Büttenwart verzog das Gesicht. »Erzähl weiter. Was hast du in Krakow mit angesehen und gehört?«

»Gemeinsam mit Frau Bremers Bruder beobachtete ich ein Zusammentreffen zwischen einem Priester namens Bozyda, Hilmar Lüttke und dem Angeklagten.« Nun schilderte Baldo dem Gericht ausführlich, wie Piet und er aus Neugierde dem

Salzhändler und Lynhard Bremer gefolgt waren, als die beiden Männer den Priester aufgesucht hatten, und wie Piet das Gespräch zwischen ihnen belauscht hatte.

Während Baldo davon berichtete, was ihr Bruder gesehen und gehört hatte, beobachtete Cristin ihren Schwager, dessen Gesicht aschfahl geworden war.

»Erlaubt mir, Richteherr …« Baldo griff nach seinem Beutel und nahm einen flachen Gegenstand heraus. »… Euch das hier zu zeigen.«

»Was ist das?«

»Ein Schriftstück, in dem Cristin Bremers Bruder Piet Kerklich erklärt, dass er den Angeklagten gemeinsam mit Lüttke in der Krakower Kirche gesehen und belauscht hat. Leider war es Piet unmöglich, Polen zu verlassen, doch wollte er seiner Schwester wenigstens etwas mitgeben, das ihre Aussage bekräftigt.«

»Gib her.«

Baldo trat vor den Richtertisch und legte das Pergament in Büttenwarts ausgestreckte Hand. Der hielt sich das Schriftstück dicht vor die Augen. »Es ist ja versiegelt.«

»Von Königin Jadwiga«, ließ sich Cristin vernehmen. »In ihrem Beisein hat mein Bruder Piet unterschrieben.«

Büttenwart erbrach das Siegel und faltete das kleine, mit schwarzer Tinte beschriebene Stück Tierhaut auseinander, während Baldo an seinen Platz zurückkehrte.

»Gut gemacht«, raunte Cristin ihm zu.

»Ja«, flüsterte er zurück. »Ich glaube, nun kann ihn nichts und niemand mehr retten. Der Kerker ist ihm sicher!«

»Das gebe Gott.«

»Warum zeigt Ihr uns dieses wichtige Schriftstück erst jetzt?«, unterbrach der Vogt ihre leise Unterhaltung.

»Das hatte ich vor! Als ich es Euch jedoch geben wollte, habt Ihr und der Fiskal mir befohlen zu schweigen, Richteherr!«

Ein Schmunzeln stahl sich auf Büttenwarts Gesicht, und er nickte dem Ankläger zu.

Mangel wandte sich an den Angeklagten. »Was habt Ihr dazu zu sagen? Behauptet Ihr immer noch, nicht in Krakow gewesen zu sein? Seid kein Narr, Bremer. Das Spiel ist aus!«

»Ich sage nichts mehr.«

»Dann lasse ich Euch zur Schreckung in die Fronerei bringen. Vielleicht lässt Euch ja der Anblick der Folterinstrumente anderen Sinnes werden...«

»Ich habe eine bessere Idee, Fiskal«, unterbrach der Richteherr. »Wir lassen Bremers Eheweib holen. Vielleicht ist es klüger als er und sagt uns, ob ihr Gemahl zu dem Zeitpunkt, von dem der Zeuge spricht, in Polen gewesen ist.«

Cristin horchte auf. Wie würde Mechthild auf die Anschuldigungen gegen ihren Gatten reagieren? Im Gerichtssaal wurde es still, die Spannung im Raum war beinahe mit den Händen greifbar. Lynhard sah stur geradeaus, doch sie merkte, wie es in ihm arbeitete. Bröckelte nun endlich seine hochnäsige Maske?

Wieder verzögerte sich der Fortgang der Verhandlung, bis Mechthild erschien. Nach kurzem Zögern sagte sie aus, Lynhard habe tatsächlich eine Geschäftsreise unternommen, wohin, wisse sie allerdings nicht. Als Mechthild den Gerichtssaal verließ, nickte Cristin ihr dankbar zu. Vogt Büttenwart forderte die Schöffen ein weiteres Mal auf, sich zur Urteilsfindung zurückzuziehen. Baldo und Cristin hielten sich wortlos an den Händen.

Diesmal kamen die Männer mit einem einstimmigen Beschluss in den Gerichtssaal zurück. »Aufgrund der Aussagen der beiden Polinnen und des Henkersohnes glauben wir, der Angeklagte ist des Mädchenhandels schuldig«, erklärte ihr Sprecher mit fester Stimme.

Der Richteherr nickte. »Dem schließe ich mich an. Lynhard Bremer, ich verurteile Euch wegen mehrfachen Menschenraubes zu fünf Jahren Kerkerhaft. Büttel, legt den Angeklagten die Handfesseln an und bringt ihn hinüber in die Fronerei! Die Verhandlung ist hiermit beendet.«

31

»Können wir aufbrechen?«

Cristin nickte. Sie ergriff Baldos Hand und kletterte auf den voll beladenen Wagen, den sie am Vortag, zusammen mit zwei dunkelbraunen Holsteiner Stuten, für zehn Goldgulden gekauft hatten. Bei ihrem Abschied von Mechthild hatte diese ihr einen prall gefüllten Geldbeutel gegeben. Cristin hatte zunächst ablehnen wollen, das Geld dann aber doch genommen. Sie sah es als kleine Wiedergutmachung für das an, was die Schwägerin ihr damals angetan hatte. Außerdem würden sie das Geld nötig haben. Sie sah sich um. Aus einigen Fenstern steckten Neugierige ihre Köpfe hinaus, um sich gleich darauf rasch wieder zu entfernen. Manche tuschelten miteinander und wiesen gar auf sie, andere nickten ihr mit einem feinen Lächeln zu oder winkten. Cristin erwiderte die Grüße hoch erhobenen Hauptes. Noch einmal ließ sie den Blick über die vertrauten Straßen und Häuserreihen schweifen. Hier kannte sie jeden Stein, jeden Baum. Und doch … nie wieder würde es für sie dieselbe Stadt sein können, in der sie eine unbeschwerte Kindheit verbracht hatte. Sie wandte sich ab. Elisabeth, die auf Baldos Schoß hockte, streckte die Ärmchen nach ihr aus, und Cristin nahm die Kleine in die Arme und zog sie an sich. Wie rasch sich das Kind in den letzten drei Wochen, die sie miteinander in Mechthilds Haus verbringen durften, an sie gewöhnt hatte. Beinahe so, als wären sie nie voneinander getrennt gewesen. Zärtlich küsste sie Elisabeth auf die Stirn. Als Baldo die Zügel locker ließ und sich die beiden kräftigen Pferde in Bewegung setzten, streckte Lump die dunkle Nase unter dem Kutschbock hervor und legte den Kopf schief.

Er tätschelte ihn mit der freien Hand. »Ja, jetzt geht es gen Hamburg, mein Kleiner«, sagte er.

Mein Kleiner. Cristin lächelte. Mit mehr als einer Elle

Rückenhöhe reichte ihr der Hovawart inzwischen weit über die Knie.

Cristin dachte an die vergangenen Wochen zurück, in denen so vieles geschehen war. Lynhard saß in einer Kerkerzelle in der Fronerei. Irgendwann würde Mechthild ihn dort besuchen, doch noch war sie nicht so weit, hatte sie ihr erst am vergangenen Abend gegenüber erwähnt. Cristin hatte einen Tag nach der Verhandlung gegen Lynhard zu einem zweiten Prozess erscheinen müssen, aber diesmal waren die Schöffen zu einem anderen Urteil gekommen als damals.

»Unschuldig, aus Mangel an Beweisen«, hatte ihr Sprecher verkündet, und der Richteherr schloss sich ihnen an.

Sie erinnerte sich an jenen Moment, als Büttenwart ihr erklärte, sie könne nun gehen. Stumm hatte sie ihn angesehen, bewegungslos, lauschend.

»Ihr seid frei, Frau Bremer.« Wie wundervoll und zugleich unfassbar diese Worte in ihren Ohren geklungen hatten. Sie wusste nicht mehr, wie lange sie reglos vor dem Richteherr gestanden hatte, doch als sie mit Baldo den Gerichtssaal verließ, hatte die Luft den Duft von Frühlingsblumen mit sich getragen, und die Sonne wärmte ihr Gesicht, als wollte sie sie willkommen heißen. Noch am selben Tag hatten Paulina und Karolina auf dem Wagen eines Händlers, der nach Polen reiste, die Stadt verlassen, um in ihre Heimat zurückzukehren. Baldo und Cristin hatten den beiden eng umschlungen lange hinterhergeblickt.

Zwei Tage nach dem Prozess hatte es an Mechthilds Tür geklopft, während Cristin das Abendessen zubereitete. Ihre Gedanken wanderten zurück.

»Ich muss mit Eurer Schwägerin sprechen.« Die dunkle Stimme Vogt Büttenwarts war bis in die Küche vernehmbar. Cristin schaute erstaunt auf, als der Richteherr eintrat und sich leicht vor ihr verbeugte.

»Tretet näher, Herr Büttenwart. Kann ich Euch eine Erfrischung reichen?«, fragte sie, während sie grübelte, was der

Richteherr wohl zu dieser Stunde von ihr wünschte. Seine Gegenwart löste Unbehagen in ihr aus, das sie nur mit Mühe zu unterdrücken imstande war. Aus einem Krug goss sie verdünnten Wein in einen Becher und stellte ihn auf den Tisch.

Er schenkte dem Getränk keine Beachtung.

»Bitte entschuldigt meinen unangemeldeten Besuch, Frau Bremer. Ich … ich würde gern …«

Cristin sah zu Mechthild hinüber, die ihr, das jüngste Kind auf die Hüfte gesetzt, ein Zeichen gab, ruhig zu bleiben.

»Was führt Euch hierher?«

Der Vogt befeuchtete seine Lippen. »Frau Bremer. Ich habe Euch Unrecht getan. Ich hätte wissen müssen, dass eine geachtete Frau wie Ihr …«

»Lasst es gut sein, bitte.«

»Nein.« Seine Miene war ernst. »Dass eine Frau wie Ihr, bei der ich einige Male zu Gast war, nicht zu solch einer ruchlosen Tat fähig sein kann«, vervollständigte er seinen Satz. »Könnt Ihr mir vergeben?« Er reichte ihr die Hand.

Sie zögerte. Dann nickte sie, jedoch ohne seine Rechte zu ergreifen.

»Ich danke Euch. Werdet Ihr die Goldspinnerei fortführen?«

»Nein. Nicht in Lübeck, Richteherr.« Ihre Stimme zitterte. »Diese Stadt kann nicht mehr mein Zuhause sein.« Sie versuchte ein Lächeln. »Ich danke Euch für Euer Kommen.« Sie hatte der fülligen Gestalt nachgeblickt, bis die Tür hinter ihm ins Schloss gefallen war.

Dann war der Tag gekommen, an dem Baldo bei seinem Vater an die Tür geklopft hatte. Emmerik Schimpf war nicht zu Hause gewesen. Unschlüssig war Baldo von einem Fuß auf den anderen getreten und hatte sich gefragt, was er von diesem Treffen erhoffte. Er war einer inneren Eingebung gefolgt, als er den vertrauten Weg zu seinem Elternhaus zurückgelegt hatte. Oder war es nur der sentimentale Wunsch eines Sohnes gewesen, dem Vater Lebewohl zu sagen? Der Tag entsprach seinen wechselnden Stimmungen. In einem Moment zeigte sich der Frühling von seiner strahlenden Seite, nur um kurze

Zeit später Platzregen vom Himmel zu schicken. Er suchte Schutz auf der Treppe vor der Eingangstür und spähte die Straße hinab. Schon wollte Baldo sich abwenden und den Heimweg antreten, da erkannte er ihn. Emmerik Schimpfs Haare waren tropfnass, ebenso sein rot-grüner Wams, der trotz des Regens schon von Weitem erkennbar war. Der Scharfrichter schien zu stutzen, blieb stehen und näherte sich.

Sein biergetränkter Atem schlug ihm entgegen. »Der verlorene Sohn kehrt also zurück.«

»Vater.« Baldo neigte den Kopf.

»Komm rein. Aber mach's kurz«, gab der Henker zurück, öffnete die Tür und ließ ihn eintreten.

Ein Strauß Blumen stand auf dem einfachen Holztisch, Teller und Becher waren säuberlich ins Regal gestellt, selbst die Feuerstelle war von Unrat befreit und gefegt. Baldo sperrte den Mund auf und setzte sich. Sein Vater reichte ihm einen Becher, doch er lehnte dankend ab.

»Was verschafft mir das … Vergnügen, Junge?«

Die Falten um Emmeriks Mund waren tiefer geworden, und sein Zopf war von silbrigen Strähnen durchzogen. Der Ausdruck seiner Augen jedoch war immer noch derselbe.

»Ich bin gekommen, um mich zu verabschieden, Vater. In den nächsten Tagen reisen wir ab.«

Emmerik kreuzte die Arme vor der Brust. »Du buhlst also immer noch mit dieser … dieser Bremer.«

Baldo schwieg.

»Na gut, du musst selbst wissen, was du tust. Hast du mir sonst nichts zu sagen?«

Baldo trommelte mit den Fingern auf die Tischkante. »Was willst du von mir hören, Vater? Dass es mir leidtut, mit Cristin geflüchtet zu sein? Dass ich es bereue, mich dir widersetzt zu haben? Da kannst du lange warten!«

»Was … was fällt dir ein, so mit mir zu reden?« Der Scharfrichter baute sich vor ihm auf. Noch immer war er eine eindrucksvolle Erscheinung, aber diesmal wich Baldo nicht vor ihm zurück. Auch er erhob sich.

»Glaubst du wirklich, du kannst deiner Bestimmung entgehen? Denkst du, wenn du die Stadt verlässt und nach Hamburg gehst, wird die Vergangenheit dich nicht einholen?« Emmeriks Lachen klang hohl.

»Du wusstest, wo ich war, Vater?«

»Meistens.«

»Aber wie …?«

»Lass gut sein, Junge.«

Der Henker fuhr sich mit der Hand übers Gesicht. »Ich bin des Kämpfens müde, will nicht mehr mit dir streiten. Die Zeit, als ich wütend auf dich war, ist vorbei. Ich will mit Marie, meiner neuen Frau, in Ruhe leben.« Er holte tief Luft. »Wie ich hörte, ist dein Name Adam. Ein Trommler bist du, ziehst mit den Gauklern durch die Lande. Habe ich recht?«

Baldo nickte, zögernd. »Ja, Vater, aber …«

»Wenn du gehen willst, dann geh. Ich werde dir keine Steine in den Weg legen. Habe in der Gropengrove einen willigen Kerl gefunden, der sich nicht zu schade ist, die Drecksarbeit nach meinem Tod fortzuführen.« Er streckte Baldo eine Hand entgegen.

Als dieser sie ergriff, spürte er, wie sie zitterte.

»Nun geh schon, *Adam.* Zu den Gauklern oder wohin auch immer. Gott sei mit dir.«

Wie betäubt schaute Baldo auf den breiten Rücken, den der Vater ihm zugewandt hatte.

»Hau ab, nun mach schon«, hörte er noch die brüchige, alte Stimme.

Dann drehte er sich um und verließ steifen Schrittes das Haus.

Verstohlen schaute Cristin zu ihrer Rechten und schenkte der älteren Frau mit dem gutmütigen Gesicht neben ihr ein Lächeln. »Du bist dir ganz sicher und möchtest mit uns reisen, Minna?«

Diese erwiderte das Lächeln. »Ganz sicher. Meine Kinder haben eigene Familien. Hier bei Euch werde ich mehr gebraucht.«

Cristin streichelte die Hand der Älteren. »Gebraucht wirst du. Ich freue mich sehr, wenn du uns begleitest.«

»Dann gebt mir dieses Kind endlich auf den Schoß, Frau Bremer, damit ich Großmutter spielen kann.«

Baldo lenkte die Pferde durch das Tor auf die Holstenbrücke. Während der Wagen aufs andere Ufer der Trave zurollte, drehte er den Kopf und sah sie an. »Wie geht es dir?«

»Mit dir an meiner Seite? Gut.« Sie schmiegte sich an ihn und strich über das allmählich verblassende Würgemal, das Lüttke auf Baldos Hals hinterlassen hatte. »Ich bin so glücklich, dich gefunden zu haben.«

»Du mich? War es nicht eher umgekehrt?«

Sie knuffte ihn in die Seite. »Du bist unmöglich, Baldo Schimpf!«

»Ich weiß.« Sein Mund verzog sich zu einem Grinsen. »Vergebt mir, Frau Bremer. Schließlich seid Ihr die Herrin und ich nur Euer Geselle ...«

»Red keinen Unsinn! Die Kupferschmiede wirst du eines Tages, wenn du eine Lehrzeit hinter dir hast, ganz allein führen, damit will ich nichts zu tun haben.«

»Ich habe auch nichts anderes erwartet.«

Sie warf ihm einen ernsten Blick zu. »Aber *ich* erwarte etwas, wenn wir erst in Hamburg sind.«

»So? Was meinst du?«

Cristin atmete tief die warme Frühlingsluft ein. »Dass du mich endlich fragst, ob ich dein Weib werden will!«

Baldo schnalzte mit der Zunge und wiegte den Kopf. »Willst du wirklich so einen Kerl wie mich zum Mann?«

»Ich kann mir keinen besseren vorstellen.«

Minna schniefte geräuschvoll und wandte ihre Aufmerksamkeit Elisabeth zu. Der feuchte Schimmer in den Augen ihrer früheren und zukünftigen Lohnarbeiterin entging Cristin dennoch nicht.

Baldo wollte etwas erwidern, aber Cristin beugte sich zu ihm hinüber und verschloss seinen Mund mit einem langen Kuss. »Keine Widerrede, Herr Schimpf!«

Unbemerkt von ihnen, versteckt hinter mannshohen Büschen, stand ein Mann mit unbeweglichem Gesicht, dessen rot-grünes Wams sich im lauen Wind bauschte. Er sah dem Pferdewagen nach und hob eine Hand zum stummen Gruß.

Glossar

Achterkastell: erhöhter Schiffsaufbau am Heck, meist mit hölzernen Zinnen umgeben.
Bader: mittelalterlicher Heilberuf, der das Badewesen (Badehäuser) und die Körperpflege umfasste. Der Arzt der kleinen Leute. Hauptbehandlungsmethoden waren der Aderlass und das Schröpfen.
Bangbüx: Bang: Angst haben, ängstlich sein, Büx = Hose.
Beckergrove: heutige Beckergrube in Lübeck.
Bleschhowerstrate: heutige Fleischhauerstraße in Lübeck.
Brectehegel: heute Bargteheide, Ort zwischen Lübeck und Hamburg.
Brunswick: heutiges Braunschweig.
Büttel: auch Fronbote, mittelalterlicher Gerichtsdiener, Hilfspolizist.
Bruche: mittelalterliche Unterhose des Mannes aus Leinen.
Clingenberghe: Klingenberg, Straße in Lübeck.
Deern: plattdeutsch Mädchen.
Dornse: ein beheizter Raum, meist die durch die Feuerstelle der Küche mitbeheizte Schreibstube.
Engelsche Grove: heutige Engelsgrube in Lübeck.
Fiskal: lateinisch *fiscalis* = die Staatskasse betreffend. Im 14. und 15. Jahrhundert in vielen Teilen Deutschlands die Bezeichnung eines öffentlichen Beamten, der die finanziellen Interessen des Rates wahrnahm und in Kriminalprozessen als Ankläger auftrat.
Fron: Leiter eines mittelalterlichen Gefängnisses.
Gebände: manchmal auch Gebende. Kopfbedeckung der Frau,

ein breites Leinenband, das um Kopf und Kinn geschlungen wurde, ergänzt um ein oft mit einer Borte verziertes Stirnband oder ein Kopftuch.

Gottseibeiuns: ein Name des Teufels.

Gropengrove: heutige Gröpelgrube in Lübeck.

Groschen: Silbermünze, die dem Wert von zwölf Pfennigen entsprach.

Gugel: kapuzenartige Kopfbedeckung, deren langen »Schwanz« man sich um den Hals legen oder als Turban um den Kopf wickeln konnte.

Gulden: Bezeichnung für den von deutschen Fürsten im 14. Jahrhundert nachgeprägten Florenus, eine Goldmünze, die im 13. Jahrhundert in Florenz geprägt wurde.

Hansekrieg: 1361 bis 1370, zwischen der Hanse und Dänemark. Endete 1370 mit dem Frieden von Stralsund. 1397 Gründung einer skandinavischen Union aus Dänemark, Schweden und Norwegen unter Führung der dänischen Königin Margarete.

Holstenstrate: heutige Holstenstraße in Lübeck.

Hübschlerin: mittelalterliches Wort für Prostituierte, Hure. So bezeichnet, weil sich eine ehrbare Frau nicht herausputzen durfte. In Lübeck mussten Huren als Erkennungszeichen ein schwarzes Band an der Mütze tragen, in anderen Städten Schleier, Hüte oder Tücher in den Schandfarben Gelb, Grün oder Rot.

Hundsfott: Bezeichnung für einen schlechten Menschen, Lumpen, Schuft.

Hunnestrate: heutige Hundestraße in Lübeck.

Jadwiga: Königin von Polen und Litauen, geb. 1373, ließ Kirchen erbauen, gründete Klöster und setzte sich für die Armen- und Krankenpflege ein. Verheiratet mit dem litauischen Fürsten Jagiello, nach seiner Taufe Wladislaw II.

Jungspund: junger, unerfahrener Mensch.

Klabautermann: auch Kalfatermann oder Klabattermann, vom niederdeutschen klabastern (polternd, lärmend umhergehen). Eine Gestalt seemännischen Aberglaubens, ein Schiffsgeist oder Kobold.

Klafter: alte sowohl Hohl- als auch Längenmaßeinheit. Je nach Gegend etwa 1,70 bis 1,80 Meter, die Breite der ausgestreckten Arme eines erwachsenen Mannes.

Kleriker: Mitglied des katholischen Priesterstandes.

Kogge: Einmaster, bis Ende des 14. Jahrhunderts wichtigster Schiffstyp der Hanse.

Marstall: Gebäude an Fürstenhöfen für Pferde, Wagen, Kutschen und Geschirr.

Mischpoke: jiddisches Wort für Familie, Verwandtschaft, im Deutschen meist abwertend gemeint.

Nichtbürger: Stadtbewohner ohne Bürgerrecht, weil nicht vermögend genug oder nur vorübergehend in der Stadt lebend. Sie konnten nicht Mitglieder von Zünften oder Gilden werden.

Palas: Hauptgebäude einer mittelalterlichen Burg.

Pergament: Beschreibstoff aus Esel-, Schweine- oder Kälberhaut.

Pfeffersack: verächtliche Bezeichnung für Kaufleute zur Zeit der Hanse.

Prostytutka: Polnisch für Prostituierte, Hure.

Rädern: der zum Tode Verurteilte wurde auf ein großes Wagenrad gebunden. Mit einem zweiten Rad, das der Henker mehrmals auf das Opfer herabfallen ließ, brach er ihm sämtliche Knochen, bis der Delinquent tot war. Strafe, die für Mord, Kirchendiebstahl, schwere Brandstiftung verhängt wurde.

Richteherr: mittelalterlicher Rechtsprecher in Städten wie Hamburg und Lübeck. In Lübeck hießen sie Vögte.

Ritzebüttel: heutiges Cuxhaven.

Refektorium: Speisesaal in Mönchs- und Nonnenklöstern.

Schecke: kurze Männerjacke mit Knopfverschluss, die die Taille betonte.

Skapulier: fast bis zum Boden reichender, ärmelloser Überwurf, Teil der Ordenstracht.

Sleswig: heutiges Schleswig.

Sündenablass: Dem Gläubigen wurden nach der Beichte für eine Geldzahlung ein Teil seiner Sündenbuße erlassen, die ihn im Fegefeuer erwartete. Eine unerschöpfliche Geldquelle für Papst und Kirche.

Surcot: hauptsächlich von Frauen über der Tunika getragenes Gewand, im 14. Jahrhundert ärmellos.

Toslach: Verlobung im Beisein von Zeugen.

Tres Canes: Würfelspiel des Mittelalters.

Trippen: Holzsohle zum Unterschnallen, die die empfindlichen Schnabel- und Lederschuhe der Städter vor Nässe und Straßendreck schützen sollte.

Trinkgeld: damals Trinckgelt, schriftlich erstmals im 14. Jahrhundert erwähnt, nach dem Wörterbuch der Gebr. Grimm eine kleine Geldsumme für außer der Reihe geleistete Dienste.

Uznjom: heutige Insel Usedom.

Usus: Brauch, Gewohnheit.

Vitalienbrüder: Seeräuber der Nord- und Ostsee während der Hansezeit.

Vorderkastell: erhöhter Schiffsaufbau am Bug, meist mit hölzernen Zinnen umgeben.

Wams: kurze Jacke, frühe Form der heutigen Weste, darüber wurde ein Mantel getragen.

Wehfrau: altes Wort für Hebamme.

Witte: Silbermünze im Wert von vier Pfennigen.

Schlussbemerkung der Autoren

Aus dramaturgischen Gründen haben wir ein wenig an der Historie gerückt: Zwar waren die Seefahrer der Hanse zum Schutz gegen die berühmt-berüchtigten Vitalienbrüder mit Streitäxten, Schwertern, überdimensionalen Armbrüsten und Katapulten ausgerüstet, Feuergeschütze jedoch gab es zu der Zeit, in der unser Roman spielt, nur an Land. Erst etwa fünfzig Jahre später, mit dem Bau des Kraweel, eines größeren und damit belastbareren Schiffes, das ebenfalls zu den Koggen gezählt wird, gab es auf den Schiffen der Hanse auch Kanonen.

Soviel unsere Recherchen ergaben, wurden die Delinquenten in Lübeck entweder erhängt oder geköpft. Das letzte Mal geschah es sogar vor der Marienkirche. Da aber das Rädern in der Epoche durchaus gängig war, haben wir uns dieser Tötungsmethode bedient.

Danksagung

Während des Schreibprozesses standen uns viele Menschen zur Seite, die uns geduldig und mit Fachwissen unzählige Fragen beantworteten. Bei ihnen möchten wir uns herzlich bedanken.

Danke an das Archiv der Hansestadt Lübeck für viele lehrreiche Stunden und die Hilfsbereitschaft, die uns zuteilwurde.

Dr. Manfred Schneider vom Fachbereich Archäologie der Hansestadt Lübeck. Ein herzliches Dankeschön für die ausführlichen Informationen über die Herstellung, Verarbeitung und Verspinnung von Goldfäden.

Dr. Melanie Metzenthin, eine liebe Kollegin, die uns bei medizinischen Fragen zur Seite stand.

Frau Kathrin Niemeyer von der Paramentenwerkstatt in Ratzeburg, die uns mit Geduld und Begeisterung das Weben und Spinnen nach althergebrachten Vorlagen nahebrachte.

Danke an die Leiterin der Lübecker Museen, Frau Dr. Hildegard Vogeler, für ihre freundlichen Auskünfte.

Ein Dankeschön an Herrn Gerhard Michaelis, denn durch seine Erzählungen über »sein« Lübecker Armenhaus, bei St. Johanni, heutige Dr.-Julius-Leber-Straße, wurde die Idee zu diesem Buch geboren.

Ein besonderes Dankeschön verdienen unsere Testleser und Kollegen, die uns mit ihren Tipps, Hinweisen und ihrer Kritik bereicherten und mit ihrem Enthusiasmus das Herz wärmten, allen voran Patrick Schön, Martina André und das Autorenpaar Iny und Elmar Lorentz.

Unseren Freunden und Familien, insbesondere Gabriele Schermer, geliebte Schwester, für ihre unglaubliche Unterstützung, und unseren Ehepartnern Gislind und Michael für unzählige Stunden Toleranz, während wir uns im Mittelalter aufhielten und unsere Zeit mit Cristin, Baldo und Piet verbrachten.

Schlussendlich vielen herzlichen Dank an unsere Agentin Frau Lianne Kolf sowie Frau Ingeborg Castell und alle Mitarbeiter der Literaturagentur Kolf für die Begeisterung an unserer Arbeit, Frau Eléonore Delair von Blanvalet Dank für ihr wundervolles Lektorat und die freundliche Zusammenarbeit, ebenso an Frau Angela Troni. Und natürlich ein großes Dankeschön an unsere Verlegerin Frau Silvia Kuttny-Walser, die diesen Roman erst möglich gemacht hat.